Précis de littérature française
du Moyen Age

Précis
de littérature
française
du Moyen Age

sous la direction de

DANIEL POIRION

Professeur à l'Université de Paris-Sorbonne

Presses Universitaires de France

Ont contribué à ce volume :

EMMANUÈLE BAUMGARTNER	Université de Paris-Nanterre
JEAN-PIERRE BORDIER	Université de Tours
BERNARD CERQUIGLINI	Université de Paris-Vincennes
JACQUELINE CERQUIGLINI	Université d'Orléans
CHRISTIANE MARCHELLO-NIZIA	Ecole Normale Supérieure de Fontenay-aux-Roses
CHARLES MELA	Université de Genève
DANIEL POIRION	Université de Paris-Sorbonne
ARMAND STRUBEL	Université de Mulhouse
MICHEL ZINK	Université de Toulouse - Le Mirail

ISBN 2 13 037669 X

Dépôt légal — 1re édition : 1983, janvier

108, boulevard Saint-Germain, 75006 Paris

SOMMAIRE

PREMIÈRE PARTIE

L'ÉGLISE ET LA COUR A LA RECHERCHE D'UNE ÉCRITURE

DEUXIÈME PARTIE

L'ART LITTÉRAIRE DANS LA VILLE GOTHIQUE

TROISIÈME PARTIE

LE RENOUVELLEMENT DE LA LITTÉRATURE AUX XIVe ET XVe SIÈCLES

Introduction

Le présent volume doit vous présenter les débuts de la littérature française. Le temps de ces commencements (XIe-XVe siècle) est encore ici désigné par l'expression « Moyen Age », selon une convention dont il est malaisé de se débarrasser. Et pourtant elle pourrait mieux s'appliquer, avec sa nuance péjorative dont les orateurs tirent encore des effets faciles, à une époque qui avait précédé. Entre le déclin de la culture romaine et le renouveau de l'empire carolingien, du Ve au IXe siècle, il y avait bien eu un effacement de la culture et de la civilisation européennes, un âge « moyen » entre deux époques plus prospères : Moyen Age des « médiévistes », historiens ou spécialistes du latin médiéval. Mais l'ébauche d'une littérature française se prépare seulement lors de cette « Renaissance carolingienne » du IXe siècle, caractérisée notamment par un retour aux Belles Lettres latines, et son essor coïncide avec la seconde Renaissance, celle du XIIe siècle. Il faudrait donc plutôt parler d'une littérature française de la Renaissance, mais le titre est réservé sinon usurpé, puisqu'on entend par là la littérature du XVIe siècle, celle de la troisième Renaissance, néo-classique celle-là. Au reste, à quoi bon s'attacher à cette notion de « renaissance », d'un mysticisme frelaté, voire alchimique, puisqu'il s'agit bien d'une naissance, celle d'une culture et d'une littérature dans une langue romane, une langue européenne moderne, le français ?

Naissance, modernité, jeunesse ! On oublie trop ces caractères de l'époque quand on aborde la lecture et l'étude de nos premières œuvres. On les imagine vieilles, poussiéreuses, fatiguées parce qu'elles sont les plus anciennes de nos bibliothèques, alors qu'elles eurent l'audace, la vigueur et l'enthousiasme des nouvelles entreprises. Elles se détachaient d'ailleurs d'une littérature en latin, naturellement réservée aux clercs, et devaient vite à côté d'elle, voire contre elle, affirmer leur originalité. Libérons-nous

donc de tels préjugés, conservés par les étiquettes. Car nous en rencontrerons d'autres, comme l'idée que ce « Moyen Age » a lui-même connu un « déclin » aux XIVe et XVe siècles : catastrophe dans la catastrophe, on devait être vraiment tombé dans les abîmes de la civilisation ! Il est vrai que les historiens, souvent pessimistes de tempérament, nous enseignent que des institutions, des structures sociales, des valeurs sont alors arrivées à épuisement. Et nous savons bien que la guerre dite de Cent ans a précipité une crise, accélérant des changements économiques, sociaux et politiques. Fut-ce au prix d'un déclin culturel ? C'est un autre problème, comme de décider si l'art « flamboyant » est vraiment « décadent ». Songe-t-on à la féodalité ? Mais c'est dès le XIIe siècle que nos historiens en voient la décadence. Ils ont sans doute raison, mais alors la littérature n'y est pour rien, ou plutôt elle a fait de son mieux pour compenser les faiblesses du réel par la force de l'idéal. Et connaissez-vous une époque qui ne soit pas « de crise » ?

Ces schémas simplistes, qu'on nous impose dès l'école pour interpréter notre histoire, ne sont pas innocents : ils sont liés à des passions, des options culturelles, des guerres civiles. En ce qui concerne les XIIe-XVe siècles, on a vite épousé l'opinion des gens du XVIe siècle, qui n'étaient pas des anges, et celle des philosophes des « lumières », qui n'étaient pas des saints. Sans doute les réactions auxquelles ces excès de propagande culturelle entraînaient inévitablement ne furent pas toujours bien inspirées, même s'il est plus sympathique de faire l'éloge que de dénigrer. Après la Révolution de 1789, et sa haine, qu'on prend pour de l'esprit, le romantisme poussait à une admiration béate, liée parfois à la cause d'une restauration cléricale. Il nous faut plus de détachement et de discipline dans notre interprétation des œuvres. Non qu'il faille indéfiniment suspendre notre jugement, et tout ranger à égalité dans la vitrine d'un passé qu'on considérerait avec une aimable indifférence. La littérature, comme l'art, est une provocation à l'amour et à la haine, parce qu'elle nous invite à nous reconnaître, à nous identifier, donc à choisir parmi les images et les définitions de l'homme qu'elle nous propose. Mais avant de juger, il faut comprendre et comparer. Il nous faut... « lire en science », comme disait François Villon.

Le regard rapide et limité que l'on peut, dans le cadre d'un *Précis*, jeter sur cette littérature ne trouvera pas ici un tableau strictement chronologique des œuvres. Non qu'il faille dédaigner une telle mise en ordre, principe d'une histoire littéraire. Dès les premières œuvres se vérifie le jeu de l'écriture sur la lecture, c'est-à-dire la reprise par l'écrivain d'éléments empruntés à des œuvres antérieures, et intégrés comme par une joyeuse appropriation. Tout au début ce sont les lectures latines qui servent à la greffe de la nouvelle littérature; mais bien vite les premières œuvres françaises sont à leur tour exploitées, remaniées, développées, imitées, mises en prose. L'ordre d'apparition des œuvres est donc pour nous plein de

sens, mais il n'est pas le seul. En effet du XIIe au XIIIe siècle la littérature s'organise non seulement comme une filiation, mais comme un système dont la logique répond à la fonction remplie par elle dans la société. Cette organisation du système littéraire, on peut donc essayer de la reproduire en chapitres reflétant la structure culturelle de la société. Quant à l'ordre d'apparition des œuvres, à l'intérieur de cette classification, il ne peut être qu'inégalement déduit à partir d'indices aussi rares que variés. Et comment dater des œuvres alors qu'on ne sait même pas comment on concevait la création littéraire ? A quelle date se référer, entre celle d'une première inspiration provoquée par quelque lecture, et celle d'un manuscrit qui nous aura par hasard conservé une « version » plus tardive d'un siècle ou deux ? Une histoire de la lecture médiévale, fondée sur la date des manuscrits, s'éloignerait beaucoup d'une histoire de la création littéraire.

Et pourtant c'est bien à l'histoire que nous demandons d'éclairer notre lecture, une histoire surtout sociale et politique, n'agissant sur la littérature qu'à travers des structures culturelles qui ne suivent que de très loin les événements. Cette histoire nous fournit non seulement le cadre de notre classification, mais le code des significations à interpréter dans les œuvres : contexte de référence à partir duquel le langage prend tout son sens. Ce n'est qu'à travers lui que l'on doit saisir l'apparente allusion aux faits historiques et à la réalité naturelle. Car la fiction littéraire mêle les époques et les régions, joue avec les noms et les nombres, déforme et déguise actions et personnages. Et cela pour communiquer des idées et provoquer des émotions. Il est donc prudent de s'interroger sur le système d'idées et sur la mentalité de référence. Quant à l'intention plus particulière de chaque auteur, ou de chaque œuvre, il faut une analyse interne pour la définir, analyse qui sort de nos possibilités dans les pages d'un *Précis de littérature*. Nous nous contentons donc de cerner cette problématique des intentions à l'échelle du groupe social ou de son milieu (Eglise, cour, ville) et du siècle, sans nier qu'une plus grande approximation est non seulement souhaitable, mais désormais possible. N'oublions pas, cependant, que par sa fiction même l'écriture s'écarte de la situation et de la circonstance, et qu'elle envoie au monde un message qui se veut durable, voire éternel. C'est de cette durée inactuelle dont il faudrait faire l'histoire. Dans la discontinuité de notre héritage, nous ne pouvons qu'entrevoir les grandes lignes de ce réseau. Du moins aurons-nous essayé de désigner les liens qui unissent les œuvres et les oppositions qui les séparent.

Ces rapports constituant un système, nous avons cherché à les éclairer par une réflexion théorique. La plupart des théories littéraires qui ont vu récemment le jour pourraient trouver dans les œuvres qui nous intéressent un champ d'application très convenable. Le formalisme de ces textes, l'aspect symbolique de leurs conventions, le caractère rituel de leurs jeux,

l'allure fantasmatique de leurs images, tout se prête admirablement aux exercices de la critique nouvelle, même si elle a préféré se consacrer à l'examen des œuvres les plus modernes. La critique allemande, en particulier, a pu faire progresser notre compréhension des genres littéraires, nous permettant d'affiner la présentation traditionnelle des manuels qui, faute de périodisation précise, s'en sont remis justement à la classification par genres. La sociologie des genres, qui constitue au fond la doctrine du *Grundriss der romanischen Literaturen des Mittelalters*, nous a beaucoup aidés.

La sociologie de la littérature, qui vient à l'appui d'une interprétation idéologique des œuvres, est cependant exposée à tous les travers de l'intellectualisme moderne et de la passion politique. Il faut la compléter, l'équilibrer par des considérations proprement artistiques et littéraires. Au lieu de s'en tenir au discours moral et à la fonction pratique des textes, interrogeons leur situation par rapport au système des valeurs non fonctionnelles. La conception moderne de l'art risque sans doute d'être anachronique. Et il ne faut pas, non plus, revenir à ces naïfs jugements de valeur qui ont tristement marqué la « réception » des œuvres médiévales au début de ce siècle. Mais il faut exercer notre perception esthétique. Que faut-il regarder, imaginer, en lisant ? Comment préparer, orienter notre curiosité et notre rêverie ? La différence des mentalités rend, de ce point de vue, la communication plus difficile que sur le plan des idées. Le regard change plus que les motivations, généralement situées au niveau du cerveau reptilien. Mais dans la différence la compréhension reste possible, si rien de ce qui est humain n'est totalement étranger à l'homme. Encore faut-il que ne soit pas perdu le fil des finalités. Certaines œuvres médiévales sont comme ces monuments archaïques qui restent énigmatiques car on ne sait rien de leur première destination. Dès lors il faut avoir recours aux sciences humaines et à leurs hypothèses anthropologiques pour deviner le sens de telle structure, le symbolisme de telle forme. A des œuvres aussi anciennes convient une approche anthropologique, sinon archéologique.

Cette anthropologie rendra compte des aspects les plus bizarres, barbares même, qui suscitent aujourd'hui le plus d'intérêt auprès du grand public. Il y a là un engouement qui ne vaut pas cher, un romantisme de pacotille qui préfère la folie à la raison, la magie à la religion, Nostradamus à Notre-Dame. Tant mieux si l'attrait de ce sabbat fait découvrir notre littérature. Mais si l'on ne veut pas en déformer l'image et le message, il faut en respecter l'ordre et la hiérarchie, l'esthétique et son système des valeurs : ce qui a été mis en bas doit rester en bas. Quitte à décevoir les esprits subversifs il faut bien dire que ce bel héritage anthropologique est déjà fortement teinté d'humanisme.

C'est dire que notre ouvrage, malgré sa nouveauté, ne fait guère de concession à la mode intellectuelle. L'équipe qui s'est réunie pour le rédiger

a voulu rester libre, à l'abri de tout dogmatisme, pour regarder les faits littéraires. Elle a entrepris ce travail à partir d'un séminaire qui se réunissait à l'Ecole normale : séminaire discret, qu'aucune instance officielle n'a daigné consacrer de sa reconnaissance. Mais nous cherchions ensemble à déchiffrer le message de notre première littérature. Nous sommes partis du schéma, devenu banal, de la communication littéraire, mais en y prenant en compte l'intervention de l'imaginaire. Car l'intention de l'écriture vise un lecteur imaginaire, et la réception de la lecture se réfère à un écrivain imaginé : ce qui justifie l'insertion des structures de l'imaginaire dans la chaîne linguistique. Mais cette intrusion joue aussi dans le processus critique. Aussi chaque rédacteur a-t-il gardé sa personnalité et sa conception de la chose littéraire. C'est pourquoi les chapitres de ce livre vous proposent une série de perspectives qui en principe se complètent, mais parfois se recoupent, et parfois divergent. Notre espoir est de vous avoir aidés à comprendre comment est née notre littérature, comment elle s'est constituée en système, comment elle a très vite commencé à évoluer vers la modernité, en la préparant, en la déterminant même. Nul aujourd'hui ne peut prétendre faire des théories sur la littérature française sans avoir au moins un aperçu de ses débuts. C'est l'objet de ce *Précis* que de vous donner cet aperçu. Pour le reste il faut lire les textes, car aucune autorité indiscrète, sous prétexte de bénédiction universitaire, ne doit troubler les noces du lecteur moderne et de l'écriture médiévale.

PROLOGUE

Une langue, une littérature

Une étude consacrée à la langue, l'*ancien français*, dans laquelle sont écrits les textes médiévaux peut sembler superflue au sein d'un ouvrage traitant de la littérature du Moyen Age. Ou, du moins, on pourrait la tenir en annexe : conseils pratiques destinés à faciliter la lecture, ou bien tableau des principaux faits linguistiques, comparables à celui des faits sociaux et culturels encadrant la production littéraire. Une telle séparation de la langue et de son utilisation esthétique est certainement préjudiciable à l'analyse littéraire; on risque en la maintenant de négliger la dimension stylistique des œuvres, négligence d'autant plus regrettable que l'on sait le rôle joué par la notion de forme dans les arts et les lettres du Moyen Age. Surtout, et l'on s'en est avisé depuis peu, cette distinction n'est guère tenable du point de vue de la langue elle-même. La description grammaticale de l'ancien français ne peut pas ignorer qu'elle s'applique à la langue, en grande partie conventionnelle, d'un ensemble d'écrits. Loin d'être un obstacle, cette situation accroît le domaine de l'analyse, et permet peut-être, au passage, de reconstituer l'unité du « médiévisme ».

I / LANGUES ET DIALECTES

Si l'on considère l'évolution de l'idiome devenu le français, depuis le latin parlé introduit en Gaule jusqu'au Moyen Age, on est frappé par un morcellement linguistique constant. L'observateur, en ce domaine, n'est certes pas neutre, et il convient de faire la part de la perspective imposée par la grammaire historique, qui traite de cette évolution. Discipline qui s'intéresse principalement au devenir individuel des sons, la grammaire

historique adopte volontiers un point de vue parcellisant : elle examine les accidents et transformations survenus à chaque élément de la matière phonique. L'idée d'un éparpillement et d'une érosion est constitutive d'une vision grammaticale qui privilégie les forces détruisant les systèmes linguistiques, aux dépens de celles qui les reconstituent. Néanmoins, il est indéniable que la genèse, puis le développement de l'ancien français sont traversés de mouvements centrifuges tendant à morceler toujours davantage l'idiome communautaire. Et cela dès la conquête romaine, qui répand en Gaule un latin des soldats et des marchands fort différent de celui des maîtres d'école et des fonctionnaires. La courte période de bilinguisme celte (gaulois)-latin, qui se résout au profit de la langue des conquérants, donne à cette dernière une coloration telle que l'on peut parler à bon droit d'un idiome gallo-roman. Unité linguistique précaire, sur le sol de la Gaule, due à la lente fragmentation de la communauté plus vaste qu'avait instaurée autour du latin l'empire de Rome. A la chute de cet empire (ve siècle), les particularismes locaux sont tels que l'intercompréhension n'est plus possible : les variantes du latin sont devenues des langues à part entière, les langues romanes (espagnol, roumain, etc.). Le sort du gallo-roman, qui porte en lui cette tendance à la scission, est à cet égard significatif. Du gallo-roman sont en effet issues deux langues, suffisamment distinctes pour que le seuil d'intercompréhension directe soit dépassé ; on les désigne d'ordinaire par la façon dont on s'y accorde : celle où l'on dit *oc* (langue d'oc, ou ancien provençal, ancêtre de l'occitan), celle où l'on dit *oïl* (langue d'oïl, ancêtre de notre langue nationale). Cette séparation tient à bien des facteurs, au premier rang desquels les invasions germaniques, dont l'influence est prépondérante dans le Nord. De la domination franque résulte une période assez longue de bilinguisme, qui se résout cette fois au profit de la langue des envahis, mais non sans avoir laissé une marque profonde sur le gallo-roman septentrional; ce que résume et symbolise le nom germanique attribué à cette langue romane : le français. A partir du ve siècle, une coupure linguistique (qui en redouble d'autres) sépare donc les populations du Nord et du Midi, dont les parlers prennent statut de langue. Une preuve *a contrario* de cette autonomie est l'échange que l'on peut déceler entre les deux domaines. Ainsi, l'ancien provençal *amo(u)r* élimine rapidement un ancien français *ameur*, forme d'oïl du latin *amōre(m)*, qui ne subsiste que dialectalement, pour désigner le rut animal. Les conditions d'un tel emprunt ne sont pas sans intérêt : la langue du Nord n'adopte pas seulement dans cet exemple une voyelle tonique qu'admet son système vocalique, mais le concept même d'« amour » élaboré par les poètes du Midi. C'est la poésie des troubadours, comme modèle social et culturel valorisé et imité dans les cours septentrionales, qui répand le terme. Un des passages entre les deux ensembles linguistiques est l'expression littéraire. La situation linguis-

tique de la France médiévale est donc la suivante : trois langues y sont parlées, écrites, et constituent un véhicule de culture : le français au nord, l'occitan au sud, et aussi le latin « classique », celui de l'école, conservé au travers d'une évolution lente (latin « médiéval ») dans le milieu intellectuel où il est bien vivant. Cette pluralité est un fait majeur, qui place au premier plan la question de la communication et de l'intercompréhension.

Le problème se pose d'autant que la situation linguistique est en fait plus complexe. A s'en tenir au domaine septentrional il est en effet très douteux que l'on puisse parler d'une langue française médiévale, c'est-à-dire l'ancien français, comparable en tout point à la langue française moderne. La réalité est bien davantage celle de *parlers* d'oïl, un ensemble de dialectes développant, sur un fond linguistique principalement syntaxique commun, des particularités de phonétique, de morphologie et de vocabulaire. Le nombre et la cohérence de ces particularités, leur regroupement géographique déterminent une zone dialectale : un parler dans lequel se reconnaît une population. On distingue ainsi le groupe des dialectes de l'Ouest (normand, anglo-normand, c'est-à-dire le tour pris par le dialecte normand en Angleterre après la conquête de 1066), le groupe du Nord-Est (picard, wallon), de l'Est (lorrain, bourguignon), du Centre (en particulier le « franco-provençal » de la région lyonnaise, mal nommé car il s'agit fondamentalement d'un parler d'oïl). Ce morcellement, qui atteint également le domaine d'oc, divisé en gascon, limousin, languedocien, etc., contribue à cette pluralité des expressions qui caractérise la période médiévale. C'est le trait qui frappe celui qui observe de l'extérieur la France médiévale; Roger Bacon, qui la traverse en 1240, emporte le sentiment que « Picards, Bourguignons, etc., parlent tous différemment ». Se comprennent-ils ? Les variantes régionales ne sont certes pas telles que l'on doive parler de langues distinctes ; toutefois le vocabulaire, en particulier pour les objets d'usage courant, change d'une région à l'autre, de même que la prononciation d'un terme commun : un Picard déclarant qu'il revient de la *cache* (« chasse ») n'aurait-il pas surpris un Bourguignon n'ayant jamais quitté sa province ? La participation à des activités collectives, ou opérant des brassages de population (foires, guerres, pèlerinages), a dû entraîner chez les individus en présence, d'une part une connaissance empirique des variations principales, d'autre part la mise au point de règles de conversion destinées à la communication pratique. Premier pas vers une expression commune, levant l'altérité inscrite dans la langue. L'*autre*, dans la France médiévale, est au tournant du chemin.

Cette fragmentation constante de la langue comme facteur de cohésion sociale, depuis la scission de la *Romania* jusqu'à la multiplicité des dialectes et sous-dialectes, tient à des raisons historiques. On a vu comment l'effondrement du système administratif romain avait favorisé les évolutions

locales; la faiblesse ensuite des échanges (mauvais état et insécurité des routes), mais aussi le type même d'organisation politique qu'est la féodalité ont contribué au repliement local et à l'évolution autonome des variétés dialectales. En un sens, c'est la différence linguistique qui reflétait, voire symbolisait le plus clairement, l'autonomie politique et géographique. Une langue, dit-on, est ce qui possède un drapeau et une armée; c'est surtout ce en quoi se reconnaît un groupe humain. La limite dialectale suit la rivière, une lisière de forêt; elle resserre une communauté autour d'un pouvoir politique, d'une puissance économique : l'influence du normand au XIIe siècle n'est pas étrangère au pouvoir Plantagenêt, le rayonnement du picard au XIIIe siècle est celui des grandes foires d'Arras. Le trait dialectal est la marque d'une solidarité, qui est fondamentalement au Moyen Age une solidarité locale. C'est un usage distinctif de la langue. Et l'on peut rappeler que le dialectalisme touche rarement à la syntaxe, qui est le lien profond du son et du sens; il concerne surtout la couche phonétique de la langue, dont il constitue l'articulation à un groupe humain. La segmentation en dialectes de la France médiévale, c'est en un sens la prononciation du système féodal. S'il existe donc bien, au plan théorique, et par opposition aux autres langues romanes, une langue d'oïl, celle-ci se réalise dans la plus grande diversité, chacune des communautés géopolitiques faisant entendre sa différence. Si l'intercompréhension n'est pas ruinée, elle est fort difficile : cette langue qui aurait pu être commune est rendue *méconnaissable*.

Cette tendance au particularisme qui anime l'histoire du français jusqu'à la période littéraire tient au fait que, de par l'organisation sociale, c'est seulement au niveau de la province ou de la région qu'est assurée la cohésion sociale suffisante pour l'expression linguistique. Et ceci aux dépens de la communication d'un groupe à l'autre. A l'inverse, les facteurs d'unification pouvant susciter une communion plus large sont faibles. Ils pourraient être de diverses sortes. Idéologiques : la naissance d'un sentiment national est étroitement liée à la recherche d'une forme linguistique commune. Forte opposition entre le Nord et le Sud, vie régionale, mosaïque de dialectes : la France médiévale est très comparable à l'Italie du XIXe siècle. Une vision commune peut être diffusée également par les institutions, en particulier scolaires. On sait comment le progrès, représenté par l'école de la République, a malheureusement ruiné avant la première guerre mondiale les parlers régionaux; et les revendications actuelles en faveur de ces langues sont un enjeu politique : la question scolaire exprime le rapport, parfois conflictuel, de la langue avec l'organisation sociale et politique. Les structures de scolarisation, qui s'étaient effondrées au Ve siècle, se sont lentement reconstituées, au moment de la Renaissance carolingienne (écoles épiscopales), jusqu'à la fondation des Universités

au XIIIe siècle. Elles concernent il est vrai une minorité infime, mais un enseignement de grammaire y est donné, une tradition pédagogique concernant la langue s'y maintient. Cette langue, toutefois, c'est le latin. L'institution scolaire constitue un espace homogène de diffusion et de conservation du savoir, fondé sur la langue latine : le jeune clerc reçoit d'abord (sous le nom significatif de *grammatica*) un cours de latin qui lui donne accès à toutes les disciplines; c'est en latin qu'il apprendra et communiquera à l'intérieur de son institution. Jusqu'à une date que l'on peut juger tardive si on la compare, par exemple, à ce qui s'est passé en Angleterre, l'acte d'écrire est inséparable du latin; avant le XIe siècle, il n'est de littérature que latine; il en sera de même plus longtemps encore pour les textes scientifiques ou juridiques (la première charte en français date de 1197). Et à bon droit : un texte rédigé en latin est accessible à n'importe quel clerc, quels que soient sa province ou son pays d'origine. Le latin est pour les lettrés une langue réellement européenne. Cette primauté du latin dans le milieu intellectuel a deux conséquences, qui semblent s'opposer. Il n'y a tout d'abord aucun enseignement grammatical concernant la langue vernaculaire (les premiers manuels pratiques de français apparaissent en Angleterre, au XIVe siècle), aucune norme diffusée par l'école : ceci contribue à expliquer la segmentation dialectale, ainsi que le très grand nombre de changements diachroniques affectant la langue d'oïl dans son ensemble. Il ne conviendrait cependant pas de considérer que le français est totalement livré à lui-même. La primauté intellectuelle du latin a pour conséquence seconde le rôle de modèle que cette langue a pu jouer face à la langue d'oïl. Quand les clercs se mettent à écrire en français, ce geste novateur et au début fort isolé s'inscrit dans le contexte d'une pratique quotidienne du latin : les réminiscences et les habitudes mettent ce dernier à l'horizon de la langue vulgaire. On en a pour preuves de nombreux phénomènes de graphie, de lexique, voire de syntaxe, pour lesquels le calque se mêle à l'influence inconsciente. Plus généralement, on peut faire l'hypothèse que l'existence, au sein du milieu clérical, d'une langue commune, stable et devenue conventionnelle a rendu plus évident le besoin d'une forme commune de langue d'oïl écrite. D'un latin, en somme, pour un plus large public. Un français normalisé et indifférent aux variations régionales, partagé par une communauté transcendante, celle des participants à l'expérience esthétique.

C'est bien du côté de la littérature comme phénomène social qu'il faut chercher, en dernière analyse, l'institution qui tend à dépasser le morcellement linguistique médiéval. Et qui peut également assurer une certaine régulation de la langue. Le phénomène n'a guère été examiné : nous en donnons un exemple, afin de conclure ce survol historique. Le système vocalique que traduisent les graphies des textes médiévaux français repré-

sente, on l'a souvent noté, une moyenne des écarts constitués par les traits dialectaux. Il y a plus. Si dans une perspective diachronique on consulte un manuel de phonétique historique du français, on constate que la majorité des changements phonétiques ont eu lieu entre le IIIe et le XIe siècle. Durant cette période apparaissent les traits principaux qui distinguent le français des autres langues romanes, tant au plan du vocalisme (chute des voyelles finales, diphtongaison, nasalisation) qu'à celui du consonantisme (palatalisation, amuïssement des intervocaliques). Les changements postérieurs sont à cet égard secondaires. Ou du moins ils prennent l'allure de régularisation. Car le second caractère de la période III-XIe siècle, de par la vigueur de son évolution, est qu'elle produit un système phonologique extrêmement lourd et abondant. Une coupe synchronique, à l'aube du XIIe siècle, fait ainsi apparaître 34 voyelles (dont 3 triphtongues et 15 diphtongues) : le français moderne, on le sait, possède 16 voyelles simples. Les changements phonétiques intervenus après cette date sont pour la plupart des simplifications : réduction des diphtongues, des affriquées, dénasalisation, etc. D'un point de vue structural, le système phonologique, dont le taux de redondance était trop élevé, s'est régularisé. Mais pourquoi l'a-t-il fait à cette date ? Il est intéressant de noter que la grammaire historique, sans y regarder de plus près, qualifie la période du IIIe au XIe siècle de période « prélittéraire » : elle énonce ainsi que les phénomènes qu'elle reconstitue ne sont pas attestés, faute de texte. On ne saurait laisser distincts les deux phénomènes, rigoureusement contemporains : le ralentissement à tendance simplificatrice de l'activité phonétique, le développement d'une littérature de langue d'oïl par la recherche d'une forme linguistique commune. Cet ancien français littéraire, auquel s'attachent des valeurs esthétiques et sociales, a servi de modèle, sinon de norme. L'histoire de la langue passe par les textes.

II / UNE FORME COMMUNE ?

Cela peut sembler un truisme. L'étude d'une langue morte se fonde sur les quelques témoignages écrits qu'elle a laissés. De cette langue, nous ne connaissons proprement que les productions écrites; le reste, et c'est bien là qu'intervient la recherche linguistique, est reconstitution et hypothèses théoriques. Encore faut-il s'entendre sur ce dont témoignent ces textes. Pour la grammaire historique, attachée à l'examen d'une évolution continue, ce sont des documents qui renseignent sur la langue que l'on prononçait à une époque donnée : ils fournissent des attestations. Ces documents demandent certes à être critiqués : on sait que la langue des textes juridiques

français est dès l'abord très conventionnelle; quant aux œuvres littéraires, on n'ignore pas l'incidence que peuvent avoir, par exemple, les contraintes de la versification. D'une façon générale, les conventions liées au style paraissent dans cette optique un obstacle à la connaissance de la langue courante, celle de la conversation. C'est ce noyau linguistique intact, dans une sorte de fraîcheur originelle, qu'il convient d'atteindre, au travers de ses adultérations. On peut douter qu'une langue quelconque, dans son usage le plus « spontané », ne possède pas de contraintes d'expression liées aux situations, aux types de discours : une véritable « stylistique », que des recherches récentes ont fait apparaître par exemple pour le français moderne. Ce point de vue dans le domaine médiéval présente un second défaut. La grammaire historique et la philologie, quelque peu aveuglées par leur quête incessante de l'origine (que traduisent la recherche ou la reconstitution d'une version archétypique, d'un manuscrit premier, d'un phonème non attesté, d'un étymon, etc.), en viennent à négliger les effets littéraires qu'offrent les textes. Ils n'ont dans cette théorie d'autre statut que celui de parasites suscitant, en la légitimant, l'approche philologique. Une autre perspective est dès lors possible, qui s'attache à ce qui est directement connaissable, et constitue un objet d'étude autonome, cohérent et stable; la langue, conventionnelle, des textes médiévaux. Ces documents sont des monuments. Ils représentent une élaboration consciente de la langue courante, dans un but esthétique, au travers d'une recherche d'expression collective et communautaire.

Cette approche attentive à la structuration linguistique et stylistique opérée par la production littéraire reçoit de fortes légitimations matérielles. Elle s'appuie en particulier sur le désir perceptible à bien des égards chez l'homme médiéval d'échapper à la fragmentation du lien social, en participant à une communauté et à une communication supérieures. Le particularisme dont est régulièrement atteint l'idiome vernaculaire porte en lui la nécessité de son dépassement. Il ne fait pas de doute qu'ont existé, comme on l'a dit, des règles pratiques de conversion interdialectales, voire des parlers d'artifice, sortes de *pidgins* de la guerre et du commerce. On ne peut cependant surestimer l'extension dans l'espace, et surtout dans le temps, de tels codes liés à la mouvance de la langue orale. Le fait principal et fondateur dans ce domaine est la création d'une littérature en français : la communication qui peut transcender efficacement les particularismes locaux est la communication littéraire. Elle exprime un groupe social au-delà d'un territoire, constitue la communauté idéologique des auditeurs, répand un code linguistique auquel elle confère la stabilité de l'écrit. Les ethnologues ont montré quelle incidence a eue l'introduction récente de l'écriture dans des sociétés orales, africaines ou amérindiennes : un bouleversement a atteint la langue, tout comme la tradition narrative, ou les

rapports humains. La mémoire sociale s'énonce différemment, elle devient un dépôt confié aux nouveaux clercs. C'est dans cet esprit qu'il faudrait examiner, toutes choses égales, le passage, pour la société médiévale, d'un état où l'écrit est réservé à la langue que pratique, et où se reconnaît, la classe intellectuelle, à celui où l'écrit devient une catégorie de la langue vernaculaire. Certes en l'occurrence savoir et pouvoir modifient peu leur configuration; et le rôle des clercs, hommes du savoir et du latin, est ici crucial. C'est par eux qu'une « orature » d'expression française, dont on peut supposer l'existence dès le VIIIe siècle, et par laquelle se recherche un sentiment communautaire (épopées, vies de saint), devient une littérature. C'est-à-dire un *texte*, échangeable et conservable, dissociant l'expérience esthétique de la création. Le texte fait participer à une communauté fictionnelle, à laquelle l'écrit apporte son autorité et sa stabilité; il est la référence d'un groupe social en voie de structuration, et corrélativement d'un pouvoir en voie de légitimation : l'Eglise et le peuple de la France chrétienne (chanson de geste), le seigneur et l'élite mondaine de sa cour (littérature courtoise). Cela implique la participation à une forme linguistique autonome transcendant les particularismes, et dont les conventions sont constitutives de la communication littéraire. L'autorité d'une telle langue commune écrite joue un rôle majeur dans l'évolution du français médiéval; la mise en écrit de la langue d'oïl peut être considérée, avec raison, comme une véritable mutation : nous avons montré plus haut que des conséquences pouvaient en être aperçues, paradoxalement, jusqu'au plan phonétique. L'histoire du français n'est pas celle, un peu mythique, un peu simple, d'une langue parlée réduite à l'état de nature; elle est l'interaction de formes et de structurations provisoires. Il convient donc de tenir ensemble, à partir de la fin du XIe siècle, le développement d'une littérature selon ses modes propres (essor en particulier du romanesque) et l'évolution de la langue romane accédant à l'écrit. Le linguiste peut faire sienne la formule de Daniel Poirion : le trait majeur de cette période est la *mise en roman*.

L'incidence de l'écrit est visible au niveau même des dialectes, et le fait a été noté par les spécialistes : il constitue un progrès décisif de leurs études. Si l'on reconstruit par abstraction l'état des dialectes tels qu'ils devaient être effectivement prononcés au Moyen Age, on constate qu'aucun manuscrit médiéval n'est rédigé dans une langue dialectale pure, et assignable à une région très précise. Les manuscrits présentent tout au plus des traits relevant d'un dialecte, sur un fond de langue commune, et mêlés parfois à des particularismes d'autres régions. La régularité du phénomène est telle que les dialectologues parlent aujourd'hui d'une *scripta* (c'est-à-dire d'une forme écrite) picarde, bourguignonne, etc., voire même, si l'on veut saisir la réalité de plus près, d'une *scripta* franco-picarde, etc. La mise en écrit, impliquant la recherche d'une forme linguistique conven-

tionnelle et plurivoque, est ici particulièrement significative. Si l'on se place dans le cadre de la communication littéraire, comme forme dérivée de la communication linguistique, on est à même de rectifier de nouveau la perspective de la grammaire historique. Pour celle-ci le trait dialectal est le signe d'une origine, un lapsus dévoilant la vérité cachée de l'appartenance dialectale de l'auteur. Ce point de vue, typique de la pensée du XIXe siècle, demande à être compliqué : la marque dialectale peut renvoyer à l'image du public projeté et de son parler, complicité fugitive au travers de la solidarité par la langue littéraire commune; la diversité des traits exprime alors la dialectique entre l'appel à la circulation de l'œuvre et son inscription figurée; la marque peut être liée à un genre (fabliau), etc. C'est bien la notion de projet littéraire et le modèle de communication qui lui est associé qui semblent rendre compte du dialectalisme des manuscrits médiévaux. On peut en donner un exemple extrême : le *Jeu de la Feuillée* d'Adam de La Halle a été composé à Arras, vers 1276; l'auteur s'y met en scène, ainsi que plusieurs de ses compatriotes (sur lesquels nous sommes renseignés), et multiplie les allusions à l'actualité locale. Les circonstances ne peuvent guère être plus précises, ni le rapport au public plus direct. Toutefois, l'unique manuscrit complet de cette pièce recèle bien moins de traits picards que l'on pourrait s'y attendre — et bien moins que l'édition qu'en a donnée Ernest Langlois ! Le philologue a de bonne foi picardisé et originé un manuscrit dont le copiste, prenant mémoire du jeu éphémère, en a détourné la réception, au profit du lecteur médiéval universel.

Cette langue littéraire commune n'est cependant pas une construction abstraite, telle qu'aurait pu la dessiner un linguiste. Elle est liée au territoire national; cela est bien perçu depuis l'Angleterre. La religieuse anglaise qui rédige, au XIIIe siècle, une *Vie d'Edouard le Confesseur*, reconnaît la médiocrité de son français, ses fautes de langue. Corrigez-moi, dit-elle,

Se joe l'ordre des cases ne gart (...)	Si je ne respecte pas l'ordre des cas
Qu'en latin est nominatif	Ce qui en latin est au nominatif
Ço frai romanz acusatif.	J'en ferai en roman un accusatif.
Un fau franceis sai d'Angleterre	Je ne sais qu'un mauvais français [d'Angleterre.

Elle est liée, plus précisément encore, à la région de Paris : « *Mis languages est buens, car en France* (= Ile-de-France) *fui nez* », écrit Garnier de Pont-Sainte-Maxence. Il est certain que si le latin a pu fournir l'idée d'une langue littéraire de convention, la langue parlée à Paris, près d'un pouvoir dont il ne faut d'ailleurs pas exagérer la puissance, a servi de fondement morphologique. En l'absence d'un enseignement grammatical, une notion de « bon usage » est néanmoins perceptible, associée à un groupe social (la

cour royale), étendue idéologiquement à une région (l'Ile-de-France) et procédant comme tout bon usage par interdit et exclusion :

Mon langage ont blasmé li François (...)	Les Français ont critiqué ma façon de [parler
La roïne n'a fait que cortoise	La reine n'a pas agi courtoisement
Qui me reprist, ele et ses fiz li rois	En me reprenant, de même que son [fils le roi
(Conon de Béthune, trouvère picard)	

On saisit mieux comment, à partir de l'usage socialement normé du parler de la région parisienne, s'est élaborée, grâce au savoir clérical, une langue littéraire commune, à entrées dialectales multiples. La progression de l'écrit a reporté les valeurs normatives sur ce code commun. On perçoit également l'insuffisance de l'idée traditionnelle, et toujours répandue, selon laquelle l'histoire du français serait liée à l'expansion, parallèle à celle du pouvoir royal, d'un dialecte central, le *francien*. Que le terme, qui sent son école, ait été inventé de toutes pièces par les grammairiens du siècle dernier, et ne corresponde à rien de reconnu au Moyen Age, est significatif d'une vision qui associe l'histoire de la langue à une séquence élémentaire d'événements politiques. La théorie du *francien* et de son développement structure la pensée positiviste, sous ses aspects de philologie et d'histoire. C'est davantage à une sociologie culturelle qu'il convient de lier en ce domaine la linguistique historique; si l'on replace la langue dans le processus de constitution et de diffusion de modèles symboliques on comprend le besoin, pour la communication esthétique, d'un *medium* valorisé et stable. Et qui n'est rien d'autre que le *françois* : ce terme, bien attesté par les écrivains médiévaux, retrouve ainsi le statut théorique qu'on lui avait dénié.

III / LA LINGUISTIQUE MÉDIÉVALE

Il convient donc de considérer de manière positive l'élaboration littéraire, conventionnelle et intégrative, dont la langue d'oïl est l'objet. Le linguiste est par suite toujours confronté à une réalité biface et hétérogène, où se mêlent règles syntaxiques et régularités de style. Il ne s'agit d'ailleurs pas tant d'une forme de convention adjointe à la langue ordinaire que d'une activité constante de formalisation. Cette littérature qui doit créer sa propre tradition fonde des stabilités diverses et renouvelées. La complexité de cette langue littéraire s'accroît de la diversité des codes qui la traversent : langues de genres, types d'écriture, etc. Une coupe synchronique de l'ancien français passe par la typologie des formes stylistiques qui le constituent. L'enquête linguistique peut emprunter par suite bien des chemins.

On peut tout d'abord reprendre la question de la diachronie à la lumière de la formation d'une langue littéraire. L'histoire de la langue passe ici par l'historicité particulière de chacun des sous-codes esthétiques, et par leurs interrelations. L'adverbe *mar* (« pour le malheur de celui dont il est question »), très fréquent en ancien français, disparaît au cours du XIVe siècle. C'est-à-dire qu'on ne le rencontre plus dans aucun texte à partir du XVe siècle : on peut en conclure qu'il a effectivement disparu de la langue. Toutefois, tant l'explication que le décompte de cette « désattestation » restent incomplets si l'on se place au niveau d'une langue abstraite, précisément sans tenir compte des fonctionnements textuels auxquels elle est soumise. Ainsi, la concurrence, bien réelle, avec la négation et avec l'adverbe *mal* n'explique pas seule cette élimination; de même, la déperdition est fort irrégulière, et se nuance selon les modèles littéraires qui, dans la même œuvre en vers par exemple, opposent l'ancien et le nouveau. On peut dans cette perspective faire apparaître un phénomène allant globalement en sens contraire de la déperdition diachronique. Le lien de *mar* avec le lyrisme masculin des XIIe et XIIIe siècles, qui fait de cet adverbe un véritable signe lyrique, est repris et amplifié au XIVe siècle par Guillaume de Machaut et ses disciples. Le renforcement d'une tradition d'expression poétique entraîne l'emploi abondant de cet adverbe et le surfonctionnement de sa syntaxe, jusqu'à la dislocation. L'idée ancienne d'une usure lente des morphèmes est ici mise en cause, de même que le schéma concurrentiel qu'adopte d'ordinaire la linguistique; il convient pour le moins de compléter ce dernier par le sur-emploi possible dans certaines zones de la langue littéraire, lequel contribue de façon indirecte à l'élimination, et par le lien avec des modèles littéraires dont l'obsolescence constitue, en dernière analyse, le facteur disqualifiant ultime.

Il est également possible, dans une perspective synchronique, d'examiner l'interaction des phénomènes purement linguistiques et des fonctionnements textuels. L'exemple le plus intéressant est celui de la déclinaison nominale, sur laquelle un consensus paraît s'être établi. Il semble en effet avéré que l'ancien français, se distinguant des autres langues romanes, a maintenu dans sa structure linguistique une flexion bicasuelle (opposant le sujet au régime, c'est-à-dire tout le reste) : ceci constitue l'élément de base de tout enseignement de l'ancienne langue. Il est vrai que la grammaire historique se trouve ici sur un terrain de choix : la déclinaison désigne clairement la continuité du latin au français médiéval. On peut cependant douter que cette flexion ait la réalité et le statut linguistiques qu'on lui donne d'ordinaire. Il ne s'agit pas seulement d'évoquer le fait, bien connu, que les textes présentent de nombreuses « fautes de déclinaison » : la pédagogie de l'ancien français, en ce domaine comme en bien d'autres, est un discours de la décrépitude. Mais le doute est permis à l'intérieur même

du système qui est décrit. Les traités grammaticaux offrent des tableaux de flexion construits sur le modèle des déclinaisons latines; l'aveuglement de la position historiciste est frappant en ce qui concerne les substantifs féminins :

		Singulier	*Pluriel*
Féminin	Cas sujet	*rose*	*roses*
	Cas régime	*rose*	*roses*

dont il convient simplement de dire qu'ils prennent une désinence *-s* au pluriel. Si l'on observe dans cet esprit la déclinaison de la majorité des masculins (qui a donné matière, récemment, à des analyses structurales subtiles) :

		Singulier	*Pluriel*
Masculin (1)	Cas sujet	*murs*	*mur*
	Cas régime	*mur*	*murs*

on constate que le « cas régime » (qui exprime, répétons-le, toutes les fonctions sauf une) prend également une désinence *-s* au pluriel. Cette déclinaison se réduit par suite à un marquage (inverse) de la fonction sujet, selon l'opposition courante en linguistique du cas marqué (par inversion) et du cas non marqué. Ceci paraît confirmé par la déclinaison masculine minoritaire, où le sujet singulier renforce sa spécificité en utilisant un radical court :

		Singulier	*Pluriel*
Masculin (2)	Cas sujet	*sire*	*seignor*
	Cas régime	*seignor*	*seignors*

Cette critique intrinsèque de la déclinaison nominale peut être étendue à sa réalité syntaxique. La doctrine grammaticale répète que l'existence d'une flexion donne une grande liberté à l'ordre des mots; une étude non prévenue de la structure de la phrase médiévale se passe en fait totalement de

la notion de flexion, laquelle peut tout au plus être tenue pour une variante combinatoire. Ainsi, dans la *Chanson de Roland*, c'est précisément quand le sujet est postposé au verbe, donc quand il devrait se distinguer le plus nettement de l'objet nominal placé en tête de la phrase, que la désinence flexionnelle est la moins fréquente; le fait est général dans les textes médiévaux : c'est le sujet antéposé au verbe (structure, d'ailleurs, la plus fréquente) qui reçoit une marque. On peut en conclure d'une part que la flexion nominale ne participe pas à la discrimination des fonctions du substantif, et qu'elle est la plupart du temps redondante à l'ordre des termes dans la phrase, d'autre part qu'elle est dès lors disponible pour jouer dans les textes un rôle d'une nature différente. Si l'on examine le statut linguistique de cette déclinaison, deux hypothèses, liées, peuvent être proposées. La notion sémantique de sujet, voire d'actant, paraît cruciale; et l'on peut noter que la classe des *Masc* (2) regroupe des animés humains qui constituent des actants privilégiés des récits médiévaux. Ce marquage spécifique de la fonction sujet, dont il faut étudier les raisons, excède la notion de déclinaison; ainsi, le mot *amo(u)r* qui dans la littérature courtoise est toujours proche d'une personnification (ce qui a entraîné la masculinisation du terme au singulier) porte très fréquemment cette marque *-s*, même quand il est le régime d'une préposition : *d'amors*, *par amors*. Un tel emploi rhétorique s'associe naturellement à l'idée que le phénomène est globalement de l'ordre de l'écrit littéraire. Ce n'est pas un hasard si on le rencontre seulement en ancien français, dans cette *scripta* d'oïl élaborée par les clercs; ce n'est pas un hasard non plus si la religieuse anglaise que nous avons citée plus haut apporte comme preuve du mauvais français qu'elle écrit son mésusage de la déclinaison. Il s'agit à l'évidence d'un effet stylistique très représentatif des conventions de la langue littéraire, valorisé par un bon usage, et lié par suite à une volonté de distinction de l'œuvre, voire même à la qualité matérielle de sa copie. De ceci on peut donner comme exemple, parmi bien d'autres, les *Miracles de Saint Louis* de Guillaume de Saint-Pathus, texte rédigé au début du XIVe siècle. Cet écrivain a travaillé à partir des minutes du procès de canonisation du roi, minutes qui ont été conservées et présentent une langue juridique pratiquement non déclinée. En revanche, un des manuscrits des *Miracles*, manuscrit particulièrement somptueux et richement orné, n'offre à cette date tardive aucune faute de déclinaison : l' « histoire de la langue » est de nouveau prise à rebours. Une description convenable du phénomène de la flexion nominale, en ancien français, articule donc l'approche linguistique et l'étude de l'activité littéraire, porteuse d'un modèle culturel socialement valorisé.

Le linguiste peut enfin s'engager dans l'étude de la langue littéraire médiévale en tant que telle. Il s'agit alors de montrer que la rigueur des contraintes stylistiques constitue un objet se prêtant à une analyse scien-

tifique (description exhaustive, énoncé de règles, prédictions), que l'écriture médiévale, en un mot, est une grammaire. Nous avons essayé de le montrer à propos d'un double lieu de paradoxe. En examinant d'une part le discours direct, qui est traditionnellement considéré comme une trouée possible vers la langue parlée, mais qui n'est jamais qu'une représentation codée de la parole; en s'attachant particulièrement d'autre part à la prose, tenue d'ordinaire pour un document assez fiable de l'état de la langue, mais qui est une forme stylistique conventionnelle, d'autant plus rigide qu'elle est, au Moyen Age, dans son premier parcours. Le renouveau actuel des études sur la prose médiévale est directement lié aux réflexions méthodologiques que nous avons évoquées. C'est justement sur ce terrain jugé prosaïque qu'il convient de faire apparaître la richesse d'une forme. N'utilisant pas de signes typographiques pour la signalisation des discours, les textes médiévaux doivent trouver dans la langue les moyens de cette signalisation. Chaque genre, chaque type d'écriture dispose selon ses lois propres les procédés métadiscursifs : éléments divers insérés dans le discours (nous parlerons d' « analepse »), séquence linguistique antéposée (que nous nommons « prolepse »). Se constituent ainsi des grammaires particulières de l'inscription du discours, qui sont la mise en syntaxe de procédés stylistiques; la recherche linguistique prend alors pour objet l'analyse et la typologie de ces grammaires. L'œuvre de Robert de Boron est à cet égard propice : son *Estoire dou Graal* (fin XIIe siècle) illustre une grammaire du discours de l'octosyllabe romanesque classique; ce texte a été l'objet ensuite (début XIIIe siècle) de la première mise en prose française. Comparant les deux versions on voit comment la prose élabore une grammaire fort stricte, fondée sur une prolepse canonique et un encadrement autoritaire de la parole; chacun des discours du texte en vers est ainsi remodelé, soumis à une opération linguistique dont on peut observer les procédés, le déroulement, et les ratés. La « faute » du metteur en prose n'est plus alors ce lapsus local que relève la philologie, elle est l'incompréhension d'un système par un autre. Opérant dans un espace de recherche ainsi conçu, l'analyse peut faire apparaître la discontinuité fondamentale qui sépare l'écriture romanesque versifiée de celle du roman en prose; elle peut s'ouvrir à une histoire de l'écriture proleptique, contribuant à une histoire de la prose; elle a la possibilité enfin de parcourir cette totalité conflictuelle d'écritures qu'est l'ancien français.

Qu'il y ait dans la langue littéraire médiévale prise en elle-même, et avec une sorte de confiance dans les régularités de son formalisme, un vaste champ de recherche ne doit cependant pas faire tomber dans un fixisme néo-structuraliste. La réalité historique de cette langue est une activité incessante d'élaboration de l'idiome vernaculaire, un travail de la norme. Les recherches formelles menées sur la *scripta* d'oïl permettront sans doute

de poser à nouveau, et de façon convenable, la question de la tolérance par les textes, selon une chronologie et des modes à définir, de structures syntaxiques proches de l'oral. A cet égard, la langue épique, qui porte en elle la dialectique de l'orature et de la littérature, et qui illustre la constitution d'une langue littéraire comme *pratique*, représente pour le linguiste un territoire plein de promesses.

Bernard CERQUIGLINI.

PREMIÈRE PARTIE

L'Église et la Cour à la recherche d'une écriture

CHAPITRE PREMIER

L'Église et les Lettres

I / LA CONSERVATION DES BELLES LETTRES

1. *La culture cléricale*

L'Evangile déconseille de mettre du vin nouveau dans de vieilles outres. C'est pourtant ainsi que s'est constituée la civilisation de l'Occident médiéval, et particulièrement la littérature en langue vulgaire. Certes, celle-ci apparaît alors dans son enfance, mais au sein de la continuité, au moins apparente, d'une vieille culture.

Cette culture est celle de l'Antiquité latine, classique aussi bien que chrétienne, qui s'est conservée, au-delà de la chute de l'Empire romain, dans le cadre de la seule institution qui a survécu au naufrage : l'Eglise. Mais, dans la période qui s'étend jusqu'à la renaissance carolingienne de la fin du VIIIe et du IXe siècle, si l'Eglise joue tant bien que mal son rôle de conservatrice de la culture, elle la diffuse de moins en moins, et cela pour trois raisons.

La première ne tient pas tant à elle qu'aux circonstances politiques et aux temps. Lors des invasions germaniques, les rois burgondes et wisigoths, et surtout les rois ostrogoths et vandales, séduits par le prestige romain, avaient encouragé jusqu'à un certain point les lettres latines et recruté pour leur chancellerie des fonctionnaires lettrés. Alors s'étaient maintenues ou créées dans les plus grandes villes, à Ravenne, à Rome, à Lyon, quelques écoles autour de maîtres qui étaient généralement des hommes d'Eglise, mais qui enseignaient surtout la grammaire, la rhétorique, la métrique, la littérature profane. Mais bientôt, les successeurs de ces rois, quand ils n'essayèrent pas, en vain d'ailleurs, de faire enseigner la langue

gothique, se désintéressèrent des lettres. Le mode de vie avait changé; les villes dépérissaient. Les élèves des maîtres urbains retournaient vivre dans leurs *villas* et, uniquement soucieux d'administrer leurs terres, oubliaient ce qu'ils avaient appris. L'arrivée des Francs saliens, qui n'avaient jamais été au contact du monde romain, accéléra ce processus. A la fin du VIIe siècle, le nombre des laïcs capables de signer leur nom avait considérablement décru par rapport au siècle précédent. Les princes ne comprenaient plus qu'à peine, parfois peut-être ne comprenaient plus du tout, les panégyriques en hexamètres presque justes et les lettres à l'éloquence apprêtée que leur adressaient les plus cultivés des évêques, qui s'efforçaient encore de suivre le chemin tracé par leurs prédécesseurs poètes, comme l'évêque de Clermont, Sidoine Apollinaire, au Ve siècle ou l'évêque de Poitiers, Fortunat, au VIe.

En même temps — et cette seconde raison est liée à la première par la logique du cercle vicieux — le fossé entre l'Eglise et le monde laïc s'approfondissait, non seulement dans le domaine de la culture, mais aussi, plus fondamentalement, dans celui des mentalités et des institutions. L'Eglise tend de plus en plus à se considérer comme une société autonome, bien plus, comme une société idéale, à regretter de ne pouvoir englober l'humanité tout entière, à considérer le monde laïc comme une imperfection inévitable. Son modèle de vie personnelle et d'organisation sociale devient presque exclusivement le modèle monastique. Elle s'occupe désormais de former des moines. Les rares écoles épiscopales, les écoles presbytérales, plus rares encore, n'enseignent plus guère qu'à lire et à écrire. Seules les écoles monastiques sont florissantes, mais les études profanes, c'est-à-dire celles des auteurs païens, y sont délaissées ou condamnées : Bède le Vénérable, par exemple, est beaucoup plus sévère à leur égard que ne l'avaient été saint Augustin et même le pape Grégoire le Grand. Dans son traité *De doctrina christiana*; en effet, l'évêque d'Hippone justifiait l'éducation antique dans la stricte mesure où son enseignement pouvait servir à l'exégèse biblique. Le pape Grégoire lui témoigne plus de méfiance lorsqu'il soutient dans la *Lettre à Léandre* que la parole de Dieu ne se soumet pas aux règles de la grammaire et lorsque, dans la *Lettre à Didier*, il blâme cet évêque de Vienne d'avoir enseigné la grammaire et d'avoir composé un poème sur les divinités païennes; toutefois, il rejoint saint Augustin dans son *Commentaire sur le livre des Rois*, qui admet l'étude des arts libéraux à titre de préparation à la science divine. Mais Bède, commentant à son tour le *Livre des Rois*, supprime cette concession, alors qu'il suit de très près Grégoire le Grand sur tout le reste. Déjà Grégoire de Tours, s'il citait le nom de Martianus Capella avec une affectation de familiarité, ne connaissait en réalité qu'à peine son ouvrage, *Les noces de Mercure et de la Philologie*, destiné pourtant à exercer une telle influence sur les classifications intellectuelles

et la pensée allégorique du Moyen Age, puisqu'il était incapable de citer dans l'ordre les arts littéraux.

Ainsi la culture est de plus en plus enfermée dans le monde clérical, qui n'en exploite lui-même que les domaines qui l'intéressent, c'est-à-dire ceux qui se rapportent directement à la science scripturaire.

2. *La connaissance du latin*

Cet isolement est aggravé par un phénomène qui est de loin le plus important pour ce qui nous occupe. Le latin n'est plus compris de tous. Depuis longtemps, dans tous les pays où l'implantation romaine avait été forte, le latin, appris de la bouche de légionnaires qui ne parlaient pas comme Cicéron, déformé par des gosiers autochtones, puis, au moment des invasions, enrichi d'apports germaniques qui s'ajoutaient aux résidus indigènes, s'altérait rapidement pour donner naissance à de nouvelles langues parlées, les langues romanes. Il est bien difficile de préciser à quelle date l'homme de la rue, si l'on peut dire, cessa de comprendre le latin. La tentative de réforme de l'orthographe par le roi Chilpéric, l'un des petit-fils de Clovis, qui cherchait à rendre compte de l'évolution phonétique, l'existence de glossaires donnant l'équivalent en latin classique de mots du latin vulgaire ne peuvent fournir que des indications imprécises et d'interprétation douteuse. Au début du IXe siècle, en tout cas, le divorce est consommé. Ainsi, un obstacle supplémentaire, et quel obstacle, s'oppose désormais à la diffusion de la culture latine, qui est devenue entre-temps la culture cléricale. Mais, inversement, l'Eglise, qui a le monopole des outils intellectuels, ne semble ni disposée ni apte à les mettre au service des jeunes langues vernaculaires.

De fait, la « renaissance carolingienne » consiste essentiellement en un effort de restauration de la culture classique, et en ce sens le terme de « renaissance » lui convient particulièrement bien par ce qu'il implique de conservateur. Quant aux fameuses écoles fondées par Charlemagne, écoles destinées à la formation des futurs fonctionnaires impériaux, elles relèvent de la réforme administrative peut-être autant que du projet de culture, malgré leur programme grammatical et littéraire. De toute façon, l'entreprise se situait tout entière dans le domaine latin. Pouvait-il en être autrement ? Bien plus, cette situation de bilinguisme, avec une langue de culture, seule écrite, et une langue quotidienne, n'aurait-elle pas pu se prolonger indéfiniment ? Les clercs recopiaient, commentaient, imitaient les auteurs antiques, approfondissaient l'exégèse scripturaire, allaient bientôt renouer avec la philosophie, composaient des poèmes liturgiques, en un mot conciliaient, selon le titre magnifique de D. Jean Leclercq, « l'amour des lettres et le

désir de Dieu ». Pourquoi auraient-ils cherché à forger, dans une langue qui existait à peine, une culture qui n'existait pas, ou dont les manifestations populaires étaient jugées méprisables, mais aussi immorales, comme ces chansons que des sermons et des ordonnances conciliaires condamnent dès le VIe siècle ?

3. *La pratique de la langue vulgaire*

Et pourtant, il fallait bien que l'Eglise comptât avec la langue vulgaire. Elle y était contrainte par les exigences de la pastorale. C'est ainsi qu'en 813 un canon très célèbre du concile de Tours recommande aux prêtres de prêcher en langue vulgaire *(rusticam)* « française » *(gallicam)* ou « allemande » *(theotiscam)*, afin que les fidèles puissent comprendre plus facilement; vers la même époque, plusieurs autres conciles prennent des décisions dans le même sens. Ce souci n'était pas nouveau. Dès le Ve et le VIe siècle, des auteurs de vies de saints, celui de la *Vie de saint Eutrope*, celui de la *Vie de saint Germain*, celui de la *Vie de saint Séverin*, s'efforcent explicitement d'écrire simplement afin d'étendre le plus possible leur audience. Dans le domaine de la prédication, l'évêque Césaire d'Arles manifeste énergiquement et à plusieurs reprises la même préoccupation. Lui-même avait refusé de recevoir l'éducation profane dispensée par les écoles de son époque et il était donc à la fois une sorte d'autodidacte et le premier, avec saint Benoît, qui avait manifesté le même refus, à posséder une culture presque exclusivement chrétienne; étranger au maniérisme de la rhétorique latine tardive, il n'avait pas de mal à donner lui-même dans ses sermons, dont l'influence allait être considérable durant tout le Moyen Age, l'exemple d'une efficace simplicité. Mais il ne s'agissait alors que de prêcher dans un latin compréhensible par le peuple; au IXe siècle, il fallait prêcher dans la langue du peuple, qui n'était plus le latin.

On a conservé un seul témoignage écrit de l'effort demandé dans ce sens par les conciles de Tours, de Mayence, de Valence, de Limoges. Il ne faut pas s'en étonner : écrire la langue vulgaire ne s'est fait longtemps qu'exceptionnellement et les sermons étaient toujours conservés en latin; aussi bien, qui aurait eu l'idée de copier les humbles et brèves homélies au peuple ? Il convient donc plutôt de se féliciter du hasard qui nous a fait parvenir le brouillon d'un sermon français du Xe siècle. C'est un sermon sur le thème de la conversion des Ninivites par Jonas prêché à Saint-Amand-les-Eaux (Nord) vers 950 à l'occasion d'un jeûne de trois jours destiné à obtenir du Ciel qu'il délivre la ville de la menace des Normands. Le fragment conservé est partie en latin, partie en français. Or, il est clair que l'auteur sait mieux le français que le latin, car la seule phrase du sermon

à être entièrement de lui est aussi la seule à être entièrement en français; partout ailleurs, où il démarque le commentaire de saint Jérôme sur *Jonas*, il reste engoncé dans le latin, auquel il revient sans cesse, malgré ses efforts pour traduire le texte du *Livre de Jonas* et pour adapter le commentaire de saint Jérôme en français. Voilà donc un homme qui, bien que de langue française et écrivant en vue d'une prédication en français, reste prisonnier du latin, parce que c'est la langue de sa culture intellectuelle et spirituelle. Le mouvement qui l'a poussé à écrire, sur un point qui lui tenait à cœur, une phrase entièrement originale et entièrement en français n'en est que plus significatif; il l'est plus encore quand on sait que cette phrase, visiblement destinée à être insérée au milieu du développement à un endroit bien précis, a été ajoutée, par une sorte de repentir, à la fin du fragment, après la conclusion et la bénédiction finale.

Toutefois, le pas décisif n'était pas franchi. Car il est trop évident que les clercs étaient contraints de s'adresser au peuple dans sa langue. Mais cela n'impliquait pas que cette langue fût un jour couramment écrite, puisque quiconque savait lire et écrire savait par définition le latin. Quand bien même quelques lignes auraient été notées en langue vulgaire pour des raisons d'utilité, comme dans le cas du sermon sur Jonas, cela n'aurait pas signifié nécessairement que cette langue était en train de devenir le véhicule d'une culture : ainsi, les serments de Strasbourg (842) ont été prêtés en « français » et en « allemand » pour que les soldats qui les prononçaient comprissent à quoi ils s'engageaient et ils ont été notés dans ces langues pour qu'on en gardât une mémoire exacte. Cette double nécessité leur enlève toute signification en tant qu'objet de culture.

4. *Les premiers poèmes en français*

C'est pourquoi l'apparition des premiers poèmes en français, si balbutiants soient-ils, constitue une étape très importante. Le choix et l'agencement des mots, le respect du mètre et de l'assonance propres au poème témoignent que l'on a voulu agir sur les esprits par les ressources propres de la langue; la conservation du poème, indépendamment de toute contrainte juridique ou politique, montre qu'on y a attaché du prix pour lui-même et tel qu'il est. Pourtant, l'Eglise reste maîtresse du jeu : les plus anciens poèmes conservés en français ne sont pas ces chansons populaires qu'elle flétrissait depuis longtemps et qui auraient fini par être notées. Ce sont au contraire des transpositions en langue vulgaire de poèmes religieux latins.

C'est le cas du plus ancien d'entre eux, la *Séquence de sainte Eulalie* (vers 881-882), dont le titre à lui seul manifesterait la dépendance à l'égard

du latin, si l'on ignorait même que, dans le manuscrit de Valenciennes où elle est conservée, elle fait suite à une séquence de sainte Eulalie en latin. C'est un poème hagiographique, à une époque où les vies de saints latines, en vers et en prose, sont extrêmement nombreuses, qu'elles soient originales ou traduites du grec par collections entières, comme les *Vitae patrum*. C'est, dit-on, une *séquence*, terme qui désigne normalement un poème rythmique, en latin bien sûr, qui était chanté durant un office à la suite d'un *alleluia*, autrement dit une sorte de farcissure liturgique. L'épanouissement du chant grégorien avait entraîné la composition de très nombreux poèmes de ce genre, séquences, proses ou tropes, et la création n'en était pas encore tarie en cette fin du IXe siècle, malgré l'application progressive, mais très lente, des règles fixant l'ordonnance des offices et interdisant d'y ajouter librement de nouvelles pièces. Il a donc suffi de transposer une séquence hagiographique en français pour que le peuple pût comprendre le récit du martyre de la sainte que l'on célébrait. On a remarqué que la finale des deux premiers mots du texte est en *-a*, ainsi que la rime des deux premiers vers et celle du dernier, qui n'en est en réalité pas une, puisque ce vers final est isolé : ainsi, le poème pouvait être lié par la rime à l'*alleluia* qui le précédait et le suivait, et l'hypothèse d'une utilisation liturgique réelle et comparable à celle des séquences latines se trouve confirmée.

On parlait autrefois de la « cantilène » de sainte Eulalie, en entendant par cantilène des poèmes narratifs chantés, fruits d'une création populaire spontanée et peu consciente de ses procédés, et qui auraient conservé par voie orale la mémoire d'événements marquants pour toute une collectivité. On croyait posséder ainsi l'affleurement écrit d'une poésie née dans les profondeurs du peuple ; en réalité, on a affaire à une *séquence* liturgique et, si l'on peut dire, à un poème latin en français.

Il en va de même de tous les poèmes romans conservés de la fin du IXe à la fin du XIe siècle. Seules la forme et l'utilisation liturgiques s'estompent ou finissent par disparaître, marquant ainsi une timide autonomie par rapport au modèle fonctionnel proposé par l'Eglise. Ces poèmes, à l'exception du bref trope *Tu autem. Be deu hoi mais*... que l'on date du XIe siècle, sont en effet longs et divisés en strophes; ils ne se configurent donc plus au type de la séquence, même si, ici ou là, l'une de ces strophes semble être encore l'écho direct d'un trope. C'est le cas d'une *Vie de saint Léger* du Xe siècle contenue dans un manuscrit de Clermont-Ferrand et qui était destinée à être chantée, puisque le premier vers est noté. C'est le cas d'un récit de la Passion de la fin du même siècle, qui est copié dans le même manuscrit; là encore, la mélodie est notée. Ces œuvres peuvent certes avoir été intégrées à la liturgie, le jour de la fête du saint ou, pour la *Passion*, le dimanche des Rameaux, mais elles peuvent aussi avoir été chantées par des jongleurs professionnels qui les interprétaient pour leur propre

compte. Le lien avec la liturgie a été affirmé à propos d'une *Chanson de sainte Foy* en langue d'oc, datée du second tiers du XIe siècle. En effet, le vers 14, qui affirme que la chanson est belle « en tresque », mot qui désigne d'ordinaire une sorte de farandole, signifie peut-être que la chanson accompagnait une procession en l'honneur de la sainte; il semble en réalité qu'elle ait été interprétée par le jongleur seul, qui quémande l'approbation de son public et paraît en attendre une rémunération. Mais le fait qu'elle voisine dans le manuscrit avec un office latin de sainte Foi suggère assez nettement une utilisation paraliturgique.

Telle est aussi l'utilisation des drames liturgiques, ancêtres du théâtre religieux, paraphrases dramatiques et musicales de vies de saints ou d'épisodes de la Bible ; composés et représentés dans les monastères et dans leurs écoles, ils sont en latin, mais parfois farcis de langue romane dès le XIe siècle, date du *Sponsus*, qui met en scène la parabole des vierges folles et des vierges sages et dont quatre strophes et le refrain sont en français.

Une telle utilisation disparaît complètement à la fin du XIe siècle, avec le *Boèce* en langue d'oc et la *Vie de saint Alexis* en français. Le sujet même du *Boèce* exclut tout rapport avec la liturgie, bien que le Moyen Age ait parfois considéré l'auteur de la *Consolatio Philosophiae* comme un saint; ce poème, d'une élégance sobre et d'une éloquence retenue, est d'ailleurs, d'une certaine façon, atypique. Le *Saint Alexis* manifeste pour la première fois une technique littéraire élaborée et une réelle maîtrise des procédés de la narration; il a d'ailleurs été assez lu pour être copié dans cinq manuscrits entre le XIIe et le XIVe siècle. On arrive donc avec lui au point extrême d'émancipation accessible à cette littérature entièrement dérivée des modèles latins. Le cadre liturgique a disparu et les auteurs font réellement œuvre littéraire en exploitant les ressources de la jeune langue dans laquelle ils écrivent. Mais les sujets restent religieux et derrière chaque œuvre se trouve une source latine directe. Quant aux auteurs, ce sont tous des clercs. On en est encore au point que souhaitait atteindre dès le VIIe siècle Bède le Vénérable, qui, en même temps qu'il voulait réduire les études au strict domaine religieux, encourageait les traductions poétiques de l'Ecriture en langue vulgaire, mais dans une intention bien évidemment missionnaire et non culturelle. Il faut préciser que Bède vivait en Angleterre et qu'il s'agissait donc de poèmes anglo-saxons, les langues germaniques ayant connu un éveil littéraire plus précoce que les langues romanes.

Pour en revenir au *Saint Alexis*, son caractère intermédiaire de texte déjà à demi émancipé de la tutelle de l'Eglise tout en conservant et en affichant sa vocation édifiante est symbolisé de façon admirable par la conversion retentissante mais bientôt désavouée par l'Eglise qu'il devait un jour entraîner : c'est pour l'avoir entendu réciter par un jongleur qu'en 1174 un riche bourgeois de Lyon, Valdès, se dépouilla de ses biens

et se mit à prêcher la pauvreté évangélique, précurseur malheureux de saint François d'Assise, puisque, bien qu'il n'eût jamais cessé de proclamer son orthodoxie et son obéissance à la hiérarchie, rejeté et bientôt condamné par elle, il fut malgré lui le fondateur éponyme d'une secte réputée hérétique et dont certains membres le devinrent en effet, celle des Vaudois.

La littérature en langue vulgaire acquiert ainsi peu à peu une certaine autonomie, mais qui ne peut aller jusqu'à l'indépendance. Celle-ci ne pourra être atteinte que par une mutation et par l'apport d'une culture largement étrangère au monde clérical : ce sera la révolution du XIIe siècle.

II / LE MAINTIEN D'UNE CULTURE LATINE

A la fin du XIe siècle, en effet, surgit avec une apparente et énigmatique soudaineté une littérature entièrement originale, qui revêt d'abord la forme de l'épopée en langue d'oïl et celle de la poésie lyrique amoureuse en langue d'oc. Cette littérature, dont on traitera en son temps, est non seulement profane et réprouvée comme frivole dans toutes ses manifestations par l'Eglise, mais encore, dans le cas de la poésie courtoise, elle est fondée sur une éthique inconciliable avec la morale chrétienne. Il y a donc une solution de continuité évidente, et d'ailleurs formellement sensible, entre elle et les premiers essais littéraires romans qui viennent d'être présentés. Tout se passe comme si ceux-ci n'avaient été, du point de vue de la littérature française, que de simples exercices d'assouplissement de la langue.

Mais il ne faut pas croire que l'Eglise et le latin se trouvent dès lors dépossédés de la culture au profit de la langue vulgaire et du domaine profane. Si l'on fait abstraction de sa valeur esthétique et de son importance au regard de la civilisation, pour ne considérer que l'aspect quantitatif, la littérature française, jusqu'à la fin du Moyen Age, tient une place modeste par le nombre des auteurs, des œuvres, des manuscrits à côté du domaine latin. L'Eglise reste le lieu et le latin la langue de la vie intellectuelle.

1. *La philosophie*

Or, celle-ci connaît, précisément au XIIe siècle, au moment même où s'épanouit la littérature en langue vulgaire, un essor extraordinaire, lié d'une part à la redécouverte de la philosophie antique, d'autre part, au développement des écoles urbaines, où enseigne et étudie un personnage d'un type nouveau sous une dénomination ancienne et floue : le clerc.

Le haut Moyen Age et l'époque de la renaissance carolingienne elle-

même avaient essentiellement entendu par « philosophie » l'étude de la physique et des phénomènes naturels. L'ignorance de plus en plus généralisée du grec avait entraîné celle de la philosophie proprement dite, puisque non seulement on ne lisait plus les penseurs grecs, mais qu'en outre les manuscrits de leurs œuvres, n'étant plus recopiés, avaient presque entièrement disparu des bibliothèques d'Occident. Les compilations philologico-scientifiques, qui avaient atteint leur sommet avec l'œuvre d'Isidore de Séville, semblaient le *nec plus ultra* de la spéculation intellectuelle. Seul grand philosophe de l'époque carolingienne, Jean Scot Erigène est aussi le seul à connaître profondément Platon, mais son influence ne s'exercera que deux siècles plus tard.

Au XIIe siècle, les auteurs grecs sont réintroduits en Occident grâce aux rapports plus étroits qu'entretient celui-ci avec le monde islamique qui les avait connus par l'intermédiaire des communautés chrétiennes orientales et qui n'avait cessé de les étudier. Traduits en latin à partir du grec ou à partir de leurs traductions arabes, ils donnent une impulsion nouvelle à la philosophie, en particulier à la fameuse querelle des universaux, qui portait sur la réalité des idées, et, à travers la philosophie, à la théologie. Pierre Abélard, abordant la théologie après s'être illustré comme logicien et comme dialecticien et avoir trouvé la réponse de la pensée moderne à la question des universaux, montre dans le *Sic et Non (Oui et Non)* que les divergences d'opinion entre les pères de l'Eglise rendent insuffisant l'argument d'autorité et imposent d'appliquer les lois du raisonnement à l'exégèse scripturaire. Si certaines de ses propositions, touchant notamment la théologie trinitaire, souvent mal comprises ou volontairement déformées, sont condamnées, quitte à être reprises par d'autres auteurs qui se contentent de taire leur source, il n'en reste pas moins que, d'une façon générale, la pensée de l'époque s'oriente vers ce qu'on a pu appeler, sans trop d'anachronisme, un humanisme. Dans son *Elucidarium*, à la fois catéchisme et livre du maître à l'intention des curés qui reflète bien une sorte d'orthodoxie moyenne vulgarisée, Honorius Augustodunensis n'enseigne plus, comme Grégoire le Grand, que l'homme n'a été créé que par accident, à la suite de la chute des anges rebelles et pour les remplacer tant bien que mal, mais, au contraire, suivant les leçons nouvelles du *Cur Deus Homo* d'Anselme de Cantorbery, que le dessein même de la création exigeait que les hommes fussent joints aux anges parmi les élus, car : « Dieu ayant créé deux créatures principales, l'une spirituelle, l'autre corporelle, c'est donc qu'il a voulu être loué par l'une et par l'autre. » Et Bernard Silvestre, dans son *De mundi universitate*, dit, avant Alain de Lille et bien d'autres, la correspondance entre le macrocosme et le microcosme, c'est-à-dire l'homme. La conséquence morale de ce nouvel et relatif optimisme est une certaine réhabilitation de la nature de l'homme, illustrée

poétiquement à la fin du siècle par le *De planctu naturae* d'Alain de Lille, dont s'inspirera Jean de Meung dans le *Roman de la rose*.

Dans le domaine des lettres et des sciences, ou, comme on disait alors, des arts, on lit, on copie, on commente, on imite avec une passion nouvelle les poètes latins, on cherche des leçons d'éloquence auprès de Cicéron et de Quintilien et des leçons de choses dans Lucrèce et dans Pline. C'est Bernard Silvestre encore qui, reprenant la vieille interprétation chrétienne de l'œuvre de Virgile, applique à l'*Enéide* la méthode de l'exégèse allégorique. Reconnaissant la dette de ses contemporains à l'égard des anciens, Bernard de Chartres écrit la phrase célèbre : « Nous sommes des nains juchés sur des épaules de géants. »

2. *Les écoles*

Toute cette activité a moins pour cadre le monastère que la ville, qui grandit et s'enrichit rapidement grâce à une période de paix relative et au développement du commerce, et où des maîtres viennent ouvrir leurs écoles. Celles-ci sont brillantes à Chartres au début du siècle, à Paris surtout, où elles ne tardent pas à recevoir une organisation qui prélude à la fondation de l'Université au XIIIe siècle.

Les écoles parisiennes s'installent d'abord dans l'île de la Cité, autour du chapitre de Notre-Dame, puis elles essaiment en face, sur la rive gauche, et escaladent la montagne Sainte-Geneviève. Elles sont bientôt placées sous l'autorité d'un chancelier. Les maîtres ont obtenu la *licentia docendi* (licence d'enseignement) : les titulaires de la licence ès arts enseignent les arts du *trivium* (grammaire, rhétorique, dialectique) et du *quadrivium* (géométrie, arithmétique, musique, astronomie), autrement dit les sept arts libéraux, avec une insistance particulière sur les arts du *trivium*; s'ils poursuivent leurs études, ils pourront un jour enseigner le droit, la médecine, la théologie, après avoir obtenu la licence correspondante; le droit et la médecine s'enseignent peu à Paris, qui est surtout célèbre pour la théologie. Mais, encore une fois, cette organisation ne se met en place que peu à peu, dans le courant et à la fin du XIIe siècle.

Certains des maîtres sont des chanoines réguliers de Notre-Dame ou, de plus en plus souvent jusqu'à la fin du siècle, de la prestigieuse abbaye de Saint-Victor, fondée à l'initiative du célèbre théologien Guillaume de Champeaux et établie à l'est de la montagne Sainte-Geneviève : tels le grand exégète André de Saint-Victor, Hugues de Saint-Victor, dont le nombre même des œuvres qui lui sont attribuées à tort montre le renom, le prédicateur Achard de Saint-Victor, Richard de Saint-Victor, dont le *Liber exceptionum* est une sorte de polycopié (les manuscrits en sont très

nombreux) à partir des notes prises par ses étudiants à son cours, un commentaire de la Bible qui en expliquait, selon la méthode traditionnelle, d'abord le sens littéral, puis le sens allégorique, enfin le sens moral. Mais d'autres maîtres sont des séculiers; certes, ils appartiennent à l'Eglise, mais ils n'ont reçu le plus souvent que les ordres mineurs et sont très rarement prêtres. Ceux-là font réellement de l'enseignement leur seul métier. C'était le cas d'Abélard, qui put librement épouser Héloïse, mais tint son mariage secret par respect humain, trouvant que c'était un état ridicule pour l'illustre professeur qu'il était, et s'attira ainsi de la part du chanoine Fulbert, l'oncle d'Héloïse, les terribles représailles que l'on sait.

Un grand nombre de maîtres et tous les étudiants appartenaient donc à l'Eglise juridiquement, puisqu'ils relevaient de son autorité et éventuellement de ses tribunaux, sans cependant y exercer aucune fonction pastorale ou religieuse, sans non plus qu'il y eût le moindre rapport entre le rang de leur insertion théorique dans la hiérarchie de l'Eglise et la place qu'ils occupaient effectivement, puisque le plus prestigieux des maîtres n'avait jamais reçu, comme le plus humble de ses étudiants, que les ordres mineurs. Ils se définissaient donc tous essentiellement comme des intellectuels, et c'est bien cela que signifie avant tout le mot clerc.

Comme tous les intellectuels, et comme le montrent les liens distendus qui les relient à l'Eglise en tant qu'institution, leur insertion sociale était précaire, au moins tant qu'ils n'avaient pas atteint le faîte des honneurs universitaires. Les étudiants étaient souvent pauvres, souvent déracinés dans les villes où ils étudiaient, souvent itinérants, car ils couraient l'Europe pour aller écouter les professeurs réputés. Les études étaient longues, l'avenir incertain. Ils n'étaient pas assurés, lorsqu'ils n'avaient ni fortune ni relations, d'obtenir un jour dans l'Eglise la charge ou le bénéfice qui les ferait vivre, ni de devenir à leur tour maître dans les écoles, ni de trouver un emploi d'homme de plume auprès d'un puissant.

3. *Les goliards*

C'est dans leurs rangs que se recrutaient ceux que l'on appelait les clercs vagants *(clerici vagantes)* ou encore les goliards; ils dénonçaient avec violence la cupidité et la vénalité des princes de l'Eglise dans des poèmes inspirés de Juvénal, ils chantaient l'amour, parfois en termes fort osés, le vin, la saveur de l'instant dans des poèmes inspirés d'Ovide et de Catulle, mais semés parfois de vers français ou allemands et dont la métrique, comme c'était d'ailleurs depuis longtemps le cas pour la poésie liturgique, était celle de la langue vulgaire, fondée sur le compte des syllabes et sur la rime, et non sur la scansion des longues et des brèves. C'est donc une littérature née

au sein de l'Eglise et nourrie de sa culture, qui, par sa rébellion, loin de s'en libérer, en reste plus que jamais prisonnière, mais qui déserte cependant comme malgré elle et par la force des choses. Elle est en effet en latin et s'inspire d'auteurs antiques transmis, tantôt bon gré, tantôt mal gré, par l'Eglise. Sa révolte contre les abus de l'Eglise trahit surtout sa familiarité avec elle, et même sa complicité, s'il est vrai qu'elle exprime des revendications individuelles et non une volonté de bouleversement général. Mais en même temps, en exaltant la jouissance des choses de la vie, elle s'oppose profondément à la morale officielle, faite de détachement et d'ascèse. Et elle glisse lentement vers la langue vulgaire. Abélard, pour l'amour d'Héloïse, composa de telles chansons, qui, nous dit-il lui-même, car la modestie n'était pas son fort, étaient sur toutes les lèvres, à tous les carrefours; elles sont malheureusement perdues. Mais plusieurs recueils de chansons goliardiques ont été conservés, en particulier un manuscrit à Cambridge et un autre, le plus célèbre, à l'abbaye de Benediktbeuern, dont les chansons sont pour cette raison connues sous le nom de *Carmina burana.*

Ce glissement vers la langue vulgaire allait souvent jusqu'au bout : beaucoup de poètes et de romanciers français que l'on rencontrera dans les autres chapitres de ce livre sont des clercs.

Le tableau qui vient d'être esquissé peut laisser penser que la vie des écoles au XIIe siècle se caractérise par une très grande audace. En réalité, celle des goliards est plus limitée, et, si l'on peut dire, plus intégrée au système qu'elle n'en a l'air. Dans le domaine purement intellectuel, il est bien vrai que la première moitié du siècle, dominée par la figure d'Abélard, qui ne doit cependant pas faire oublier les autres dialecticiens et théologiens, est toute bouillonnante de questions et d'idées nouvelles. Mais la fin du siècle est marquée par une sorte de réaction. En outre, le goût pour les sommes et pour le savoir encyclopédique, qui caractérisera le XIIIe siècle, commence à se faire jour; on se préoccupe de classer et d'organiser le savoir. On rédige les manuels qui seront à la base de l'enseignement des universités : le *Livre des sentences* de Pierre Lombard, l'*Historia scolastica* de Pierre le Mangeur (Petrus Comestor), ainsi surnommé parce que c'était un dévoreur de livres.

Enfin, une profonde hostilité au milieu urbain, à ses mœurs, à ses innovations intellectuelles se manifeste tout au long du siècle dans le monde monastique, dont on aurait tort de penser qu'il renonce aux activités de l'esprit ou même qu'il est dépourvu de curiosité et d'ouverture : c'est sur l'initiative de l'abbé de Cluny, Pierre le Vénérable, que le Coran est traduit en latin. Les moines bénédictins et surtout cisterciens voient dans la ville un lieu de débauche et de perdition, dans Paris une nouvelle Babylone, dans les idées nouvelles agitées au sein de ses écoles un danger constant d'hérésie. Saint Bernard de Clairvaux et son disciple Guillaume

de Saint-Thierry s'acharnèrent à faire condamner les thèses d'Abélard, qui finit par ne trouver refuge, pour y mourir, qu'à Cluny, où l'accueillit Pierre le Vénérable, qui joua une fois de plus son rôle habituel de conciliateur et qui, à défaut d'être un saint, était un homme bon. C'est que les auteurs monastiques ont alors l'esprit plus tourné vers l'effusion mystique, ou tout au moins, selon la formule d'Etienne Gilson, qu'il applique d'ailleurs aux victorins, vers la mystique spéculative, et, de façon apparemment paradoxale, s'agissant de cloîtrés, vers l'instruction spirituelle, sinon vers la prédication, que vers la dialectique. Les sermons de saint Bernard sur le *Cantique des Cantiques*, le commentaire de Guillaume de Saint-Thierry sur le même texte, les traités, les épîtres, comme celle *De l'amour de Dieu*, les paraboles de saint Bernard, le traité *De la contemplation de Dieu* de Guillaume de Saint-Thierry, les traités ou les sermons de saint Pierre Damien, de saint Norbert, de Guerric d'Igny sont des modèles, souvent admirables, de prose ascétique ou mystique.

Ce sont aussi les moines, semble-t-il, plus que les séculiers qui se sont préoccupés d'écrire des traités contre les hérésies, comme le firent Pierre le Vénérable, saint Bernard, Bernard de Fontcaude, Alain de Lille, qui n'était pas moine mais qui finit ses jours chez les cisterciens, dont il était depuis longtemps proche; un peu plus tard, l'ancien Vaudois Durand de Huesca est devenu prieur de la communauté des *pauvres catholiques* quand il écrit contre les cathares son *Contra Manicheos*. A ces traités répondront quelques ouvrages hérétiques, comme le *Livre des deux principes* cathare, sans parler des textes en langue vulgaire, dont il sera brièvement question plus loin.

La prédication est le lieu où se retrouvent tant d'esprits si divers, et où ils se retrouvent doublement. Tous en effet, moines, chanoines réguliers, maîtres des écoles lorsqu'ils étaient prêtres, évêques, abbés ont laissé un nombre énorme de sermons. Mais, en outre, tous ces sermons, jusqu'à un certain point, se ressemblent et se rejoignent, exception faite des ouvrages mystiques habillés en sermons, dans le même conformisme prudent et moralisateur; on chercherait en vain dans la prédication de tel maître un reflet de son enseignement audacieux et brillant. On peut s'attendre à ce que cet aspect conventionnel et ce retard par rapport au mouvement des idées se retrouvent dans la littérature religieuse en langue vulgaire, puisque, comme le montrent les sermons, qui sont un point de contact entre le monde clérical et le monde laïc, les clercs sont très soucieux de ne pas troubler les laïcs avec des nouveautés dangereuses, et puisque, autrement dit, le fossé est si profond entre la recherche et la vulgarisation. De fait, la vie intellectuelle qui anime si vigoureusement le monde clérical et scolaire du XIIe siècle n'a que peu d'effet, au moins à l'époque même, sur la littérature française, et en a particulièrement peu sur la littérature française religieuse.

4. *Les Universités*

Toutefois, avant de revenir à cette dernière, il faut évoquer un instant l'évolution au XIIIe siècle de ce monde des écoles que l'on a vu s'organiser au cours du siècle précédent. Cette évolution touche aussi bien les institutions que les disciplines intellectuelles, qui se trouvent les unes comme les autres au centre d'âpres conflits politiques et religieux.

Dès les premières années du XIIIe siècle, les écoles parisiennes se réunissent pour former la première Université. Leur exemple est bientôt suivi par celles de Bologne, de Montpellier, d'Oxford, destinée aux étudiants anglais empêchés par la guerre franco-anglaise d'aller étudier à Paris. D'autres Universités se créent presque de toutes pièces, filles des troubles des temps, comme à Orléans, dans les circonstances évoquées plus bas, et à Toulouse, où le traité de Paris de 1229, épilogue politique de la croisade albigeoise, décide de sa fondation en même temps qu'il prévoit le rattachement du comté au domaine royal. Chaque Université, placée sous l'autorité d'un chancelier, regroupe les quatre Facultés, celle des Arts, où les étudiants débutants suivent le cursus déjà classique du *trivium* et du *quadrivium*, et celles de Droit, de Médecine et de Théologie. Particulièrement réputée, la Faculté de Théologie de l'Université de Paris recevra bientôt le nom de Sorbonne après qu'un de ses maîtres, Robert de Sorbon, aura fondé un collège pour les étudiants pauvres de cette discipline.

Très vite, ces jeunes Universités, et plus que toutes les autres celle de Paris, sont secouées par les heurts de passions et d'intérêts divers; elles ne constituent pas seulement en effet une puissance intellectuelle et spirituelle, mais aussi une puissance économique, grâce aux maîtres et aux étudiants qu'elles attirent dans les villes qui les accueillent, et tout à la fois une puissance et un enjeu politiques. L'Université est forte des privilèges et des libertés que lui accorde un pouvoir civil qui voit en elle une source de prestige et de richesse. Institution ecclésiastique, dont les membres jouissent tous du statut clérical, elle n'en échappe pas moins largement à l'autorité de l'évêque. Elle a les moyens d'influer sur l'opinion : à Paris, les maîtres de la Sorbonne ont le privilège de pouvoir prêcher quand ils le veulent dans toutes les paroisses de la ville. Or cette autonomie et cette prospérité sont, aux yeux des maîtres séculiers, menacées par le succès dans les milieux universitaires des jeunes ordres mendiants, particulièrement des prêcheurs, et par l'accès de leurs membres à des chaires de plus en plus nombreuses. Dominicains et franciscains sont en effet étroitement liés à la fois au pouvoir pontifical et au pouvoir royal, qui, dans la France de Saint Louis, leur est très favorable. Les séculiers considèrent donc que la présence de maîtres appartenant à ces ordres compromet l'indépendance de l'Université. Ils estiment sans doute aussi qu'elle compromet leurs finances; l'entretien

matériel des maîtres mendiants est assuré par leur ordre, et cet ordre, qui prétend vivre d'aumônes, se refuse à entrer dans le système de la rémunération du travail. Les séculiers voient là une sorte de concurrence déloyale. Pendant près de trente ans, l'Université de Paris est déchirée par ces querelles, depuis le prologue constitué par la longue grève de 1229-1230 et le départ momentané de la Faculté des Arts pour Orléans, où une Université sera créée à cette occasion, jusqu'à la défaite des maîtres séculiers et l'exil en 1257 de leur chef de file, Guillaume de Saint-Amour, qui ne met d'ailleurs pas immédiatement un terme aux hostilités.

Cette agitation ne nuit nullement à l'activité intellectuelle et ce sont précisément les ordres mendiants qui donnent à cette époque à l'Université de Paris ses professeurs les plus prestigieux, saint Albert le Grand et saint Thomas d'Aquin pour les dominicains, saint Bonaventure pour les franciscains, qui y enseignent successivement ou simultanément de 1245 à 1272. Le succès prodigieux, un moment combattu, mais en vain, par les autorités ecclésiastiques, de la pensée d'Aristote, dont l'œuvre, d'abord connue à travers Averroès, commence à être traduite en latin, le triomphe de la philosophie dans tous les domaines de l'activité intellectuelle, la substitution de la dialectique à la logique grammaticale comme fondement de la pensée spéculative, le goût de la synthèse et des sommes caractérisent cette période et trouvent, bien entendu, leur expression la plus remarquable dans la *Somme théologique* de saint Thomas d'Aquin (1274). Hors du domaine de la spéculation théologique, les compilations encyclopédiques se multiplient, tel le triple *Miroir* de Vincent de Beauvais.

Loin d'être coupée, comme au siècle précédent, de la vie intellectuelle du monde clérical, la littérature française du XIIIe siècle se fait, on le verra, largement l'écho de la double activité polémique et spéculative qui enfièvre les Universités.

III / LA LITTÉRATURE RELIGIEUSE EN FRANÇAIS

L'essor de la littérature française profane n'a pas plus tari la veine religieuse dans cette langue qu'il ne s'était produit au détriment du latin. Le souci pastoral, qui avait présidé à l'apparition et à la conservation écrite des premiers textes en langue vulgaire, continuait à se manifester sous des formes variées.

C'est ainsi que l'on trouve dans des manuscrits latins, en particulier dans des psautiers, des prières en français, traductions ou adaptations du *Te Deum*, du *Gloria*, de l'*Agnus Dei*, du *Sanctus*, du *Veni Creator*, litanies des saints, dans lesquelles l'utilisateur du manuscrit, s'il savait mal le latin,

soit que ce fût un laïc, soit qu'il s'agît de nonnes ou de béguines, pouvait trouver une expression plus familière de sa ferveur. On trouve également dans des recueils divers, français ou latins, des traductions assez nombreuses des prières usuelles, le *Pater*, le *Credo*, l'*Ave Maria*, en prose ou en vers. Toutes ces prières n'appartiennent pas en elles-mêmes à la littérature. Toutefois, elles sont souvent proches des prières intégrées à certaines œuvres littéraires, romans ou chansons de geste, où elles prennent un poids littéraire. D'autre part, il suffit que la traduction soit accompagnée, comme il arrive, d'un commentaire pour que l'on se rapproche, sinon de l'éloquence sacrée, du moins des traités d'édification; l'homéliaire de Maurice de Sully est ainsi précédé d'une traduction glosée du *Pater* et du *Credo*. On est proche également de la prédication avec les épîtres farcies : elles sont plusieurs, en langue d'oc et en français, pour la Saint-Etienne (26 décembre), mais il en existe aussi pour la Saint-Jean d'hiver (saint Jean l'Evangéliste, 27 décembre) et pour celle d'été (saint Jean-Baptiste, 24 juin), pour la fête des saints Innocents (28 décembre) et pour celle de quelques autres saints, y compris saint Thomas Becket (29 décembre), pour quelques grandes fêtes liturgiques enfin, Noël, Circoncision (1er janvier), Epiphanie, Assomption. Dans ces poèmes, l'épître du jour est citée ou traduite, puis commentée phrase par phrase. L'abondance de ces épîtres farcies pour la période qui va de Noël à l'Epiphanie montre le souci d'associer le peuple aux offices lors des temps forts de l'année liturgique, où ils étaient particulièrement fréquentés.

1. *Les traductions*

Il est donc souvent difficile de distinguer nettement ce qui relève de la traduction de ce qui relève de la prédication, d'autant plus que celle-ci est presque toujours fondée sur des modèles latins. Toutefois, il faut faire une place particulière aux traductions de la Bible, fragmentaires au XIIe siècle, systématiques au siècle suivant. Il existe pour le XIIe siècle deux traductions, très littérales, du psautier, l'une d'après la version hébraïque, l'autre d'après la version gallicane de saint Jérôme. A la fin du siècle, le premier commentaire français des psaumes offre lui aussi, au fil du commentaire verset par verset, une traduction intégrale. On date de la même période une élégante traduction glosée des *Quatre livres des Rois*. Vers 1189, Herman de Valenciennes compose la première adaptation intégrale en vers français de la Bible. Au début du XIIIe siècle, les traductions se multiplient; on peut relever parmi elles une traduction en vers du *Livre des Juges* destinée aux chevaliers du Temple ou de l'Hôpital et une traduction de l'Evangile de saint Jean en langue d'oc. Un peu plus tard, paraît la première traduction complète

en prose de la Bible, tantôt glosée, tantôt non, élaborée sans doute dans les milieux universitaires parisiens et connue sous le nom de *Bible française du XIIIe siècle*. Un demi-siècle plus tard, entre juin 1291 et février 1294, Guyart des Moulins adapte librement en français l'*Historia scolastica* de Pierre le Mangeur, dont on a parlé plus haut. A sa *Bible historiale*, comme on l'appela, les manuscrits ajoutèrent souvent une partie de la *Bible française du XIIIe siècle*, de façon à former la *Bible historiale complétée*. Durant tout le XIIIe siècle, les traductions en vers, partielles ou complètes, de la Bible se font très nombreuses; la plupart d'entre elles sont des adaptations libres, augmentées de farcissures et de commentaires nombreux; on peut citer parmi elles celle de Macé de La Charité-sur-Loire, entreprise en 1283. A partir du XIVe siècle, les traductions nouvelles sont souvent contenues dans des manuscrits richement illustrés à l'usage des laïcs, où le texte est subordonné à l'image, comme c'est le cas pour la *Bible moralisée*, ou offrant une version très abrégée du texte scripturaire, comme celle de Roger d'Argenteuil.

Le nombre de ces traductions peut étonner, si l'on songe à la répugnance que manifestera l'Eglise catholique après la Réforme à permettre aux fidèles la lecture directe de la Bible dans leur langue. Il faut pourtant bien comprendre l'attitude qui est la sienne au Moyen Age. On a dit plus haut combien la recherche théologique était coupée de la pastorale. On voit à présent que cette coupure est volontaire et systématique : l'Université de Paris, qui, en 1210, après la condamnation de David de Dinant, ordonne de brûler tous les ouvrages de théologie en langue vulgaire, encourage les traductions de la Bible, et excepte d'ailleurs explicitement de sa condamnation les vies de saints. En langue vulgaire, seule la spéculation est dangereuse; l'édification est toujours permise. C'est pourquoi il ne faut pas, comme on a parfois eu tendance à le faire, attribuer trop facilement les traductions de la Bible aux hérétiques. Celles que Gautier Map a vu remettre par les Vaudois au pape Alexandre III lors du IIIe Concile de Latran, en 1179, sont bien perdues. En revanche, les deux traductions intégrales du Nouveau Testament en langue d'oc que l'on possède pour le XIIIe siècle sont peut-être effectivement hérétiques; l'une d'elles, en tout cas, dans le plus ancien des deux manuscrits qui la contiennent, celui de Lyon (fin du XIIIe siècle), est suivie d'un rituel que les uns disent vaudois, les autres cathare.

Un dernier point, touchant ces traductions, doit être souligné. Les unes, on l'a vu, sont en prose, les autres en vers. Mais certaines, parmi les plus anciennes, ne sont, si l'on peut dire, ni en prose ni en vers : ce sont des gloses juxtalinéaires dont la lecture suivie est inintelligible si l'on n'a pas le texte latin en regard, parce que leur fidélité à l'original latin est telle qu'elles échappent à la syntaxe du français. D'autres traductions semblent

intermédiaires entre la prose et le vers, telle celle des *Quatre livres des Rois*, où les phrases rimées sont nombreuses, sans qu'il s'agisse nécessairement, comme on l'a cru, de la mise en prose d'une traduction en vers antérieure. Les premières traductions réellement en vers n'apparaissent guère avant l'extrême fin du XIIe siècle.

Or, depuis les premiers siècles du christianisme, et alors qu'il ne s'agissait encore que du latin, la légitimité des adaptations du texte sacré en vers, et même celle des poèmes religieux, était mise en question. Certes, leurs auteurs faisaient observer, comme Arator ou Ennode, que certains livres de la Bible sont des poèmes. Mais le livre même de la révélation chrétienne, le Nouveau Testament, est en prose, c'est en prose que Jésus parlait et que ses paroles ont été recueillies. D'une façon générale, et alors que les oracles antiques étaient encore si proches, personne ne semble jamais avoir douté que Dieu parlât en prose. Et il n'est venu à l'idée ni des Septante ni de saint Jérôme de traduire la Bible en vers. Des discussions autour des adaptations en vers, il ressort que la prose semblait à tous moins apprêtée, plus transparente à l'idée, plus vraie, pourrait-on dire, que le vers. En outre, les simples la comprenaient plus facilement, et le souci pastoral, toujours présent, exigeait donc qu'elle fût préférée : Avit de Vienne renonce à la forme poétique « car trop peu comprennent la mesure des syllabes » et un peu plus tard l'évêque Léon de Nole fait résumer en prose le poème de Paulin sur saint Félix.

Mais les traductions en langue romane posaient un problème supplémentaire. Car, jusqu'à la fin du XIIe siècle, il n'existe pas de prose écrite dans ces langues; le vers est la seule forme d'expression littéraire. Les traducteurs devaient donc être partagés entre le souci de fidélité à l'original, qui, en vertu d'une longue tradition, équivalait dans leur esprit à l'obligation d'écrire en prose, et les formes contraignantes de l'expression écrite en langue vulgaire, qui tendaient à leur imposer le vers. Il n'est pas impossible qu'un choix délibéré, né, dans ce domaine comme dans bien d'autres, de l'application automatique aux nouvelles langues des lois littéraires de l'ancienne, ait orienté les premiers d'entre eux vers la prose, faisant d'eux, par une sorte de hasard, les créateurs de la prose française.

2. *Les sermons*

La même hypothèse peut s'appliquer aux plus anciens sermons romans, pris entre des modèles latins en prose et une expression orale sentie instinctivement comme appartenant à la prose. A partir de la fin du XIIe siècle, en effet, les sermons sont conservés un peu plus souvent, bien qu'encore exceptionnellement en langue vulgaire. D'une part, parmi les manuels de

prédication à l'usage des prêtres, ou plus exactement parmi les recueils de sermons modèles *per totum circulum anni*, pour les dimanches et les fêtes de l'année liturgique, qui étaient très abondamment diffusés depuis l'époque carolingienne, quelques-uns commencent à être diffusés en français ou dans une autre langue romane. Le travail des prédicateurs est alors préparé, mâché, peut-on dire, à l'extrême, puisqu'ils n'ont même plus à traduire, pour le répéter devant leurs ouailles, le sermon qu'ils trouvent dans leur « livre du maître ». Le plus célèbre, le plus complet, le plus diffusé de ces homéliaires est celui de Maurice de Sully, évêque de Paris de 1160 à 1196, qui entreprit la construction de l'actuelle cathédrale Notre-Dame. Il en existe une version latine, la seule à être certainement de Maurice de Sully, et une version française, qui est peut-être de lui et qui n'est en tout cas pas postérieure à 1220. La version française, souvent plus explicite, plus répétitive, plus moralisante que la version latine, confirme ainsi par son contenu même le souci d'adaptation à un public populaire.

D'autre part, dans le courant du XIIIe siècle, apparaissent en assez grand nombre des recueils de sermons à lire, destinés à des dévots, et, plus souvent encore, à des dévotes. Les textes qu'ils contiennent sont le plus souvent centrés sur le thème de la *conversion* et du détachement du monde, et il n'est pas rare que leur coloration soit nettement mystique. La spiritualité cistercienne y est partout présente, comme le confirment les traductions de sermons, d'épîtres, de paraboles de saint Bernard que l'on y trouve; ainsi, un même manuscrit contient une traduction des quarante-quatre premiers sermons sur le *Cantique des Cantiques*, de l'épître *De l'amour de Dieu* et des homélies *En louange de la Vierge mère*.

Quant aux sermons en vers, ils ressortissent, non pas de la prédication, malgré leur nom, mais de la littérature morale parfois teintée de satire. C'est le cas du sermon *Grant mal fist Adam*, qui passe en revue les états du monde, de celui de Guichard de Beaulieu, des *Vers* de Thibaud de Marly, du cycle de sermons du *Poème moral* ou du *Sermon au puile* de Bérengier. Même les *Evangiles des domnees* de Robert de Gretham, ouvrage qui semble proche des sermons du temporal, puisqu'il traduit et commente les évangiles des dimanches, ne sont rien d'autre en réalité qu'un livre de lectures édifiantes au fil de l'année.

3. *Les vies de saints*

Les vies de saints relèvent du même esprit pastoral et se confondent d'ailleurs souvent avec les sermons sur les saints. La grande compilation hagiographique rédigée en latin à la fin du XIIIe siècle par le franciscain Jacques de Voragine, et connue sous le nom de *Légende dorée*, suit elle-même

l'ordre du calendrier liturgique. Bientôt traduite en français, elle n'est que l'aboutissement, marqué par le goût de l'exhaustivité encyclopédique dont on a parlé, des innombrables vies de saints écrites en langue vulgaire depuis deux siècles, en vers ou en prose. Souvent très fidèles à leurs sources latines, elles n'ont pas toutes des prétentions littéraires, mais, dans un souci d'invention narrative, elles étoffent leur pieuse matière avec des motifs romanesques, qu'elles traitent dans un esprit différent de celui de leurs modèles narratifs savants et où parfois se devine fugitivement l'affleurement du folklore. Telle vie de — ou homélie sur — sainte Marie-Madeleine, non contente d'exploiter une situation qui se trouve d'autre part dans des œuvres profanes, le roman latin d'*Appolonius de Tyr* et la chanson de geste de *Jourdain de Blaye*, y ajoute un détail, vite gommé par les versions ultérieures, qui semble relever de l'*autre culture*.

Certaines vies de saints en vers sont l'œuvre d'auteurs connus, comme Guillaume le Clerc de Normandie, auteur précisément d'une *Vie de sainte Marie-Madeleine*, voire illustres, et pour leurs ouvrages profanes, comme Wace, auteur d'une *Vie de sainte Marguerite*, d'une *Vie de saint Nicolas*, d'une *Conception Nostre Dame*, à côté des premières adaptations françaises de la matière bretonne qui ont fait sa gloire. Mais une place particulière doit être faite à l'œuvre d'un jongleur d'Ile de France, Guernes de Pont-Sainte-Maxence, qui termina sa *Vie de saint Thomas Becket* quatre ans à peine après l'assassinat, en 1170, de l'archevêque de Cantorbery dans sa cathédrale par des chevaliers du roi d'Angleterre Henri II Plantagenêt. Non seulement ce poème est la plus ancienne des vies de saint Thomas Becket en français, la plus longue aussi, avec ses 6 180 vers répartis en strophes monorimées de cinq alexandrins, mais surtout il est aux confins de l'histoire et de l'hagiographie, ou plutôt, puisqu'il s'agit d'histoire immédiate, il est un exemple remarquable de l'utilisation de l'hagiographie à des fins politiques à travers le canal de la littérature en langue vulgaire, représentée en l'occurrence par un poème professionnel dans la tradition jongleresque, parfaitement capable de donner toute la publicité voulue au martyre du saint et au crime du roi. Ce poète fait jusqu'à un certain point son métier de « journaliste » et de polémiste : il ne recule pas devant les précisions techniques, juridiques et politiques, ni devant les longs comptes rendus de négociations et d'entrevues, et il a enquêté directement auprès des familiers de l'évêque assassiné. Mais en même temps, fidèle aux habitudes des hagiographes, il s'inspire surtout des récits latins qui relataient déjà le drame. Enfin, la vigueur et la vivacité de son poème le rendent aussi singulier, au milieu de la production hagiographique, par sa qualité littéraire que par les circonstances de sa rédaction.

4. *La littérature didactique*

Si les traductions des livres sacrés, les sermons, les vies de saints sont liés à la vie de l'Eglise par un fil qui peut être ténu, mais qui est toujours présent, il en va différemment de l'immense domaine de la littérature morale et didactique et de la littérature narrative à caractère religieux. S'il fallait répartir cette masse de textes, sinon en genres, du moins en catégories, on pourrait, en s'éloignant progressivement du modèle de la prédication, distinguer les œuvres purement didactiques, celles que leur veine satirique ou que leur exploitation systématique des *topoi* rattachent plus étroitement aux traditions littéraires, celles enfin qui développent une fiction narrative.

A la première catégorie se rattachent les traductions et les adaptations d'ouvrages théologiques ou moraux en latin. Les célèbres *Dialogues* de Grégoire le Grand sont ainsi traduits en français dès le XIIe siècle. Il existe de nombreuses traductions de l'*Elucidarium* en prose ou en vers, comme celle de Gilbert de Cambres. Le *Moralium dogma philosophorum* de Guillaume de Conches est traduit en français et remanié dans le *Livre de philosophie et de moralité* d'Alard de Cambrai, qui attribue fictivement chaque proverbe à un philosophe de l'Antiquité, le commente et l'illustre d'anecdotes. La *Disciplina clericalis* du juif converti Pierre Alfonse fait l'objet de deux traductions françaises, la *Discipline de clergie* et le *Chastoiement d'un pere a son fils*.

Cet ouvrage attire l'attention sur deux points. Le premier est l'importance des *exempla* dans la littérature édifiante. Les *exempla* sont les anecdotes dont les prédicateurs illustrent leur propos. A partir du XIIIe siècle, ils les trouvent dans des recueils compilés à cette intention. Mais ils utilisent aussi bien celles qu'ils lisent dans des auteurs plus anciens qui les ont collectées pour des raisons diverses, comme l'ont fait précisément Grégoire le Grand dans ses *Dialogues* et Pierre Alfonse dans la *Disciplina clericalis*. Ce dernier ouvrage, qui se présente comme l'enseignement d'un père à son fils, offre sur ce point un intérêt particulier, puisque le père, sous prétexte d'apprendre à son fils la saine morale et les bonnes manières, lui résume un grand nombre de contes orientaux, que l'on retrouvera bientôt dans la littérature française, soit sous forme de fabliaux, soit sous forme de fables d'animaux, soit dans le *Roman de Renart*, ou encore, un peu plus tard, dans les *Contes moralisés* du franciscain Nicole Bozon. On voit ainsi les rapports étroits qui unissent les *exempla* au développement des genres narratifs brefs. Dans le domaine de la littérature religieuse française, c'est le principe de l'*exemplum* qui détermine la forme des contes pieux et des collections de miracles en vers du XIIIe siècle, comme ceux de la *Vie des Pères*, comme les *Miracles de Notre Dame* de Gautier de Coincy, ou même comme les *Miracles de saint Louis* en prose rédigés par Guillaume de Saint-Pathus. Le plan même du livre de Joinville, qui reproduit d'un côté les « saintes paroles »,

puis relate de l'autre les « bons faits » de saint Louis, en vertu d'une dichotomie qui nous paraît étrange, relève du modèle exemplaire.

D'autre part, l'ouvrage de Pierre Alfonse et ses traductions en français sont caractéristiques de la littérature d' « enseignements », qui se développe dans cette langue comme en langue d'oc, et qui vise tantôt à l'instruction religieuse, tantôt à l'éducation mondaine des destinataires. On peut citer, parmi les ouvrages religieux de ce type, la *Lumiere as lais* de Pierre de Peckham, le *Manuel des péchés* attribué à William de Waddington, le *Miroir du monde* d'un cistercien anonyme récrit et transformé par le dominicain Laurent, confesseur du roi de France Philippe le Hardi, sous le titre de *Somme le roi*, *L'aprise de norture* (« l'apprentissage de l'éducation »), et, un peu plus tard, la *Doctrina pueril* de Raymond Lulle, bientôt traduite du catalan en français avec le même titre, *Doctrine d'enfant*. Le même Raymond Lulle, dans son *Livre du gentil et des trois sages*, ne fait que reprendre, dans un esprit un peu différent, la tradition de l'*altercation* religieuse, illustrée en français (*La desputoison de la Sinagogue et de Sainte Eglise*, *La desputoison du juyf et du crestien*), en langue d'oc (*Las novas del heretje*), en catalan (*Disputa del Bisbe de Jaén contra los jueus sobre la fe católica*).

D'autres traités d'éducation sont essentiellement ou uniquement profanes, comme les *Enseignements Trebor*, le *Doctrinal Sauvage*, l'*Ornement des dames*, le *Chastiement des dames* de Robert de Blois, *Los vers dels escolas* du troubadour Serveri de Gérone, le traité des *Quatre âges de l'homme* de Philippe de Novare, tous les *ensenhamens* des troubadours, celui d'Amanieu de Sescas, celui d'Arnaut de Mareuil, celui de Garin le Brun, celui de Raymond Vidal de Besalù, sans parler des encyclopédies en langue vulgaire comme le *Trésor* de Brunet Latin.

La fin du Moyen Age verra, non seulement se multiplier les ouvrages d'éducation et de piété, mais encore apparaître des tentatives, à la fois plus concrètes et plus ambitieuses, pour assurer en un seul livre, comme l'avait déjà tenté Raymond Lulle, l'éducation pratique, morale et religieuse du lecteur ou, plus souvent, de la lectrice; les deux plus célèbres sont le *Livre du chevalier de La Tour Landry à l'usage de ses filles* et le *Mesnagier de Paris*, dans lequel un riche bourgeois parisien d'un certain âge enseigne à sa toute jeune épouse la conduite de la maison, comme l'avait fait Xénophon dans les *Economiques*, mais aussi les règles de la morale et de la piété.

Enfin, s'agissant de l'instruction religieuse, on ne peut passer sous silence les gloses, les rituels, les catéchismes vaudois et cathares, dont quelques spécimens des XIIIe et XIVe siècles, le plus souvent en langue d'oc, ont été conservés.

Mais la littérature didactique et morale exploite parfois plus systématiquement les ressources de la rhétorique, manifestant ainsi un souci plus strictement littéraire que pédagogique. C'est le cas des *Vers de la mort*,

qui développent, de façon parfois saisissante, les lieux communs appelés par leur thème; ceux du cistercien Hélinand de Froidmont sont les plus anciens et les plus célèbres, mais il en est d'autres, ceux de Robert le Clerc, ceux que l'on attribue à Adam de La Halle. D'autres poèmes, en particulier ceux qui traitent des états du monde, sont plus satiriques que religieux, comme le *Dit des trois morts et des trois vifs*, comme le *Roman des romans* attribué à Guillaume le Clerc, comme la *Bible* du seigneur de Berzé ou celle de Guiot de Provins. La satire morale est d'ailleurs souvent dirigée contre l'Eglise elle-même, contre ses prélats et ses moines, leur dureté, leur morgue, leur cupidité. On le voit bien dans les nombreux *sirventès* (poèmes satiriques ou polémiques) en langue d'oc, comme ceux du chanoine défroqué Pierre Cardinal. Au XIIIe siècle, cette poésie satirique est particulièrement abondante, alimentée par les désordres universitaires et les polémiques autour des ordres mendiants dont il a été question plus haut. L'épreuve de force de 1229 entre le pouvoir royal et l'Université de Paris et le repli à Orléans de la Faculté des Arts servent de cadre au *Mariage des sept Arts*, poème allégorique de Jehan le Teinturier d'Arras inspiré de la *Bataille des sept Arts* d'Henri d'Andeli, l'auteur du *Lai d'Aristote*, et à sa médiocre imitation par un poète anonyme, visiblement fort ignorant du monde des écoles, mais que le sujet a pourtant séduit. Les querelles universitaires entre mendiants et séculiers inspirent aux poètes français une abondante production polémique et satirique, uniformément hostile aux ordres mendiants. Les exemples les plus caractéristiques et les plus célèbres dans ce domaine sont ceux de Rutebeuf et de Jean de Meung. Le premier se fait l'ardent défenseur de Guillaume de Saint-Amour et prend à partie violemment dominicains et franciscains dans toute une série de *dits* où l'on trouve l'écho précis de nombreux épisodes de la crise universitaire parisienne et d'autres conflits entre les mendiants et le clergé séculier. Quant à l'auteur de la seconde partie du *Roman de la Rose*, il mêle aux attaques contre les ordres mendiants une réflexion philosophique qui témoigne de sa familiarité avec le monde universitaire.

L'enseignement spirituel ou moral peut enfin être donné dans un cadre narratif. Le lien entre le contenu narratif et sa signification didactique peut alors être de deux sortes. Ou bien l'histoire appelle une morale : c'est le type exemplaire, et les œuvres qu'il faudrait évoquer sont celles qui ont été citées plus haut à propos de l'*exemplum*. Ou bien l'histoire est à double sens : un sens littéral et un sens allégorique. La distinction entre ces deux sens est le fondement même de l'exégèse. En outre, le récit allégorique avait ses lettres de noblesse, puisque les paraboles de l'Evangile relèvent de ce genre. Enfin, le succès du *Roman de la Rose* allait mettre en vogue le roman allégorique. On ne s'étonne donc pas de voir à partir de la fin du XIIIe et au XIVe siècle certaines œuvres édifiantes exploiter cette veine,

comme le *Tournoiement Antéchrist* d'Huon de Méry, le *Pèlerinage de la vie humaine* et le *Pèlerinage de l'âme* de Guillaume de Digulleville, *Le Songe du Vieil Pèlerin* de Philippe de Mézières. Il arrive que le type exemplaire et le type allégorique se combinent, comme dans l'étrange et beau roman d'éducation de Raymond Lulle intitulé *Le livre d'Evast et de Blaquerne.*

A mesure que la littérature religieuse s'éloigne des sources scripturaires et cléricales et des modèles latins, elle rejoint des formes de pensée et des formes littéraires qui échappent à l'Eglise. C'est pourquoi les lignes qui précèdent sont si rapides. La satire et plus encore le roman allégorique ne relèvent que partiellement et accidentellement de la littérature religieuse; le lecteur les retrouvera plus loin. De même, le théâtre et le lyrisme religieux seront traités à propos des genres correspondants.

L'Eglise a pesé d'un tel poids sur la civilisation de l'Occident médiéval que l'on aurait pu attendre d'un chapitre sur l'Eglise et les lettres qu'il traçât un cadre capable d'englober, chacun à sa place, tous les éléments de la littérature en langue vulgaire de cette époque. On l'a vu, il n'en est rien. Vouloir embrasser tous les domaines de la culture du Moyen Age et rendre totalement compte des uns par les autres en une synthèse cohérente fondée sur l'Eglise intellectuellement triomphante est une chimère toujours caressée et toujours fugitive. Cette culture est résolument schizophrène. L'opposition entre le latin et la langue vulgaire est si patente que chacun se fait fort de montrer, au prix d'un minimum de subtilité, derrière la dualité manifeste l'unité cachée. Mais la dualité résiste. La littérature française n'est qu'un petit morceau de la culture de l'Occident médiéval, mais ce petit morceau est irréductible au gros morceau des lettres latines, sur lesquelles seule règne l'Eglise. Le souci pastoral de celle-ci l'a contrainte à donner l'écriture aux langues vulgaires, qui s'en sont emparées et se sont enfuies bien loin avec elle, grâce à elle. L'Eglise n'a pas suivi; ses expéditions missionnaires sur le terrain de la langue vulgaire n'ont jamais campé que tout près des bases de la culture latine, traduite et transposée avec une fidélité méticuleuse, ou alors elles ont dérivé, comme les chansons de geste très chrétiennes et les romans mystiques du cycle arthurien, qui ne désarmaient pas la méfiance des prédicateurs, vers le nouveau monde surgi à l'aube du XIIe siècle.

CHAPITRE II

La chanson de geste

Si l'écriture médiévale, en raison de la condition même des écrivains, clercs, c'est-à-dire hommes d'Eglise, se trouvait originellement liée à des préoccupations religieuses, avant de se destiner, en langue vulgaire, à des fonctions plus politiques ou sociales, le chant lui-même pouvait d'emblée se faire l'interprète de préoccupations caractérisant d'autres milieux. C'est ainsi que la conscience d'une plus large société, ou du moins de groupes sociaux définis par d'autres fonctions que le groupe des lettrés, a dû chercher à s'exprimer dans des poèmes héroïques dont nos chansons de geste seraient une transcription par les lettrés. C'est dire qu'il n'est pas facile de faire une sociologie du genre, et qu'il est dangereux d'y voir, par exemple, une inspiration de type essentiellement populaire, même si, par comparaison avec d'autres œuvres, on remarque, en effet, des traits, comme le comique, attribuables à un goût moins difficile que celui du clerc.

Ce qui distingue, malgré tout, les chansons de geste, c'est leur thématique guerrière, et cette constatation nous amène à penser que le genre joue, par rapport à la noblesse, un rôle privilégié. Hypothèse qui se confirme quand on voit l'idéal héroïque s'infléchir pour satisfaire un projet idéologique mettant en question, d'une manière ou d'une autre, la société féodale. Néanmoins cette première identification ne saurait définir le genre, c'est-à-dire l'enfermer dans les limites d'une caste, la noblesse guerrière en l'occurrence. Si l'on définit la littérature par la communication, on peut poser par hypothèse que les chansons de geste sont précisément chargées d'un message concernant la guerre, mais qui ne s'adresse pas uniquement à la noblesse, et n'émane pas essentiellement d'elle. Liée aux troubles de la conscience collective, à l'enthousiasme militant des premières croisades, aux fièvres guerrières, aux contradictions politiques, cette littérature héroïque redistribue les rôles et les missions pour donner un sens à la

société féodale en train d'évoluer vers la monarchie. En cela elle prépare, et bientôt seconde, la fonction des œuvres romanesques, se partageant avec elles la place que les théoriciens réservent traditionnellement à l'épopée.

I / L'ESTHÉTIQUE DE LA CHANSON DE GESTE

1. *La communication épique*

Selon Hegel « c'est... l'ensemble de la conception du monde et de la vie d'une nation qui, présenté sous la forme objective d'événement réels, constitue le contenu et détermine la forme de l'épique proprement dit » (*Esthétique*, trad. par Jankélévitch, t. III, 2, p. 95). Cette définition, dont les présupposés classiques et romantiques compromettent la pertinence en ce qui concerne le Moyen Age, peut nous servir de relais pour comprendre la définition morale qu'un théoricien parisien de la fin du XIIIe siècle, Jean de Grouchy, nous donne de la chanson de geste. Dans son *De musica*, en effet, au chapitre consacré à la musique de langue vulgaire (qu'il oppose à la musique mesurée et à la musique d'église), il définit ainsi la chanson de geste *(cantum gestualem)* : « Nous appelons chanson de geste un chant dans lequel sont rapportées les actions des héros et les œuvres de nos ancêtres, de même que la vie et le martyre des saints ou les souffrances endurées par les grandes figures de l'histoire pour la défense de la foi et de la vérité, comme par exemple la vie du bienheureux Etienne, le premier martyr, ou l'histoire du roi Charles. Il faut faire entendre ce genre de chanson aux personnes âgées, aux travailleurs et aux gens de condition modeste, pendant qu'ils se reposent de leur labeur, afin qu'en apprenant les misères et les calamités des autres, ils supportent plus facilement les leurs, et que chacun reprenne avec plus d'ardeur son propre ouvrage. Et par là ce chant sert à la conservation de la cité tout entière. » Plusieurs choses sont à remarquer dans cette interprétation tardive, mais qui a dû subir, à travers Boèce, une certaine influence platonicienne. D'abord il s'agit bien d'un genre musical, classé dans le *De musica* parallèlement à la chanson courtoise (de forme fixe) et à la chanson morale (strophique libre). La *laisse* y constitue une unité mélodique et phonétique (par l'assonance), le nombre de laisses étant indéterminé, mais toutes les laisses reprenant la même mélodie, sauf parfois la dernière laisse servant de clausule. Par sa matière, que définit notre citation, la chanson de geste s'apparente à la vie de saint, les personnages étant dans les deux cas considérés comme « historiques », authentiques. Le genre s'adresse à un public ayant besoin d'un secours moral, d'un encouragement, en lui communiquant enthousiasme ou au moins

réconfort, comme par une sorte de *catharsis* tragique. Et si l'auteur souligne, pour toutes les formes de musique, le bénéfice moral qu'il convient d'offrir dans le divertissement, dans le cas particulier de la chanson de geste l'accent est mis, finalement, sur l'intérêt de la *cité (conservationem totius civitatis)*, ce que Hegel appellera la *nation*, la réalité politique médiévale se situant à égale distance de ces deux anachronismes.

Quoi qu'il en soit on peut à partir de là reconstituer le schéma de la communication épique. A une intention de divertissement, qui est celle du jongleur interprétant l'œuvre, avec sans doute une certaine marge de liberté dans l'interprétation des tirades, se superpose un projet d'édification ou de propagande, projet qui nous renvoie à l'*auteur*, celui qui a composé l'œuvre et en a préparé la rédaction. Les rapports entre l'auteur et le jongleur sont susceptibles de varier d'une œuvre à l'autre, d'une version à l'autre, mais sont à reconstituer à partir des allusions faites par le narrateur prenant en charge, dans le texte lui-même, le récit et le commentaire des actions héroïques :

> Guenes i vint, ki la traïsun fist.
> Des ore cumencet le cunseill que mal prist.
>
> (*Chanson de Roland*, 178-179).

« Ganelon y vint, qui fit la trahison. Alors commence le conseil qui tourna mal. » Cette annonce des événements établit une communication plus directe avec le public, sans doute au nom d'une communauté impliquée par certaines expressions comme : « *Carles li reis, nostre emperere magnes* », ou « *dulce France* ». Communauté dont le rassemblement autour de l'héroïsme des chevaliers et de l'autorité royale répond sans doute à l'essentiel de la fonction épique.

Avant donc de spéculer sur la fabrication des chansons, sur la condition des jongleurs, sur l'activité, orale ou écrite, que reflète la texture, il faut comprendre la nature de cette communication, le jeu qui la supporte, la perception qui la reçoit. La mise en musique implique une exécution officielle, dans un cadre et à un moment donnés. Elle est soutenue par une versification de rythme fortement marqué, qu'il s'agisse du décasyllabe bien césuré (4/6) avec une accentuation assez forte pour absorber une syllabe excédentaire (e muet) :

> Carles cumand(et) que face sun service,

ou de l'alexandrin plus tardif, se développant sans doute quand la récitation l'emporte sur la mélopée. La narration proprement dite ne tient qu'une place limitée, comme il est normal pour une exécution qui est plutôt une représentation qu'un récit. C'est le genre romanesque, associé à une lecture

moins solennelle, qui permettra le développement du récit linéaire. Et c'est pourquoi il n'y a pas lieu de soumettre les chansons de geste à un mode d'analyse privilégiant les structures narratives. Ce qui domine en effet c'est le dialogue, support d'une *mimésis* gestuelle qui justifie la fausse étymologie : chanson de geste = *cantus gestualis*. La *geste*, l'histoire des actions, ne fournit que le thème à la voix et aux gestes mimant l'action. Mais le jeu du jongleur, la participation du public sont rendus plus intenses par l'incantation répétitive, la reprise des mêmes éléments d'une laisse à l'autre, le développement par modulation, variation sur un même motif, à l'aide de formules construites sur le même modèle. Esthétique de la participation, donc, qui convient à une fonction de rassemblement.

Nous avons bien affaire à ce type de parole épique, *épos*, qui dès la *République* de Platon (et non la *Poétique* d'Aristote) entrait dans un genre mixte, associant récit et dialogue. Et nul doute que l'esthétique médiévale ne se situe, pour l'essentiel, dans la tradition platonicienne (nous l'avons rappelé à propos de Jean de Grouchy). Néanmoins la continuité d'une tradition épique, à partir des modèles gréco-latins, fait évidemment problème. Elle contredirait l'idée d'une réinvention du genre à partir du seul génie national, voire populaire. Elle compromettrait la précellence du jongleur sur le clerc, comme celle de l'oralité sur l'écriture. Et pourtant les indices ne manquent pas, dans la littérature médio-latine à partir de la « renaissance carolingienne », d'une certaine imitation de la poésie classique. C'est le cas pour le poème d'Ermold le Noir consacré à Louis le Pieux (820-830), qui cite Lucain, Homère, Cicéron, Ovide. Culture classique qui ne fait que s'enrichir jusqu'au XIIe siècle, à l'époque où Alain de Lille compose ses grands poèmes allégoriques en latin. Mais précisément à cette époque l'opposition s'accentue entre les œuvres prenant les épopées latines pour modèles, et les chansons de geste qui se vouent à la tradition plus « moderne » utilisant non les exemples de héros mythologiques, mais les figures des personnes historiques depuis l'époque carolingienne. Notre premier roman, qui semble deviner le précepte d'Aristote sur le tragique, préconisant de choisir des sujets ayant pour contenu des luttes de frères contre frères (chap. XIV), transpose « en roman » la *Thébaïde* de Stace, tandis que notre second roman traduit et adapte l'*Enéide*. Alors s'accuse, par rapport à ces romans, l'originalité du genre de la chanson de geste, dont la formule répond à la vie féodale, à l'échange entre les divers *ordres* de la société, prêtres, guerriers et souverain, à la polarisation de toute l'activité sociale, même celle du petit peuple, autour de l'action de quelques grands personnages.

2. *La fonction épique*

A partir de ce rôle de rassemblement spirituel et affectif que joue, dans l'ensemble, la chanson de geste, on peut essayer de préciser le détail de sa fonction par rapport au groupe social. Le théoricien Joseph J. Duggan a cru pouvoir énumérer cinq fonctions principales de l'épopée romane : le divertissement, la sanction, l'information, la mémoire, l'exemple. Divertissement, assuré notamment par les effets comiques *(Chanson de Guillaume, Moniage Rainouart, Charroi de Nîmes, Pèlerinage de Charlemagne)* : ce qui suggère une atmosphère de fête et même de foire. Condamnation des traîtres, seuls (Ganelon), ou par famille entière (Doon de Mayence); éloge des héros. Diffusion des nouvelles ? C'est une fonction bien problématique à l'époque littéraire, et de toute façon enveloppée dans le rôle plus évident de propagande ou d'enseignement moral; mais on spécule en ce sens sur les origines des chants épiques. Quant à la conservation du souvenir, c'est évidemment une fonction fondamentale de la littérature, de l'écriture même, qui n'a pu que renforcer le rôle des *cantilènes* dont on suppose l'existence dès l'époque carolingienne. Mais bien sûr toutes ces fonctions se résument dans la fabrication de modèles, d'exemples à partir de personnages historiques sur lesquels se racontent des anecdotes plus ou moins légendaires. Comme l'a montré Alfred Adler toute une collection de figures archétypales se constitue ainsi à partir de légendes attribuées aux ancêtres.

Ces modèles se distinguent à la fois des modèles romanesques, notamment ceux du domaine arthurien, et des modèles antiques, comme les Troyens, même si par le style et les motifs secondaires les chansons de geste subissent l'influence du genre romanesque. Il y a en effet un resserrement de la fonction épique autour d'un héritage culturel autochtone, tendant à renforcer une communauté (peuple, race, nation, aucune de ces appellations modernes ne convenant tout à fait) sur quelques principes : royauté, lignage, fief, pays de France, l'ancien pays des Francs. Dans l'imaginaire même la *geste* se réclame d'une certaine réalité, d'une vérité du passé, prétention absente des romans antiques ou bretons.

3. *La fiction épique*

La question des rapports de la chanson de geste avec les faits historiques intéresse tous ceux qui font de l'histoire littéraire un chapitre annexe de l'histoire politique, économique et sociale. On a d'ailleurs cherché dans ces poèmes des indications, des informations sur les événements authentiques. Mais les textes font bien apparaître leur caractère fictif, et ne cher-

chent pas, du moins avant les XIVe et XVe siècles, à concurrencer les chroniques. D'emblée donc les auteurs prennent leur distance par rapport aux faits, situant leur travail et le monde qu'ils évoquent sur un autre plan.

Assurément les chansons ont utilisé les renseignements fournis par d'anciennes chroniques : ainsi le *Couronnement de Louis* emprunte à la *Vita Hludovici* du IXe siècle la description de la cérémonie, et le discours de Charlemagne à son fils. Mais il ne suit plus sa source quand il imagine Louis refusant la couronne, ou invente un complot. La fiction met en œuvre divers procédés, comme la combinaison de sources diverses, la mise en raccourci pour obtenir un effet symbolique, la mise en scène à effet dramatique, plaçant au centre de la scène imaginaire la couronne d'or dont Louis va hériter. Ces transformations ne sont pas dépourvues d'intention politique. Le souci des Capétiens de rendre la couronne héréditaire (à l'époque de Louis VI et de Louis VII) transforme l'évocation de la monarchie élective au temps de Louis le Débonnaire. Comme Jean Frappier l'a montré le sacre de Reims en 1131 s'est superposé à la cérémonie d'Aix-la-Chapelle en 813. L'histoire carolingienne fournit donc un thème à l'imaginaire capétien.

La création d'un univers imaginaire se fait par une double manœuvre qui s'exerce sur l'espace et sur le temps. L'espace est fortement marqué par la réalité contemporaine des auteurs : les villes en particulier ont le développement du XIIe siècle dans les chansons de cette époque. Mais les terres ennemies prennent une allure fantastique dès les « marches » de France, la « frontière » (au sens américain) : l'Espagne et l'Italie prennent des allures d'Orient lointain. Quant au temps, il fait l'objet d'un montage que la critique a pu prendre pour de la naïveté : les *Narbonnais* glissent ainsi des allusions aux problèmes d'actualité, comme la crise du logement à Paris, au début du XIIIe siècle, dans un cadre carolingien. Mais il s'agit là d'un artifice littéraire qui caractérisera encore le roman du XVe siècle (*Jean de Saintré* mêle des faits et des coutumes de deux siècles). La fiction épique déréalise l'histoire et réalise la légende.

C'est pourquoi la notion même de légende épique est confuse. Il n'y a pas de légende vraiment épique avant le travail littéraire s'exerçant sur la tradition guerrière ou religieuse pour lui donner cette fonction mobilisatrice qui caractérise l'épopée, grâce à des artifices de style. Il ne faut pas confondre ce style épique avec le style panégyrique de la *Vita sancti Faronis*, par exemple, écrite avant 875 par Hildegaire. Les témoignages concernant une légende de Roland antérieure à la célèbre *chanson* (dont le manuscrit d'Oxford nous donne la forme la plus élaborée) nous permettent d'imaginer les étapes d'une transformation (en tenant compte de l'âge des manuscrits : X^e et XIe siècles pour la *Vita Karoli* et la *Nota Emilianense*). Paul Aebischer parle à ce propos de « l'infiltration des mythes ». Mais peut-être faudrait-il

distinguer ici la parole *(épos)* du mythe *(muthos)*, comme il faut la distinguer du discours logique *(logos)*. La chanson de geste crée son monde, sa fiction grâce à un certain travail qui s'opère sur le langage.

On s'est intéressé au style épique dans le cadre d'une longue polémique opposant ceux qui mettent l'accent sur le caractère oral de ce style à ceux qui le situent dans la perspective d'une création plus littéraire. La reprise de formules stéréotypées pour décrire l'armement des chevaliers, les combats à cheval et à terre, relève d'une technique qui apparente la chanson de geste à l'épopée grecque comme aux chants épiques yougoslaves. Avec un certain retard les critiques ont, avec Jean Rychner, appliqué au domaine médiéval les analyses et le raisonnement comparant les poèmes homériques au folklore serbo-croate. Ils ont souligné l'utilité pratique des formules pour soutenir la mémoire du jongleur et pallier ses défaillances. Ce style peut donc s'expliquer par le mode de présentation des chansons de geste laissant une part à l'improvisation. Mais il n'implique pas que l'écriture soit un phénomène secondaire, dans la création des chansons de geste, l'enregistrement d'une activité et d'une créativité essentiellement orales. Les textes nous montrent plutôt comment l'écriture a fait de ces procédés une mode, un style définissant un genre, bien au-delà des nécessités de l'art. Ces reprises et ces variations accentuent l'écart entre le monde héroïque, que l'on propose à l'admiration du public, et la chronique narrative avec son déroulement linéaire. L'esthétique de la chanson de geste vise à l'émotion par l'insistance, comme dans ce passage de la *Chanson de Roland* :

Laisse 83 :

Dist Oliver : « Paien unt grant esforz :
De noz Franceis m'i semble aveir mult poi.
Cumpaign Rollant, kar sunez vostre corn,
Si l'orrat Carles, si returnerat l'ost ! »

Laisse 84 :

« Cumpainz Rollant, l'olifan car sunez,
Si l'orrat Carles, ferat l'ost returner,
Succurrat nos li reis od sun barnet... »

Laisse 85 :

« Cumpainz Rollanz, sunez vostre olifan,
Si l'orrat Carles, ki est as porz passant !
Je vos plevis, ja returnerunt Franc... »

4. *La fabrication du sens*

C'est la composition d'ensemble qui fait apparaître l'intention des auteurs, c'est elle qui donne à la chanson sa valeur particulière, sa signification, son originalité. La structure épique rassemble, ramasse autour d'un sujet, d'un événement les éléments épars, aux limites indécises, que ressaisit l'incantation. Car la construction épique soigne davantage l'architecture que la sculpture de l'édifice. L'ordre reste abstrait, idéologique, facilitant les additions de détail et les remaniements. La signification de l'œuvre peut ne pas changer avec un développement plus long de tel ou tel passage. Cette esthétique a déconcerté la critique, souvent tentée de refuser à l'œuvre des parties jugées hétérogènes. Mais l'idée du poème repose sur la composition, non sur la rédaction. Ainsi le Roland d'Oxford est précisément un poème qui raconte, après la mort de Roland, la revanche de Charlemagne, en deux parties de 2000 vers chacune, ce que n'annonce pas le titre donné par les modernes (*chanson de Roncevaux* conviendrait mieux). L'esthétique de l'épopée n'est pas celle du drame : le paroxysme ne se trouve pas à la fin, mais au milieu, comme dans cette chanson où la mort de Roland est la flèche mystique d'une cathédrale héroïque.

Structure d'ensemble et composition de détail (avec les reprises, les enchaînements et le parallélisme des laisses) tendent à un effet d'*intensité* très différent de l'effet romanesque fondé sur la *curiosité*. L'accumulation incantatoire, les répétitions, qui tassent le récit, apparentent l'art épique à la musique (à quoi en effet le rattachent les anciens théoriciens) et à l'architecture, selon une disposition du temps et de l'espace déterminée par une intention symbolique. On veut suggérer l'élan militaire ou mystique, provoquer l'admiration ou l'horreur. Ainsi du fait historique à l'émotion épique une métamorphose considérable s'est opérée. Le lointain écho des guerres d'autrefois, qui furent, comme toutes les guerres, vécues sans doute dans le désordre et le désarroi, sert à donner un sens et un modèle aux guerres contemporaines. Ce sens n'est pas recherché dans un éclairage intérieur, un approfondissement de la morale, l'analyse des motivations, l'exploration de la subjectivité humaine : ce sera l'objet du genre romanesque. Le sens est donné par l'ordre des faits et des gestes. L'humanité héroïque se définit par ses actions. La vertu guerrière n'est pas un état de nature. Le héros doit toujours recommencer la démonstration de sa valeur en multipliant les actions d'éclat. A partir de cette définition commune au roman et à la chanson de geste, celle-ci se distingue par la projection historique de la prouesse, son inscription dans une durée collective jalonnée par des événements personnels. Histoire aristocratique, histoire d'une élite de héros qui donne un sens à la confuse condition des hommes.

II / LES HÉROS ET LES ŒUVRES

1. *Charlemagne et la figure du père*

La Chanson de Roland est certainement une des plus anciennes chansons de geste parvenues à la forme littéraire (milieu du XIe siècle), et c'est d'emblée non seulement le modèle du genre, dans sa version d'Oxford, mais aussi l'œuvre fondatrice de la légende franque et même française. Cette qualité exceptionnelle du chef-d'œuvre, qualité que confirment les innombrables travaux critiques qui lui sont consacrés, ne tient pas, comme on le croit parfois, au seul prestige héroïque de Roland. La composition de la chanson suffirait à rectifier cette perspective : c'est bien Charlemagne qui est au centre de cette légende historique, et Roland — comme les autres protagonistes — ne se comprend que par rapport à lui.

En effet, la popularité de Roland n'est pas due à sa personnalité historique. On ne le rencontre que tardivement parmi les victimes citées de la bataille de Roncevaux, qui eut lieu en 778. Son rôle héroïque, mêlant l'idée d'un sacrifice à celle d'une orgueilleuse bravoure, ne s'éclaire qu'en fonction de ses liens de parenté avec l'empereur. Il est dit son *neveu*, mais le couple oncle-neveu pose, d'une manière oblique, le problème des rapports du père et du fils : c'est vrai pour Marc et Tristan, comme pour Arthur et Gauvain. La chanson de geste considère ce rapport non dans sa structure psychologique profonde, mais dans son implication politique. Le père c'est bien le roi d'où part et où revient tout le réseau des relations constituant la nouvelle société féodale, dont la monarchie cherche à prendre le contrôle. Fidélité ou trahison, sacrifice ou révolte, secours ou abandon, l'éthique féodale trouve là un nouveau principe dont le danger tient moins pour elle, d'abord, à la « centralisation » qu'aux résonances affectives confondant la figure du roi avec celle de l'empereur. Dans le cas de Charlemagne et Roland, cette affectivité s'est vite alourdie, puisque le père officiel de Roland, Milon, l'engendrant en la sœur de Charlemagne Berte, se voit concurrencé dans l'imaginaire de la légende par le roi lui-même, qui l'aurait eu des relations incestueuses avec l'autre sœur, Gisèle. La mort de Roland peut, dès lors, être mise en rapport avec la faute incestueuse dont il est supposé le fruit, ce qui aggrave son sacrifice par Charlemagne : n'a-t-il pas accepté le choix fait par Ganelon, le parâtre ?

> « Kar me jugez Ki ert en la rereguarde. »
> Guenes respunt : « Rollant, cist mien fillastre. »

(Vv. 743-744 : « Désignez-moi celui qui sera à l'arrière-garde. » Ganelon répond : « Roland, mon beau-fils. ») Mais Dieu n'a-t-il pas sacrifié son fils

pour obéir à Justice, comme nous le rappelleront les *Mystères de la Passion* ? Tous les éléments du mythe fondateur sont là en place, avec la faute initiale, et cette structure muette de la *Chanson de Roland* donne sa profondeur au drame politique qui s'y joue.

Le poème remplit d'autant mieux sa mission de mythe fondateur qu'il est composé avec une harmonie classique, comme est d'inspiration classique le visage sculpté de l'empereur en l'église de Mustair, ou sa statue équestre, conformément à l'idéal de l'*imperator*. Les 4 002 décasyllabes se répartissent en quatre épisodes : la trahison de Ganelon, la mort de Roland, la défaite de Baligant (le chef sarrasin), le procès de Ganelon. La symétrie d'ensemble illustre l'opposition personnelle de Roland et Ganelon, et l'opposition collective et culturelle entre les chrétiens et les Sarrasins. La symétrie est sensible aussi dans le détail : aux douze pairs de Charlemagne font face les douze pairs de Marsile. La revue des troupes est aussi minutieuse chez les Sarrasins que chez les Francs. Tout cela implique des redites, mais avec le sens de l'éclairage, du pittoresque et du spectacle :

> Grant est la plaigne e large la cuntree.
> Luisent cil elme as perres d'or gemmees,
> E cez escus e ces bronies safrees,
> E cez espiez, ces enseignes fermees.
> Sunent cez greisles, les voiz en sunt mult cleres;
> De l'olifan halte sunt les menees.

(Vv. 3305-3310 : « Grande est la plaine et large la contrée. On voit briller les heaumes aux pierreries serties d'or, et les écus, et les cuirasses brodées, et les épieux et les enseignes fixées au fer. On entend sonner les trompettes, dont les voix sont très claires; et l'olifant fait entendre ses notes aiguës. »)

Les péripéties des combats sont soumises à une gradation qui conduit d'abord à la mort de Roland, puis à la victoire de Charlemagne.

D'autres oppositions, pour ainsi dire perpendiculaires à celle qui traduit l'esprit de croisade, avec l'exaltation de la conquête guerrière saisie dans son revers, la retraite, viennent nuancer l'idéologie et la morale des chevaliers francs. Ainsi l'opposition d'Olivier et Roland est établie sur un *topos* antique, l'antithèse de *fortitudo* et *sapientia* : « Rollant est proz e Oliver est sage » (v. 1093). La présence d'Olivier à côté de Roland permet de confronter deux logiques, l'une pragmatique, l'autre apodictique, mais aussi de mettre en question la démesure héroïque. Il est clair que la chanson de geste permet à de sages conseillers, probablement d'origine ecclésiastique, de faire entendre leur raison en s'attaquant à l'orgueil aristocratique et à l'idéal guerrier des féodaux. Cette littérature est le lieu où s'exerce la manœuvre cléricale pour modeler la société monarchique sur des principes chrétiens et non plus purement aristocratiques. Représentant du code de

l'honneur guerrier dans toute sa pureté, Roland tombe victime de la trahison, sans doute, mais aussi de sa propre culpabilité (que fait ressortir le dialogue avec Olivier); et les deux fautes, la sienne et celle de Ganelon, renvoient à une sorte de péché originel de l'aristocratie : son orgueil est interprété comme une perversion du principe monarchique. Renversant l'ordre de l'histoire le mythe nous dit : au début il y avait l'autorité impériale, en accord avec Dieu. Puis sont venus la faute, l'âge des « neveux », la féodalité. C'est ce qu'il faut expier par une nouvelle faute, la trahison, dont la punition rétablira l'ordre divin de la souveraineté, et le règne de la justice se substituera au désordre de la vengeance. La figure idéale de Charlemagne, sage vieillard à la barbe fleurie, est l'image du père dont les coutumes féodales, comme les représentations pieuses, soulignent l'importance dans la mentalité de l'âge roman. Toute l'action se déroule par rapport à lui : ses sentiments, sa volonté et son regard se trouvent sans cesse invoqués. C'est lui qui jauge et qui juge la prouesse. C'est à travers lui, sa politique et sa culture, que le héros participe à l'affrontement de l'Occident contre l'Orient.

L'importance de la figure légendaire de Charlemagne se mesure au nombre des chansons de geste qui se consacrent à un épisode de son histoire imaginaire. Sans constituer un développement systématique, elles tendent à remplir les vides laissés par la littérature précédente dans la chronologie de l'empereur. Un des textes les plus curieux est le *Pèlerinage de Charlemagne* qui raconte sur le mode comique un voyage en Orient. Les plaisanteries sur la prouesse sexuelle des Francs, les épreuves aussi burlesques que merveilleuses résultant de leurs vantardises font penser à une sorte de parodie, ou plus exactement une transposition d'une chanson de geste héroïque dans un registre différent : un tel transfert se vérifiera plus tard dans la représentation de la matière épique par des montreurs de marionnettes. La place publique invite au folklore. Mais sous l'habillage comique on retrouve dans ce récit les structures qui intéressent le mythe social, en particulier dans les rapports de la souveraineté avec la fécondité.

Plus tard (vers 1200) *Galien* raconte l'histoire d'un fils d'Olivier qui part en quête de son père et le retrouve à la bataille de Roncevaux. Au thème de cette bataille se rattachent encore tous les récits concernant les campagnes de Charlemagne en Espagne. Ils sont rapportés en latin dans une chronique du pseudo-Turpin, l'*Historia Karoli Magni et Rotholandi.*

On a fait aussi de Charlemagne le champion de la chrétienté lors des invasions de l'Italie (au IXe siècle) quand les Sarrasins menacèrent Rome. C'est le thème d'*Aspremont*, chanson qui exalte les mérites de la chevalerie, tout en mettant l'accent sur la largesse, la prodigalité des richesses, qui marque la supériorité d'une civilisation sur l'autre, en tout cas impressionne l'ennemi. En même temps que se confirme à l'intérieur de l'armée chrétienne

la promotion par la guerre, la propagande religieuse se précise. Une autre chanson, *Fierebras*, parle aussi du secours porté à Rome par Charlemagne, tout en mettant l'accent sur le fait religieux, ici le culte des reliques de la Passion. Le personnage de Fierebras, géant qui lutte contre Olivier et se convertit, a joui d'une grande popularité, notamment en Espagne.

Un groupe de chansons nous parle des *Enfances* du héros Charlemagne. Comme tous les lignages légendaires, le sien doit en effet trouver son origine dans l'imaginaire épique. Ce sont des chansons tardives, *Berthe au grand pied* (1272), *Mainet* (XIIe siècle), *Basin*, qui ont recours à des motifs folkloriques, comme celui de la substitution de femmes, pour faire planer le mystère sur la naissance du héros, ou inventer des épreuves de qualification qui apparentent Charles aux grands personnages de roman.

Ce qui fait problème, devant ces œuvres de date si éloignées, c'est leur filiation et surtout leur localisation. Joseph Bédier était partisan d'une localisation précise des auteurs, cherchant les événements et les lieux qui avaient pu les inspirer. D'autres supposent une lente évolution de la légende, antérieurement aux textes. Une chose est sûre, c'est la stabilité de la figure impériale comme source de légitimité et référence des actions épiques. Cette précellence se manifeste encore dans les mises en prose imprimées à la fin du XVe siècle et au début du XVIe. Par là s'affirme la fonction centrale de cette figure dans l'histoire de la culture française et même dans la représentation politique de ce pays. A plus d'une reprise, du Moyen Age à nos jours, c'est à lui que l'on fait appel (sous tel autre nom) pour rétablir la justice, l'ordre et la paix, ou pour sortir le peuple français d'une impasse. C'est lui aussi dont on cherchera à se débarrasser par une guillotine parricide ou son substitut, le bulletin de vote. La *Chanson de Roland* est bien l'œuvre qui révèle et inaugure l'obsession d'un peuple.

2. *Guillaume héros de la légitimité*

Si Charlemagne figure constamment au centre de la structure épique de notre littérature, Guillaume est un personnage plus excentrique et plus épisodique. La célébrité de ce héros se termine avec le remaniement en prose de 1458 qui n'a pas été imprimé, alors que la gloire épique de Charlemagne, et même d'autres héros secondaires comme Renaud de Montauban, connaîtra une diffusion par le livre jusqu'à la résurrection des thèmes médiévaux au XIXe siècle. Mais justement Guillaume et les grands personnages de son lignage sont très caractéristiques de l'époque littéraire du Moyen Age (XIIe-XVe siècle). Significatif, à cet égard, est le décalage culturel symbolisé par l'origine méridionale du héros et de ses compagnons. L'enrichissement d'une culture étant tributaire des éléments étrangers

qu'elle s'approprie, on peut penser que Guillaume fait partie d'un processus d'acculturation au bénéfice de la littérature d'Oïl. Car sans être aussi dramatiquement opposées, à l'origine, qu'on aura tendance à le croire par la suite, les cultures d'oc et d'oïl ont suffisamment de différences pour permettre une fécondation réciproque.

Selon la plupart des critiques Guillaume a pour prototype historique un comte de Toulouse qui eut à combattre les Sarrasins près de Narbonne en 793, subissant une défaite, mais infligeant des pertes assez sévères aux envahisseurs pour qu'ils renoncent à leurs incursions. En 803, il participe au siège de Barcelone. L'année suivante il se retire dans l'abbaye de Gellone qu'il avait fondée, près du monastère d'Aniane. Divers documents attestent, par la suite, la diffusion d'une légende associant Guillaume à Charlemagne ou à Roland : le poème d'Ermold le Noir, le *Fragment de La Haye* (dont la date est controversée mais antérieure à 1030, la *Nota Emilianense* (1065-1075), 16 lignes de latin qui mentionnent « Ghigelmo alcorbitanas » (Guillaume au nez courbe) à côté de Charlemagne en 778. Sur ce prototype se sont greffés bien des thèmes pouvant avoir d'autres origines historiques, et Guillaume de Toulouse est devenu Guillaume d'Orange, le héros d'une ancienne chanson relatant la *Prise d'Orange* (et reprise par une chanson plus récente sous ce titre). La superposition des lieux et des époques ne facilite pas l'identification des personnages épiques. L'important pour la littérature est la constitution de types humains désignés désormais par leur nom (et évoqués, en dehors de la chanson de geste, dans les chansons de toile).

L'image de Guillaume est fortement marquée par le trait physique signalé à propos de son nez. Nez courbe, ou court, par substitution d'adjectif dont il convient alors d'expliquer l'origine par un combat où, d'un coup d'épée, il aura subi l'amputation de cet appendice. Mais cette castration ne lui a pas enlevé sa force physique. Par son surnom *Fierebrace* il rejoint l'image du géant aux bras terribles, et on illustre cette force par le motif du coup de poing mortel dont il gratifie ses adversaires. A ce visage et cette silhouette pittoresques l'imagination épique a donné un caractère plein de vitalité, de brutalité même, avec une gaieté tirant sur la ruse, selon une thématique proche du folklore, celui-ci ne connaissant pas de frontière entre l'héroïque et le burlesque. Cependant les jongleurs, qui ont trouvé là une tradition propre à séduire un public moins raffiné que celui de la *Chanson de Roland*, ont su équilibrer le personnage, en lui donnant aussi et surtout la grandeur morale qui définit la poésie épique. Ses rapports avec le médiocre roi Louis feront briller ses qualités de dévouement et d'abnégation.

Avec lui ce que la chanson de geste souligne, c'est le rôle de la guerre dans l'établissement des sociétés, en l'occurrence, la société féodale, avec

la conquête des fiefs, l'agrandissement des domaines, la consolidation de la monarchie. Les combats qu'il mène traduisent un état d'esprit conquérant qu'on peut comparer à la mentalité de la « frontière » aux Etats-Unis, et à l'épopée du « Western ». Toutes ces actions, toute cette agitation, toutes ces prouesses font prendre conscience, dans leur présentation un peu simplifiée et magnifiée, des épreuves qui président à la naissance de la société, sous la protection de la noblesse, et l'arbitrage souvent contestable du roi. Le midi, ces pays où les villes sont riches et belles, comme Orange, Nîmes ou Narbonne, où les femmes sont séduisantes et font de bonnes épouses, comme Orable baptisée Guibourg, constitue ce champ d'expansion vers lequel regardent les Francs du Nord en quête de terres.

La plus ancienne des chansons de geste consacrées à notre héros semble avoir été la *Chanson de Guillaume*, qui a été retrouvée par les romanistes au début de ce siècle. Elle raconte les batailles de l'Archamp et la mort de Vivien, comme la *Chanson de Roland*, qu'elle imite dans une certaine mesure, racontait Roncevaux et la mort de Roland. Vivien a fait le vœu orgueilleux de ne jamais reculer devant l'ennemi. Il meurt dans de terribles souffrances physiques, aveuglé, assoiffé et perdant ses entrailles. Guillaume pourra le venger, survivant seul à la dernière bataille où sont intervenus Girard et Guichard, le jeune Gui étant fait prisonnier. Dans la dernière partie on voit intervenir Rainouart, géant comique, qui se bat avec un grand *tinel*, une massue rudimentaire, mais aime aussi rôder dans les cuisines. Ce héros folklorique, venu du camp adverse au secours de la noblesse française, fait un curieux contraste avec Vivien, dont la douloureuse passion est une imitation de la Passion de Jésus. Entre le héros populaire et le héros clérical, Guillaume représente sans doute le milieu aristocratique soucieux de consolider, à son profit bien sûr, la monarchie contestée. Modèle de vassal dont la grandeur militaire est tempérée par une certaine bonhomie, et un genre de vie très simple, familier, où l'épouse a sa place :

> Dunc prent s'amie par les mances de paille,
> Sus munterent les degrez de marbre.
> Ne trouvent home que service lur face;
> Dame Guiburc li curt aporter l'eve,
> E aprés li baillad la tuaille;
> Puis sunt assis a la plus basse table.
>
> (Vv. 2387-2392.)

« Alors il prend s'amie par ses manches de soie, et ils montèrent par l'escalier de marbre, ne trouvant homme qui les puisse servir. Dame Guibourc lui apporte l'eau, et puis ensuite lui tend la serviette. Et ils s'assirent à la plus basse table. » Par-delà les siècles, et en dehors de toute imitation perceptible, la chanson de geste retrouve le ton de l'*Iliade*.

Le *Couronnement de Louis* rattache nettement l'action héroïque de Guillaume à celle de Charlemagne, dont il est censé prendre la relève, au moment où accède au trône le faible Louis. Et l'empereur le remercie d'avoir couronné son fils pour mettre un terme aux intrigues de la cour :

> Sire Guillelmes, granz merciz en aiez.
> Vostre lignages a le mien essalcié.

(Vv. 148-149 : « Sire Guillaume, soyez-en bien remercié. Votre lignage a relevé le mien. »)

Cette présence d'un raccord est significative. Littérairement, l'auteur montre ainsi sa connaissance de la double tradition épique. Quant à l'intention politique, elle apparaît dans la composition même de l'œuvre. Le prologue majestueux résume en forme de discours le testament politique de Charlemagne et la doctrine de Guillaume. On rappelle la nécessité d'une discipline des féodaux à l'égard du roi, dont l'autorité est de droit divin. Mais on va plus loin. Si le roi est faible et poltron, comme l'est alors Louis aux yeux des Français, il faut néanmoins le soutenir à tout prix, en assurant sa défense à l'intérieur comme à l'extérieur. Ensuite l'action se développe en quatre épisodes alternés : Guillaume sauve Rome menacée par les Sarrasins ; il châtie les rebelles à Tours; il repart arracher Rome à Gui d'Allemagne; il doit enfin revenir pour faire face à une nouvelle rébellion :

> Or se cuida Guillelme reposer,
> Deduire en bos et en riviere aler;
> Mais ce n'iert ja tant com puisse durer,
> Car li Franceis pristrent a reveler,
> Li uns sor l'altre guerrier et foler.
> Les viles ardent, le païs font guaster,
> Por Looïs ne se vuelent tenser.
> Uns mes le vait a Guillelme conter;
> Ot le li cuens, le sen cuide desver...

(Vv. 2657-2664. « Alors Guillaume pensa qu'il pourrait se reposer, se distraire dans les bois et aller le long de la rivière; mais jamais de sa vie il ne pourra le faire, car les Français se sont mis à se révolter, à se faire la guerre et se maltraiter. Ils brûlent les villes, dévastent le pays. Ils ne veulent pas défendre Louis. Un messager va en avertir Guillaume. Le comte, à cette nouvelle, perd presque la raison. »)

Le thème de la croisade n'est pas oublié. L'opposition du pape au roi païen Galafre est agrémentée de considérations théologiques. Mais la guerre se ramène au combat singulier de Guillaume contre le géant Corsolt, personnage exotique et symbolique, nouveau Goliath dont triomphera le héros. La lutte contre les rebelles, dont le thème était annoncé par le

prologue avec le châtiment d'Arneïs, est l'occasion de batailles urbaines. Les scènes de combat de rue alternent avec l'analyse réaliste des intrigues : ni le clergé ni la bourgeoisie n'y font bonne figure. La guerre contre les Allemands est plus dramatique. Lutte entre ennemis égaux et semblables, elle fait l'objet d'une narration soignée où se manifeste le sens de la symétrie, de la progression et de la péripétie.

Dans cette chanson l'héroïsme de Guillaume s'accompagne d'une vision pessimiste de la politique royale. La morale héroïque se durcit en un service austère :

> Hé povre reis, lasches et assotez,
> Je te cuidai maintenir et tenser
> Envers toz cels de la crestienté,
> Mais toz li monz t'a si coilli en hé
> En ton servise vueil ma jovente user
> Ainz que tu n'aies totes tes volentez...

(Vv. 2249-2254. « Ha, pauvre roi, lâche et sot, j'ai pensé t'assurer contre toute agression des peuples de la Chrétienté. Mais tout le monde t'a pris tellement en haine que je veux user toute ma jeunesse à ton service, jusqu'à ce que tu aies tout ce que tu veux. ») Grandeur et servitude militaires !

Le *Charroi de Nîmes* nous raconte ensuite le voyage de Paris à Nîmes; l'événement devenant aventure, on se rapproche de la technique narrative du genre romanesque. Mais la narration du voyage en Auvergne est interrompue par la description d'une ruse de guerre. Nos chevaliers vont entrer dans la ville déguisés en marchands ou cachés dans des tonneaux. Guillaume, alors plus proche de Renard que de Roland, deviendrait un héros de roman picaresque si l'auteur ne faisait rudement sentir la contrainte que le costume du vilain exerce sur le cœur du chevalier. La colère du héros, rudoyé par ses ennemis, finit par éclater et un combat de rue donne la victoire aux Français. On se rappelle la ruse des Grecs au siège de Troie ! Mais comme le *Couronnement*, cette chanson fait surtout penser à la politique intérieure des Capétiens entre 1135 et 1165. Elle semble aussi faire transition avec la *Prise d'Orange*.

Cette chanson reprend en effet un sujet ancien qui était déjà connu par l'auteur du *Charroi*. La *Vita sancti Wilhelmi* (vers 1125) fait allusion à une cantilène qui semble traiter ce sujet. Les manuscrits de la *Prise d'Orange* sont beaucoup plus récents; ils diffèrent entre eux dans le détail plus que dans la composition d'ensemble. On nous raconte comment Guillaume qui s'ennuie à Nîmes s'éprend, sans l'avoir encore vue, de la princesse Orable, épouse du roi Tiebaut, maître d'Orange. Guillaume pénètre dans cette ville déguisé en Sarrasin avec deux compagnons, et peut ainsi approcher de la belle. Mais, dénoncé et reconnu, il doit se battre

avec les armes que lui donne Orable. Après plusieurs épisodes où les souterrains jouent leur rôle les Français s'emparent de la ville et Guillaume épouse Orable, baptisée sous le nom de Guibourc.

Au thème épique de la ville conquise s'est donc ajouté celui de la femme séduite, l'aventure d'amour se combinant aux manœuvres de la ruse militaire. Une influence de la littérature courtoise n'est pas invraisemblable, mais seulement dans les versions les plus récentes de cette histoire qui a été profondément remaniée, comme on peut le penser à voir les répétitions de motifs, les dédoublements (batailles dans la tour, dans les souterrains, séjours en prison, etc.). L'histoire primitive racontait sans doute la conquête d'Orange par Tiébaut. Mais quand on a intégré notre chanson à une série épique, une *geste* où le même siège était raconté par *Aliscans*, on a dû rebâtir le récit. Quoi qu'il en soit les manuscrits montrent que cette chanson continue d'être remaniée : exemple d'une évolution du goût épique, ici marqué par le développement de l'humour et du récit au détriment des effets lyriques et pathétiques. Plus qu'une autre la figure complexe de Guillaume excitait l'imagination. Autour d'elle s'est constituée progressivement une fresque abondante et variée, qu'il ne restait plus qu'à assembler en une collection ordonnée pour faire de beaux livres.

3. *L'expansion de la geste et la poésie généalogique*

L'intégration de la chanson de geste à un ensemble beaucoup plus vaste, que les contemporains appelaient *geste* et que les modernes appellent *cycle*, est un fait important de l'esthétique médiévale, soucieuse de totalisation, et par là vraiment orientée vers l'épopée. Il ne faut pas confondre ce principe d'expansion avec celui du remaniement, qui affecte la chanson elle-même, et caractérise la *mouvance* de l'œuvre médiévale, définie par Paul Zumthor. Le cycle se forme par la continuation, progressive et régressive, de la geste, comme nous l'avons déjà vu faire dans le cadre de la biographie légendaire de Charlemagne. Mais en sortant du seul cadre biographique, la geste révèle son principe fondamental : le *lignage*, et nous fait comprendre sa structure imaginaire : la *généalogie*. Une conception aussi vaste que celle des 24 chansons consacrées au lignage de Guillaume reflète les conditions particulières de la création littéraire au Moyen Age, et d'abord le décalage entre l'époque des grands manuscrits (XIIIe et XIVe siècle), celle de la rédaction des chansons les plus importantes (XIe-XIIe siècle), celle de l'élaboration des premières légendes (IXe-Xe siècle). Il faut aussi tenir compte de la contradiction entre un fonds héroïque et féodal et une élaboration monarchique et chrétienne. L'idée de croisade, celle d'une

justice royale masquent l'âpreté des guerres de conquête à l'extérieur et des rivalités terriennes à l'intérieur du royaume. Si la profondeur de l'épopée tient à son esthétique de la force, reflet de la dure réalité humaine, son efficacité est liée à diverses manœuvres idéologiques qui récupèrent et édulcorent ce prestige de la force. Le retour des mêmes structures, le recours aux mêmes souvenirs, plus ou moins déformés, ont servi à entretenir la noblesse française de ses origines légendaires, afin de lui donner, avec un passé glorieux, une conscience, une mission. Autour de Guillaume ce sont des penseurs soucieux de légitimité et de fidélité qui ont construit une image des relations humaines, depuis l'ancêtre Garin de Monglane, fils de Savari d'Aquitaine et de Flore, ses quatre fils, Milon, Hernaut, Girard (de Vienne) et Renier, puis Aymeri, les Aymerides ou les Narbonnais, avec parmi eux Guillaume, Beuve, Bernard et Aïmer, héros dont chacun semble avoir une spécialisation selon une vieille tradition mythique, indo-européenne (selon Joël Grisward), en tout cas germanique.

La réalité historique de référence est l'installation, dans le cadre féodal, d'une noblesse héréditaire, avec pour répondant la terre au lieu de l'hommage. Les problèmes nés d'abord de la multiplicité des hommages personnels font place aux rivalités territoriales que la monarchie essaie de trancher à son avantage. Le prestige des grandes familles gagne à se trouver un ancêtre dans la généalogie ou, à la rigueur, l'entourage des héros dont le lignage constitue un modèle et un moule. La famille de Narbonne, par l'intermédiaire d'Aymeri (Nemeric), peut se flatter d'avoir aidé Charlemagne à conquérir la ville, et d'avoir fondé le lignage de Guillaume. Au besoin la confusion des noms, les transferts géographiques servent à faire passer du plan réel au plan imaginaire de la *geste*. Comme Guillaume de Toulouse est devenu d'Orange, Girard de Fraite devient Girard de Vienne ou Girard de Roussillon, cependant que la bataille de l'Archamp se déplace de Barcelone à Arles.

Le plus important est que les auteurs aient su garder en mémoire, ou sous les yeux, des ensembles aussi vastes en évitant les trop flagrantes contradictions. Ainsi au cœur de la *geste* de Guillaume la série des trois chansons, le *Couronnement*, le *Charroi* et la *Prise*, constitue un noyau assez homogène, plus cohérent que la *Chanson de Guillaume* elle-même, pourtant plus ancienne. L'ensemble des chansons de geste apparaît, au seuil du XIIe siècle, comme se répartissant ainsi en *cycles*, l'auteur épique Bertrand de Bar-sur-Aube distinguant la geste de Charlemagne, celle de Guillaume et celle de Doon de Mayence. Simplification, sans doute, mais surtout mise en ordre en fonction de préoccupations idéologiques : on cherche à comprendre et à dominer l'esprit de révolte qui se développe, dans les chansons de geste, en marge des deux premiers cycles. D'autres cycles répondront à d'autres préoccupations comme celui de la *première croisade* et celui des

Lorrains. Plus l'auteur serre de près la conjoncture historique à des fins de justification particulière, plus la chanson s'éloigne de la fonction épique. L'aboutissement de cette fonction sera la mise en prose sous forme d'un roman destiné à la cour de Bourgogne. Mais justement le genre de la chanson de geste est alors complètement absorbé par le genre romanesque, comme il tendait à l'être dans l'œuvre de David Aubert (de la même époque) par le genre de la chronique *(Conquestes et croniques de Charlemaine).* Mais ces trois genres se partagent au Moyen Age la fonction épique; et le roman finira par l'emporter dans cette compétition faisant de notre culture un système qu'on peut appeler romanesque.

4. *Vision épique et contradictions sociales*

Dans son effort pour comprendre l'évolution des chansons de geste la critique moderne a cru pouvoir distinguer entre une première époque où l'empereur est l'image du souverain idéal *(Chanson de Roland)*, une seconde où son image se ternit *(Chanson de Guillaume)*, une troisième où il perd tout son prestige *(Gaidon).* Ces idées de K.-H. Bender rejoignent celles encore plus pessimistes à l'égard de l'idéologie féodale d'E. Köhler. D. Boutet, tout en faisant d'une manière plus originale de la politique une médiation entre littérature et société, suit cette périodisation. La structure politique ici la plus significative est celle de la révolte du vassal contre son souverain. Or il existe une série de chansons, dont on a fait un cycle, illustrant particulièrement ce thème; notamment *Raoul de Cambrai*, *Garin le Lorrain*, *Renaut de Montauban.* S'agit-il d'une crise particulière dont ces œuvres se feraient l'écho, vers 1200 ? Ou s'agit-il d'un thème littéraire qu'il convient d'étudier dans sa diachronie ?

Le thème de la révolte apparaît dès les premières œuvres épiques. Ganelon l'introduit déjà dans la *Chanson de Roland*; Arneïs l'esquisse dans le *Couronnement* et la colère de Guillaume l'annonce clairement dans le *Charroi.* C'est un élément épique traditionnel (songeons à la colère d'Achille qui ouvre l'*Iliade*, où *mènin*, « colère », est même le premier mot). Les fragments conservés de *Gormont et Isembart*, dont la composition remonte au XIe siècle, racontent la trahison d'un baron envers son roi Louis. Le renégat en arrive même à frapper, sans le reconnaître, son propre père :

> Le pere al fiz tel cop duna
> Que sun escu li estrua;
> Mieuz feri le meistre Isembart,
> Car sun escu li estrua
> E sun hauberc li desafra;
> Par le milieu l'espié passa,
> Mes nen ateinst mie en char;

De sun cheval le derocha...
... De ceo fist il pechié e mal
Que sun pere deschevacha,
Mais qu'il nel reconoist pas.

(Vv. 562-576. « Le père donna à son fils un coup tel qu'il transperça son écu. Isembard lui rendit un meilleur coup, car il troua son écu et fit sauter la garniture de son haubert. L'épieu passa entre les mailles, mais sans atteindre la chair. Il fit tomber son père de cheval... Il commit un grave péché en désarçonnant son père, même s'il ne l'avait pas reconnu. ») Le thème du parricide donne un accent tragique à la révolte. La révolte contre le souverain est rapprochée de la révolte contre le père. La littérature donne donc une interprétation mythique de la politique. Mais le commentaire doctrinal se superpose à la structure mythique, et l'on voit ici la morale chrétienne réintroduire la notion de péché, comme dans le *Roman de Thèbes*. Il y a donc plusieurs niveaux de signification, qui ne sont pas toujours en parfaite harmonie, dans la mesure où le plus apparent, celui de l'idéologie chrétienne, masque le plus profond, celui du mythe primitif. Entre les deux, les contradictions de la société prennent un relief saisissant grâce à ce double éclairage. Et c'est l'ensemble qui constitue la vision épique !

La chanson de *Raoul de Cambrai* raconte comment un vassal conquiert et défend un fief, promis par le roi, mais au détriment des héritiers légitimes. Situation inextricable à partir de laquelle Raoul, de caractère emporté, se trouve entraîné à sa perte par une cascade de violences et de vengeances. La première partie, plus tragique que politique, voit l'affrontement de Bernier et de son suzerain Raoul, après un affront commis par celui-ci. Le crime n'apparaît pas comme l'effet d'une noirceur exceptionnelle du personnage, mais comme le résultat d'un destin qui fait peur sous son double aspect, psychologique (les ravages de la colère) et sociologique (les conflits d'intérêt). La seconde partie est plus politique, et met en question la justice royale prise en défaut dans toute cette histoire. Mais précisément les deux parties ne sont peut-être pas du même auteur.

Girard de Roussillon part d'une situation analogue, un don imprudent du roi (ici la transformation d'un fief en *alleu* : son propriétaire cesse d'être un vassal, mais il lui est encore attaché par un lien mal défini). C'est donc bien la politique qui crée le drame. Mais ici encore le caractère personnel du héros l'aggrave, car Girard affaiblit sa cause par divers excès, et le mécanisme de la vengeance menace le système de la justice. La politique féodale et monarchique fournit bien la matière de la chanson de geste. Mais la chanson de geste s'intéresse-t-elle au fonctionnement des institutions, ou au destin des hommes ? Après tout la tragédie grecque traitait de problèmes analogues, tout en évoquant les grands mythes de notre culture.

La *Chevalerie Ogier* n'est pour nous qu'une ébauche attribuée à Raimbert de Paris. Adenet le roi reprend cette histoire à la fin du XIIIe siècle, en atténuant tout ce qui lui paraissait trop sauvage. Or il s'agit encore ici d'un caractère emporté. Le héros est rendu furieux par la mort de son fils, victime d'un fils de Charlemagne. Exilé par l'empereur, il fait la guerre contre les Français. Turpin le fait prisonnier, et il portera secours à la France envahie par les Sarrasins : l'invasion extérieure et l'esprit de croisade désarment le destin, dont le principal moteur restait la vengeance personnelle.

Renaut de Montauban nous donne une image beaucoup plus nuancée de la démesure. Renaud, l'un des quatre fils d'Aymon, est un personnage qui évolue. L'espace comme le temps sont en rapport avec cette évolution, et les événements, merveilleux ou simplement aventureux, donnent une allure romanesque à la chanson de geste. En se consacrant, non pas à une crise, mais à une série d'actions réparties sur plus d'une trentaine d'années la chanson se confond avec le roman par la durée narrative. Elle n'en diffère plus que par le découpage en *laisses* et par l'appartenance historique et géographique des personnages. Encore pousse-t-elle la longueur des laisses jusqu'à la plus extrême limite (il y en a une de 1696 vers), et elle introduit parmi ses personnages le magicien Maugis, hélas absent de l'histoire de France. Mais c'est le thème de la révolte lui-même qui, renforçant l'individualisme du héros et facilitant l'intériorisation du drame, tendait à rapprocher ces chansons de geste des œuvres romanesques explorant le mystère de la vie intérieure. Il faut chercher ailleurs l'originalité de la signification épique des chansons.

III / L'IDÉAL MORAL ET LA RÉALITÉ HUMAINE

1. *Prestige de la force*

Les hommes naissent inégaux en fait, c'est-à-dire en force. Le droit arrange comme il peut ce fait, en le déguisant, en le contrôlant, en le contournant, en le transposant d'un système de valeurs dans un autre. Telle hiérarchie sociale se fonde sur la force militaire, telle autre sur le « militantisme » d'une organisation politique. Mais les mensonges de l'idéologie politique rusent avec la dure vérité de la horde, du clan, de la bande, du parti. La chanson de geste, elle, laisse affleurer dans son éloge de la prouesse l'état des choses humaines, l'autorité, la rivalité et la guerre.

La figure du héros c'est l'image d'une humanité violente, agressive et orgueilleuse. Roland et son épée Durendal, Guillaume et son formidable coup de poing, Rainouart et sa massue représentent l'idéal de la force

physique grâce à laquelle l'homme peut s'imposer à ses semblables et s'élever dans la hiérarchie du groupe. Mais la force, c'est ce qui permet de conquérir la terre, à l'intérieur du domaine collectif, ou à l'extérieur, au besoin, pour agrandir ce domaine. Car la terre est la garantie du pouvoir, et donc l'objet du désir guerrier. La féodalité s'est organisée sur ce principe territorial, dont l'image littéraire nous est donnée par la toponymie des fiefs et des combats dont ils sont l'enjeu. A cet égard le contexte historique de la chanson de geste est d'une relative transparence. Malgré les difficultés de l'identification proprement dite, dont le travail retiendra encore longtemps la critique, la signification des œuvres se trouve simplifiée par la netteté des ambitions qui s'y expriment, si l'on veut bien se débarrasser de notre perspective moderne, et du renversement des valeurs qui généralement l'accompagne (avec l'éloge de l'égalité).

2. *Critique de la violence*

Ce n'est pas à dire que les chansons de geste ne sont pas le lieu d'une réflexion morale. Elles ne représentent nullement un état premier ou primitif de l'idéal guerrier et féodal. S'y trouvent critiqués le désordre, né des conflits à l'intérieur du groupe, et les désastres collectifs provoqués par l'orgueil. A la démesure du désir on oppose donc la mesure d'une sagesse. Cette sagesse doit quelque chose au stoïcisme antique, idéal fort utile à des guerriers. Mais ce stoïcisme a été évidemment nuancé, orienté par la pensée chrétienne, ou plus exactement cléricale (car à chaque époque les clercs ont pu adapter leur interprétation du christianisme). Comme l'a montré Mme de Combarieu, la guerre prend un sens par rapport à Dieu. Guerre étrangère, qui trouve une justification spirituelle avec l'idée de croisade : là tous les conflits trouvent leur solution morale. Guerre entre lignages, ou entre seigneur et vassal, que doit apaiser la reconnaissance du pouvoir royal. Car l'idéal monarchique caractérise mieux la chanson de geste française que la réalité féodale, qui en est en quelque sorte le substrat mental. L'histoire de ce genre littéraire suit les fluctuations de l'idée royale. C'est donc par son caractère politique que la prouesse du héros français se distingue des autres traditions épiques. On s'interroge sur les rapports de la noblesse avec cette souveraineté, sur la conception de la justice qui s'y attache, sur la définition de son autorité et son domaine. La chanson de geste ne propose pas un mythe d'origine du pouvoir. Elle sert à en asseoir l'image, et à en discuter les problèmes contemporains. Il y a là un décalage sensible de la littérature sur la « culture » spontanée, au sens sociologique du terme. A la culture féodale, qui a pu s'exprimer dans des cantilènes aujourd'hui disparues, s'est superposée une littérature romane,

préparée par les écrits latins des lettrés, qui révèle les efforts de ces derniers pour maîtriser la violence latente d'une société guerrière. Dieu et son représentant sur terre, l'empereur ou le simple roi, ont servi, par la parole et surtout l'écriture épiques, à faire régner l'ordre des clercs.

3. *Le même et l'autre*

Cette vision du monde ne se traduit pas par des descriptions de la civilisation concrète, comme le voudrait la définition hégélienne de l'épopée. Ce sont les types humains qui la caractérisent : gardiens de l'ordre social avec toute la hiérarchie sociale au service du monarque; contestataires de l'ordre, avec les traîtres, les mauvais conseillers, les faibles; menaces extérieures avec les Sarrasins et les renégats. On peut, en ce sens, contrôler la transformation littéraire de l'histoire à partir des noms propres, et voir comment évoluent les types d'un siècle à l'autre, la figure royale étant la plus affectée par le changement de contexte politique; Charlemagne lui-même, comme son fils Louis, voit son autorité contestée dans des chansons du XIIIe siècle *(Huon de Bordeaux)*. A cette époque de grands lignages ont dû à leur tour essayer de confisquer la force épique au profit de leur image, et au détriment de la royauté, comme dans *Gaidon* qui chante les prouesses des Angevins. Sans conteste le champ de la communication épique apparaît comme singulièrement rétréci dans notre ancienne littérature, par rapport à d'autres civilisations (asiatiques ou antiques). S'annonce ainsi un trait permanent de nos Belles-Lettres, s'il est vrai que le Français n'a pas la tête épique ; mais c'est pour l'avoir trop politique ! On comprend qu'il y ait eu place, à côté de la chanson de geste, pour le développement d'un autre genre que l'on appelle le *roman*, et qui a assumé d'autres aspects de la fonction épique.

La chanson de geste a recueilli pourtant l'essentiel de la parole épique parce qu'elle est un chant de guerre. Or le chant de guerre surgit alors que s'arrête le dialogue, diplomatique et commercial, qui maintient la paix dans l'échange des idées et des denrées. L'incantation mobilisatrice marque l'interruption de l'économie de libre échange fondée sur la reconnaissance de la différence, dont s'alimente la circulation des biens. Blocage des frontières qui enferme chacun dans la peur et la haine de l'*autre*, le livrant à ses propres fantasmes. Cet imaginaire de la haine, qui fait de l'étranger un exclu, à l'intérieur comme aux confins du pays, c'est la chanson de geste qui le prend en charge, fabriquant des Sarrasins, des traîtres, bref des ennemis pour masquer la vérité, insupportable quand on doit se battre, que cet *autre* n'est qu'un autre nous-même. La chanson de geste illustre très clairement la dialectique des deux guerres, intérieure et extérieure.

C'est la guerre extérieure qui seule peut reconstituer l'unité du groupe compromise par les guerres « privées » que se livrent les lignages. Quand cesse de s'exercer cet esprit de croisade, de conquête ou de défense qui donne à la *Chanson de Roland* sa sérénité dans le tragique, alors la chanson de geste fait craindre le déchirement de la communauté.

Ce rapport entre la chanson de geste et la guerre pourra expliquer l'évolution du genre et sa disparition d'une manière plus simple et peut-être plus profonde que l'étude des idéologies politiques, qui varient d'un texte à l'autre sans nécessaire progression. Les chroniqueurs des XIVe et XVe siècles sont, dans ce cas, les auteurs épiques de la guerre de Cent ans, plus que Jean Cuvelier qui célèbre dans un long poème à l'ancienne mode Bertrand Du Guesclin. Jean Froissart cherche encore dans la guerre franco-anglaise la prouesse chevaleresque propre à former le cœur des jeunes nobles au moule de leurs ancêtres. Beaucoup de Français trouveront une mort belle mais vaine à trop s'être contemplés dans ce miroir épique, sans parler de Charles le Téméraire, chevalier d'un autre âge, dont la mort consolera Philippe de Commines de n'avoir pas eu un aussi grand destin. Et pourtant la mort des héros est la seule qui mérite d'être pleurée par le peuple, car c'est bien lui qui meurt, laboureur, artisan, marchand, clerc, prêtre, noble, lui je veux dire, son Moi idéal, avec le héros qui lui a donné sa meilleure identité ! Mais c'est sur la mort imaginaire que se construit la vie.

CHAPITRE III

La mise en roman

I / LE ROMAN COMME GENRE

1. *Définition*

Roman : le XIIe siècle invente le mot et la chose, mais non pas d'emblée. Du XIIe au XIIIe siècle on en cherche, on en construit la forme, on en dégage le concept, sans que jamais se fixent des frontières nettes (tous les genres s'y retrouvent, toutes les sources y affluent), ni que s'excluent les diverses figures successivement privilégiées (coexistence et interférence des types de récit). En brosser le tableau se heurte donc à des difficultés. Toujours surgit le cas qui défait l'essai de synthèse. Les classifications antérieures, du *Manuel* de Bossuat au *Grundriss* de H. R. Jauss et E. Köhler (roman antique, breton, voire « courtois » en général, soit encore : byzantin, idyllique, réaliste, « d'aventure et d'amour », et aussi hagiographique ou biblique, etc.), utiles dans un premier temps, empêchent maintenant de reconnaître quelles affinités relient contre toute apparence des œuvres entre elles, quelle est la nature du courant qui les traverse en profondeur ou encore avec quelle franchise d'allure ces pionniers, pour frayer leur chemin, s'essayent à toutes les voies.

Ainsi, le grand maître du roman arthurien, Chrétien de Troyes, a également composé des chansons d'amour, traduit des textes d'Ovide *(Philomena)*, « rimé un conte » d'inspiration hagiographique en forme de roman grec *(Guillaume d'Angleterre)* et mis en roman une histoire gréco-orientale où se mêlent les coloris arthurien et byzantin (*Cligès* ou la *Fausse Morte*). Marie de France a rassemblé un recueil de fables ésopiques et un autre de « lais bretons », à quoi s'ajoutent la légende fabuleuse de saint

Patrice et peut-être la vie de sainte Andrée. Au XIIIe siècle, Jean Renart réunit l'idylle, la geste et l'aventure en un roman de mœurs dans l'*Escoufle*, s'essaye au genre du lai avec l'*Ombre*, combine enfin des souvenirs arthuriens, des poèmes lyriques et des motifs folkloriques dans son *Roman de la rose*. La polygraphie est un trait constant; on citerait aussi bien Wace, Benoît de Sainte-Maure, Gautier d'Arras au XIIe siècle ou Raoul de Houdenc, Gerbert de Montreuil, Philippe de Beaumanoir, Adenet le Roi au XIIIe siècle et on sait qu'un Froissart au XIVe siècle est autant poète (dits allégoriques, poèmes à forme fixe) et romancier *(Meliador)* que chroniqueur, tout comme au XVe siècle Antoine de La Salle est à la fois pédagogue et compilateur, chroniqueur et nouvelliste.

Autant dire qu'une histoire littéraire du Moyen Age qui rende vraiment compte des écrivains d'alors et du champ de leurs recherches reste encore à faire. La littérature médiévale a ses fulgurances comme ses empêchements, elle se trouve soudainement, elle se perd mais aussi se reprend. Sous le signe du mélange et de l'échange, elle ne cesse d'être en mouvement. Nos classifications semblent indigentes face à pareille richesse et cette formidable puissance d'écriture, c'est-à-dire de rimer, de traduire, de remanier, d'assembler et de copier, s'identifie au roman parce que celui-ci la révèle et la cristallise.

Il est significatif que le mot de *roman*, avant de désigner une forme de récit, s'entende de la langue vulgaire, romane, en tant qu'opposée à la savante, la latine. Langue et genre, « Français » et « roman » sont donc coextensifs, ce qui montre assez l'importance de cette activité fabulatrice en domaine d'oïl, comme la langue d'oc, riche en trouvailles lyriques, nous a laissé, en héritage du *trobar*, le mot de troubadour. Pour désigner une œuvre romanesque comme *Jaufré* ou *Flamenca*, l'écrivain occitan du XIIIe siècle parle plutôt de *novas*, « nouvelles » (toujours au pluriel, cf. *Flamenca*, v. 250), qualifiées de *bunas* et de *rïals* dans *Jaufré* (v. 16 et 21), qui emploie aussi *romantz* (v. 10949).

2. *Le livre ou la voix*

Du double sens de *roman*, un autre enseignement peut être tiré, qui concerne la filiation, réelle et imaginaire à la fois, du genre romanesque. Quiconque « chante de geste » n'envisage apparemment de transmission qu'orale, comme par une délégation de témoignages vivants : il y eut l'événement et la rumeur qui en naquit authentifiée par cela même :

> « Oez, seignor...
> Bone chançon que je vos vorrai dire...
> *Ici le sevent qui en vont a saint Gile*

Qui les ensaignes en ont veü a Bride :
L'escu Guillelme et la targe florie...
Ge ne cuit mie *que ja clers m'en desdie*
Ne escripture qu'en ait trové en livre...
Pou est des homes qui verité en die,
Mais g'en dirai, *que de loing l'ai aprise.* »

(*La Prise d'Orange*, v. 1-19.)

D'un côté donc le clerc, le livre, et le savoir par écrit; de l'autre, le chanteur, les objets reliques et la mémoire vivante. Celui qui, au contraire, « rime une histoire » l'autorise d'un livre latin qu'il prend soin, à d'utiles fins morales, de traduire. Ecrire se confond ici avec traduire. Ce qui permet de distinguer *geste* et *roman*, quand même, au début, le roman parle de geste !

L'exemple le plus clair en est donné par Wace, qui conclut ainsi son *Brut* :

« Ci falt *la geste* des Bretuns
Et la lignee des baruns
Ki del *lignage* Bruti vindrent...
Fist Mestre Wace cest romanz. »

(V. 14859-14866.)

« Lignage », « geste », ce sont les maîtres mots de l'épopée. Pourquoi donc parler de roman ? A cause de l'octosyllabe à rimes plates ? Le *Rou*, quant à lui, semble avoir débuté par des laisses d'alexandrins monorimes ! Mais ce texte donne justement la réponse. « L'estoire de Rou », c'est bien « la geste des Normanz » (I 4 et 43). Elle diffère pourtant de la chanson, parce que la mémoire des prouesses ancestrales passe par l'écrit, le livre et la traduction : que saurait-on de Nabuchodonosor, d'Alexandre et de César, rendus à leur poussière, « si on n'allait disant ce qu'on a trouvé lisant » (III, 125-126) ? Survivraient-ils dans leurs noms, cette gloire même eût été effacée,

« Se il ne eüssent escrit esté ».

(III, v. 130.)

« Se par clerc nen est mis en livre;
Ne poet par el durer ne vivre. »

(III, 141-142.)

« Gestes » et « estoires » ne seraient que néant, sans les « livres » :

« Si escripture ne fust feite
E puis par clers litte et retraite
Mult fussent choses ubliees
Ki de viez tens sunt trespassees. »

Même idée dans *le Roumanz de Thebes* : l'auteur parlera de deux frères, de leur grande bataille et racontera « leur geste » (v. 19-20), mais à la suite d'Homère, Platon, Virgile, Cicéron et Stace. Ou encore *Cligès* :

> « Ceste estoire trovons escrite,
> Que conter vos vuel et retraire,
> En un des livres de l'aumaire
> Mon seignor saint Pere a Biauvez;
> De la fu li contes estrez
> Qui *tesmoingne l'estoire a voire* :
> Por ce fet ele *mialz a croire*.
> Par les livres que nos avons
> Les fez des ancïens savons
> Et del siegle qui fu jadis. »

(V. 18-27.)

Une bibliothèque, un cloître, un livre — et en latin (du fait de la *translatio studii* et du monopole ecclésiastique de la culture) —, ce peut être, comme au XIIIe siècle, ou comme bien plus tard dans le conte fantastique, le cadre lui-même fictif de l'affabulation (ainsi la bibliothèque du roi Arthur dans le *Livre de Lancelot*, éd. Micha, IV, p. 396-397), mais au XIIe siècle, c'est aussi la réalité : Wace n'a-t-il pas traduit Geoffroy de Monmouth dans *Brut* ? Le *Roman de Thèbes* renouvelle la *Thébaïde*, comme *Eneas*, l'*Eneïde*; le *Roman de Troie* de Benoît de Sainte-Maure avoue pour sources le *De excidio Trojae* de Darès le Phrygien et l'*Ephemeris belli trojani* de Dictys de Crète; le *Roman d'Alexandre* sort également d'une tradition écrite et savante et celui d'*Apoloine* reprend l'*Historia Apollonii regis Tyri*. Au XIIIe siècle, *Dolopathos* est traduit d'un original latin. Comment s'étonner que Wace, dans *Rou*, mette sur le même plan :

> « livres escrire e translater » (III, 152) ?

L'intermédiaire du livre distingue donc le roman antique quand il parle de geste, de la chanson de geste. « Lire » s'oppose à « chanter » dans le témoignage de l'écriture, non de la voix (laquelle, notons-le, sera, dans les romans du Graal depuis Robert de Boron, reportée sur Dieu, l'Ange ou ce diable de Merlin). « Faire un roman » c'est d'abord « mettre en roman » et le *Roman de l'estoire dou Graal* de Robert de Boron veut simplement dire : le texte en français de l'histoire du Graal. Wace, dans *Rou*, est explicite :

> « Longue est *la geste* des Normanz.
> E *a metre* grieve *en romanz*.
> Se l'on demande qui ço dist,
> Qui *ceste estoire en romanz* fist,
> Jo di et dirai que jo sui
> Wace de l'isle de Gersui...
> *De romanz faire* m'entremis. »

(III 5297-311.)

Double emploi du mot qu'on retrouve encore, non sans ambiguïté, dans le prologue du *Roman de Troie* (v. 37-39) ou dans le choix propre à chacun des deux manuscrits de *Dolopathos*; on lit, en effet, dans celui de Sorbonne :

> « Se je m'en savoie entremetre
> Q'*en .l. romanz* peusse metre
> Une estoire auques ancienne
> Qui estraite est de gent paienne »
>
> (V. 11-14)

et dans celui de Cangé :

> « Qu'*en bon romans* peust on metre. »

3. *Les vains contes*

Toutefois, écrire en français n'allait pas de soi, comme l'atteste le prologue de *Partonopeus de Blois* :

> « Cil clerc dïent que n'est pas sens
> D'escrire estoire d'antif tens
> Quant jo nes escris en latin,
> Et que jo pert mon tans enfin. »
>
> (V. 77-80.)

L'auteur rétorque aussitôt que le perdent au contraire ceux qui ne font rien et, suivant l'enseignement de saint Paul

> « Que *quanqu'est es livres escrit*
> *Tot i est por nostre porfit*
> Et por nos en bien doctriner
> Que saçons vices eschiver...
> *Car nus escris n'est si frarins*,
> Nes des fables as Sarrasins,
> *Dont on ne puist exemple traire*
> De mal laissier et de bien faire.
> En nul escrit n'a nule rien
> Ne senefit u mal u bien ».
>
> (V. 97-108.)

Le seul fait d'écrire œuvre pour l'utile, fût-ce même une affabulation venue des Arabes !

Il y avait donc à l'époque une polémique, d'autant plus vive sans doute qu'on s'éloignait des garants latins invoqués dans le roman antique et du grand projet politique et généalogique du « livre des lignées », propre à l'entourage des Plantagenêts, et qu'on optait délibérément pour les fables et les merveilles dont la partie arthurienne de *Brut* avait amorcé la vogue, pour les tribulations romanesques sorties des romans grecs du début de l'ère chrétienne, dont *Apoloine* avait ravivé l'intérêt, pour les prestiges et

les fantasmes de l'Orient dont la branche III d'*Alexandre* rouvrait le livre fabuleux, et dont l'idylle de *Floire et Bancheflor* gardait, dans le sérail de « Babylone » (Le Caire), le frisson délicieux. Ce n'est pas un hasard si « l'estoire », perdue, de Tristan qui fit date pour toute notre civilisation marie les deux matières, d'Orient et d'Occident, soit la mer hasardeuse des Grecs et la forêt aventureuse des Celtes. *Apoloine* et *Tristan*, comme en témoigne *Philomena* de Chrétien de Troyes (v. 174-175), présidèrent également au nouveau roman.

Tous les écrivains profanes se sont réclamés de la parabole des talents (Matthieu 25, 14-30) ou des mines (Luc 19, 12-27) pour justifier leur entreprise contre les *doctes* qui incriminaient le plaisir d'une littérature pour les *dames*. Denis Piramus, auteur de la *Vie de seint Edmund le rei* (entre 1189 et 1194), déplorait ainsi, sans ambages, à propos de *Partonopeus de Blois* comme de Marie de France, le mensonge des fictions (car la rime suffit à prouver que ment le songe) :

> « La matire ressemble sunge »,

dit-il du premier, remarquant, d'autre part, que « dame Marie »

> « Compassa les vers de lais
> Ke ne sunt pas del tut verais...
> Les lais solent as dames pleire. »
>
> (V. 35 ss.)

Le point est d'autant plus sensible qu'à partir des années 1170 les auteurs reconnaissent pour source l'activité orale des conteurs professionnels.

A dire vrai, Wace en témoignait dès 1155 : si Geoffroy alléguait comme unique et mystérieuse source un « *vetustissimus liber* » (qu'il aurait d'ailleurs traduit du breton), l'auteur de *Brut* se fait l'écho de traditions orales :

> « En cele grant pais ke jo di
> Ne sai si vus l'avez *oï*
> Furent les merveilles pruvées
> Et les aventures truvées
> Ki d'Artur sunt *racuntees*
> Ke a fable sunt aturnees.
> Ne tut mensonge ne tut veir,
> Tut fulie ne tut saveir.
> Tant unt li *cunteür cunté*
> Et li fableür tant flablé
> Pur lur cuntes enbeleter
> Que tut unt fait fable sembler. »
>
> (V. 9787-9798.)

On sait d'ailleurs depuis E. Faral que les noms d'Arthur et de Béduier, de Keu et de Gauvain figurent dans une *Vie de saint Cadoc* datant peut-être

du début du XIIe siècle. Quoi qu'il en soit, quinze ans plus tard, Thomas d'Angleterre constate la diversité et les divergences des récits sur Tristan, pour se réclamer de l'autorité, hélas ! énigmatique, de « Breri » :

> « Mes sulum ço que j'*ai oï*,
> Nel dïent pas sulun Brori
> Ki solt les gestes et les cuntes
> De tuz les reis, de tuz les cuntes
> Ki orent esté en Bretaingne. »
>
> (D. 847-851.)

Marie, dans ses *Lais*, explique comment, en voulant innover, elle a renoncé à suivre la voie normale (comme pour ses *Fables*), c'est à savoir

> « D'aukune bone estoire faire
> E de latin en romaunz traire;
> Mais ne me fust guaires de pris :
> Itant s'en sunt altre entremis ! »
>
> (V. 29-32),

et elle invoque « les lais bretons »

> « K'oïz aveie. »
>
> (V. 33.)
>
> « Plusors en ai *oï conter.* »
>
> (V. 39.)

Elle n'invente certainement pas de pareilles séances poétiques et musicales, mais, en faisant de ces récits le legs même de l'âge d'or des Merveilles (l'histoire, quelle qu'en soit l'origine réelle, sera toujours dite « bretonne »), elle tisse la toile imaginaire qui éblouit assez les cœurs pour que sa fiction tire comme d'elle-même sa propre autorité : Tristan, le premier héros, est, aussi bien, de son aventure, le premier poète. On verra semblablement au XIIIe siècle Breri entrer dans la fiction et devenir un chevalier arthurien ! Marie réussit, par cette ruse propre à tout écrivain digne de ce nom, à s'attribuer la catégorie du vrai :

> « Les contes ke jo sai *verais.* »
>
> (*Guigemar*, v. 19.)

Elle assure, de surcroît, dès son prologue, la moralité de l'entreprise grâce aux *topoi* en faveur dans le monde clérical : « Posséder le savoir oblige à le transmettre », c'est la parabole des talents (cf. Alain de Lille :

> « Non minus hic peccat qui censum condit in agro quam qui doctrinam claudit in ore suam »)

et « il faut éviter la paresse », en sorte que écrire qui est « labeur » et « veilles », « étude » et « grevose ovre », est chose pieuse et vertueuse.

4. *Conjointure*

Chrétien de Troyes le dit tout aussi bien dans le prologue d'*Erec* ou celui du *Conte du Graal* : c'est un devoir de partager sa science, ou d'en faire semence, sans jamais renoncer à l'étude. Mais la fierté de l'écrivain qui sait son métier et qui peut compter sur le prince introduit chez lui comme chez Marie, pour la défense du roman, une nouvelle catégorie, esthétique et non plus morale. L'accent mis sur le travail signifie sans doute que l'écrivain sauve son âme, mais n'en reporte pas moins l'attention sur l'excellence du produit. J'ai traduit, explique Marie, dans l'épilogue de ses *Fables* ésopiques, un livre « en romanz »,

> « E jeo l'ai rimer en franceis
> Si cum jeo poi plus proprement. »

De même pour les *Lais* :

> « M'entremis des lais *assembler*,
> Par *rime faire* e reconter. »

Ce qui suggère, outre l'élaboration de la lettre, une composition de l'ensemble dont la disposition ferait elle-même sens et se prête à de subtils contrepoints.

Chrétien dénigre les conteurs professionnels : « Cil qui de conter vivre vuelent » (v. 22) qui mettent en pièces et corrompent le *Conte d'Erec*, c'est-à-dire « le conte d'aventure » dont il se vante de tirer

> « Une molt *bele* conjointure »
>
> (V. 13-14.)

Il ne s'agit donc pas tant de s'autoriser de la version vraie que de « bien dire ». La bonne version sera la plus belle. « Assembler », « rimer proprement », conjoindre avec bonheur distingue Marie ou Chrétien des simples conteurs qui font, autour d'eux, rumeur. Dès lors « roman » ne s'oppose plus à « latin », mais à une forme plus simple de conte, « le conte d'aventure », comme le recueil des lais narratifs de Marie est autre chose que le « lai breton » qu'elle entendait chanter.

Le prouve d'abord cet écho de Chrétien chez Renaut de Beaujeu vers les années 1200 : *Erec :*

> « Et *tret* d'un conte d'aventure
> une *molt bele conjointure.* »

Bel Inconnu :

> « (Por li) veul *un roumant estraire*
> D'un molt biel conte d'aventure. »
>
> (V. 4-5.)

Par quoi « conjointure » et « roman » s'équivalent et se distinguent du « conte » qui leur sert de support et se préserve dans le titre (d'où le *Conte du Graal*). Ainsi J. Renart, en 1202, s'excuse-t-il de celui peu honorable de l'*Escoufle*,

> « Mais c'est drois que *li roumans* ait
> Autretel non comme *li contes* »
>
> (V. 9074-9075),

et commence en ces termes son *Roman de la rose* (entre 1208-1210) :

> « Cil qui mist cest conte en romans. »

Le roman est donc plus que conte qui en fait l'intérêt mais non pas tout le prix. Aussi bien le conte se colporte-t-il sans que l'art en fixe ni en impose la forme. La *conjointure* est, au contraire, belle comme l'harmonie d'un corps, arraché à ceux qui le démembrent, ou encore, selon l'heureuse formule mise en valeur par E. Vinaver, qu'on lit dans une traduction de la *Genèse* pour la même Marie de Champagne :

> « Cele forme, cele peinture,
> Se Dieus n'i meïst *conjointure*
> *Tel com l'ame* qui la governe,
> Ou il n'a clarté ne lumiere. »

La *conjointure* est la vie qui relie, anime et éclaire les membres, autrement morts ou épars, de l'histoire.

Faire un roman, c'est avoir l'art « d'entrelacer », suivant le mot que glisse en passant dans *Eracle* (v. 2903) le grand rival de Chrétien, Gautier d'Arras. Il le démontre, dans cette œuvre, comme tant d'autres méconnue, où se mêlent, pour un seul et même accomplissement de style hagiographique, la tradition folklorique du fils du diable et le conte oriental des trois dons; la donnée courtoise d'amours adultères placées sous le signe de Pâris le Phrygien (chiffré, de surcroît, par le biais d'une légende byzantine !) et le récit populaire, aux allures de fabliau, du « bénitier d'ordure »; la liturgie des *Passionnaires*, enfin (pour l'Exaltation de la Sainte Croix) et la chanson de croisade en guise de chronique (pour Jérusalem, contre les Perses). Si le tout semble composite, comparé à Chrétien, ce n'en est pas moins une conjointure, mais d'un autre type. Autre exemple : le *Comte de Poitiers* (peu après 1204 et avant 1208) : c'est le conte de la gageure dans un cadre de chanson de geste (« oiés... Chançon de molt grant segnorie », au temps de Pépin le bref), avec un décor de féerie emprunté au *Chevalier au lion* (Harpin, le lion; la fontaine et sa fée avec, non loin de là, un serpent à « queue recercelée » : Mélusine, déjà !) et une suite orientale et byzantine reprise d'*Eracle* (Oui « le sénéchal de Rome » épouse « Parise », l'impératrice

de Constantinople !). La *conjointure* consiste à reporter dans la deuxième partie (l'histoire du fils) la vue de la nudité féminine qu'on attendait dans la première partie (l'histoire des parents), à l'occasion de la gageure (le secret de la femme !). L'œuvre s'intitule elle-même « chanson » mais s'apparente par la suite indéfinie d'octosyllabes à rimes plates à la forme romanesque.

L'écriture comme entrelacs, cette conception est appelée à triompher dans les grands cycles en prose du XIIIe siècle, nommément le *Livre de Lancelot*, à propos duquel Dante admirait les « ambages pulcherrime Arturi regis ». Mais dès le XIIe siècle s'était imposée la métaphore de la broderie, au fil même de la légende de Tristan : de la Belle aux cheveux d'or chez Eilhart d'Oberg au secret de la chemise de Soredamor, dans *Cligès*, ce qui se tisse dans les discours amoureux est la littérature même, comme le constate Gottfried de Strasbourg : les amants s'entendaient à merveille pour broder, à l'insu du public, des mots à double entente avec l'or de leur amour. Puis vient Jean Renart, qui se vante d'avoir intégré à son récit les chants et les airs de la poésie lyrique et créé ainsi un roman sans pareil,

> ... « Des autres si divers
> Et *brodez*, par lieus, *de biaus vers*
> Que vilains nel porroit savoir. »
>
> (*Roman de la Rose*, v. 13-15.)

Au reste, Chrétien de Troyes a pris soin de fixer les termes de sa poétique, qui en compte quatre : si le prince ou la dame commande à l'écrivain le *sen*, soit la direction ou l'orientation maîtresse de son œuvre et si lui-même doit y conformer sa *matière*, c'est-à-dire son sujet légué par la tradition et resté comme en attente d'une élaboration (Marie parlerait ici de la *Lettre* et de *sa glose*), il lui faut y mettre sa peine et *son sens*, c'est-à-dire son métier et son intelligence (ou savoir-faire) pour en tirer un livre qui ait une âme, c'est-à-dire qui ait l'éclat vivant d'une *conjointure*.

5. *La naissance de la prose*

L'équilibre paraît atteint dans le *Chevalier au lion* où la fiction se soutient seule, et de l'intérieur, comme chez Marie, au point que c'est la prouesse d'Arthur qui directement nous enseigne à être vaillants et courtois. Mais le *Conte du Graal*, comme *Cligès* naguère, se replace sous l'autorité du *livre* qui préexiste et authentifie son contenu. Aussi bien le sujet n'en est-il plus seulement profane mais religieux. La fiction se renie, dirait-on, pour s'aventurer plus avant sur les voies de la Révélation : qu'advient-il, en effet,

du mensonge quand il traite de la Vérité ? Ecrire équivaut à dire que cela vient de plus loin que vous et, pour qu'on l'entende, votre propre effacement s'impose. Qui est le maître de ce qui maintenant se raconte ? Gautier d'Arras, abordant dans *Eracle*, comme Chrétien dans le *Conte du Graal*, l'histoire de « la vraie croix », précise qu'on en lit l'aventure « en latin » (v. 5119).

A ce stade du développement romanesque, un tournant semble pris, car chaque tentative, par sa réussite ou son échec, modifie l'ensemble du champ. Ainsi de Tristan qui hante, ouvertement ou non, toutes les amours à venir et reste sous-jacent à d'autres œuvres, qu'elles le reprennent ou s'en démarquent (Marie de France, *Cligès*, *Ille et Galeron*, *Lancelot*) ; ou d'Arthur, qui un jour s'impose comme figure souveraine à côté de Charlemagne et d'Alexandre; ou du Graal enfin, dont l'énigme et le récit inachevé (de par la mort de Chrétien) révèlent la fiction à elle-même, soit à ce qu'elle met en jeu de vérité.

Avec Robert de Boron et ce qu'il faut bien appeler son cinquième Evangile, celui du Graal, c'est-à-dire de ce précieux sang qui, par les plaies du Christ en croix, s'était en ce monde répandu et dont l'immanence requérait une histoire propre, le Graal s'identifie à l'écrit où se trouvent consignées les « paroles privées », les *arcana verba* que Jésus ressuscité confia, avec le Calice, à Joseph d'Arimathie, emmuré tel un mort dans sa « chartre ». L'auteur ne saurait en effet les reproduire et n'oserait même en parler :

> « Se je *le grant livre* n'avoie
> Ou les estoires sunt *escrites*
> Par les granz clers feites et dites.
> *La sunt li grant secré escrit*
> *Qu'en numme le Graal et dit.* »
>
> (*Roman de l'estoire dou Graal*, v. 929-936.)

Or l'œuvre de Robert, sa trilogie : *Estoire*, *Merlin*, *Perceval* (avec une *Mort Artu*), est lieu de passage du vers à la prose : l'*Estoire* en vers, le début de *Merlin*, de même, le reste en prose (ainsi que les précédents après coup). Pourquoi ?

A la fin du XIIe siècle et au début du XIIIe siècle est réaffirmée sous l'influence des milieux religieux la défiance à l'égard de la matière de Bretagne : « *Les contes de Bretaigne sont si vain et plaisant* », dit Jean Bodel sans que cette limitation vaille exactement condamnation. Mais voici plus net :

> « Les autres dames de cest mont
> Qui plus pensent aval qu'amont,
> Si font les mensonges rimer
> Et les paroles alimer

Pour les cuers mielz enrooillier...
Dame...
Lessiez Cligès et Perceval
Qui les cuers tue et met a mal
Et les romanz de vanité,
Assez trouverez verité. »

(Prologue d'une traduction en prose des *Vies des Pères*.)

On s'attaque aussi, comme on voit, aux rimes et à la rhétorique, suspectes d'artifice, donc de mensonge. C'est la formule célèbre du prologue d'une traduction du *Pseudo-Turpin* :

« Nus contes rimés n'est verais. »

Jongleurs et conteurs sont enfin disqualifiés comme menteurs parce qu'ils ne savent rien sinon par ouï-dire. On accuse donc les récits bretons d'être *vains*, par opposition aux sujets religieux (ex. les *Vies des Pères*) ou, comme pour Jean Bodel, à la matière de Rome, instructive, ou celle de France, authentique; d'être *versifiés*, c'est-à-dire apprêtés, parés pour les femmes et comme elles, signe du Malin; d'avoir des sources *orales*, non pas écrites. L'ensemble converge vers la prose qui, avant d'être courtoise (XIIIe siècle), a été monastique (XIIe siècle), avait un contenu religieux (sermons, psautiers) et servait à traduire les textes pieux du latin (ex. les *Quatre Livres des Rois*).

Les romanciers vont alors détourner la prose à leur profit pour rehausser la sainteté de leur fiction du Graal ! D'où cette appréciation qu'on peut lire dans le prologue versifié de l'auteur d'une chronique (perdue) en prose des règnes de Philippe Auguste et de Louis VIII (donc après 1226 et probablement vers 1230-1231) :

« Issi vos an feré le conte
Non pas rimé, *qui an droit conte,*
Si con li livres Lancelot
Ou il n'a de rime un seul mot
Por mielz dire la vérité...
Quar anviz puet estre rimée
Estoire ou n'ait ajostée
Mançonge por fere la rime »[1].

Quelle meilleure rime d'ailleurs trouver au mot mensonge que la vanité du songe (cf. Jean Renart, *Roman de la Rose*, v. 456-458) ? Mais un pareil choix est riche d'une autre conséquence : le glissement du vers à la prose chez Robert s'accompagne d'un renforcement du rôle des « grands clercs » qui léguèrent le grand livre. D'où la fiction de Maître Blaise qui écrit sous

1. Si le *Livre de Lancelot* désigne notre *Lancelot en prose*, nous avons là une allusion qui peut aider à lui trouver une date.

la dictée de Merlin l'obscur, après avoir été le confesseur de la mère de ce bon fils du diable ! Or le livre de Blaise qui se transmet à notre auteur de copie en copie et qui redouble lui-même le livre de Joseph d'Arimathie avant de se confondre, un jour, de faire un avec lui, ne contient pourtant pas « les privees paroles de Joseph et de Jesu Crist » qui sont le secret qu'on appelle le Graal (Merlin, Ed. Paris, I, p. 30-33). En clair, la prose qui prétend à plus de vérité signifie également le retrait, en une origine toujours plus lointaine, ou bien transcendante, de la vérité qui se fit un jour entendre de la bouche même de Dieu. Ce que compense à sa façon la voix, prophétique, de Merlin.

Au terme, dans la tardive *Estoire del Saint Graal*, mise en tête du cycle du *Lancelot-Graal*, se forge le mythe fabuleux de la (sainte) écriture. Après avoir invoqué la Trinité, l'auteur, censé écrire en l'an 717 après la Passion, mais resté volontairement anonyme, dit avoir reçu du Christ même, lors d'une vision survenue le Vendredi Saint, un livre grand comme la paume de la main, tandis que la voix lui précise : « Et si i sont mi secré que nus homme ne doit veoir s'il n'est avant espurgiës par vraie confession, *car iou meismes l'escris de ma main*. Et en tel maniere le dois dire comme par langue de cuer si que ja chele de la bouche n'i parolt, car il ne puet estre nomé par langue mortel que tot li.IIII. element n'en soient muei » (Sommer, I, p. 5).

Le narrateur y trouve alors le commencement de son lignage, ignoré de lui, puis l'histoire du Saint Graal, celle enfin « de la grant paor », emplie de choses « moult espoentables » (p. 6). Après quoi, une fois le « livret » disparu puis retrouvé, il en entreprend, à la demande du Christ, la copie : « E fu li comencemens del escriture del crucefiement Jhesu Crist » (c'est-à-dire l'histoire de Joseph d'Arimathie).

L'origine familiale, la relique sainte, l'inexprimable terreur : qu'est-ce donc qui dans l'écrit se retranche pour ne laisser trace que d'une absence ? Curieusement, le roman en prose revenant à l'origine et scrutant, ou masquant, les généalogies retrouve les villes et les « terres gastes » du roman antique : Thèbes et Troie s'unissent pour le même désastre dans la « Trebes » du roi Ban, père de Lancelot !

6. *Le jeu littéraire*

Mais il y avait une autre manière de poser dans (et à) la fiction la question de la vérité que d'en proposer l'aventure interminable. Ce fut, au début du XIIIe siècle, concurremment aux mises en prose de Robert de Boron, le parti de Jean Renart, trop vite qualifié par la critique de « réaliste ». Ce type de récit résulte en fait du croisement de la chanson de geste, d'une part, laquelle explique (de pair avec les chansons de toile) le choix des

noms, chrétiens, non plus fabuleux, du cadre féodal et familier et non pas féerique et lointain, voire des thèmes (la Terre Sainte, dans la première partie de l'*Escoufle*) et, d'autre part, de la tradition amoureuse du roman, qui unit les Armes et l'Amour (*Erec et Enide* ne cesse d'informer le *Roman de la Rose*) ou se plaît aux idylles d'enfance. Même synthèse, on l'a vu, dans la chanson du *Comte de Poitiers*, qui est, selon nous, à l'origine de *la rose*. Dans son dernier roman, Jean Renart s'emploie à faire exister dans la littérature la littérature comme rêve, autrement dit à feindre un monde du quotidien qui à tout moment se cherche et se trouve un modèle littéraire et se rapporte à lui comme à sa mesure.

Comme si, à répéter que ceci n'est pas un roman (puisque de notre monde), on en reconnaissait d'autant mieux l'Idée. L'*Escoufle* cite Apollonius de Tyr, Tristan et Yseut, Pyrame et Thisbé, Pâris et Hélène et l'histoire s'organise dans le va-et-vient incessant d'une réalité feinte à une fiction réalisée. Il invoque de même, dans son *Roman de la Rose*, Perceval aussi bien que Roncesval, Alexandre et le siège de Troie, Tristan avec Lanval; il auréole le motif folklorique de la gageure, masqué au cœur de l'œuvre, de toute la nostalgie de la lyrique courtoise animée par l'*amor de lonh*, et aussi de la richesse des cortèges de la Fée Amante (cf. *Lanval* et *Tristan* de Thomas) lors des fêtes de Mai (Bele Lïenor : Fée d'Avalon et grande mariée de Mai). Tandis qu'à l'évidence,

« l'afaire
De la rose desor la cuisse :
Ja mes nuls hom qui parler puisse
Ne verra si fete merveille
Come de la rose vermelle
Desor la cuisse blanche et tendre »

(V. 3360-3365)

rappelle une autre semblance de blancheur et de vermeil, celle de Blanchefleur, dans le *Conte du Graal* :

« Et miauz avenoist an son vis
Li vermauz sor le blanc assis
Que li sinoples sor l'arjant...
Fist Deus de li passe mervoille »...

(Ed. Hilka, 1824-1827),

mais aussi bien du merveilleux cortège de la « lance blanche », d'où

« Coloit cele gote vermoille.
Li vaslez vit cele mervoille. »

(V. 3197-3202.)

Rose rouge et sang sur la neige ! Le secret de la rose vaut l'énigme du Graal, mais selon une autre approche.

Au début de l'*Escoufle*, Jean Renart s'en est en effet pris aux conteurs

« ki tendent
A bien dire et a recorder
Contes ou ne puis acorder
Mon cuer, car raisons ne me laisse;
Car ki *verté* trespasse et laisse
Et fait venir son conte *a fable*,
Ce ne doit estre chose estable
Ne recetée en nule court;
Car puis que mençoigne trescort,
Et vertés arriere remaint »

(V. 10-19.)

Dans *Ille et Galeron*, déjà, où

« Ja n'i troverés mençonge »,

Gautier d'Arras moquait certains « lais » qui donnent à l'auditeur le sentiment d'avoir dormi et rêvé :

« Se li sanlent tot ensement
Con s'eüst dormi et songié »

(Cf. ms. P, v. 932-937.)

En révélant et en mettant par écrit un conte depuis longtemps oublié, Jean Renart se félicite, quant à lui, de « faire *un dit* de *boune estoire*... ki *vertés* soit » (v. 28-30). « L'escoufle », « l'ombre », « la rose », chaque terme est comme en puissance de symbole, au même titre que « la charrette », « le lion » et « le Graal », mais pour capter le reflet d'une absence (sur le corps de la femme), non plus pour conduire à une identification mortelle (à travers ce qu'une femme désire).

Serait-ce dès lors trop se risquer que de tirer parti de la précieuse ambiguïté du titre du *Roman de la Rose* et de glisser de la rose de Jean Renart à la Rose de Guillaume de Lorris, comme d'une métonymie du sexe féminin à sa métaphore, suivant le mouvement même qui, dans le *lai de Guigemar*, fait passer la blessure du héros à la cuisse, par une flèche, au cours de la chasse, à une autre, toute métaphorique, celle du dard d'Amour perçant son cœur ? Si Jean Renart d'ailleurs nous a invités à rêver de littérature à force d'insertions lyriques, Guillaume de Lorris repart du « je » lyrique pour ouvrir en songe un nouvel espace du récit : le roman allégorique :

« Aucunes genz dient qu'en songes
N'a se fables non et mençonges,
Mes l'en puet tex songes songier
Qui ne sont mie mençongier. »

(V. 1-4.)

Superbe retournement ! Le roman est devenu l'univers lyrique en expansion.

Il suffit, pour faire boucle, de remarquer ce qu'il advient dans la partie du *Livre de Lancelot*, dite d'*Agravain* (éd. Micha, V, p. 60-62), lorsque, à la vue de « la rose » dans le verger, Lancelot se libère de la prison de Morgain. L'auteur a, semble-t-il, suggéré l'opposition des deux mystiques, amoureuse et religieuse, Guenièvre et Corbénic, *la Rose* et *le Graal*. Les deux décennies 1208-1228 auraient ainsi vu l'éclosion du roman de Jean Renart, de celui de Guillaume de Lorris et du *Livre de Lancelot* et les trois grandes créations romanesques du Moyen Age, féerique, allégorique et pseudo-réaliste se recroiseraient en un subtil entrelacs qui fait de cette élaboration une aventure sans pareille. Non sans concurrence, assurément : le succès de la prose va retarder un temps celui du courant issu de Jean Renart comme le triomphe à venir de l'allégorie (cf. les années 1260-1280); il n'en reste pas moins qu'au soupçon de vain mensonge les romanciers ont répondu de trois façons, toutes admirables : la prose est vérité d'Evangile; on peut faire vrai en racontant une histoire; la vie est un songe, ce qu'avère le roman.

II / LE ROMAN ET SON TEMPS

1. *Roman et mécènes*

C'est du milieu du XIIe siècle, avec la rédaction du *Roman de Thèbes* et du *Brut* de Wace (en 1155), que l'on date la *naissance* du roman médiéval. Avec deux œuvres donc *a priori* très dissemblables par leur thématique, l'une recueillant l'héritage classique, l'autre inaugurant la « matière de Bretagne », mais qu'unissent à la fois leur rapport à leurs sources et leur lieu d'apparition. Toutes deux s'inspirent en effet d'un texte latin antérieur, la *Thébaïde* de Stace, l'*Historia regum Brittaniae* de Geoffroy de Monmouth, et si le *Brut* est explicitement dédié à Aliénor d'Aquitaine, épouse depuis 1152 du comte d'Anjou, Henri Plantagenêt, reine d'Angleterre depuis 1154, tout permet de penser que le *Roman de Thèbes* a été composé par un clerc poitevin, dans les domaines continentaux d'Aliénor, sinon à sa demande.

Dans un article paru en 1954, Rita Lejeune a bien montré le rôle décisif qu'a exercé sur la littérature profane en général et sur le roman en particulier la petite-fille de Guillaume de Poitiers, le premier des troubadours dont les poésies nous aient été conservées. En effet, non seulement le *Roman de Troie* de Benoît de Sainte-Maure (vers 1160-1165) lui est également dédicacé, mais c'est très vraisemblablement en milieu poitevin qu'ont été écrits, vers 1156, l'*Eneas* et vers 1160-1165 la version décasyllabique anonyme du *Roman d'Alexandre*. Une autre hypothèse, souvent formulée, est l'appar-

tenance à ce même milieu d'écrivains fortement influencés par Ovide : l'auteur de l'*Enéas*, bien sûr, mais aussi les auteurs anonymes du *Lai de Narcissus* et de *Piramus et Tisbé* (vers 1160-1165), ce dernier texte datant, selon son éditeur, de *cette période d'une trentaine d'années du douzième siècle qui a vu naître en « Anglo-Normandie » toute une poussée de traductions d'œuvres classiques, dont une des dernières est le* Roman de Troie.

Nous ignorons tout de l'origine géographique d'*Apollonius de Tyr*, roman perdu dans sa version française, dont l'influence pourtant semble avoir été considérable sur l'évolution du genre, et qui a dû être composé vers 1150. Nous avons également perdu le texte anglo-normand, source du *Lanzelet* d'Ulrich von Zatzikhoven, et le premier *Roman de Tristan*, sans doute composé vers 1165-1170. Tout laisse cependant supposer que la légende des amants de Cornouailles a pris la forme que nous connaissons, que nous pouvons reconstituer à partir des versions ultérieures (la traduction norroise de frère Robert, la version de Gottfried de Strasbourg, celle d'Eilhart d'Oberg) dans une cour trilingue, celte, anglo-saxonne et française, très vraisemblablement la cour insulaire d'Henri II Plantagenêt. Une *preuve* souvent avancée est le témoignage de Thomas d'Angleterre se retranchant, dans son *Tristan* (vers 1172-1175), derrière l'autorité du conteur gallois Bréri qui savait *lé gestes e lé cuntes / de tuz lé reis, de tuz lé cuntes / ki orent esté en Bretaigne* et, tout particulièrement, la bonne version de la légende de Tristan. De ce Bréri/Bledhericus sur lequel nous possédons d'autres témoignages et notamment celui de l'écrivain gallo-normand Giraut de Barri (1147-1223) et qui, comme tant de conteurs bilingues voire trilingues restés anonymes, a dû contribuer à la diffusion de la *matière de Bretagne*.

Ainsi, qu'il s'agisse de la *matière antique*, des adaptations d'Ovide, de la légende de Tristan ou de la *matière de Bretagne* sous son aspect historico-romanesque — le *Brut* — ou essentiellement historique — Geoffroy Gaimar compose entre 1147 et 1151 une chronique de Grande-Bretagne dont nous a été conservée l'*Estoire des Engleis*, Wace rédige à l'intention du couple royal anglais entre 1160 et 1174 son *Roman de Rou* ou *Chronique ascendante des ducs de Normandie*, bientôt concurrencée par la *Chronique des Ducs de Normandie* écrite à partir de 1174 par Benoît de Sainte-Maure — tous les témoignages conservés, les dédicaces, les allusions, la coloration dialectale des textes permettent de faire de la cour continentale d'Aliénor, de la cour insulaire des souverains anglais, le lieu privilégié où se sont élaborés, au milieu du XIIe siècle, non seulement le roman mais une littérature d'inspiration résolument profane. Un ensemble de textes, et il faudrait au moins mentionner ici la poésie lyrique d'oc et le nom de Bernart de Ventadorn, chantre d'Aliénor, qui abandonne la thématique chrétienne et l'idéologie de la vie de saint ou de la chanson de geste, qui ignore le merveilleux de type chrétien et emprunte à la littérature antique ou au trésor des contes

celtes une thématique neuve et de nouveaux modèles d'écriture et de pensée.

L'impulsion donnée par Aliénor et sa cour devait se propager durant tout le XIIe siècle. Les deux filles qu'elle avait eues de Louis VII, Marie et Alix, devenues respectivement en 1164 les épouses d'Henri Ier, comte de Champagne, et de son frère Thibaut V, comte de Blois, firent également de leur cour des centres littéraires de premier ordre. Rappelons en effet, pour nous limiter au genre romanesque, que c'est à Marie de Champagne que Chrétien dédie le *Chevalier de la Charrette* (vers 1177-1178) qu'il a, dit-il dans le prologue, écrit à sa demande et sur ses indications et que le *Conte du Graal* (à partir de 1181) s'ouvre sur un éloge de Philippe de Flandre que Chrétien a dû vraisemblablement connaître à cette même cour de Champagne. Sans doute est-ce là aussi que Chrétien, le premier des trouvères d'oïl, s'est initié à la lyrique occitane, a composé des « traductions » d'Ovide, énumérées dans les vers 2 à 7 du *Cligès* et dont seule nous est parvenue la *Philomena*, a également connu la « *matière de Bretagne* » dont il s'inspire, dès 1170, dans *Erec et Enide*. Enfin, selon A. Fourrier, l'intérêt que l'écrivain manifeste pour le monde oriental dans son second roman, *Cligès* (vers 1176), s'expliquerait fort bien dans le cadre général des préoccupations politiques d'Henri de Champagne et de ses relations diplomatiques et amicales avec la cour de Constantinople.

C'est d'autre part pour ce même milieu, très international puisque lié par des relations familiales avec les cours d'Allemagne, d'Angleterre et de France, que le contemporain et rival de Chrétien, Gautier d'Arras, écrit entre 1176 et 1177 puis 1179-1181 son *Eracle*, composé à la demande de Thibaut de Blois et de Marie de Champagne et, vers 1177-1178, le roman d'*Ille et Galeron*, dédicacé à Thibaut et à l'impératrice Béatrice d'Allemagne. A la même époque, mais en Angleterre cette fois, Marie de France dédie ses *Lais* (vers 1176-1177) à un roi qui a toutes chances d'être Henri II tandis que la version du *Tristan* de Thomas semble faire écho à des circonstances très précises du règne de ce même Henri. Mais le témoignage le plus spontané et le plus curieux de l'hégémonie littéraire exercée un demi-siècle durant par la cour anglo-normande et par ces relais qu'ont été la cour de Champagne et, dans une moindre mesure, la cour de Blois, se lit sans doute dans les prologues ou les épilogues des grands romans en prose du XIIIe siècle, tantôt placés, comme certaines parties du *Lancelot en prose*, sous l'autorité de Gautier Map, écrivain latin de l'entourage d'Henri II, tantôt fictivement dédiés comme le *Tristan en prose* ou *Guiron le Courtois* à un roi Henri qui ne peut être que le roi Henri II, mort dès 1189...

2. *Mythe arthurien et cour d'Angleterre*

Si le mécénat littéraire et, d'une manière plus générale, l'influence d'Aliénor se sont exercés dans des champs variés du domaine littéraire, la formation et la diffusion du mythe d'Arthur — l'un des phénomènes les plus importants pour le roman au XIIe puis au XIIIe siècle — paraissent en revanche plus systématiquement liées à la personnalité et à la politique d'Henri Plantagenêt.

A l'origine du mythe, de la tradition écrite tout au moins, l'*Histoire* en prose et en latin des rois de Bretagne, l'*Historia regum Brittaniae* du Breton Geoffroy de Monmouth, parue en 1136. Dans cette chronique qui bien entendu se donne pour véridique, Geoffroy relate en douze livres toutes les péripéties de l'histoire bretonne, depuis la colonisation de la terre par Brutus, petit-fils d'Enée, jusqu'à la fin, en 689, de l'indépendance bretonne. En fait, seuls ont une importance décisive sur la genèse et le développement du roman français les livres IX, X et XI consacrés à l'histoire de l'usurpateur Vertiger, de Merlin, d'Uterpendragon et, surtout, de son fils Arthur. D'un Arthur essentiellement chef de guerre, né, comme les héros mythiques, en des circonstances extraordinaires, dont le règne est à la fois annoncé et préparé par Merlin le prophète et qui, après avoir pacifié la Bretagne et étendu ses conquêtes jusqu'à la Rome impériale, doit faire face à la double trahison de son neveu Mordret et de sa femme Guenièvre. Sur le champ de bataille de Salesbieres (Salisbury) Arthur tue Mordret puis il est emporté, gravement blessé, dans l'île d'Avalon où ses plaies seront soignées, et peut-être guéries.

Ecrite à la gloire de la nation bretonne et de son plus illustre guerrier par un écrivain rallié à la nouvelle dynastie normande, la chronique de Geoffroy participe en même temps et à plus d'un titre de cette littérature généalogique dont les exemples se multiplient, en latin comme en français, dans les dix dernières années du XIe siècle puis vers 1160. A un ensemble de textes donc dont le propos est d'exalter les origines, l'histoire d'une abbaye, d'une famille noble, voire de tout un peuple, et de dire ce droit d'*ancesserie*, d'ancienneté, qui fonde seul la légitimité du pouvoir.

Or, dès 1155, on l'a vu, cette chronique est traduite par Wace avec d'importantes additions, notamment l'invention de la Table ronde, et dédiée à Henri II. D'autre part, en 1191, mais les *recherches* avaient commencé avant, l'abbaye de Glastonbury, la rivale anglaise de Saint-Denis, telle fut du moins sa prétention, *invente* les tombes d'Arthur et de Guenièvre. Il se pourrait enfin que l'abbaye ait joué un rôle dans la modification décisive que subit à la fin du siècle la légende arthurienne : la christianisation totale du motif du Graal et la mise en relation du Graal, devenu le Saint-Graal, avec Joseph d'Arimathie d'une part, avec la Grande-Bretagne d'autre part.

Modification qui intervient avec le *Roman de l'Estoire dou Graal*, appelé aussi le *Joseph*, de Robert de Boron (vers 1190-1200), qui institue le Graal comme relique de la Cène et de la Passion destinée par le Christ lui-même aux *vaus d'Avarron*/d'Avalon, nom légendaire, selon certains critiques, de l'abbaye de Glastonbury. Nous n'avons cependant aucune preuve de relation entre Robert de Boron, originaire de la Franche-Comté, et l'Angleterre. Et ce pourrait être aussi bien en Orient, dans l'entourage de son maître, Gautier de Montbéliard, que Robert aurait eu connaissance de légendes hagiographiques concernant la relique. Il reste que cette translation du Graal, de Jérusalem à l'Angleterre (le royaume de Logres des romans), du temps historique de la Passion au temps légendaire d'Arthur, confère métaphoriquement au royaume insulaire le statut de peuple élu par Dieu pour une nouvelle révélation. Il se pourrait donc, comme l'ont notamment soutenu J. Marx et E. Köhler, que le rayonnement, la dimension sacrée ainsi conférés à Arthur et à la chevalerie bretonne, aux ancêtres mythiques de la nouvelle dynastie normande, aient été très consciemment recherchés par Henri II et les clercs de son entourage. Et ce, afin d'opposer, par le biais de la littérature profane mais aussi de l'hagiographie, puisque Joseph d'Arimathie deviendra, toujours sous l'influence de Glastonbury, « le premier évangélisateur de la Grande-Bretagne », le mythe insulaire d'Arthur au mythe continental et surtout français de Charlemagne tel qu'il s'était constitué dans les chansons de geste.

3. *Propositions et enjeux*

Dans le prologue du *Roman de Troie*, Benoît de Sainte-Maure, développant longuement les raisons qui l'ont incité à *metre en romanz*, c'est-à-dire à traduire en français le récit authentique de la guerre de Troie, conclut ainsi : *E por ço me vueil travaillier / en une estoire comencier, / que de latin ou jo la truis / se j'ai le sen et se jo puis, / la voudrai si en romanz metre / que cil qui n'entendent la letre (le latin) / se puissent deduire el romanz* (v. 33-39). Le roman donc, en ce temps encore proche des origines du genre, se veut d'abord divertissement, plaisir du texte. Et cette dimension doit faire partie de notre compréhension globale du genre comme de notre lecture des œuvres singulières. Mais la référence initiale du *Roman de Troie* à Salomon, comme la glose qu'elle engendre — *Salomon nos enseigne et dit... / que nus ne deit son sen celer, / ainz le deit om si demostrer / que l'om i ait pro e honor, / qu'ensi firent li ancessor... / Quar scïence que est teue / est tost oblïee e perdue* (v. 1-6 et 19-20) — explicite de manière plus ambitieuse l'espace idéologique que le roman, en tant que nouvelle pratique de l'écriture, entend désormais occuper.

Le milieu du XIIe siècle, on le sait, est aussi une grande période de production de chansons de geste. Si le *Roland*, *La Chanson de Guillaume* et *Gormont et Isembart* sont nettement antérieurs, c'est en revanche des années 1130-1150 que datent le *Couronnement de Louis* et le *Charroi de Nîmes* par exemple et la chanson de geste reste pendant tout le règne de Philippe-Auguste (1180-1225), sinon au-delà, un genre fondamental et florissant. C'est donc moins en opposition qu'en distribution complémentaire avec cette autre forme du discours narratif qu'est la chanson de geste qu'il convient de situer le roman au XIIe siècle et de cerner sa différence.

Une première ligne de rupture apparaît au niveau du public, objet, de la part des auteurs eux-mêmes, d'une double discrimination. Le roman en effet est d'abord écrit/traduit à l'usage des laïcs, de ceux qui ne peuvent entendre la *letre*, le latin. Il est donc dans son projet originel *translation*, dans le monde profane, de connaissances jusqu'alors réservées au monde des clercs, des lettrés. Il ne s'adresse pas pour autant à l'ensemble des laïcs. Comme le dit l'auteur de *Thèbes* — *Or s'en tesent de cest mestier / se ne sont clerc ou chevalier / car ausi pueent escouter / comme li asnes a harper* (v. 13-16), comme le répète encore Jean Renart, au début du XIIIe siècle, dans le prologue du *Guillaume de Dole*, comme le signifient les noms des destinataires ou des commanditaires des œuvres, le roman est fait pour une élite, pour la communauté des *courtois*. De ceux qui, vivant dans les cours seigneuriales et non dans les monastères, ont besoin d'une culture, d'une connaissance, voire d'une *règle* adaptées à cet univers différent à cet *ordre* qu'est devenue, au XIIe siècle, la classe chevaleresque, destinataire exclusif du genre romanesque.

Donc, d'abord, instruire, diffuser la connaissance sous toutes ses formes. Au-delà de leur fonction ornementale, tout permet ainsi de penser que les longues descriptions des romans antiques et notamment, dans le roman de *Thèbes*, la description de la tente d'Adraste, image du monde, celle du char d'Amphiaraus, où sont représentés les neuf sphères célestes et les sept arts ou dans le *Roman d'Alexandre*, et surtout, dans la Branche III de la version d'Alexandre de Paris, la brillante évocation des merveilles de l'Orient et de l'exploration, par le héros, des profondeurs sous-marines comme des espaces aériens ont aussi pour rôle de donner aux lecteurs des rudiments de géographie, d'astronomie, etc. De même, et sans que cela épuise sa signification, on peut lire le *Roman de Troie* comme une sorte de *Légende dorée des dieux et des héros de l'Antiquité* ou voir dans les descriptions des effets de l'amour que proposent l'*Enéas* ou les adaptations d'Ovide un modèle d'analyse psychologique, de méthode d'introspection, très voisin de la pratique religieuse, alors en développement, de l'examen de conscience.

Si donc, au XIIe siècle, la chanson de geste peut apparaître comme l'énoncé commun — par le récitant et par la classe chevaleresque (*Carles*

li reis, nostre empereres magnes...) — d'une commémoration presque rituelle, d'une reconnaissance de sa fonction guerrière et de son idéal héroïque, le roman, en ce même siècle, est d'abord le lieu d'une renaissance d'un savoir longtemps occulté et transmis par ce médiateur privilégié qu'est désormais l'écrivain.

Mais cet héritage qu'il transmet, le roman se donne aussi pour tâche de le fixer définitivement par l'écriture. Wace entreprend le *Brut* pour « *remembrer des ancessors les diz e les fair e les murs* » (mœurs). Et un même désir de préserver le passé par l'écriture, qu'il s'agisse des légendes antiques ou des contes celtes, de conserver ou de retrouver la meilleure version, de lui donner la forme la mieux adaptée, parcourt tout le siècle, présent aussi bien dans le *Brut* que dans le prologue d'*Erec et Enide* (v. 13-22), le *Tristan* de Thomas (v. 2107-2136) ou de Béroul (v. 1239-1244) ou les *Lais* de Marie de France.

Sans aucun doute, l'écrivain du XIIe siècle n'est pas un ethnologue. Cependant, dans ce retour aux origines et les Troyens ne sont autres, pour le Moyen Age, que les lointains ancêtres de la nation bretonne dans cette prise en considération d'univers autres que l'univers chrétien, se dit peut-être la volonté de ne renoncer à aucune part de l'héritage humain et, mieux encore, la certitude de pouvoir en donner une interprétation définitive.

Une parabole, ici, revient avec insistance, d'un prologue à l'autre : la parabole des talents et celle, liée, du semeur. Comme le serviteur de l'Evangile, l'écrivain se dit en effet investi d'une mission, faire fructifier son talent d'écrivain, son savoir et sa connaissance des choses passées. A lui donc de renouveler, sur le modèle évangélique mais sur le mode profane, le geste du semeur : *Crestïens seme et fet semance / d'un romans que il encomance* (*Conte du Graal*, v. 7-8). Avec l'assurance que la semence va fructifier et rendre au centuple puisque le monde est désormais dans le temps d'après la révélation, que l'écrivain peut, comme le rappelle Marie de France dans le prologue des *Lais* (v. 9-22), gloser le sens de sa matière à la lumière du christianisme et donner la « définitive sentence ».

Paien unt tort e chrestïens unt droit, dit un vers bien connu du *Roland*. En écho, Benoît de Sainte-Maure reprend, par la bouche de Priam le Troyen, *Grezeis ont tort, nos avons dreit* (v. 4186). Les Troyens pourtant, comme les Bretons après eux, seront vaincus. De la geste au roman, la différence éclate entre l'idéal et la réalité et la fonction du roman, en ce siècle, est peut-être tout à la fois d'en prendre acte et d'y chercher réponse.

4. *Roman et classe chevaleresque*

A cette société de cour, cette élite de *courtois* qu'il se donne ainsi pour tâche d'initier à la culture profane, le roman propose en outre des modèles et des héros auxquels s'identifier. En premier lieu Alexandre, dont l'histoire est plusieurs fois reprise et remaniée au cours du XIIe siècle et qui, mieux encore, signifie dans l'ensemble du genre romanesque qui y fait sans cesse référence la norme exemplaire et historique à laquelle doit se mesurer et s'égaler le héros du récit, c'est-à-dire le chevalier. Par rapport au personnage épique, dont la qualité dominante sinon unique est la prouesse guerrière, Alexandre inaugure en effet un nouveau type de héros, preux certes, et au-delà de toute mesure, mais aussi nourri dès l'enfance par les meilleurs maîtres (Aristote), épris de connaissances intellectuelles, scientifiques et artistiques, généreux et sensibles à l'amour. Bref, un héros en qui les qualités chevaleresques et courtoises s'unissent à la soif et à la maîtrise du savoir, qui représente exemplairement l'union harmonieuse de la *clergie* et de la *chevalerie* telle que la souhaite Chrétien au début du *Cligés* (v. 28-37).

Artus, li boens rois de Bretaingne / la cui proesce nos enseigne / que nos soiens preu et cortois... (*Yvain*, v. 1-3). Il se pourrait bien en effet que la *prouesse*, le coup de force tenté avec éclat par le roman antique, et surtout par Chrétien de Troyes et le roman courtois, ait été d'élaborer, à l'usage interne de la classe chevaleresque, une sorte de morale laïque, parallèle à la morale proposée par l'Eglise, pensée suivant ce modèle prégnant mais fondée sur l'amour humain. De cet amour, en ce même XIIe siècle, la lyrique occitane, à partir de Guillaume de Poitiers (1071-1126), dit le désir inassouvi, l'*entente* du troubadour vers la dame inaccessible ou imaginaire, tension d'où jaillit la beauté du chant : *Non es meravelha s'eu chan / melhs de nul autre chantador, / que plus me tra. l cors vas amor / e melhs sui faihz a so coman...* (Bernart de Ventadorn). Mais ce culte ritualisé du désir, scandaleux moins parce qu'il s'adresse exclusivement à une femme mariée que parce qu'il n'a d'autre finalité que lui-même, que la *joie* / la *dolor* qu'il procure à l'amant-poète car ici aimer, trouver chanter *n'est qu'une même chose*, n'a pas été reçu et accepté tel quel dans le domaine d'oïl. Plus exactement il semble bien que les romanciers du Nord, Chrétien de Troyes surtout, aient vu la possibilité de fonder sur cette force vive un nouveau modèle de civilisation. Au problème de l'amour, de cette donnée immédiate de l'homme/du chevalier avec laquelle il lui faut compter et composer, et qui peut, suivant l'usage qu'il en fait, la mesure qu'il y observe ou non, l'isoler de la société ou l'aider à y trouver sa juste place, les grands textes romanesques du XIIe siècle, les versions du *Tristan* comme les romans de Chrétien essaient ainsi d'apporter des solutions diverses. La version du *Tristan* de Béroul insiste certes sur le caractère fatal de la passion d'amour (le philtre) et

montre, à travers l'épisode crucial de la forêt du Morois, comment l'amour détourne le couple non seulement de ses devoirs face à la classe chevaleresque et à la société féodale, mais le contraint à vivre, à survivre dans le monde sauvage, inculte de la forêt. Nettement plus optimiste, l'œuvre de Chrétien apparaît à bien des égards comme une tentative pour récupérer la passion d'amour, l'énergie (la prouesse) qu'elle inspire au chevalier. Tout en insistant longuement sur les dangers (la *recreantise* d'Erec par exemple, la folie d'Yvain, la tentative de suicide de Lancelot ou d'Yvain) qui menacent le chevalier oublieux des lois, du rituel suivant lesquels l'amour doit s'ordonner : Yvain devient fou parce qu'il n'a pas respecté le contrat, le *covant* passé avec Laudine, revenir près d'elle au bout d'un an et Laudine est dès lors en droit de lui retirer son amour. L'attitude de la dame souligne, bien entendu, le caractère arbitraire, despotique, de l'amour humain. Mais elle signifie aussi que celui qui veut aimer et être aimé sans risquer l'aliénation au monde, à lui-même, et le retour à la sauvagerie, doit se plier au code, doit médiatiser la relation amoureuse par le *covant* d'amour établi entre la dame et le chevalier, tout comme ont été médiatisés, par la civilisation courtoise, la force brutale (le combat à mains nues) par les armes chevaleresques, les aliments crus par la cuisson, la nudité par les vêtements, l'espace inculte de la forêt par l'espace préservé, circonscrit et clos du palais et du verger. Dans le dernier quart du siècle d'ailleurs le code est donné à lire non plus sous une forme romanesque mais directement, dans le *Traité de l'Amour courtois* d'André le Chapelain, peut-être écrit à l'instigation de Marie de Champagne, et qui ne fait qu'*arrêter*, dans leur forme canonique, les propositions et réflexions sur l'amour du roman breton.

Roman *courtois*. En accord avec cette appellation qui le définit fort bien, ce que propose le roman au XIIe siècle à la classe chevaleresque, c'est d'abord le moyen de connaître l'univers et de se connaître elle-même, de se situer dans le déroulement de l'histoire. Le *Brut* est ainsi destiné à *ki vult oïr e vult saveir / de rei en rei e d'eir* (héritier) *en eir / ki cil furent e dunt il vindrent / ki Engleterre primes tindrent* (v. 1-4). Mais le roman est aussi et surtout le lieu où cette même classe impose (essaie d'imposer) un ordre au monde, en le pliant, en se pliant aux rituels parallèles du combat chevaleresque et de l'amour courtois, en obligeant l'ensemble de la société, qu'il s'agisse des monstres défaits par Erec ou par Yvain ou des victimes, Erec, Mabonagrain, Yvain encore, arrachées aux pièges de l'amour fou, d'adopter à leur tour le même idéal de mesure et d'harmonie. A l'image de la Fontaine au Pin d'*Yvain* où succède à la violence désordonnée de la tempête l'harmonie concertante des chants d'oiseaux, le roman courtois tout entier apparaît comme la mise en ordre d'un univers chaotique et imprévisible, *aventureux*, auquel le chevalier/l'écrivain — c'est son devoir, sa fonction — doit procurer *sa pes et s'acorde* (*Yvain*, v. 6769).

D'où l'ambiguïté de ces textes. Sans aucun doute, ils s'adressent à la classe chevaleresque. Ils ont été écrits pour elle, pour lui plaire et la divertir, pour l'acculturer et pour donner à cette nouvelle communauté profane une règle et une mission idéales. Mais en substituant à la fonction guerrière de la chevalerie, telle que l'exalte la chanson de geste, une mission de civilisation, en détournant la prouesse du droit chemin de la guerre collective vers les sentiers non frayés de la quête hasardeuse de l'harmonie du monde, ces textes sont aussi la trace d'autres pouvoirs. De toutes les forces qui tendent, dès le début du siècle, à freiner la violence sous toutes ses formes et à promouvoir un univers de paix et de justice. En premier lieu, l'Eglise. On sait comment, dès le tout début du XIe siècle, l'Eglise s'est efforcée, par l'institution de la Paix de Dieu, de limiter la pratique de la guerre féodale. A cette chevalerie mondaine d'autre part, Saint Bernard (1091-1153) oppose dans le *De nova militia* l'image idéale d'une chevalerie rénovée, vouée au service du Christ et à la guerre sainte et historiquement incarnée dans des Ordres tels que les chevaliers du Temple ou de l'Hôpital. Il se pourrait donc que le roman courtois soit aussi l'écho de cette tentative de détourner la force brutale de la chevalerie vers une prouesse en quelque sorte finalisée et justifiée.

Il serait également intéressant d'étudier, dans cette perspective, la représentation du pouvoir royal dans ces textes. E. Köler a naguère mis en évidence la dévalorisation que subit l'image royale dans le roman courtois. Arthur, à la Table Ronde — mais y siège-t-il vraiment ? —, ne serait que le *primus inter pares*, le roman portant ainsi la trace des inquiétudes de la classe féodale devant la montée d'un pouvoir royal fort (avec Philippe-Auguste essentiellement) et s'efforçant de limiter, dans l'imaginaire, cette irrésistible ascension. Il se peut et il est vrai qu'au moins chez Chrétien (il en va différemment chez Wace puis au XIIIe siècle dans la *Mort Artu*) Arthur n'est plus un chef de guerre. Il n'en reste pas moins, suivant une expression que reprennent à satiété les textes, celui qui *maintient chevalerie*, qui en assure la cohésion et la survie par les dons qu'il distribue libéralement aux chevaliers, leur permettant ainsi de rester à la Table Ronde. Celui aussi qui, dès *Erec et Enide*, exige, parfois contre l'avis des chevaliers eux-mêmes (Gauvain par exemple), que soit respectée la coutume (la chasse au blanc cerf). Coutumes variées selon les textes mais qui sont en fait la source quasi unique des aventures, qui permettent donc aux chevaliers d'affronter l'univers non courtois (la forêt), d'y faire leurs preuves et, surtout, d'annexer un fragment de cet univers au monde arthurien ou, comme Erec devenu roi de Nantes ou Yvain devenu le maître de la Fontaine, d'y reproduire et d'y perpétuer le modèle courtois. Par la cohésion qu'il maintient, par la dynamique qu'il crée, le roi apparaît ainsi dans le roman breton comme la clé de voûte de la chevalerie, celui sans qui elle ne peut remplir la nouvelle

mission qui seule peut justifier son existence et ses prérogatives de classe.

Cependant, l'instauration de la *pais*, la fin des *aventures felenesses et dures* (*Conte du Graal*, v. 1254), c'est-à-dire la fonction que se donne la chevalerie arthurienne dans l'univers de la fiction, implique aussi la fin de la raison d'être historique de l'ordre des *militantes* et va ainsi à l'encontre de ses intérêts immédiats tout en étant sa seule justification possible. Dilemme qui explique peut-être l'orientation nouvelle, la fuite en avant qui se dessine dans le roman courtois à partir de la dernière œuvre de Chrétien, le *Conte du Graal*, et qui s'accentue durant la première moitié du XIIIe siècle. D'un côté, un ensemble de textes, essentiellement en vers, où se perpétue, sans altération radicale, l'idéal sentimental et chevaleresque proposé au siècle précédent. De l'autre, les grands cycles en prose, le *Lancelot-Graal* surtout, où s'élabore la fiction ultime de la chevalerie *celestielle* et de la quête du Graal. Tout se passe en effet comme si, à partir du *Conte du Graal* et sans doute sous l'influence de l'Eglise, de l'ordre de Cîteaux surtout, dont l'influence s'exerce, à la même époque, de façon décisive sur les grands féodaux partis pour la quatrième croisade, étaient proposés à la classe chevaleresque un nouveau statut, une finalité autre, transcendante au monde. Qu'il s'appelle Galaad ou Perceval, le chevalier du Graal est désormais celui qui non seulement s'efforce de promouvoir un monde de paix mais aussi de connaître les secrets de Dieu, qui doit allier en lui, à l'image mythique de Joseph d'Arimathie, chevalier et apôtre, à l'image historique des chevaliers du Temple, à l'image romanesque du Galaad de la Quête, la fonction guerrière et la fonction sacrée. Mais de même que la fin des aventures terrestres signifiait la disparition à court terme de la chevalerie, de même la révélation des secrets de Dieu, l'achèvement de la dernière quête possible, celle du Graal, signifie peut-être la pointe ultime et la mort au monde de l'idéal chevaleresque. Tout au long du XIIIe siècle, cette quête du Graal, le roman, interminablement, la récrit, mais le cycle s'achève, quel qu'en soit le héros, Perceval, Galaad ou Arthur, sur la bataille de Salesbieres et la disparition d'Arthur ou, comme dans le *Perlesvaus*, sur l'image désolée de la *gaste* chapelle, seul témoin d'un univers disparu.

III / L'ÉCRITURE DU ROMAN

1. *Le vers et la rime*

Au XIIe siècle, le trait distinctif le plus immédiat de l'écriture romanesque est l'utilisation du vers octosyllabique ou plutôt du couplet d'octosyllabes à rimes plates. Cette forme existe avant 1150. C'est le vers, par

exemple, du *Voyage de saint Brendan* (vers 1106 ou 1121), d'une des plus anciennes traductions du *Lapidaire* de Marbode (vers 1225 ?) ou de l'*Estoire des Engleis* de Geoffroy Gaimar (entre 1147 et 1151). Tous ouvrages hagiographiques, didactiques ou historiques qui sont en même temps des ouvrages de vulgarisation à l'usage ou pour l'édification des laïcs. Ce qui nous renvoie, d'une certaine manière, à l'un des projets du roman vers 1150 : traduire la *letre*, diffuser un certain type de connaissance. D'autre part, à l'intérieur du genre narratif, le choix de cette forme oppose doublement les *mises en roman* aux chansons de geste : non seulement le rythme du vers est autre — l'octosyllabe n'a pas de césure, l'intensité, le point d'application des accents sont variables — mais aussi bien le mode de performance, puisque les textes qui adoptent ce vers sont faits pour être lus (en public sans doute, donc encore à voix haute) mais non plus chantés avec accompagnement musical comme l'étaient les décasyllabes épiques.

La seule exception, au XIIe siècle, mais d'autant plus importante qu'elle se situe aux origines mêmes du genre et en annonce peut-être la plasticité ultérieure, est le *Roman d'Alexandre*. Il n'est pas possible d'examiner ici dans le détail la facture diverse de cet immense ensemble. Retenons simplement que, tourné vers un passé encore très récent, le plus ancien fragment, celui d'Alberic de Pisançon (premier tiers du XIIe siècle), participe du genre épique par l'emploi de la laisse monorime relativement brève (le plus souvent six vers), ce qui le rapproche aussi de la strophe de cinq vers assonancés du *Saint Alexis*, mais annonce simultanément la forme romanesque par l'emploi de l'octosyllabe et l'absence de support musical.

Peu séduits sans doute par cette forme strophique à la fois grêle et contraignante, les successeurs d'Albéric en ont élargi le rythme par vagues successives. L'*Alexandre* décasyllabique anonyme composé vers 1160 est suivi vers 1170 de la version dodécasyllabique de Lambert le Tort de Châteaudun tandis que, vers 1180, Alexandre de Paris rassemble et refond, en *alexandrins* également, les versions antérieures. Simultanément, la laisse s'amplifie. Limitée le plus souvent à dix vers dans l'*Alexandre* décasyllabique elle est en moyenne de vingt vers chez Alexandre de Paris. Chez cet auteur également tend à disparaître la pratique des laisses enchaînées ou des laisses parallèles.

Aucun des auteurs de l'*Alexandre* n'a abandonné la laisse épique, ce qui confère à ce texte une place à part dans le genre romanesque. Il n'en est pas moins un bon exemple de tendances qui deviendront des constantes au XIIIe siècle et qui consistent à amplifier, à remanier sans cesse le texte originel, à estomper la discontinuité du récit (le découpage en laisses), son caractère fragmentaire, pour dérouler l'histoire dans sa totalité et sans apparente déperdition de matière. Tendances qu'il convient sans doute, dans le cas de l'*Alexandre*, de rapprocher du thème retenu, la biogra-

phie d'un personnage historique même si la légende, voire le mythe, l'emporte souvent sur la vérité. Il est également significatif que ce texte matrice, sans doute l'un des tout premiers textes perçus comme *roman*, pose à travers ses différentes versions et son constant devenir l'un des problèmes essentiels du roman : la recherche d'une forme qui le démarque comme tel sur l'échiquier des genres et qui dénote les nécessaires réajustements ou inventions qu'exige une thématique neuve.

S'imposa donc, comme forme canonique — c'est celle du *Brut* et celle de *Thèbes* — le couplet d'octosyllabes à rimes plates. Le succès en fut durable puisque cette forme est de règle pendant tout le XIIe siècle et reste très fortement représentée aux côtés de la prose pendant tout le XIIIe siècle. L'outil semble avoir été mis au point très tôt. Dans *Thèbes* comme dans la première version de *Floire et Blancheflor* (dès 1150 ?) apparaissent encore quelques archaïsmes de facture, quelques groupes de quatrains monorimes par exemple, qui rappellent la laisse épique. L'auteur de *Piramus et Tisbé*, qui utilise l'octosyllabe pour la narration, recourt encore dans les monologues ou les passages lyriques à des sortes de strophes assez courtes (trois ou quatre vers) ponctuées par un vers *orphelin* de deux syllabes (repris au genre épique ?). Mais l'étape décisive reste, comme l'a démontré Jean Frappier, la brisure du couplet, très fréquente à partir d'*Erec et Enide*, qui rompt avec bonheur l'accord monocorde de la syntaxe et d'un rythme jusqu'alors invariablement pair.

Il n'en reste pas moins que le maniement de cette forme pour des textes qui, comme *Troie*, peuvent atteindre plus de trente mille vers nous semble un constant tour de force. Il suffit cependant de lire à la suite un certain nombre de romans pour repérer une longue liste de rimes ou de syntagmes récurrents, interchangeables ou presque, d'un auteur à l'autre, dans un contexte donné. Ainsi par exemple des rencontres textuelles (si souvent questionnées dans les études sur les sources ou la chronologie relative des œuvres) que l'on observe tout particulièrement dans les descriptions (portraits, tempêtes, batailles, objets d'art, châteaux, chevaux, tentes, etc.). Il serait d'ailleurs intéressant d'étudier ce phénomène de réécriture dans des textes qui, semble-t-il, y recourent délibérément, les *lais* anonymes bretons par exemple ou les *Continuations* du *Conte du Graal*, *Continuation Gauvain* et, surtout, *Continuation Perceval*.

Sans aucun doute, les auteurs des romans en vers ont joué, parfois abusé, de cette nécessaire facilité. Mais aussi, plus subtilement, du réseau d'échos, de concordances, de correspondances qu'elle crée aussi bien à l'intérieur même du récit que d'un texte à l'autre, des liens phoniques et sémantiques qu'elle tisse, des signes d'abord épars qu'elle coordonne et réordonne indéfiniment comme les figures changeantes d'un immense kaléidoscope textuel. Lorsque le Perceval de Chrétien arrive au château

du Graal, un jeune homme inconnu lui apporte de la part de la nièce du maître du château une magnifique épée. *Et li sires an revesti* (en ceignit) / *celui qui leanz ert estranges* (étranger) / *de l'espee par mi les ranges* (le baudrier) / *qui valoient bien un tresor* (v. 3146-3149). Ne peut-on imaginer que ces deux termes, *estranges* et *ranges*, dissociés ici par le sens mais réunis par la rime, la lecture verticale qu'elle impose, signent, en cette scène clé du texte, la naissance de cet objet mystérieux, de ce motif obsédant de la littérature du Graal, l'épée aux étranges attaches, qui est aussi l'épée brisée, image du manque et de la faille ?

Jeux divers donc qui permettent à l'écrivain d'escamoter la fin de l'octosyllabe en recourant à des rimes attendues, donc neutres, lisses, et de créer ainsi un rythme presque prosaïque, mais aussi d'utiliser tous les effets stylistiques du rejet, contre-rejet, enjambement et surtout tous les effets de sens qu'engendre, en intratexte comme en intertexte, ce constant *travail* de la citation. Utilisant ainsi la rime moins pour ses qualités phoniques — nous sommes le plus souvent bien loin du *trobar ric* (riche) de la lyrique occitane — que pour le réseau d'associations qu'elle tisse. La rime *estranges/ranges* projette ailleurs, vers des rives nouvelles, le roman arthurien tandis que la triade *mer/amer* (aimer)/*amer*, reprise en écho par Chrétien, le couple *mort/amor*, ou les rimes *amur/dulur*, alternant avec *langur*, *tendrur*, omniprésentes dans le *Tristan* de Thomas, filtrent l'essence même de la légende des amants.

2. *Motifs et personnages*

Il serait d'ailleurs facile de montrer que ce jeu de variantes et d'échos se retrouve à tous les niveaux du texte romanesque qui réutilise un nombre assez limité de motifs ou de personnages. Certains de ces motifs apparaissent dès le roman antique et se perpétuent dans le roman breton. Ainsi du motif de la description de la tente qu'inaugure l'auteur de *Thèbes* avec la tente du roi Adraste. De la description à caractère *scientifique*, Marie de France, dans le lai de *Lanval*, ne garde que les éléments textuels qui connotent la richesse et la puissance. La jeune femme presque nue que découvre le héros est en fait un être redoutable, dont le pouvoir s'étend de l'Orient à l'Occident, qui réunit la puissance de l'empereur Octave à celle de Sémiramis... Chrétien, comme à son habitude, fait éclater le motif. La description de la robe de couronnement d'Erec, où sont représentés les champs respectifs de Géométrie, Arithmétique, Astronomie et Musique, outre sa fonction didactique, signifie l'union, en la personne d'Erec, de la *chevalerie* et de la *clergie*. En revanche, dans le *Conte du Graal* (v. 636-646), la tente devient le lieu d'un plaisir facile, d'une initiation incomplète à l'amour humain. Dans la *Quête*

du Graal enfin, la tente ronde où le diable, sous les apparences d'une splendide jeune femme, attire Perceval n'est autre qu'une figure du monde terrestre, monde de souillure et de ténèbres où l'Ennemi s'efforce d'enclore le pécheur dans le cercle de la luxure que seul peut rompre le signe de la croix.

La réécriture du motif, dans ce cas, est constamment liée à une réinterprétation autre, mais on pourrait également citer pour leur extrême fréquence, et sans prétendre à l'exhaustivité, le motif de la chasse à l'animal blanc, au cerf blanc, d'*Erec et Enide* à la *Quête du Graal* en passant par les *Lais* de Marie de France et les *Lais anonymes*, le motif de l'arrivée à la cour d'Arthur du chevalier vermeil et du défi, présent par exemple dans le *Conte du Graal*, dans *Jaufré* et dans la *Quête*, le motif de l'épée brisée dont un tronçon transperce encore le corps d'un chevalier en quête d'un vengeur, le motif du chevalier aux deux épées, de l'apparition du Graal à la Table ronde, etc.

Un autre motif, très souvent repris lui aussi, est celui de la folie par amour qui apparaît avec *Yvain* puis, sans modification essentielle, dans le *Lancelot en prose*, le *Tristan en prose*, etc., chaque fois qu'il importe de signifier les dangers de l'aliénation amoureuse. Très proche, le motif de l'extase lié, sur le mode sublime, au motif des gouttes de sang sur la neige *(Conte du Graal, Tristan en prose)*, sur le mode ironique au motif de la chute (de cheval, d'une tour, dans une rivière, la *Charrete*, le *Lancelot en prose*, le *Tristan en prose*) intervient pour traduire l'absence au monde qui caractérise l'amour passion.

Le procédé de la réécriture des motifs enfin va de pair, dans le roman breton au moins, avec un autre procédé également connu de la chanson de geste : le retour des personnages. Tout se passe en effet comme si la liste des chevaliers de la Table ronde donnée par Chrétien dès *Erec* (v. 1671-1706) avait constitué une sorte de trésor collectif où chaque auteur, et Chrétien le premier, était venu puiser, choisissant qui Gauvain, qui Lancelot, qui Yvain, etc., comme protagoniste du récit. Aucun des personnages donc n'appartient en propre à un auteur ou à un texte mais tous font partie de cet ensemble en perpétuel devenir que constitue le roman arthurien. Tous peuvent virtuellement devenir, le temps d'un roman (Yvain dans le *Chevalier au lion*, Lancelot dans la *Charrete*, le fils bâtard de Gauvain dans le *Bel Inconnu*), d'un fragment de roman (Perceval puis Gauvain dans le *Conte du Graal*), de plusieurs romans (Gauvain dans l'ensemble du roman arthurien) ou le temps d'un cycle (Lancelot dans le *Lancelot en prose*, Tristan dans le *Tristan en prose*) le personnage qu'investit en priorité la matière romanesque. La seule exception, dans ce jeu de substitutions toujours ouvert, est la triade Arthur, Guenièvre, Keu dont l'intervention, dans les romans en vers, se limite le plus souvent à la phase initiale et à la phase

finale du récit : le départ en aventure du héros, son retour triomphal à la cour du roi. Ainsi dans *Erec et Enide* ou dans le roman de *Jaufré.*

Cependant, tout comme dans la chanson de geste, où Roland est nettement différencié d'Olivier, de Guillaume, etc., la plupart des héros romanesques acquièrent très tôt des caractères spécifiques, définissables moins en termes de psychologie qu'à partir de ce qu'on pourrait appeler des *registres narratifs.* Soit un ensemble de traits ou de motifs attachés à tel ou tel personnage qui constituent, d'un récit à l'autre, son mode d'existence textuelle et lui confèrent une sorte de prévisibilité. Ainsi, pour nous limiter à quelques exemples, du registre formé par les motifs liés de la coutume à observer et du *don contraignant* qui sont attachés à Arthur dès *Erec* (la chasse au blanc cerf) et fonctionnent ensuite bien souvent comme séquence initiale. Ainsi du registre de la vantardise allié à la malveillance, associé à Keu le sénéchal, et qui informe une ou plusieurs séquences narratives (l'enlèvement de la reine dans la *Charrete*, le récit de Calogrenant et le départ d'Yvain dans le *Chevalier au lion*, le meurtre du chevalier vermeil dans le *Conte du Graal*). Ainsi du registre de la rencontre sentimentale rapide et superficielle, qui signe les entrées en texte de Gauvain à partir du *Chevalier au lion.* Ce dernier registre est d'ailleurs très productif au plan narratif car ses suites sont multiples : naissance d'un enfant (le *Bel Inconnu*), vengeance poursuivie par un parent de la jeune fille séduite (Gauvain et Brandelis dans la *Première Continuation*), etc.

Un nom parfois, qu'il désigne une personne ou une catégorie, ou une épithète de nature suffisent à cristalliser autour d'eux un registre. Tel est notamment le cas du Roi Pêcheur ou Roi Méhaignié, maître mystérieux du château du Graal et de la Terre Gaste, du *vavasseur*, hôte attentif du chevalier errant en quête d'aventures, ou de personnages plus ponctuels comme Sagremor le *Desreé*, le chevalier sans mesure dont l'impétuosité troue çà et là le cours du récit, de Brehus *sans Pitié*, qui ne respecte pas le code chevaleresque et s'attaque toujours à plus faible que lui, ou de Brian *des Iles*, roi d'un royaume mal défini mais d'où surgit, d'un texte à l'autre, un redoutable danger pour le monde arthurien.

Réécriture des motifs, retour des personnages ou plutôt des situations textuelles dans lesquelles ils apparaissent, les deux procédés sont évidemment solidaires. Ils constituent surtout un trait distinctif fondamental d'un genre qui, au XIIe comme au XIIIe siècle, en vers comme en prose, se définit moins par l'invention à tout prix, l'originalité du matériau utilisé, que par la variation multiple sur un thème donné : le monde arthurien, double romanesque du monde terrestre.

3. *Structures narratives*

Les romans antiques, l'*Alexandre*, mais aussi *Thèbes*, *Eneas* et *Troie*, les récits inspirés d'Ovide (*Narcissus*, *Piramus et Tisbé*, *Philomena*) ou de sources orientales comme *Floire et Blancheflor*, héritent, par la force de la tradition, d'une structure narrative chaque fois différente, que leurs auteurs respectent, au moins dans ses grandes lignes. Quitte à privilégier ou à introduire (parfois à supprimer) des épisodes qui, sans modifier l'économie du récit, en infléchissent sensiblement le sens. Ainsi, il n'est sans doute pas indifférent, pour nous limiter aux scènes d'ouverture des trois romans antiques, que l'auteur de *Thèbes* consacre les 532 premiers vers de son texte à l'histoire d'Œdipe (que ne rappelle pas Stace, son modèle immédiat), que l'auteur de l'*Eneas* rapporte en même situation le jugement de Pâris (que ne relate pas Virgile) et qu'à ces deux mythes d'*origine* Benoît ajoute, au début du *Roman de Troie*, l'histoire de la Toison d'Or et de Jason, du premier homme qui sut labourer la mer de sa nef et ensemencer la terre des dents des dragons.

C'est cependant dans l'œuvre de Chrétien et de ses successeurs que s'élabore à partir d'*Erec* une structure narrative originale, fondée sur les motifs de l'aventure chevaleresque et de la quête, et dont le succès a été considérable, tant au XIIe qu'au XIIIe siècle. Un bon exemple en est le programme d'aventures proposé aux chevaliers d'Arthur par la *Laide Demoiselle* dans les vers 4664-4690 du *Conte du Graal* et qui suppose un scénario quasi immuable : le départ de la cour d'Arthur, à l'appel d'un(e) messager(e) venu(e) de l'extérieur (de l'Autre Monde), d'un chevalier désireux de tenter une épreuve qui, si elle est réussie, doit lui procurer à la fois la gloire, l'amour d'une femme et/ou un fief. Programme proposé par exemple à Gauvain qui décide d'aller délivrer la demoiselle assiégée sous Montesclere et qui sera d'ailleurs mené à bien dans certains manuscrits de la *Première Continuation* (version longue). Programme rempli à la perfection dans un texte comme *Jaufré*, qui semble fortement influencé par le *Conte du Graal*, auquel il est donc particulièrement intéressant de le comparer. Dans les deux récits en effet un jeune homme vient à la cour d'Arthur pour être armé chevalier. Mais tandis que Jaufré, rituellement adoubé, se propose non moins rituellement pour venger l'honneur d'Arthur défié par un chevalier vermeil et parvient, au terme d'une quête fertile en rebondissements, à tuer l'insulteur, à obtenir l'amour de la dame de Monbrun, la belle Brunissen, et à devenir le maître de Monbrun, Perceval, lui, court-circuite le rythme ordinaire de la narration : le chevalier vermeil est tué d'emblée. Blanchefleur et son château sont abandonnés sitôt conquis. La quête, l'essentielle, naît désormais d'un autre désir, le Graal.

E. Köhler a mis en évidence, dans son étude sur l'*Aventure chevale-*

resque, comment cette nouvelle orientation du roman arthurien, à partir du *Conte du Graal*, était signifiée en texte par des modifications dans la structure du récit et notamment de la place stratégique concédée d'abord à la cour d'Arthur. Dans l'ensemble du roman arthurien, la cour est en effet l'espace fondamental du récit, son centre de gravité. Là se produit l'aventure initiale. Là se désigne comme héros le chevalier qui la revendique comme sienne. Là enfin se clôt le texte : c'est à la cour que revient très généralement le chevalier pour dire sa prouesse, en donner la preuve matérielle (une femme, un objet), la faire consacrer par le cercle des pairs (la Table ronde), en donner aux *grands clercs* de la cour une relation qui sera mise par écrit, engendrant ainsi le texte qui la pérennisera. Or, avec le *Conte du Graal*, Chrétien lance le dernier de ses héros, le plus jeune, dans une quête différente, demeurée incertaine (le texte est inachevé) mais située de toute manière en dehors de l'univers arthurien qui ne parvient pas à récupérer le héros du Graal, à le retenir dans l'espace de la cour. Echec que confirme l'auteur de la *Quête du Graal* qui télescope en quelque sorte en début de récit la scène initiale, l'épreuve qualifiante (l'épée du perron), et la scène finale, la consécration du héros (la possibilité de prendre place sur le Siège périlleux), avant de projeter sa triade de héros hors du monde terrestre d'Arthur, dans l'univers mystique du Graal.

Au sortir de la cour, une fois traversée la lande où s'estompent peu à peu les traces de la civilisation, s'étend la forêt. Monde de la *merveille*, de l'inconnu, du non-frayé, que parcourt péniblement le héros en quête de l'aventure qui lui permettra de faire ses preuves, de découvrir et de révéler aux autres qui il est, quel nom il convient de lui donner : Yvain ou *le chevalier au lion*, Lancelot ou *le chevalier de la charrete* ?, Perceval *le gallois* ou Perceval *le chétif*. De savoir donc (« *car par le non conuist an l'ome* », *Conte du Graal*, v. 560) où il faut le situer et comment substituer à l'égalité originelle de la classe chevaleresque, symbolisée par la Table ronde, une hiérarchie fondée sur la prouesse, c'est-à-dire sur l'aptitude du chevalier à rencontrer l'aventure à lui destinée, qui lui permet tout à la fois de connaître et de prouver sa valeur. L'exemple classique, analysé jadis par E. Auerbach, est Calogrenant, héros malchanceux de l'aventure de la Fontaine au Pin réservée au seul Yvain.

Commencée avec la chasse au blanc cerf d'*Erec et Enide*, la quête *avantureuse* dans la forêt *merveilleuse* (*Erec*, v. 65-66), projection narrative du désir de l'autre (toutes les figures de l'amour) ou du désir d'un ailleurs, d'un au-delà, structure ainsi la plupart des textes arthuriens pour ne trouver qu'avec la Quête du Graal son véritable objet, Dieu, et son accomplissement dans un au-delà du texte : la vision divine, accordée à l'élu, Galaad, mais à jamais tue, à jamais hors texte, car indicible.

Le schème de la quête et la thématique de l'aventure, caractéristiques

du roman arthurien, n'épuisent pas, loin de là, la gamme des *possibles narratifs*. Il est d'autres scénarios, on l'a vu, selon lesquels s'organise, à un niveau plus complexe, le matériau romanesque. Signalons cependant ici un type de séquence narrative particulièrement important, structuré autour du motif des enfances du héros. Une forme très élaborée en est, au XIIe siècle, le long récit que Thomas d'Angleterre consacrait, dans son *Tristan*, à l'histoire des parents de Tristan puis à l'enfance proprement dite du héros, marquée par la mort du père, la perte du royaume, l'exil en terre étrangère (ici la Cornouailles du roi Marc qui est en même temps l'oncle maternel) et l'obligation, pour le héros, de se faire reconnaître et admettre par ses pairs (le combat contre le Morholt) avant de reconquérir, le cas échéant, le royaume du père. Après une première ébauche, l'histoire de Soredamor et d'Alixandre dans le *Cligès*, Chrétien reprend à son tour le motif avec Perceval, le premier de ses héros à avoir une enfance, mais la plus opaque, la plus trouble qui soit. A la même époque enfin, sinon un peu avant, l'auteur d'un *Lancelot* en vers dont il ne nous reste que la traduction allemande (le *Lanzelet*) donne à son héros, un enfant ravi à ses parents par une Dame du Lac, une enfance cachée et féerique. Motif que connaissait également Chrétien à en juger par une allusion de la *Charrete* (v. 2345-2347). Enfin subsiste un fragment d'un texte en vers du XIIe siècle relatant l'enfance, elle aussi mystérieuse, de Gauvain. Très riche en possibilités dramatiques, ce motif, qui se développe à la même époque dans la chanson de geste, et qui est ainsi associé dès le XIIe siècle aux quatre grands héros romanesques, Tristan, Lancelot, Gauvain et Perceval, a joué un rôle décisif dans l'évolution des structures narratives du roman arthurien. Et ce, par le simple fait qu'il déplaçait l'origine du texte, ou plus exactement qu'il tendait à la situer, de commencement en commencement — enfances du héros, histoire de ses parents, de ses ancêtres, de l'ensemble de son lignage —, de plus en plus loin dans le passé et de plus en plus près de l'origine absolue. D'un point zéro du récit qu'au XIIIe siècle tout le roman en prose s'efforcera d'atteindre.

4. *L'illusion réaliste*

A. Fourrier a longuement décrit dans son étude sur *Le courant réaliste dans le roman courtois en France au XIIe siècle* les différentes manifestations, sensibles dès le *Tristan* de Thomas et le *Cligès* de Chrétien, beaucoup plus accentuées dans l'œuvre de Gautier d'Arras, d'un mode d'écriture qui se caractérise par le refus du merveilleux de type breton et, d'une manière générale, de tout élément féerique, qui s'efforce de préserver une certaine vraisemblance morale et psychologique, qui se fait l'écho de préoccupations

politiques ou d'événements historiques contemporains et qui tend ainsi à faire de l'œuvre romanesque *l'expression romancée du réel.*

On admet généralement que ce courant atteint son apogée au début du XIIIe siècle, avec l'œuvre de Jean Renart, notamment dans l'*Escoufle* et le *Guillaume de Dole*, et de ses épigones tels que Renaut, auteur de *Galeran de Bretagne* ou Gerbert de Montreuil, auteur du *Roman de la Violette*, et se perpétue dans des récits du dernier tiers du siècle comme *Joufroi de Poitiers*, le *Roman du Châtelain de Coucy et de la Dame du Fayel* ou le roman occitan de *Flamenca*.

Les œuvres de Jean Renart se déroulent en effet dans un espace connu et dans un passé proche (le *Guillaume de Dole* surtout) du narrateur comme du public auquel elles sont destinées. Elles mettent en scène, dans des situations vraisemblables, soit des personnages historiques (grands seigneurs, poètes connus) ou donnés comme tels, soit des personnages représentatifs de l'ensemble de la société de l'époque : la haute noblesse mais aussi les petits seigneurs plus ou moins besogneux, les bourgeois affairistes, le milieu urbain, les ménestrels, etc. Elles mettent également en rapport des groupes — les Français et les Impériaux par exemple dans le *Guillaume de Dole* — différents par la langue comme par les comportements. Elles multiplient enfin les descriptions empruntées à la réalité quotidienne, les *petits faits vrais*. Elles peuvent ainsi être lues aussi bien comme une réaction contre le roman breton et sa désinvolture face à un certain type de vraisemblance que comme un bon témoin de la tentation que connaîtra périodiquement le roman de s'ancrer dans le réel et de créer ou de maintenir l'illusion réaliste.

C'est en effet sous le signe de la *vérité* opposée à la *fable* et de la *raison* que Jean Renart place son roman de l'*Escoufle* (v. 1-33) tandis que le *Guillaume de Dole* revendique comme nouveauté l'introduction de citations lyriques, insistant moins sur leur rôle ornemental que sur la rigoureuse cohérence établie entre le texte lyrique et le texte narratif (v. 26-30). Il y aurait cependant beaucoup à dire, pour ne prendre que des exemples limites, sur ces failles étranges, ces irréparables accrocs à la vraisemblance que sont les séquences clés, dans l'*Escoufle*, du vol de l'anneau et de l'aumônière rouge par le milan puis la dévoration par le héros du cœur vivant de l'oiseau voleur et, dans le *Guillaume de Dole*, de la révélation en tout point insolite que fait la mère de l'héroïne du signe tabou, indicible, la rose sur la cuisse de Lïenor. Plus exactement nous sommes sans doute en présence d'un mode d'écriture qui joue non sans ironie d'un perpétuel contraste entre le recours et le renvoi à la tradition littéraire et la recherche appuyée de l'effet de réel et qui, surtout, n'acquiert la cohérence et la vraisemblance qu'il revendique que par rapport à cette tradition.

Le fait est particulièrement sensible à tous les niveaux du *Guillaume*

de Dole. Au niveau de la description qui juxtapose systématiquement le trait canonique, attendu, et le détail réaliste, la *chose vue*. Au niveau de la composition du récit qui est aussi bien une mise en roman des éléments constitutifs de la *canso* occitane et du motif de l'amour de *lonh* que du conte folklorique de la gageure (du conte de la rose). Au niveau des personnages enfin, et notamment du couple Conrad, Lïenor, pour lesquels la vérité, la cohérence ne se situent pas au seul niveau de la narration mais résultent aussi bien de leur ressemblance avec les héros atemporels et anhistoriques de la *canso*, de la *chanson de toile*, de la *carole de mai*. Héros dont Conrad, le prince poète (comme Guillaume d'Aquitaine, comme le Châtelain de Coucy), dont *Bele Lïenor*, la reine de mai (comme Bele Aeliz) sont les plus parfaites et les plus *vraies* des incarnations.

De la structure complexe du *Guillaume de Dole*, de son écriture contrastée, partagée entre la représentation parfois agressive du réel et l'intrusion non moins agressive de la littérature, les romanciers ultérieurs ne retiendront souvent que les aspects les plus faciles à reproduire. Ainsi de la série de romans qui s'attardent à décrire à la suite du *Guillaume de Dole* un tournoi imaginaire *(Roman de la Violette)* ou réel *(Tournoi de Chauvency)* ou à la limite de la fiction et de la réalité *(Roman du Châtelain de Coucy)* ou qui ornent la narration de textes lyriques comme le *Roman de la Violette* ou, encore, le *Roman du Châtelain de Coucy*. Dans ce dernier texte cependant, ce qui était devenu un procédé acquiert une dimension nouvelle puisque le lyrisme y est explicitement donné comme l'origine du récit, sa source vive. Le récit en effet n'est à plus d'un titre que la réécriture d'un texte antérieur, les chansons du Châtelain, que la mise en roman de ses chansons d'amour et de croisade, sur le modèle peut-être des *razos* des chansonniers occitans, que l'incarnation, dans une forme autre, de la métaphore obsédante du cœur d'amour épris, du cœur brisé, consumé, consommé.

Il se pourrait ainsi que l'écriture réaliste, ce fragile vernis du texte romanesque, ne soit finalement rien d'autre que la trace d'une illusion perdue, d'une nostalgie, commune à tous ces romans, d'une société courtoise idéale, adonnée aux armes et à l'amour, fondée sur ces deux vertus cardinales que célèbrent à loisir Jean Renart, ses épigones ou l'anonyme auteur de *Joufroi de Poitiers* — Largesse et Jeunesse — mais à laquelle la fiction seule peut encore donner existence.

5. *La forme prose*

Au tout début du XIIIe siècle, le fait majeur pour l'histoire et le développement du genre romanesque est le recours, parallèlement au vers, à

la forme prose. Avec un ensemble de textes à plus d'un titre significatif : la *trilogie* formée par la mise en prose du *Joseph* en vers de Robert de Boron, un *Merlin* dont il ne reste, de la rédaction originale de Robert, que les 500 premiers vers, et un *Perceval*, pour lequel nous n'avons pas de texte antérieur en vers, appelé aussi *Didot-Perceval*.

La forme prose existe déjà au XIIe siècle mais elle n'y est utilisée que pour des traductions, commentaires ou paraphrases de textes sacrés et de sermons, tous textes donc d'abord rédigés en latin, ou pour des ouvrages didactiques ou juridiques (lapidaires, recueils de lois). A l'extrême fin du XIIe siècle cependant l'historiographie commence elle aussi à recourir à la prose, et c'est en prose que sont composées, au XIIIe siècle, les chroniques de Robert de Clari et de Villehardouin sur la quatrième croisade et, à l'aube du XIVe siècle, l'*Histoire de Saint Louis* par Joinville.

Au début du XIIIe siècle, la forme prose apparaît ainsi, par rapport au vers, comme une forme *marquée*, d'abord réservée à la traduction des textes sacrés puis à l'écriture de l'histoire et présentée par les écrivains médiévaux eux-mêmes comme moins artificielle, plus véridique que la forme versifiée. Reste à expliquer pourquoi cette forme rare a été également utilisée au XIIIe siècle pour le roman, pour un certain type de roman du moins, et à quelle conception nouvelle répond ce choix puisqu'il s'agit vraiment d'un choix en un siècle où jamais roman n'égale systématiquement prose.

6. *La prose et le Graal*

Au XIIIe siècle, à l'intérieur du genre romanesque, l'opposition vers/prose est spécifique du roman arthurien et elle y apparaît tout d'abord liée à une distribution différente des protagonistes. Le roman en vers a en effet tout au long du siècle comme héros privilégié Gauvain. Outre la *Première Continuation du Conte du Graal*, sept textes parmi lesquels le *Chevalier à l'épée*, la *Vengeance Raguidel* et l'*Atre Périlleux* sont ainsi consacrés à ses aventures chevaleresques et sentimentales. D'autres romans comme le *Bel Inconnu*, *Méraugis de Portlesguez*, *Yder*, etc., ont des protagonistes autres mais Gauvain y apparaît bien souvent comme le modèle à imiter et auquel le héros doit s'égaler.

Le roman en prose au contraire, dans lequel, à partir de la *Quête du Graal*, le personnage de Gauvain tend à se dégrader met en place une sorte de triade dans laquelle le premier élément est le Graal, destinataire et sujet du récit, les deux autres étant, suivant les textes, les couples formés par le Roi Pêcheur (ou Méhaignié)/Perceval *(Didot-Perceval*, *Perlesvaus)*, Lancelot/Galaad (cycle du *Lancelot-Graal*), Merlin/Arthur (cycle du *pseudo-*

Robert de Boron appelé aussi *Post-Vulgate cycle*). Des couples donc qui sont à la fois liés au Graal par le motif de la quête (Perceval, Galaad) ou de l'annonce prophétique (Merlin) et unis entre eux par une relation de parenté. Cette parenté est claire dans le cas de Lancelot et de Galaad, moins nette peut-être dans les deux autres cas. Il semble cependant que la quête de Perceval dans les romans du Graal puisse aussi s'interpréter comme une quête de son origine (de son nom), de son lignage maternel (le Roi Pêcheur et son père) tandis que l'auteur du *Merlin* met tout en œuvre pour qu'Arthur, fils *réel* d'Uterpendragon, apparaisse comme le fils spirituel de Merlin.

La génération des *pères*, d'autre part, qu'il s'agisse de Merlin le fils du diable, du roi Méhaignié (impuissant), de Lancelot, amant adultère de Guenièvre, est toujours une génération marquée par la faute. Faute autour de laquelle gravite une constellation de motifs catastrophiques parmi lesquels revient avec insistance le motif de la *Terre gaste* (stérile), du *Coup douloureux* (responsable de l'impuissance du Roi Pêcheur, de la stérilité de son royaume), de l'Epée brisée que le fils (Perceval, Galaad) a mission de ressouder. Enfin on retrouve systématiquement dans ces récits un personnage exclu du roman en vers depuis le *Brut* de Wace, Mordred, le fils incestueux d'Arthur. Cette réapparition est sans doute liée à l'importance qu'acquiert, dans le roman en prose, le motif de l'inceste d'Arthur, cause immédiate, à partir de la *Mort Artu*, de la ruine du monde arthurien.

Dans le *Tristan en prose*, cycle postérieur au *Lancelot-Graal* et dont le héros ne peut être qu'indirectement rattaché au Graal, la faute se situe aux origines mêmes du récit / du lignage de Tristan, avec la relation incestueuse d'Apollo l'Aventureux, petit-neveu de Joseph d'Arimathie et sa mère Chélinde, ancêtres communs de Tristan et de son oncle Marc... Tout comme les textes précédents, le *Tristan* se clôt sur une quête du Graal (toutes versions) suivie d'une *Mort Artu*, toujours annoncée mais donnée par quelques versions tardives uniquement. Tous les cycles en prose proposent ainsi en structure profonde un *modèle généalogique* constant dont le schéma pourrait être : 1) génération(s) des pères, naissance du Graal, temps de la faute; 2) génération des fils, quête du Graal; 3) intervention de Mordred suivie de la *Mort Artu*.

7. *Le fragment et le cycle*

Systématiquement liée au motif du Graal, la forme prose l'est aussi au cycle. Au XIIIe siècle, et quelle que soit son étendue, le roman arthurien en vers reste en effet un récit fragmentaire. Soit un récit dont le point de départ se situe à l'époque et dans l'espace arthuriens, sans jamais remonter en amont, s'interroger sur l'origine de cet univers. Ainsi par exemple des

différentes *Continuations du Conte du Graal* qui s'efforcent d'achever les aventures, les quêtes (de Gauvain, de Perceval) laissées en suspens par Chrétien. Tous les textes en prose en revanche disent (s'y essaient du moins) l'histoire du Graal depuis son origine, la Passion du Christ jusqu'à son ultime parousie, l'accomplissement de la quête par l'élu. Tous sont une tentative pour constituer cette histoire en *somme* romanesque.

De cette écriture cyclique la première manifestation est donc, peu après 1200, la trilogie dite de Robert de Boron dont les différentes branches, le *Joseph* (roman des origines ou *enfances* du Graal), le *Merlin* (avènement du Graal en Grande-Bretagne puis avènement d'Arthur) et le *Perceval (Quête du Graal* et *Mort Artu)* constituent la première histoire totale du Graal. Il y a tout lieu de penser que c'est sur ce modèle que s'est élaboré, par étapes successives, entre 1215 et 1230, le cycle du *Lancelot-Graal.* Son (ou ses) auteur, celui du moins qui a peut-être conçu sinon exécuté le plan d'ensemble, a combiné les données du *Lanzelet*, pour le récit des enfances du héros, avec celles de la *Charrete* de Chrétien. Ce premier ensemble, parfois appelé *Lancelot propre* ou *Lancelot en prose*, paraît d'autre part avoir été pensé ou d'emblée écrit, dans sa dernière partie tout au moins (l'*Agravain*), en fonction d'une double suite : la *Quête du Graal* dont le héros est ici non plus Perceval mais la triade formée par Galaad, Perceval et Bohort manifeste la suprématie de la chevalerie célestielle sur la chevalerie terrienne, cette dernière représentée par Lancelot et par l'ensemble des chevaliers de la Table ronde; la *Mort Artu* enfin signe la disparition du monde arthurien, la fin du royaume aventureux déserté par le Graal, et la fin du cycle romanesque. A cet ensemble se sont ajoutées ultérieurement deux œuvres faisant fonction de prologue. L'*Estoire Merlin* (ou *Vulgate* du *Merlin*) reprend d'abord le *Merlin* en prose de Robert de Boron, relate donc la naissance du prophète, l'histoire du royaume de Logres sous Uter, la naissance mystérieuse et le couronnement d'Arthur. Suit une chronique des premières années du règne d'Arthur, de ses guerres contre les Saxons et les vassaux rebelles. A ce récit des origines du royaume de Logres, l'*Estoire del saint Graal*, qui utilise le *Joseph* de Robert, qui reprend à la *Quête du Graal* tous les passages qui constituent la préhistoire du Saint-Vase (la légende de l'Arbre de Vie, la Nef de Salomon, etc.), et qui, d'une manière générale, relate, en amplifiant les données de la *Quête*, tout ce qui concerne le temps de Joseph d'Arimathie, apparaît comme un nouveau récit des *enfances* du Graal, de son passage d'Orient en Occident, lié à la christianisation de la Grande-Bretagne (le royaume de Logres) par Joseph et surtout par son fils Josèphé.

Tel qu'il nous a été conservé dans un nombre imposant de manuscrits (on recense 9 manuscrits complets et les manuscrits partiels sont très nombreux) le nouveau cycle s'étend donc de cette origine absolue qu'est

pour l'histoire chrétienne la venue du Christ, pour la fiction arthurienne, la naissance du Graal, à cette fin absolue qu'est, dans la *Mort Artu*, la disparition d'Arthur et de ses chevaliers au soir de la grande bataille de Salisbury.

A cette saisie d'une diachronie close en amont comme en aval le *Tristan en prose* (vers 1225-1240) surimpose une saisie synchronique de l'univers romanesque. Le récit, qui s'amplifie d'une version à l'autre, combine en effet avec ses données propres, l'histoire des amants, des pans entiers d'autres romans. En les transcrivant parfois tels quels. Le *Tristan* interpole ainsi plusieurs fragments du *Lancelot*. En les réécrivant aussi, en partie ou en totalité, ou même en donnant deux versions différentes. Ainsi du récit de la *Quête du Graal* reproduit tantôt d'après le *Lancelot-Graal*, tantôt d'après la version postérieure, d'esprit chevaleresque, dite du pseudo-Robert de Boron. Un roman de peu postérieur, *Guiron le Courtois* (vers 1235), comble une autre *lacune* : l'histoire du père de Tristan, Méliadus, et des chevaliers de son temps (le temps d'Uter, père d'Arthur, du Morhout, oncle d'Iseut, etc.).

Un autre procédé dont la première manifestation est sans doute le prologue du *Conte du Graal* intitulé l'*Elucidation*, dans lequel l'auteur s'efforce d'expliquer la disparition du Graal antérieurement au règne d'Arthur, atteint son apogée dans des textes comme le *Livre d'Artus* et surtout la *Suite du Merlin* (vers 1240, appelé aussi *Huth-Merlin*). L'auteur de la *Suite du Merlin*, dont les préoccupations littéraires semblent très proches de celles de l'auteur de l'*Estoire du Saint Graal*, s'attache en effet à expliquer l'origine d'un certain nombre de motifs donnés tels quels dans le *Lancelot-Graal*. Notamment la haine de Morgain pour Arthur, l'une des causes de la fin du monde arthurien dans la *Mort Artu*, la haine entre le lignage de Gauvain et celui de Perceval, motif important dans le *Tristan en prose*, les circonstances surtout du Coup douloureux, ici porté par Balain, le chevalier aux deux épées, et donné comme l'origine du déferlement des aventures *felenesses et dures* auxquelles le *Perceval* de Chrétien faisait déjà (v. 1254) des allusions obscures.

Le *Roman du Graal* enfin, dont il ne nous reste que des fragments (et surtout cette *Suite du Merlin*), constitue sans doute la tentative la plus ambitieuse pour dire dans sa totalité l'histoire du Graal et celle du monde arthurien. Centré non plus sur Lancelot mais sur Arthur dont il devait relater en trois parties l'avènement et le règne glorieux mais déjà menacé par la faute originelle, la naissance incestueuse de Mordred (reprise du *Merlin* de Robert et *Suite du Merlin*), puis la chute, le texte donne également une nouvelle version des aventures de Lancelot, réécrivant par exemple, à partir du *Lancelot*, l'épisode de la folie du héros après la conception de Galaad, des aventures de Tristan, de Gauvain et de ses frères, de Perceval

et de son lignage et s'achève, après avoir donné une nouvelle version de la *Quête* (version dite du pseudo-Robert de Boron) et de la *Mort Artu* avec la mort du roi Marc, dernier survivant de l'univers arthurien.

De cette tentative pour réunir et ordonner tout le matériau romanesque disponible, un manuscrit tardif, le manuscrit *BNf. fr. 112*, daté de 1470, donne sans doute, pour nous limiter au domaine français, la meilleure illustration, lui qui réunit en un même volume, en les combinant et en les adaptant, le *Lancelot en prose*, le *Tristan en prose*, trois versions de la *Quête du Graal*, une *Mort Artu* et des fragments de la *Suite du Merlin*, du *Guiron le Courtois*, etc.

8. *Syntaxes*

La tentation constante du roman en prose de s'organiser en somme, de se constituer en cycle — tendance également manifeste, au XIIIe siècle, dans le domaine épique, didactique (le *Roman de la Rose* de Jean de Meung), voire théologique (la *Somme* de Thomas d'Aquin), suffit sans doute à rendre compte des procédés les plus voyants comme les plus discutés, au plan esthétique, de l'écriture en prose. Et en premier lieu du recours si fréquent mais si déroutant pour le lecteur moderne à l'*interpolation* pure et simple de fragments d'autres textes et qui est, en fait, la manière la plus économique d'annexer au cycle le plus de matière possible.

Un autre procédé plus complexe est celui de l'*entrelacement*, identifié par F. Lot dans son *Etude sur le Lancelot en prose* puis étudié avec une extrême pertinence par E. Vinaver. Le procédé consiste à relater, fragment par fragment, à l'intérieur d'une diachronie donnée (par exemple la quête d'un chevalier par ses compagnons), les aventures des différents quêteurs en les interrompant à des moments cruciaux, et ce jusqu'au moment où l'un d'eux aboutit dans sa recherche et revient par exemple en informer la cour d'Arthur. Non seulement cette manière de disposer la matière narrative introduit des effets de suspense dans le récit mais elle crée également une sorte de pluri-linéarité du discours, lui donne à la fois épaisseur temporelle et profondeur de champ.

Manié la plupart du temps avec dextérité dans le *Lancelot* — un excellent exemple en est au tome I de l'édition A. Micha du *Lancelot* l'enlèvement de Gauvain par Caradoc et la quête qui en résulte —, le procédé se modifie dans les romans ultérieurs, à partir du *Tristan en prose* notamment. Devant l'inflation constante de la matière romanesque, le récit tend à se fragmenter en mini-cycles plus ou moins bien rattachés à la narration et qu'il est même souvent possible, dans les versions tardives, d'isoler de l'ensemble du texte. Ainsi par exemple de l'épisode du grand tournoi de Sorelois, du *Roman*

d'Alixandre l'Orphelin, du *Roman d'Erec* qui sont partie intégrante du *Tristan en prose* mais peuvent aussi se lire comme des épisodes ou des romans autonomes.

Il se pourrait enfin que la forme cyclique ait eu une influence décisive non seulement sur les structures narratives du récit en prose mais sur la syntaxe même de la phrase. Les témoignages précis font défaut. Il semble bien cependant que les énormes manuscrits du *Lancelot*, du *Tristan*, etc., dont beaucoup sont richement enluminés, soigneusement divisés en livres, où des rubriques de couleurs différentes découpent ce que nous appellerions des chapitres, aient été destinés à une lecture individuelle et non à une récitation publique. Ce qui permettrait peut-être de rendre compte de la constance, dans ces textes, de formules telles que *mais le conte cesse ici de parler de... et retourne à...* ou, à un niveau inférieur, de la fréquence des *et* en début de proposition, des incises du type *fet-il*, etc. Tous procédés qui, en l'absence d'une diction théâtralisée du texte comme d'un système élaboré de ponctuation, soulignent les articulations du récit, de la phrase, de la proposition, les changements de personnages dans les dialogues, etc., facilitant ainsi la lecture individuelle et le repérage du texte.

Une autre constante, souvent signalée, de l'écriture en prose est le peu de variété des types de subordination représentés. Globalement, la forme prose recourt beaucoup plus largement que le vers à la subordination mais le type de subordination le plus fréquent — ce point demanderait au reste pour être tiré au clair des études systématiques pour chaque texte, voire chaque version d'un même texte — est la séquence subordonnée temporelle + principale, parfois suivie d'une consécutive, la relation syntaxique avant/après signifiant la relation de cause à effet, créant le lien logique entre les deux procès. Le discours est ainsi produit sans solution de continuité et surtout sans effet de rupture entre les procès évoqués ou de mise en hiérarchie. On pourrait d'ailleurs observer une semblable neutralité au niveau du vocabulaire, dans l'ensemble assez banal, ou des tournures de phrases, dont l'extrême prévisibilité est pour beaucoup dans l'impression de monotonie qui se dégage bien souvent, pour le lecteur moderne, des romans en prose. Neutralité qu'il convient sans doute de rapprocher du statut même que revendique l'écriture en prose, incarnation textuelle, littérale, autant que faire se peut, d'une parole originelle.

9. *L'auteur et le narrateur*

Qu'ils soient anonymes ou signés, ce qui est relativement fréquent, les romans en vers renvoient de manière explicite à un *je*, Thomas, Chrétien, Béroul, Marie de France, etc., qui est tout à la fois l'instance énonciative

initiale (le narrateur) et celui qui se situe entre la source et le texte produit, qui revendique, comme Chrétien par exemple au début d'*Erec et Enide*, la prise en charge et l'élaboration nouvelle d'un récit antérieur.

Les textes en prose au contraire sont soit anonymes, soit frauduleusement attribués à Gautier Map *(Mort Artu)*, à Robert de Boron *(Suite du Merlin)* ou à son compagnon Hélie de Boron (certaines versions du *Tristan en prose*), etc. Ces supercheries ont été depuis longtemps dénoncées. Reste le procédé dont un texte comme l'épilogue de la *Quête du Graal* permet peut-être de rendre raison : *Et quant Boorz ot contees les aventures del Seint Graal telles come il les avoit veues, si furent mises en escrit et gardees en l'almiere de Salebieres, dont Mestre Gautier Map les trest a fere son livre del Seint Graal por l'amor del roi Henri son seignor, qui fist l'estoire translater de latin en françois. Si se test atant li contes, que plus n'en dist des Aventures del Seint Graal.*

Dans cet épilogue, Mestre Gautier Map est donné donc non comme l'auteur du récit mais comme celui qui le mit en latin et qui, pour ce faire, a utilisé la relation que Bohort, seul survivant des trois élus de la Quête, a fait de ses aventures devant la cour d'Arthur. Relation consignée sur-le-champ par les clercs et ensuite enfermée dans la bibliothèque de Salisbury. A l'origine du texte est ainsi posé un récit authentifié par ceux-là mêmes qui en sont les héros, écrit sous leur dictée, intouché pendant des siècles, puis traduit en latin (langue sacrée) par Gautier Map. De ce texte latin, le récit présent n'est à son tour que la translation en français. D'une certaine manière donc, la boucle est bouclée, le roman en prose reprend à son compte, au début du XIIIe siècle, la fiction de la mise en roman, liée aux origines mêmes du genre romanesque. On peut en outre remarquer que l'instance énonciative, dans les romans en prose, n'est pas l'auteur ou ses éventuels substituts mais la formule récurrente, *le conte dit que*. Disparaît ainsi formellement le je de l'auteur qui n'intervient ni au moment de l'écriture du texte, sinon dans le rôle neutre de translateur, ni au moment de sa performance puisque c'est le conte qui parle. Le texte est ainsi présenté comme le dernier état d'une série de translations qui en assure la reproduction intégrale et véridique depuis l'époque arthurienne. Seul le vêtement extérieur a changé, du breton (?) au français, en passant par le latin de Gautier Map.

Tout en donnant une dimension chrétienne au Graal par la présence de *l'oiste (l'hostie) qui el Graal vient* (v. 6212), Chrétien de Troyes, on le sait, ne l'assimile jamais explicitement à une relique. En revanche, à la même époque ou peu après, Robert de Boron désigne sans ambiguïté le Graal comme la relique de la Cène *et* de la Passion. Le Graal est désormais le Saint Vase où naît le Pain de Vie, où coule le sang rédempteur de la Passion. Il participe donc à la fois du mystère des origines, de la création de la vie, et du mystère de la rédemption finale, de la fin des temps. Toujours chez Robert, c'est le Christ lui-même qui révèle à Joseph cette *senefiance*

du Graal. Ce sont les *privees paroles*, à la fois personnelles et secrètes, auxquelles fait aussi allusion le *Merlin en prose*. C'est également le Christ qui institue dans le *Joseph* le culte du Graal et ses gardiens, les Rois Pêcheurs, et qui destine la relique aux *vaus d'Avaron*/Avalon, c'est-à-dire, selon toute vraisemblance, à la Grande-Bretagne arthurienne. A partir de Robert le lien est donc noué qui unit la légende arthurienne à l'histoire du monde chrétien et fonde du même coup l'origine mythique du royaume d'Arthur.

Corrélativement, il devient impensable de tenir sur le Graal un discours marqué comme fictionnel. Parler de Graal, ce ne peut être que translater la parole originelle, recueillir sans commentaires tous les signes de son incarnation dans l'univers arthurien. A la manière de Blaise, archétype de tous les *auteurs* du Graal. Présenté au début du *Merlin* comme le confesseur de la mère du prophète, Blaise accède rapidement dans le texte au rôle de scripteur du *Livre du Graal*. A la demande de Merlin, il se retire loin des hommes dans la solitude des forêts de Northumberland et c'est là que le prophète vient périodiquement lui révéler ce qui s'est produit dans l'univers arthurien. Le livre est ainsi écrit sous la dictée de Merlin, du fils du diable sauvé par Dieu pour œuvrer à l'avènement d'Arthur, et restitue avec une fidélité maximale l'histoire du Graal puisque issu de la collaboration directe de l'auteur des événements, Merlin, et de son scribe, Blaise. Seul restent tus car interdits à l'homme les secrets jadis échangés entre Joseph et Dieu... Mise en scène très complexe donc qui a pour fonction de nier l'intervention créatrice d'un auteur comme la présence en texte d'un narrateur pour n'être que le fidèle écho de la vérité. Mise en scène qui permet par ailleurs de mieux comprendre pourquoi la littérature du Graal tend, à partir de Robert, à adopter la forme prose.

La prose, nous l'avons vu, est associée dès son apparition à la transmission de la parole sacrée et, d'une manière plus large, à l'enseignement. D'autre part, les indices sont multiples que la littérature du Graal s'est constituée, dans le *Joseph* puis dans le *Merlin*, sur le modèle de la révélation par excellence, de l'Evangile. Joseph d'Arimathie, que l'*Evangile de Nicodème* avait déjà plus au moins fixé dans ce rôle, est donné par Robert comme un nouvel apôtre chargé d'évangéliser la Grande-Bretagne. Il en va de même de Merlin qui apparaît non comme un enchanteur mais comme le prophète, au sens biblique du terme, du Graal. Or les textes sacrés, l'Ancien et le Nouveau Testament, devaient constituer, pour les auteurs et sans doute pour le public médiéval, le modèle même de toute prose. Métaphore romanesque du texte sacré, le *Livre du Graal* appelait la forme prose. Et l'on pourrait peut-être retrouver dans les translations successives du texte sacré — la parole divine, la première mise en écrit (en grec), la traduction en latin — la chaîne de translations que recomposent les textes du Graal : la parole divine (Joseph), prophétique (Merlin), authentique (Bohort dans

la Quête, etc.), puis la constitution du livre (Blaise, Gautier Map), sa traduction, enfin, en langue vulgaire. Avec, parfois, des raccourcis audacieux, tel celui que propose l'auteur de l'*Estoire del Saint Graal* à qui Dieu lui-même transmet en rêve le livre où apprendre puis révéler les secrets du Graal...

Le Graal, *Li filz a la veve dame / de la gaste forest soutaine*... C'est sur ce double coup de force qui consiste à présenter comme parfaitement connus un objet, le Graal, un héros sans passé littéraire, l'enfant sans père d'un monde stérile, que Chrétien inaugure la littérature du Graal. D'où la double tentative de ses successeurs : achever, conclure l'histoire et la quête de *Continuation* en *Continuation*, mais surtout susciter un avant-texte, préciser la relation obscure de Perceval et du Graal, intégrer à un ensemble l'univers suspendu légué par Chrétien, combler le vide entre l'enfance de Perceval et l'enfance du Graal. De ce point de vue, tout texte en prose, au XIIIe siècle, au niveau de la phrase, du chapitre, de l'ensemble ou même, parfois, par rapport à d'autres textes, fonctionne, de proche en proche, comme une sorte de glose de l'œuvre de Chrétien, du *Conte du Graal* essentiellement, puis de la *Charrete*, à partir du moment où l'histoire de Lancelot est à son tour liée à celle de la relique. Ce qui revient à dire que, d'étape en étape, d'enfances en enfances, tout récit du Graal est confronté à la même question, à la même absence, qui est l'absence du Graal, le *désastre obscur* à situer nécessairement entre le temps de Joseph et le temps d'Arthur, entre le temps où la parole divine était immanente au monde et le temps du texte. Ce moment, où s'est perdue une parole, un secret que le Livre du Graal s'épuise à retrouver tandis que non moins inlassablement ses héros tentent de ressouder l'épée brisée, de réparer le *coup douloureux* porté aux racines mêmes de l'homme : l'impossibilité de connaître, dès ce monde, le secret des origines.

CHAPITRE IV

Troubadours et trouvères

De même que les premiers érudits qui se sont penchés sur elles ont cru voir dans les chansons de geste la célébration collective et spontanée des actions guerrières dont on voulait conserver la mémoire, de même ils ont pensé que les poèmes lyriques, qui, d'abord en langue d'oc, puis en langue d'oïl, sont conservés en si grand nombre à partir de cette époque, témoignent de l'accession à l'écriture d'une tradition orale et populaire bien antérieure, dont aucun monument ne pouvait survivre tant que le latin avait le monopole de l'écrit. Or, aristocratiques dans leur esprit avec ostentation et savants dans leur manière jusqu'à l'esthétisme, purs produits des cours princières au point d'être appelés *courtois*, les plus anciens poèmes lyriques intégralement conservés en langue romane ne possèdent aucun des caractères de la poésie populaire, quel que soit le sens que l'on donne à ce mot. Mais alors, pourquoi les avoir composés en langue vulgaire ? Est-il d'autre part croyable que, pendant les siècles où les langues romanes existaient sans être écrites, ceux qui les parlaient aient vécu sans chansons d'amour, de danse, de métiers ? Comment rendre compte enfin, eu égard à l'antériorité et à l'extension de la poésie courtoise, des genres lyriques d'apparence populaire ou semi-populaire qui sont cultivés simultanément dans les mêmes milieux, mais dont les plus anciens spécimens conservés sont postérieurs aux plus anciens poèmes courtois et sont marqués de leur empreinte ?

Telles sont les questions que pose d'abord cette poésie, et qui ont trait à sa naissance et à ses origines. D'autres viennent en même temps à l'esprit, qui touchent sa place dans la culture du temps et celle de ses auteurs, de ses interprètes, de son public dans la société du temps. Mais il ne faut pas omettre une troisième catégorie de questions, qui naissent moins spontanément, mais qui sont bien aussi importantes. Celle de la

fonction littéraire d'une telle poésie : à quels besoins répond-elle ? Celle de son fonctionnement littéraire : quelle est la nécessité de ses lois, qui nous semblent au premier abord compliquées, tatillonnes, voire saugrenues ? Quelle séduction exerce-t-elle sur ceux qui la composent et sur ceux qui l'écoutent, alors que seules nous frappent bien souvent sa monotonie et ses conventions ? Plus généralement, à quelle idée de la poésie répond-elle pour être si éloignée de l'idée que nous nous faisons de la subjectivité poétique, elle qu'il est impossible de définir comme une poésie personnelle et dont il est impossible de nier qu'elle soit une poésie personnelle.

Personnelle, elle l'est au moins en ce sens qu'à une époque où l'anonymat littéraire est fréquent le nom des poètes lyriques est presque toujours mentionné par les manuscrits en regard de leurs chansons et qu'un lien nécessaire est souvent supposé entre leur vie et leur œuvre. Sa naissance elle-même, dont nous n'avons certes qu'une image déformée par les incertitudes de l'histoire, l'évanescence d'une éventuelle tradition orale, le naufrage des textes ou les hasards trompeurs de leur transmission, sa naissance elle-même nous paraît liée à un individu, mieux, à une personnalité et à un personnage. Les plus anciens poèmes lyriques en langue romane, en l'occurrence en langue d'oc, intégralement conservés sont ceux du comte de Poitiers, Guillaume, neuvième duc d'Aquitaine du nom (1071-1127).

I / LES TROUBADOURS

1. *Guillaume IX*

De ce prince, le plus puissant de l'Occident d'alors, les chroniques tracent un portrait haut en couleur, celui d'un politique brouillon, dont l'activité fébrile et souvent incohérente ne s'est guère soldée que par des échecs, celui d'un grand seigneur débauché et couvert de femmes, celui d'un esprit cynique et facétieux jusqu'à la pitrerie, incapable ou insoucieux de la gravité et de la dignité qui eussent convenu à son rang. Ce dernier trait semble avoir vivement frappé les contemporains, et il a son importance, rapporté à l'activité littéraire du duc. En écrivant que par ses facéties il l'emportait même sur les *facetos histriones*, sur les amuseurs professionnels, Orderic Vital met en évidence à propos de son caractère une série d'ambiguïtés qui sont aussi celles de son œuvre, et, jusqu'à un certain point, de l'œuvre de ses successeurs en poésie : ambiguïté du dérisoire et du passionné, du jongleresque et du princier, du divertissement de société et de la vocation littéraire, du jeu des mots et du jeu amoureux.

Les manuscrits ont conservé sous le nom de Guillaume IX onze

chansons. Six sont des chansons comiques et, pour certaines d'entre elles, particulièrement obscènes. Mais dans quatre autres s'exprime en termes délicats et tout à fait neufs un amour qui n'est que respectueuse adoration et qui implore sans rien exiger. C'est aussi à une inspiration grave et un peu mélancolique que se rattache la onzième chanson, chanson d'adieu au monde et sorte de testament sous forme poétique.

Il est certain que les chansons gaillardes s'accordent mieux que les autres avec l'image de Guillaume IX que nous livrent ses contemporains. Comment lui est donc venue l'idée de composer en outre des chansons d'amour aussi passionnées ? La complexité de son caractère suffit-elle à justifier cette double inspiration ? Pour en rendre compte, on a parfois soutenu que seules les chansons de la première catégorie sont de lui; les chansons d'amour seraient l'œuvre du vicomte Eble II de Ventadour, réputé le plus ancien troubadour avec Guillaume IX, mais dont aucune pièce ne nous est apparemment parvenue. Les manuscrits auraient ainsi attribué au grand seigneur les poèmes du petit. Mais rien ne permet d'étayer très solidement cette hypothèse, et, en outre, quand bien même elle serait vraie, la question essentielle resterait entière : pourquoi, comment sont apparues des chansons d'amour d'une facture et d'un ton si nouveaux ?

Cette question peut surprendre. Car qu'y a-t-il de nouveau à composer des chansons d'amour ? Et en quel sens peut-on les dire nouvelles, puisqu'elles sont les premières de la littérature qu'elles illustrent ? Cette nouveauté est, en réalité, sensible par rapport à la poésie latine, antique et contemporaine, et aussi par rapport à l'expression de l'amour dans l'autre grand genre littéraire en langue vulgaire qui apparaissait alors, la chanson de geste. La littérature antique ne connaît guère l'esclavage amoureux de l'amant soumis à sa *dame*. Bien plus, et si l'on fait abstraction du pur désir charnel et de ses tourments, la passion amoureuse dévastatrice semble y être l'apanage des femmes, Déjanire ou Médée, Phèdre ou Didon. Et de même que Didon meurt d'amour pour Enée, qui l'a quittée avec une facilité et une froideur que l'habileté de son discours d'adieu met en valeur plus qu'elle ne les masque, de même la belle Aude meurt d'amour pour Roland, qui, lui-même, est mort en pensant à son épée, à son empereur, à son lignage, à la douce France, au salut de son âme, mais non à elle, si bien que le lecteur de la *Chanson de Roland* ignore à peu près son existence jusqu'au moment où elle entre brièvement en scène pour mourir. Mais avec Guillaume IX, tout change. Après lui, et jusqu'à nos jours, les poètes « ne pourront s'empêcher d'aimer celle dont jamais ils n'obtiendront merci », selon le mot du troubadour Bernard de Ventadour.

Ce renversement des conventions littéraires peut-il suffire à consacrer l'originalité de la poésie de Guillaume IX et de ses successeurs ? S'il semble en lui-même un peu dérisoire, il prend toute sa valeur lié à la doctrine de

vie, d'amour et de poésie qui, en quelques années, s'épanouit dans les cours méridionales : la doctrine courtoise. Doctrine est d'ailleurs un mot excessif, comme sera trop rigide, trop schématique, trop dogmatique le bref exposé synthétique qui va en être fait. Tout s'est passé, poète après poète, plus lentement, plus souplement; les théoriciens de la courtoisie, car il y en a eu, sont arrivés sur le tard et ont sans doute plus cherché à exposer leur vision des choses qu'à rendre compte des nuances de la réalité. Il faudrait relire chaque troubadour minutieusement et d'un œil neuf, au lieu de présenter le contenu idéologique avant le langage poétique qui l'a créé, comme on va le faire ici, en sacrifiant la saveur du vrai à la clarté didactique.

2. *La courtoisie*

La courtoisie, on l'a dit, est à la fois un idéal de vie et une doctrine d'amour, dont le caractère essentiel est d'accorder à la femme une place privilégiée dans les rapports sociaux et d'en faire l'objet d'un respect extrême. Cette attitude à elle seule marque une rupture profonde, d'une part avec les mœurs habituelles de l'époque, d'autre part avec la méfiance traditionnelle de l'Eglise à l'égard de la femme. Outre le respect des dames, la courtoisie exige de son adepte tout un ensemble de qualités mondaines, une parfaite distinction de manières et d'esprit, la beauté, l'élégance vestimentaire, l'aisance, la connaissance des usages, la prodigalité, l'habileté aux exercices du corps, c'est-à-dire essentiellement aux exercices militaires, et le brillant intellectuel, toutes choses que ne possèdent pas les *vilains* (paysans), terme qui désigne d'une façon générale tous ceux qui ne sont pas admis parmi les *happy few*. Cet idéal aristocratique, cette « vie chevaleresque et pompeuse » *(cavaleria e orgueill)*, comme dit Guillaume IX dans sa chanson d'adieu, sont volontiers symbolisés par les fourrures, objet à la fois précieux, luxueux et voluptueux : Guillaume IX, pour résumer son renoncement au monde, déclare dans la même chanson qu'il quitte « le vair et le petit gris et la zibeline ». Rien de compatible, bien sûr, entre cette recherche insolente du luxe et de la beauté et l'idéal de pauvreté, d'humilité, de détachement du monde prêché par l'Eglise.

Mais nul ne peut être parfaitement courtois s'il n'aime d'amour courtois, de *fin'amor*, car l'amour accroît toutes les bonnes qualités de l'amant et parfois lui donne celles qui lui manquent. L'amour courtois repose sur l'idée que l'amour n'est rien d'autre que le désir qui est, par définition, désir d'être assouvi, tout en sachant que l'assouvissement consacrera sa disparition comme désir. L'amour tend vers l'assouvissement et le redoute, car il veut vivre comme amour, donc comme désir, et c'est ainsi qu'il y a perpétuellement dans l'amour un conflit insoluble entre le désir et le désir

du désir, entre l'amour et l'amour de l'amour. Ainsi s'explique le sentiment complexe de souffrance et de plaisir, d'angoisse et d'exaltation, qui est le propre de l'amour. Pour désigner ce sentiment, les troubadours ont un mot, le *joi*, qui n'est guère traduisible et qui n'est pas le mot français *joie*, par lequel on le rend faute de mieux.

Le troubadour Jaufré Rudel écrit par exemple :

D'aquest amor suy cossiros	Je suis anxieux au sujet de cet amour
Vellan e pueys sompnhan dormen,	Dans la veille et les songes qu'apporte [le sommeil :
Quar lai ay joy meravelhos.	C'est alors que ma joie est merveilleuse.

Et Bernard de Ventadour illustre cette théorie du désir quand il s'écrie :

Fols ! Per que dic que mal traya ?	Fou ! Pourquoi ai-je dit que je [souffre ?
Car aitan rich'amor envei,	Puisque je désire un amour si riche,
Pro n'ai de sola l'enveya !	Ce seul désir est en lui-même un [grand bien.

Cette intuition fondamentale a pour conséquence que l'amour ne doit être assouvi ni rapidement ni facilement, qu'il doit auparavant mériter de l'être, et qu'il faut multiplier les obstacles qui exacerberont le désir avant de le satisfaire. Ce parti pris, inséré dans le cadre de la vie courtoise telle qu'elle a été évoquée plus haut, entraîne un certain nombre d'exigences qui découlent toutes du principe que la femme doit être, non pas inaccessible, car l'amour courtois n'est pas platonique, mais difficilement accessible. Tout d'abord : il ne peut y avoir d'amour dans le mariage, où le désir, pouvant à tout moment s'assouvir, s'affadit et où le droit de l'homme au corps de la femme lui interdit de voir en elle une *maîtresse*, au sens propre, dont il faut mériter les faveurs librement consenties. Les mœurs de l'époque interdisant à peu près d'aimer une jeune fille, l'amour courtois est donc, en théorie, obligatoirement adultère. On ne s'étonne donc pas, dès lors, que la première qualité de l'amant soit la discrétion et que les pires ennemis des amants soient les jaloux médisants, qui les épient pour les dénoncer au mari, et que l'on appelle les *lauzengiers*. D'autre part, il est nécessaire que la *dame* soit d'un rang social supérieur à celui de son soupirant, sans quoi ils pourraient être tentés, elle d'accorder ses faveurs par intérêt, lui d'user de son autorité sur elle pour la contraindre à lui céder.

D'une façon générale, les rapports amoureux sont calqués sur les rapports féodaux, la *dame* jouant le rôle du suzerain et son *ami* celui du vassal. A mesure qu'il montrera, par sa fidélité, par sa discrétion, par les

épreuves de plus en plus difficiles qu'il aura surmontées dans son *service d'amour*, qu'il aime parfaitement sa dame de *fin'amor*, elle le récompensera par des faveurs de plus en plus grandes jusqu'à la dernière, précédée d'un *essai* au cours duquel ils devront être couchés nus l'un près de l'autre sans qu'il se passe rien d'irréparable, l'amant apportant ainsi la preuve ultime de sa maîtrise de lui et du respect que lui inspire sa dame.

Cette progression soigneusement codifiée confirme que l'amour courtois, qui est, dans notre vocabulaire moderne, un amour passion, qui arrache l'amant à lui-même au point de le rendre fou, est en même temps, et paradoxalement, un amour raisonné, fondé sur un libre choix : l'ami choisit d'aimer telle dame parce qu'elle est la plus belle, la plus vertueuse, et elle le choisit pour son serviteur parmi tous les autres prétendants à ce titre et récompense son *prix* et sa *valeur*, parce qu'elle a remarqué en lui les qualités qu'exigent et la courtoisie et la *fin'amor*. C'est pourquoi Tristan et Yseult ne sont pas des amants courtois puisqu'ils se sont aimés, contraints et forcés, par la vertu d'un philtre et non pas après s'être choisis et mérités.

3. *Poétique des troubadours*

Mais la présentation qui vient d'être faite de la courtoisie ne doit pas laisser croire qu'il s'agit d'une doctrine ayant une existence en soi, indépendamment des formes littéraires par lesquelles elle s'exprime, bien qu'un exposé synthétique en ait été fait dès la fin du XIIe siècle, avec le traité *De Amore* d'André le Chapelain, aux intentions d'ailleurs ambiguës. La courtoisie n'est que littérature, elle n'a pas d'existence en dehors de la fiction, des conventions, des contraintes de la littérature qui la crée. Avant l'apparition du roman courtois, qui sera d'une part consécutive au passage de la courtoisie dans le nord de la France, dans le domaine de langue d'oïl, et coïncidera d'autre part avec l'exploitation par la narration romanesque de sujets particuliers, antiques et celtiques, cette littérature revêt une forme unique, celle de la poésie lyrique, inaugurée par Guillaume IX. L'expression poésie lyrique doit être prise au sens strict, c'est-à-dire qu'il s'agit d'une poésie chantée, monodique, chaque poète composant *Los motz e'l so*, les paroles et la musique de sa chanson, comme le dit l'un d'eux, Marcabru. Ces poètes s'appellent des *troubadours* parce qu'ils inventent, parce qu'ils *trouvent* (*trobar* en langue d'oc) des poèmes, de même que leurs homologues de langue d'oïl, lorsque, vers 1150, ces nouveautés seront passées en France du Nord s'appelleront *trouvères*. En réalité, d'ailleurs, la signification du mot a évolué à l'inverse, et c'est le sens moderne de *trouver* qui est un élargissement du sens premier, *inventer un poème*, ce qui

montre l'influence de cette poésie jusque dans le domaine du vocabulaire le plus courant. Quant au verbe *trobar* lui-même, son origine est obscure; peut-être représente-t-il exactement le verbe latin médiéval *tropare*, qui signifie *composer des tropes*, les *tropes* étant des poèmes liturgiques, ce qui marquerait une dépendance, au moins formelle, de la poésie courtoise vis-à-vis de la poésie cléricale.

Les troubadours cultivent essentiellement ce que Paul Zumthor appelle le « grand chant courtois » et que l'on désigne à l'époque simplement sous le nom de *canso* (chanson). Si les troubles politiques et religieux du temps favorisent en outre la composition de nombreux *sirventès* (poèmes satiriques ou polémiques), si le goût de cette société pour les jeux littéraires et la casuistique amoureuse donne naissance à de nombreux *jeux partis*, où deux poètes débattent d'une question posée par l'un d'eux dans la première strophe, les troubadours, à la différence des trouvères, manifesteront peu d'intérêt pour d'autres genres lyriques moins sophistiqués, peut-être plus proches d'une poésie populaire, échappant en tout cas partiellement par leur nature même aux conventions courtoises. C'est pourquoi il sera question de ces genres à propos de la poésie en langue d'oïl et l'on n'envisagera pour l'instant que la *canso*.

Celle-ci se présente comme un poème de quarante à soixante vers environ, répartis en strophes de six à dix vers, et terminé par un envoi *(tornada)* qui répète par les rimes et la mélodie la fin de la dernière strophe. Le nombre des strophes *(coblas)* ne doit pas dépasser six. Toutes les strophes de la *canso* sont construites de la même façon, à la différence du *lai* ou du *descort*, la répartition des rimes divisant la strophe en deux parties, un quatrain initial suivi d'une *volta* ou *cauda* qui adopte un schéma différent. Les rimes de chaque strophe sont assez nombreuses chez les troubadours, généralement quatre, alors que les trouvères se contenteront de trois ou de deux rimes. Les vers peuvent être de longueurs différentes. Parfois, les rimes changent à chaque strophe : on parle alors de *coblas singulars*. Parfois les mêmes rimes sont utilisées pour toutes les strophes, qui sont dites *unisonans*. Parfois les mêmes rimes servent pour chaque groupe de deux strophes et changent pour les deux suivantes : c'est le procédé des *coblas doblas*. Mais les jeux sur les rimes ne se limitent pas là. On pratique la rime *estramp*, sans répondant dans la strophe et dont le répondant se trouve dans la strophe suivante. On fait rimer des mots entiers, on fait revenir à la rime le même mot à la même place dans chaque strophe. Le dernier vers d'une strophe peut être répété au début de la suivante *(coblas capfinissans)*, procédé qui sera surtout pratiqué par la poésie gallégo-portugaise et auquel les troubadours préfèrent les fins de strophes identiques *(coblas capcaudadas)*. Le point extrême de la recherche dans ce domaine est atteint par Arnaud Daniel, qu'admirera Dante, dans sa célèbre sextine,

où les six mêmes mots reviennent à la rime dans chaque strophe, mais en permutant d'une strophe à l'autre selon une loi longue à exposer mais qui apparaît immédiatement si l'on note la succession des rimes d'une strophe à l'autre :

I	*II*	*III*
intra 1	6 cambra 1	6 arma
ongla 2	1 intra 2	1 cambra
arma 3	5 oncle 3	5 verga
verga 4	2 ongla 4	2 intra
oncle 5	4 verga 5	4 ongla
cambra 6	3 arma 6	3 oncle

D'une façon générale, le schéma métrique, l'agencement des rimes, la mélodie doivent être originaux et le troubadour n'a pas le droit de les emprunter, non seulement à un confrère, mais même à une de ses pièces antérieures.

La langue de cette poésie est tendue, l'expression parfois compliquée à plaisir, plus souvent elliptique ou heurtée. Certains troubadours, et plus que tous Arnaud Daniel, ont d'ailleurs cultivé l'hermétisme en pratiquant le *trobar clus*, c'est-à-dire la création poétique « fermée », obscure; ainsi Raimbaud d'Orange, décrivant en ces termes son activité poétique : « Cars, bruns e teinz mots entrelesc / Pensius pensanz » (J'entrelace des mots précieux, sombres et colorés, Pensivement pensif). D'autres ont joué sur la richesse et la somptuosité de la langue et des mots, et c'est, semble-t-il, le sens du *trobar ric*. D'autres enfin, comme l'illustre Bernard de Ventadour, ou comme Guiraut de Bornelh, ont refusé l'obscurité hautaine du *trobar clus*, et ont pratiqué une poésie qui se veut accessible à un plus grand nombre, plus coulante, exigeante sans être ténébreuse, le *trobar leu*.

Il est certain que, pour un esprit moderne, cet attachement pointilleux à la virtuosité formelle semble peu compatible avec les effusions qu'il s'attendrait à trouver dans une poésie qui célèbre la *fin'amor* et la passion exclusive de la femme aimée. Car les conventions en vigueur depuis le romantisme lui font admettre que dans la poésie lyrique des sentiments originaux, fruits d'une subjectivité exacerbée qui rompt avec la pensée commune, s'expriment avec spontanéité. Or, le Moyen Age semble avoir été plus sensible à la médiation du langage, qui fait qu'un poème, par définition, ne peut pas être original, puisqu'il utilise ce bien commun, ses lois et ses conventions, auxquelles il se réfère alors même qu'il rompt avec

elles, et puisqu'il doit passer, pour produire une impression sur le lecteur, par les modes d'expression conventionnels de l'affectivité. Le jeu poétique, pour les troubadours, consiste donc non pas à rechercher l'originalité, mais à se conformer le plus possible à un modèle idéal, tout en y introduisant *du jeu* par des décalages, des innovations, des raffinements menus et, plus essentiellement, par l'infinité des variantes combinatoires entre les motifs convenus.

Cette poétique dite « formelle » est à présent bien comprise et bien analysée. Si bien comprise et si bien analysée que, par crainte peut-être de retomber dans les préjugés romantiques, on omet parfois de dire que la poésie des troubadours se veut, malgré tout, expression d'une subjectivité, qui est, et toujours explicitement, celle du poète. Quand on aura dit qu'il faut voir là une convention de plus, ce qui est l'évidence, il restera à montrer les rapports entre cette convention particulière et le reste du jeu formel et à comprendre l'effet que ces fausses confidences cherchaient à produire sur l'auditeur. Or, non seulement tout le jeu formel, c'est-à-dire les recherches métriques et syntaxiques, l'obscurité voulue aussi bien que la luxuriance des mots et des images, a pour but d'exprimer le déchirement inhérent à l'amour et l'angoisse délicieuse du désir, mais encore le poète s'affiche, se nomme souvent comme celui qui éprouve ce déchirement et cette angoisse délicieuse, et qui ne peut en parler que parce qu'il les éprouve. Ainsi Arnaud Daniel, se définissant et définissant sa condition de poète par trois *adunata* célèbres :

Eu son Arnautz qu'amas l'aura	Je suis Arnaud qui amasse le vent
E chatz la lebre al lo bou	Et chasse le lièvre avec le bœuf
E nadi contra suberna.	Et nage contre la marée.

Ou, plus simplement, Bernard de Ventadour, affirmant qu'il est meilleur poète que les autres parce qu'il aime plus et mieux :

Non es meravelha s'eu chan	Ce n'est point merveille si je chante
Melhs de nul autre chantador	Mieux que tout autre troubadour,
Que plus me tra'l cors vas amor	Car plus fortement le cœur m'attire [vers l'amour
E melhs sui faihz a so coman.	Et je suis bien mieux soumis à ses [commandements.

En outre, et c'est encore un trait qui ne devrait pas être nécessairement lié à la poésie formelle, l'expression est systématiquement et uniquement discursive. C'est-à-dire que le poète expose directement et successivement tout ce qu'il a à dire, en commençant par le début et en finissant par la fin, la pensée progressant, sinon toujours selon une logique bien rigoureuse, du

moins sans syncopes et sans recourir à des équivalents affectifs qui produiraient sur le lecteur l'impression recherchée en se gardant de la nommer et, si l'on peut dire, d'annoncer la couleur, comme le fait presque toujours la poésie moderne. Au début de son poème, le troubadour déclare qu'il a envie de composer un poème et il explique pourquoi : c'est qu'il est amoureux et que telle ou telle circonstance, généralement le renouveau printanier de la nature, l'incite à exprimer poétiquement son amour. Puis il justifie cet amour par les qualités de sa dame. Puis il explique pourquoi l'amour le rend heureux, parce que sa dame lui a envoyé un message, parce qu'elle lui a accordé une faveur, ou, plus souvent, pourquoi il le rend triste : parce que sa dame le repousse, parce qu'elle accepte son amour mais ne lui accorde aucune faveur tangible, parce qu'il est séparé d'elle, parce qu'elle l'a chassé, parce qu'ils souffrent des médisances des *lauzengiers*. A la fin, le poème est prié d'aller dire à la dame l'amour de son serviteur. Et il n'est pas rare que le poète déclare pour finir que la chanson qui précède est excellente, que la pensée en est délicate et l'expression choisie et qu'elle est digne des meilleurs succès si elle trouve un interprète digne d'elle. Cette chanson-robot est, il est vrai, tout à fait caricaturale et donne une idée bien injuste de la poésie des troubadours. Elle permet au moins de comprendre que la virtuosité formelle, les jeux verbaux, les subtilités de pensée et d'expression sont indispensables pour donner du piquant, de l'intérêt, du mystère à une formulation de l'amour qui serait autrement absolument unie et limpide. La même raison impose de désigner obligatoirement la dame dans le poème par un surnom, ou *senhal*, qui garantit théoriquement son incognito et le garantit seul, puisque, pour le reste, le poète, de *fin amant* dont la qualité première doit être la discrétion et le respect du secret en amour, se nomme et dit tout.

Mais, encore une fois, cette démarche discursive ne doit pas, au nom de conceptions modernes, faire mal juger la poésie des troubadours. Il suffit d'en lire pour se rendre compte que les jeux du langage, la vivacité des images, la ferveur du désir lui donnent un ton inimitable. On a signalé incidemment plus haut la place que tient l'évocation de la nature printanière; il s'agit en réalité d'un motif presque obligé. La plupart des chansons commencent par une « strophe printanière », célébration du renouveau de la nature, de l'éclatement des bourgeons, des amours et des chants des oiseaux, de l'épanouissement des fleurs, qui permet au poète de se dire en accord avec cette allégresse amoureuse ou au contraire de se plaindre d'en être seul exclu. On s'interrogera plus loin, à propos des racines profondes de cette poésie, sur la raison d'être des strophes printanières. Quelle que soit la réponse apportée, il est certain que le cadre qu'elle fournit à l'expression du projet poétique et du désir amoureux leur confère une séduction dont ne rend guère compte dans sa platitude le schéma proposé plus haut, comme le

montre, par exemple, cette entrée en matière très simple et très caractéristique de Jaufré Rudel :

I Quan lo rius de la fontana S'esclarzis, si cum far sol, E par la flors aiglentina, E'l rossinholetz el ram Volf e refranh ez aplana Son dous chantar e afina, Dreitz es qu'ieu lo mieu refranha.	I Quand l'eau de la source court plus claire, comme elle le fait au printemps, et que paraît la fleur de l'églantier, et que le rossignol sur la branche répète, module, adoucit sa chanson et l'embellit, il est bien juste que je module la mienne.
II Amors de terra londana, Pero vos totz lo cors mi dol...	II Amour de terre lointaine, pour vous tout mon cœur me fait mal...

Certains renouvellent le motif habituel en remplaçant la strophe printanière par une « strophe hivernale », sans cesser d'associer la nature, la création poétique et l'amour. Ainsi Bernard de Ventadour :

Tant ai mo cor ple de joya Tot me desnatura.	J'ai le cœur si plein de joie Qu'elle me transforme toute la [nature.
Flor blancha, vermelh'e groya Me par la frejura,	Fleur blanche, vermeille et jaune, Voilà ce que me semble être la [froidure,
C'ab lo ven e la ploya Me creis l'aventura, Per que mos chans mont'e poya	Car avec le vent et la pluie Mon bonheur s'accroît, Si bien que mon chant s'élève et [s'exalte
E mos pretz melhura. Tant ai al cor d'amor, De joi e de doussor, Per que'l gels me sembla flor E la neus verdura.	Et mon mérite s'en améliore. J'ai tant d'amour au cœur, Tant de joie et de douceur, Que la glace me semble fleur Et la neige verdure.

Quant aux mélodies, si elles devaient être originales pour chaque chanson, au moins dans la *canso*, il est probable qu'elles ne servaient guère que de support destiné à mettre le texte en valeur et que leur interprétation était presque aussi importante que leur composition. Plusieurs indices semblent le démontrer : le fait que, d'un manuscrit à l'autre, les textes offrent très peu de variantes et les mélodies beaucoup; le fait que de nombreux manuscrits, dont certains très soignés pour les textes, ne donnent pas les mélodies; le fait que les troubadours jugés par leurs contemporains bons musiciens et piètres « paroliers » aient été peu considérés; le fait qu'on ne reproche jamais à un troubadour de composer de mauvaises mélodies, mais qu'on lui reproche à l'occasion de chanter mal; le fait que les *tornadas* appellent parfois de leurs vœux un interprète capable de mettre la chanson en valeur. Enfin, les mélodies, bien que volontiers fioriturées dans le détail,

sont le plus souvent aussi simples que les textes sont compliqués et difficiles. Leur difficulté et leur sophistication mêmes exigeaient que l'attention de l'auditeur ne fût pas accaparée par la musique, si l'on voulait qu'il les comprît. Quant au type de notation utilisé par les manuscrits, il donne la hauteur et la quantité des notes avec autant de précision que la notation moderne, mais il ne fournit aucune indication sur la mesure.

4. *Les origines*

Il est juste d'insister, comme on l'a fait, sur la nouveauté de la doctrine courtoise et de la poésie des troubadours. Mais il est juste aussi de se demander comment de telles nouveautés ont pu voir le jour. De quels cheminements souterrains sont-elles l'aboutissement ? Quelles influences ont favorisé leur éclosion ? A quelles circonstances ont-elles dû de s'épanouir dans les cours méridionales ? La question des origines a longtemps monopolisé, à l'excès d'ailleurs, l'attention des érudits. On a dit déjà que les premiers d'entre eux, hantés par le mythe romantique d'une création collective par un peuple unanime, à l'aube de la littérature, ont regardé la poésie des troubadours comme une poésie populaire. Mais, outre que l'esprit aristocratique affiché par la poésie courtoise dément cette interprétation, le fossé qui sépare les genres courtois des genres non courtois, ces derniers, pour leur part, ayant peut-être, on le verra, un rapport plus ou moins lointain avec une poésie populaire, la rend impossible appliquée aux premiers.

D'autres, à l'inverse, ont nié toute solution de continuité entre la poésie latine et la poésie romane. La poésie des troubadours ne serait que la transposition en langue vulgaire de la poésie latine de cour, à la fois panégyrique et amoureuse, qui est pratiquée dès le VIe siècle par Fortunat, lorsqu'il célèbre les nobles épouses des princes, qui est au XIe siècle celle de Strabon, d'Hildebert de Lavardin, de Baudri de Bourgueil, qui, vers la même époque, est diffusée dans ce qu'on pourrait presque appeler les salons chartrains par des clercs beaux esprits. Ce qui, chez les troubadours, échappe à cette exaltation platonique des dames serait à mettre au compte de l'inspiration ovidienne des goliards. On a même avancé (Bezzola) l'hypothèse d'une influence à la fois plus délibérée et venant de plus loin : Guillaume IX lui-même aurait été frappé et irrité par les succès du prédicateur Robert d'Arbrissel, qui convertissait de nombreuses femmes de la noblesse, parmi lesquelles les deux femmes de Guillaume IX et sa maîtresse préférée, et les faisait entrer à l'abbaye de Fontevrault, qu'il avait fondée. Robert d'Arbrissel affirmait la supériorité des femmes sur les hommes et, à Fontevrault, où coexistaient une communauté d'hommes et une communauté de femmes, toutes deux étaient placées sous l'autorité suprême de l'abbesse. Il est vrai

que Robert entendait moins ainsi exalter les femmes qu'humilier les hommes, en leur montrant qu'ils étaient inférieurs même aux femmes. Quoi qu'il en soit, Guillaume IX aurait essayé de retenir les femmes converties à la cour en leur proposant un amour idéalisé, compromis entre l'amour charnel et l'amour mystique, et faisant une place de choix à l'adultère, qu'il pratiquait lui-même assidûment.

Mais, si l'influence de la rhétorique médio-latine apparaît chez les troubadours, la *fin'amor* est irréductible à la *dulcedo* de Fortunat comme à l'inspiration élégiaque et ovidienne des goliards. En outre, si ces derniers composaient des chansons, la poésie latine en honneur dans les centres de Chartres ou d'Angers était lue. Ces deux villes sont d'ailleurs bien septentrionales pour avoir joué un rôle décisif dans l'apparition d'une poésie de langue d'oc. Enfin, les troubadours étaient loin de posséder une culture latine suffisante pour mener à bien une telle adaptation; à de rares exceptions près, et malgré une vague teinture de *clergie*, ce n'étaient pas réellement des intellectuels.

On a soutenu souvent, depuis longtemps, et avec des arguments dont certains sont de poids, que la poésie courtoise et la *fin'amor* avaient une origine hispano-arabe. Dès le début du XIe siècle, les poètes arabes d'Espagne comme Ibn Hazm, qui écrit vers 1020 son *Collier de la Colombe*, célèbrent un amour idéalisé, dit amour *odhrite*, qui n'est pas sans analogie avec ce que sera la *fin'amor*, et que chantait déjà Ibn Dawud dans le *Livre de la Fleur* avant 910. On y trouve des belles imprévisibles et tyranniques, des amants, dont les souffrances sont présentées comme un véritable mal physique pouvant conduire à la mort, des confidents, des messagers, des obstacles, constitués par le gardien ou le jaloux, une atmosphère printanière. On y insiste sur l'obligation de discrétion et sur la nécessité du secret, on y donne à l'amie un surnom qui rappelle le *senhal*. Toutefois, des différences séparent l'amour *odhrite* de la *fin'amor*. L'amour *odhrite* est souvent pédérastique, alors que, chez les troubadours, l'homosexualité est littérairement inconnue. L'amour *odhrite* rejette l'adultère. Enfin, et c'est une conséquence naturelle des mœurs musulmanes, la femme à qui il s'adresse est une esclave chanteuse ou poétesse, et non une femme d'un rang social supérieur.

Les communications entre le monde islamique et le monde chrétien, que suppose l'influence du premier sur le second, étaient rares, mais elles existaient. La guerre elle-même les faisait naître : les captives chrétiennes devenaient esclaves chanteuses des rois andalous; les captives musulmanes formaient de même le harem de chanteuses des seigneurs chrétiens. Une miniature, bien tardive il est vrai, puisqu'elle illustre au XIIIe siècle les *Cantigas de santa Maria* du roi de Castille Alphonse X le Sage, montre un jongleur maure et un jongleur chrétien chanter ensemble. Enfin, dans une chanson de Guillaume IX, une phrase de galimatias dénué de sens (il s'agit

des borborygmes d'un muet) apparaît dans un des manuscrits sous une forme qui en fait de l'arabe compréhensible. On y a vu la preuve décisive que Guillaume IX savait l'arabe. Mais l'examen des manuscrits montre que le texte original de Guillaume IX est certainement celui qui n'offre aucun sens. Il reste, et c'est déjà très significatif, que le copiste qui a transformé ce galimatias pour en faire de l'arabe connaissait cette langue.

Mais l'argument le plus fort de la théorie arabe porte sur les formes poétiques. Alors que la poésie pré- et proto-islamique ne connaissait en fait de genre lyrique que la *qasida*, long poème monostrophique et monorime sur un thème narratif de rencontre amoureuse, apparaissent, dès le IXᵉ siècle dit-on, et en Espagne des poèmes d'un type nouveau, strophiques, appelés *muwwashah* ou *zadjal*, selon qu'ils sont composés en arabe littéraire ou dialectal. Ces poèmes connaissent un succès rapide, et qui dure encore de nos jours, dans tout le monde arabe. Ils serviront de mode d'expression à l'amour *odhrite*. Ils comportent un prélude, peut-être répété en refrain entre chaque strophe, dont la rime et le mètre sont repris, sous forme abrégée dans le *zadjal*, à la fin de chaque strophe, fournissant ainsi, à la fin de la dernière, le moule où est coulée la pointe finale *(khardja)*, aboutissement du poème qui est construit autour d'elle. Le schéma est donc le suivant :

Prélude	*Strophe*	
	mudanza (c'est-à-dire partie qui change)	*vuelta*
a a/	b b b	a a
	c c c	a a
	.....	...
	x x x	*a a = khardja*

Or, non seulement ce schéma strophique, tel quel et dans ses variantes plus complexes, est très proche de ceux qui définissent certains genres lyriques romans, en particulier le virelai, mais encore on reconnaît dans cette strophe celle qu'utilisera Guillaume IX, qui, dès lors qu'il renonce à la strophe monorime, la pratique telle quelle dans la chanson XI (aaab) et sous sa variante aaabab dans ses autres chansons. De là à conclure que Guillaume IX a emprunté aux Arabes la strophe du *muwwashah* avec l'amour *odhrite*, il n'y a qu'un pas, qui a souvent été franchi.

Mais d'autres (R. Menéndez Pidál) ont soutenu que, si les Arabes d'Espagne ont abandonné la *qasida* pour le *muwwashah*, c'est qu'ils ont emprunté aux populations autochtones de l'Espagne conquise le schéma strophique de leurs chansons. C'est cette vieille tradition romane qui, sans

aucun détour par la poésie arabe, réapparaîtrait, certes beaucoup plus tard, dans les chansons à danser, rondeau, virelai, villancico, dansa, estribote. Ils ont pu tirer argument d'un fait capital, même si on ne le fait pas servir à cette démonstration, qui est que les *khardjas* de certains *muwwashahs* arabes sont en langue romane, témoignant ainsi de l'existence, avant Guillaume IX, dans la péninsule ibérique, d'un lyrisme roman, que les Arabes connaissaient et appréciaient. Toutefois, pour montrer que les chansons romanes auxquelles les *khardjas* sont empruntées avaient le schéma strophique du *muwwashah*, ils doivent supposer que les fragments cités dans les *khardjas* y occupaient déjà la place du refrain, ce qui n'est guère démontrable.

Mais une autre théorie de l'origine du lyrisme, l'hypothèse dite liturgique (H. Marrou), pourrait venir à leur secours. Du point de vue des thèmes, cette hypothèse n'a rien à apporter. Mais, s'agissant des formes strophiques, elle fait observer que, sans avoir besoin de franchir les Pyrénées, au sud desquelles, et non au nord, la poésie courtoise aurait dû s'épanouir, si vraiment elle empruntait tout aux Arabes, Guillaume IX pouvait trouver tout près de chez lui ses modèles. Au XIe siècle déjà, certains tropes de l'école de Saint-Martial de Limoges présentent le schéma aaabab. Ceux qui croient à l'existence d'une ancienne tradition lyrique orale des pays romans pourraient alors soutenir que la rencontre des *muwwashahs* arabes et des tropes latins n'est pas le fruit du hasard, mais que les uns et les autres se sont inspirés de formes lyriques répandues à travers la Romania. Quant aux partisans de l'hypothèse liturgique, ils soulignent. en dehors de leurs remarques d'ordre métrique que les plus anciennes mélodies des troubadours sont composées dans les modes grégoriens.

En réalité aucune de ces théories ne peut être démontrée, et aucune n'a besoin de l'être, car aucune n'est exclusive des autres. C'est pourquoi il est intéressant d'envisager pour finir un point de vue radicalement différent, qui ne prend pas en compte la pure histoire littéraire, mais qui se fonde sur l'évolution des mentalités liée aux changements de la société. Son point de départ est la théorie de Marc Bloch sur la société féodale : celle-ci était constituée, non pas d'une, mais de deux noblesses. La grande noblesse, issue des familles comtales carolingiennes, connaît son apogée au Xe et au début du XIe siècle; elle détient alors le pouvoir politique et économique sur ses énormes fiefs, le pouvoir spirituel, car c'est en son sein que se recrutent les prélats et les abbés des grands monastères, et, par ce biais, elle a le monopole de la culture. Mais peu à peu les *vicarii* et les *vassi dominici*, auxquels elle a confié l'administration de terres et de châteaux, deviennent presque indépendants sur ces terres qu'ils gouvernent héréditairement; il en va de même des chevaliers *(milites)*, guerriers professionnels auxquels on accorde, en paiement de leurs services, de petits fiefs vite héréditaires. Cette couche nouvelle, entre les grands seigneurs et les *vilains*, a vite le sentiment d'appar-

tenir à la noblesse ; elle imite le genre de vie des grandes familles, elle cherche à s'allier avec elles et à leur imposer un esprit de corps qui les persuaderait de l'intégrer à elle en une classe unique : la noblesse. Cet effort s'exaspère lorsque, au début du XIIe siècle, les conditions économiques et la paix relative, qui prive les *milites* de solde et de butin, menacent de ruine et de déclassement social les héritiers des petits fiefs. En France du Nord, pays de droit oral germanique, le droit d'aînesse exclut les cadets des successions. En France du Sud, pays de droit romain écrit, le partage des patrimoines entre tous les héritiers entraîne le morcellement des fiefs, qui ne peuvent plus nourrir leurs détenteurs.

A partir de cette situation, on a supposé (E. Köhler) que la petite noblesse menacée a pu inventer l'idéologie courtoise pour imposer à la grande noblesse, dont elle ne voulait pas être séparée, une culture qui serait le bien propre de la noblesse et le bien commun de toute la noblesse, et qui, pour cette raison, serait en langue vulgaire, pour s'opposer à la culture cléricale, à laquelle la grande noblesse pouvait avoir accès mais dont la petite était exclue, et se voudrait éperdument aristocratique et méprisante à l'égard des *vilains*, pour s'opposer au peuple avec lequel la petite noblesse craignait d'être confondue. Cette théorie est globalement pertinente. Compte tenu de l'importance du mot *joven* chez les troubadours et de l'idée de jeunesse dans toute la littérature courtoise, elle ne peut être que renforcée par les travaux de G. Duby, qui mettent moins en évidence l'opposition entre les pauvres chevaliers et la grande noblesse que celle entre les classes d'âge, entre les jeunes chevaliers et leurs aînés, les *juvenes* se sentant exclus des responsabilités et des profits du monde des adultes. Mais elle demanderait à être affinée pour rendre précisément compte du phénomène littéraire. Elle s'applique très bien au roman courtois de langue d'oïl, qui montre régulièrement le triomphe d'un jeune chevalier pauvre et inconnu, mais supposé de haut lignage, à qui sa valeur permet d'être admis parmi les grands. Mais elle éclaire moins nettement la poésie des troubadours, première manifestation de la littérature courtoise, à moins de retomber dans des analyses anciennes et un peu courtes, qui décrivent les jeunes vassaux faisant leur service d'écuyer dans le château de leur seigneur, ennuyés de cette vie monotone dans un milieu uniquement masculin, et tombant tous amoureux de la seule femme du lieu, celle du seigneur.

5. *Vies des troubadours*

Mais, au-delà des images d'Epinal, celles-là ou celles du romantisme ou encore celles qui représentent la poésie des troubadours comme une expression codée du catharisme, qui étaient les troubadours et quelle vie

menaient-ils ? Certains étaient de grands seigneurs, comme Guillaume IX, Dauphin d'Auvergne, Raimbaud d'Orange ou même Jaufré Rudel, prince de Blaye, bien petit prince, mais prince tout de même. D'autres étaient des hobereaux, comme Bertrand de Born, Guillaume de Saint-Didier, les quatre châtelains d'Ussel. D'autres de pauvres hères, comme Cercamon, le plus ancien après Guillaume IX, dont le sobriquet signifie « celui qui court le monde » ou Marcabru, ou les enfants de la domesticité d'un château, comme Bernard de Ventadour. D'autres, des clercs, certains défroqués comme Pierre Cardinal, qui, parvenu à l'âge d'homme, quitta la chanoinie où on l'avait fait entrer petit enfant pour se faire troubadour, mais d'autres pas, comme le moine de Montaudon, qui faisait vivre son couvent des cadeaux qu'il recevait pour prix de ses chansons d'amour. D'autres étaient des marchands comme Fouquet de Marseille, qui, par repentir d'avoir composé des chansons d'amour, se fit moine, devint abbé du Thoronet, puis évêque de Toulouse, où sa cruauté dans la répression de l'hérésie albigeoise compromit sans doute plus le salut de son âme que ses chansons ne l'avaient fait. D'autres, comme Gaucelm Faiditz, étaient d'anciens jongleurs, tandis qu'inversement des nobles déclassés se faisaient jongleurs, comme ce fut le cas, paraît-il, d'Arnaud Daniel. Il faut en effet prendre garde de ne pas confondre troubadours et jongleurs. Les jongleurs étaient des bateleurs itinérants dont les talents n'étaient pas nécessairement littéraires, mais pouvaient aussi bien être ceux d'un acrobate ou d'un montreur d'animaux savants. Lorsque leur activité était littéraire, les œuvres qu'ils chantaient n'étaient généralement pas le produit de la littérature de cour : on a vu plus haut le rôle qu'ils ont joué dans la diffusion des chansons de geste. Pourtant, ils chantaient parfois des chansons de troubadours, et ceux-ci, à l'occasion, en engageaient un à leur service comme interprète, soit exceptionnellement, à titre de messager, pour aller chanter une de leurs chansons à son destinataire, soit régulièrement, lorsque eux-mêmes, mal doués pour le chant, étaient incapables d'interpréter leurs propres œuvres. C'est sans doute en commençant par exercer ce genre d'emploi que certains jongleurs devenaient troubadours.

D'une façon générale, il semble qu'il faille distinguer les seigneurs dilettantes qui ont composé, parce que c'était la mode, une ou deux chansons de ceux qui ont laissé une œuvre relativement importante et qui se sont consacrés à la poésie soit par goût et par vocation, soit, plus souvent, par besoin et par profession, ces derniers attendant d'un mécène, à la cour duquel ils vivaient, et de la femme duquel ils étaient par convenance poétiquement amoureux, les cadeaux traditionnels, argent, vêtement et cheval. Enfin, à en croire les *vidas*, de nombreux troubadours comme Bernard de Ventadour, Bertrand de Born, Fouquet de Marseille, dont on a déjà parlé, se faisaient moines à la fin de leur vie, soit que la mort de leur protecteur

leur imposât, l'âge des amours passé, de trouver un abri pour leurs vieux jours, soient qu'ils fussent, malgré les apparences, assez déchirés entre l'éthique courtoise et la morale chrétienne pour faire de leur vie deux parts et vivre successivement au service de l'une puis de l'autre.

Comment sommes-nous renseignés sur la personnalité et la vie des troubadours ? Par les manuscrits mêmes qui nous ont conservé leurs chansons. Ces manuscrits, souvent luxueux, du XIIIe siècle, que l'on appelle des chansonniers, sont des anthologies. Les chansons de chaque troubadour y sont précédées d'un récit de sa vie *(vida)*, en quelques lignes ou en quelques pages, et parfois l'une d'entre elles est accompagnée d'un commentaire *(razo)*, qui dit dans quelles circonstances elle a été composée et qui prétend en éclairer les allusions. Dans certains chansonniers, la boucle de la première lettre de la *vida* enserre une petite miniature, de 4 sur 5 cm, peinte finement sur une feuille d'or, et qui représente le troubadour. Effigie symbolique et non pas portrait : les troubadours nobles sont souvent peints revêtus de toutes armes, le visage masqué par leur heaume, et seule leur *connaissance*, leur blason, répété sur l'écu, sur le caparaçon du cheval, sur le pennon de la lance, signifie leur identité. Ainsi sont réunis le portrait emblématique du poète, sa vie, ses chansons et leur commentaire. Certaines des *vidas* sont véridiques ou le sont à peu près. D'autres sont inventées de toutes pièces, ou presque, à partir d'éléments tirés des chansons elles-mêmes, et parfois interprétées de la façon la plus déconcertante à notre sens. Mais ce ne sont pas les moins intéressantes. Elles nous montrent comment était interprétée la poésie des troubadours au XIIIe siècle et quelle image le lecteur du temps se faisait du poète et des rapports qu'il entretient avec son œuvre. L'idée que nous nous faisons de la poésie formelle dût-elle en souffrir, ce lecteur semble n'avoir été intéressé dans l'œuvre que par l'anecdotique, le subjectif, le reflet dans le poème de ce que la vie de son auteur avait de plus circonstanciel. A tout le moins, entre la composition du poème et sa lecture, les contraintes formelles ont glissé de l'œuvre elle-même au portrait robot de son auteur que l'on essaie d'en dégager. A vrai dire, ces poèmes ne nous semblent pas appeler ce type d'interprétation. Est-ce notre lecture qui est anachronique ? Etaient-ce les lecteurs du XIIIe siècle qui méconnaissaient le système poétique de la génération précédente ?

Car les temps avaient changé. La courtoisie avait changé en passant en France du Nord et, au début du XIIIe siècle, lors de la croisade albigeoise, la France du Nord allait imposer rudement le changement aux cours méridionales.

II / LES TROUVÈRES

1. *Le passage au Nord*

Vers 1150 apparaissent les premiers trouvères, émules en langue d'oïl des troubadours de langue d'oc. Un peu plus tard, le mouvement gagnera l'Allemagne, qui aura ses *Minnesänger*, ou chanteurs d'amour. Il faut observer qu'au même moment les troubadours italiens écrivaient en langue d'oc, ce qu'ils feront jusqu'à Dante; les Catalans faisaient de même. Quant à la péninsule Ibérique, le lyrisme qui s'y développera au XIIIe siècle en portugais et en castillan s'inspirera très directement de celui des troubadours d'oc, à l'exception de genres autochtones et popularisants qui apparaissent ou resurgissent alors. Pour en revenir au passage de la poésie et de l'esprit courtois en France du Nord, son symbole, sinon sa cause, est le mariage, en 1137, d'Aliénor d'Aquitaine, la petite-fille de Guillaume IX, avec le roi de France Louis VII le Jeune. A vrai dire, elle réussit mal à acclimater les mœurs courtoises, la *fin'amor* et la poésie des troubadours à la cour capétienne elle-même, qui était austère et brutale, peu portée vers les belles-lettres et vers les amours à la mode; même lorsque les choses intellectuelles y prendront quelque importance, sous Louis IX, plus tard sous Charles V, elle se tournera de préférence vers la théologie, vers l'histoire, vers le droit. Le roi Louis VII lui-même était fort dévot. Il répudia Aliénor en 1152, après qu'elle lui eut donné deux filles, qui toutes deux allaient encourager les lettres, Aelis, future comtesse de Blois, et Marie, future comtesse de Champagne et protectrice du grand romancier Chrétien de Troyes, qui fut aussi un des premiers trouvères. Aliénor se remaria l'année même de son divorce avec le roi d'Angleterre Henri II Plantagenêt. Elle lui apportait le Poitou et l'Aquitaine, qui, s'ajoutant à la Normandie, fief d'origine des Plantagenêts, descendants de Guillaume le Conquérant, faisaient des rois d'Angleterre les maîtres de presque toute la façade occidentale de la France actuelle. Grâce à elle, la cour anglo-normande fut brillante et cultivée, et les fils qu'elle eut d'Henri II furent des mécènes et des poètes, puisque l'aîné, Henri le Jeune Roi, fut le protecteur et l'ami de nombreux troubadours et que le second, Richard Cœur de Lion, nous a laissé une chanson en langue d'oïl.

Mais, comme on l'a dit, en passant en France du Nord, la poésie courtoise et l'esprit courtois se sont modifiés. Les chansons des trouvères obéissent aux mêmes règles que les *cansos* des troubadours, mais elles sont le plus souvent, à tous les égards, plus simples. Le nombre des rimes est plus limité, les schémas strophiques sont moins complexes, la syntaxe moins

tourmentée. Les mélodies plus vives, aux finales moins ornées, souvent en majeur, sont proches parfois de la musique de danse. Enfin, on y reviendra plus bas, les trouvères cultivent beaucoup plus volontiers que les troubadours les genres autres que la *canso*, et en particulier les genres non courtois. Mais surtout, le ton original des troubadours, fait d'un mélange de sensualité aiguë et de respect craintif de la *dame*, a presque disparu. Les trouvères font preuve dans leurs chansons de plus de réserve, sinon de pruderie, mais, hors du cadre de la chanson courtoise, ils composent des pastourelles ou des chansons de rencontre amoureuse fort grivoises. Tout se passe comme s'ils supportaient moins facilement, moins innocemment que les troubadours l'incompatibilité entre la courtoisie et la morale chrétienne et comme s'ils cherchaient à les concilier, ou du moins à rendre l'amour courtois tolérable du point de vue de la saine morale, quitte à chercher un exutoire à l'expression de leur sensualité en écrivant des chansons obscènes. La poésie des troubadours connaîtra d'ailleurs une évolution analogue au XIIIe siècle, dans le climat d'ordre moral qui accompagnera et suivra la croisade albigeoise. C'est alors, bien tard, qu'apparaîtront les théoriciens sentencieux et pudibonds de la poésie courtoise, comme le Catalan Raymond Vidal de Besalu ou Guillaume Molinier, auteur des célèbres *Leys d'Amors*.

Chez les troubadours tardifs comme chez les trouvères, la dame est présentée comme systématiquement cruelle pour que, le poète faisant de nécessité vertu, sa poésie soit chaste malgré lui. Dès lors, réduite aux plaintes de l'amoureux transi, elle sera guettée par la préciosité et par la mièvrerie. Elle n'échappera plus tard à ce danger que par un double renouvellement, soit en se transformant en poésie personnelle, mais non plus lyrique, transformation qui se fera toujours au prix d'une rupture avec les thèmes courtois, tournés rageusement ou mélancoliquement en dérision, et c'est le courant qui va de Rutebeuf à Villon et à Charles d'Orléans; soit en élargissant le jeu verbal à la dimension d'une réflexion sur le langage, et c'est la tendance qui aboutira aux rhétoriqueurs. Il ne faudrait toutefois pas conclure de cette évolution générale très schématiquement résumée que la poésie des trouvères est sans beauté et sans séduction, aussi bien par rapport aux critères de l'époque que par rapport à la lecture anachronique que nous pouvons en faire.

2. *Trouvères des châteaux et des villes*

Les conditions de la vie littéraire que connaissent les trouvères diffèrent pour une large part, au moins à partir du XIIIe siècle, de celles qui ont été rapidement présentées à propos des troubadours. Il y a, parmi les trouvères, des princes, comme le comte Thibaud IV de Champagne, roi de Navarre,

poète fécond, très subtil et justement célèbre, ou Jean de Brienne, roi de Jérusalem, qui n'a laissé, il est vrai, qu'une pastourelle, et d'assez grands seigneurs, ou au moins des personnages de premier plan, comme Conon de Béthune ou Gace Brulé. Mais la grande nouveauté est que beaucoup d'entre eux, clercs, bourgeois, nobles petits ou assez grands, y compris les deux qui viennent d'être cités, jongleurs, qui se décernent d'autant plus facilement le titre de *ménestrel* qu'ils vivent plus loin des cours qui le justifieraient, appartiennent aux milieux littéraires des riches villes commerçantes du nord de la France, et surtout d'Arras, qui deviennent extrêmement florissants et féconds au XIIIe siècle, comme le montrera plus loin le chapitre consacré à la littérature urbaine. L'œuvre de ces poètes comprend naturellement des chansons courtoises et des jeux-partis, qui s'élaboraient en grand nombre dans le cadre des sociétés littéraires, mais fait aussi une large place aux genres non courtois, de même que, d'une façon plus générale, la littérature urbaine, dont elle relève, tantôt reprend les thèmes et les genres de la littérature courtoise et tantôt s'en écarte en en présentant une sorte d'envers parfois grotesque : les chansons de malmariées sont à l'adultère courtois ce que les fabliaux qui font rire aux dépens du cocu sont à *Tristan et Iseut*. Il faut prendre garde, toutefois, que ces différences concernent les milieux littéraires, et non pas les classes sociales; Thibaud de Champagne a écrit des pastourelles, comme Jean Erart, et le public de tous les genres, courtois ou non courtois, était certainement le même.

3. *Les genres non courtois*

Mais que sont ces genres non courtois ? Quelle place, quel poids, quelle signification ont-ils dans la poésie lyrique de ce temps ? Ils sont en réalité de deux sortes. Les uns posent directement l'énigme d'une poésie populaire, dont ils conservent ou dont ils créent artificiellement l'écho : ce sont les aubes et les chansons de toile. Les autres, qui peuvent à l'occasion, ou même fondamentalement, charrier des éléments d'origine populaire forment le contrepoint et, comme on l'a dit, l'envers de la courtoisie et, dans l'état où nous les saisissons, n'existent que par rapport à elle : ce sont les reverdies, les chansons de malmariée, les pastourelles. En outre, les chansons de danse, définies par leur forme, dont certaines sont anciennes, empruntent, pour leur contenu, des motifs à tous les autres genres, qui, eux-mêmes, ont parfois des mélodies de danse.

On a dit plus haut que la poésie courtoise renouvelle l'expression littéraire de la passion amoureuse qui, de la littérature antique à la *Chanson de Roland*, semble réservée aux femmes. Il faut ajouter que, dans presque toutes les littératures du monde, le lyrisme d'amour apparaît à ses débuts

sous la forme de la chanson de femmes, c'est-à-dire qu'il met en scène des femmes amoureuses, qu'il peint leur amour, que les poèmes sont placés dans leur bouche, si bien que les femmes semblent avoir le monopole des sentiments amoureux bien que ces chansons soient généralement composées par des hommes. Le brusque surgissement de la poésie courtoise a pour effet que, dans le lyrisme roman, malgré la présence de quelques rares femmes troubadours, qui composent, si l'on peut dire, une poésie masculine au féminin, c'est la situation inverse qui est d'abord illustrée, et cela alors que les quelques passages amoureux des chansons de geste contemporaines illustrent, comme les œuvres antiques, l'état féminin de la littérature d'amour. Ne peut-on penser que la poésie courtoise a pris le contrepied de chansons de femmes, qui auraient existé avant Guillaume IX dans les pays romans et qui auraient été le pendant lyrique de passages comme celui de la mort de la belle Aude dans la *Chanson de Roland* ou de la séduction d'Amile par la fille de Charlemagne, Bélissant, dans la chanson de geste d'*Ami et Amile* ?

Or, de telles chansons existent en langue d'oïl; ce sont les chansons de toile. Mais les spécimens que nous connaissons, au nombre d'une vingtaine, sont bien postérieurs au développement de la poésie courtoise et en portent la marque.

La forme des chansons de toile les rend analogues à de petites chansons de geste. Presque toutes sont écrites en décasyllabes, et non pas dans les mètres brefs qui sont ceux de la poésie lyrique. Elles sont formées de strophes, parfois rimées, mais souvent assonancées et qui, dans ce cas, ne se distinguent des laisses épiques que par leur brièveté relative et la présence d'un refrain. Ce sont des chansons narratives à la troisième personne. Leur style, comme celui des chansons de geste, est raide, leur syntaxe répugne à la subordination et à l'enjambement et chaque phrase dépasse rarement la longueur du vers. Elles mettent en scène des jeunes filles sensuellement et douloureusement éprises de séducteurs indolents ou d'amants lointains, qu'elles attendent, assises à la fenêtre, occupées à des travaux d'aiguille : d'où leur nom. Ces chansons sont conservées, les unes dans un chansonnier datant du milieu du XIIIe siècle, les autres, sous forme de fragments, dans des œuvres narratives où elles sont insérées, et en particulier dans le *Roman de la Rose ou de Guillaume de Dole* de Jean Renart (vers 1228-1229). Cet auteur subtil et malicieux, qui se vante d'être le premier à avoir eu l'idée de citer des pièces lyriques dans un roman, fait dire à la vieille châtelaine, qui, la première, chante une chanson de toile, que « c'était autrefois que les dames et les reines faisaient de la tapisserie en chantant des chansons d'histoire ».

Sur la foi de ce témoignage, et sur l'apparence des chansons de toile, on a longtemps admis sans discussion qu'elles étaient très anciennes. On

les opposait à ce que l'on considérait comme des imitations tardives, les longues chansons de toile développées et affadies que le trouvère arrageois Audefroi le Bâtard compose vers 1230. Mais on s'est aperçu plus tard (E. Faral) que les chansons de toile conservées sont plus récentes qu'elles n'en ont l'air : certains archaïsmes de langue sont trop soulignés pour être vrais; le vocabulaire et les thèmes subissent nettement l'influence de la courtoisie, avec les récriminations contre les *lausengiers* et les *vilains*, sans parler de l'emploi du mot *courtois* lui-même. Les mœurs, enfin, trahissent un état de civilisation déjà évolué; ainsi, dans une chanson dont le thème est celui de la mort de la belle Aude, avant de devenir celui de *Malbrough s'en va-t-en guerre*, l'héroïne, belle Doette, *lit en un livre* au lieu de tirer l'aiguille, son ami est mort au tournoi, et non à la guerre, et elle manifeste son deuil en fondant un couvent d'amour qui accueillera les amants fidèles, trait caractéristique de préciosité courtoise. Non seulement ces chansons ne sont pas aussi anciennes qu'elles en ont l'air, mais en outre, et bien qu'il n'y ait là rien de surprenant, ce ne sont pas des chansons de femmes, en ce sens qu'elles n'ont pas été composées par des femmes. Dans la dernière strophe de l'une d'elles, en effet, le poète se démasque : lui, l'auteur de cette chanson qui a raconté les amours de belle Oriolant, pensif sur le rivage de la mer, il recommande à Dieu la belle Aelis.

Il est excessif d'en conclure que ces chansons sont des créations purement artificielles et ne reposent sur aucune tradition antérieure. Car pourquoi se donner le mal de faire de faux archaïsmes et de composer des chansons démodées, sinon pour pasticher ou pour imiter instinctivement des chansons anciennes ? Il est bien naturel que ces chansons anciennes n'aient pas été conservées, si elles dataient d'une époque où la littérature romane n'était pas écrite, tandis que leurs rejetons tardifs, profitant de la promotion dont le succès du lyrisme courtois avait fait bénéficier l'ensemble de la poésie en langue vulgaire, ont été notés, en petit nombre d'ailleurs. Dira-t-on que l'on ne sait rien de la prétendue existence de ces chansons anciennes et que l'on fait l'économie d'une hypothèse en faisant dériver les chansons de toile directement des chansons de geste ?

Mais, précisément, il existe des vestiges de chansons de femmes très anciennes en langue romane, de chansons de femmes antérieures à l'apparition de la poésie courtoise, et qui confirment donc en fait leur antériorité de droit. On a dit plus haut que certaines *khardjas* de *muwwashahs* hispano-arabes sont en langue romane. Ces *khardjas* en roman sont des citations, faites par des poètes arabes raffinés et sensibles aux effets de dissonance et de coïncidence, empruntées à la poésie mozarabe, c'est-à-dire à la poésie de la population indigène chrétienne qui vivait sous la domination arabe. Or, ces *khardjas* sont des fragments de chansons de femmes. Ce sont les confidences d'une jeune fille amoureuse à sa mère, ses plaintes dans l'attente

douloureuse de son ami qui ne vient pas, sa joie à l'idée de le rencontrer à la fontaine, et, parfois, à son adresse, des encouragements à se livrer sur elle à des jeux audacieux. Certes, ces chansons de femmes, qui sont des chansons à la première personne, placées dans la bouche d'une femme, ne présentent pas les caractères spécifiques des chansons de toile, au sujet desquelles subsiste une petite énigme. Mais elles annoncent d'autres types de chansons de femmes que connaîtra le lyrisme roman. Elles semblent, en particulier, avoir été très proches des futures *cantigas d'amigo* gallégo-portugaises, qui ne resurgiront pourtant, composées par des poètes de cour, qu'à la fin du XIIIe siècle, et on ne peut guère nier leur parenté avec d'autres types de chansons de femmes cultivés, avant cette date tardive, en langue d'oïl et parfois en langue d'oc.

Parmi ces types, celui de la chanson d'aube revêt une importance particulière. D'une part, c'est le seul à avoir eu plus de succès en langue d'oc qu'en langue d'oïl. D'autre part, et surtout, c'est un type extrêmement ancien et connu, de la Chine à l'Egypte ancienne et à la Grèce antique, par toutes les poésies du monde. Dans celle de l'Occident médiéval, la chanson d'aube n'est pas toujours une chanson de femmes, mais elle l'est souvent, et elle l'est dans le cas de ses plus anciens spécimens. Son sujet est la douloureuse séparation des amants au matin, après une nuit d'amour. La jeune femme, quand il s'agit d'une chanson de femmes, supplie son amant de rester un instant encore, de l'aimer une fois encore, bien que le chant des oiseaux ou le cri du guetteur annoncent le jour; quand il est parti, elle se lamente sur la souffrance de la séparation. Il est évident que ce genre pouvait s'intégrer très facilement à l'univers courtois. En effet, la séparation au matin suppose des amours clandestines, et l'adultère exigé par la *fin'amor* y trouve son compte. Rien de plus facile que d'introduire dans un poème de ce type le jaloux, les *lausengiers*, les dangers qui menacent les amants, la précarité de la joie amoureuse, la nécessité du secret. Dès lors, rien ne s'opposait plus à ce que ce fût l'amant qui se plaignît de devoir quitter si tôt sa belle, mais il faut avouer que ce renversement ne se produit pas très souvent et que les modifications les plus fréquemment apportées au schéma initial sont d'un autre ordre. Les amants, on l'a dit, sont souvent avertis de la venue du jour par le cri ou par la sonnerie du guetteur (oc *gaita*, oïl *gaite*) : ce *gaite* est supposé être le complice des amants, qui veille sur leur nuit d'amour et les avertit des dangers. Par un glissement supplémentaire, le guetteur devient parfois un simple ami de l'amant, qu'il a accompagné dans sa périlleuse expédition amoureuse : une aube très célèbre du troubadour Guiraut de Bornelh est placée tout entière dans la bouche de l'ami; il a veillé toute la nuit dehors et avertit de la venue du jour l'amant, qui lui répond dans la dernière strophe en disant combien il lui est dur de s'arracher aux bras de sa bien-aimée. D'autre part, le *gaite* était essentielle-

ment, non pas un soldat, une sentinelle, mais un musicien, un joueur d'instrument. On profite de cette coïncidence, qui fait d'un musicien le personnage quasi obligé d'une chanson, pour faire chanter cette chanson par le *gaite*, en imitant par des onomatopées et des fioritures musicales le son de son instrument de musique, comme c'est le cas dans une curieuse aube anonyme en langue d'oïl sous forme de dialogue entre deux *gaites*, l'un au sommet de la tour, l'autre en bas, qui veillent sur les amants en chantant un « lai d'amour », chanson dans la chanson, et en surveillant les allées et venues suspectes d'un ennemi des amants. L'utilisation du genre de l'aube par Shakespeare dans la scène du balcon de *Roméo et Juliette* atteste la popularité de chansons dont le succès se fondait à la fois sur un enracinement très profond et sur une adaptation aisée aux thèmes à la mode.

Bien que l'adaptation aux thèmes à la mode caractérise beaucoup plus encore les genres que l'on va envisager maintenant, et qui ne recouvrent pas tous des chansons de femmes, ces genres ont parfois été considérés comme révélateurs de sources folkloriques du lyrisme roman.

La reverdie, comme son nom le suggère, est l'extension à toute une chanson de la strophe printanière initiale des troubadours et des trouvères. Il est donc tentant d'y voir un sous-genre courtois, ce qu'elle est, en un sens, si l'on se réfère à la plupart des exemplaires, d'ailleurs peu nombreux, que nous en connaissons. Mais le point de vue peut être inversé : on a vu (A. Jeanroy, G. Paris, J. Bédier) dans la reverdie, qui survivrait à l'état de résidu dans la strophe printanière, l'écho des célébrations du renouveau printanier qui, remontant au paganisme, ont survécu sous des formes atténuées presque jusqu'à nos jours, où, dans certaines régions, la coutume s'est maintenue de déposer, le matin du 1er mai, un bouquet de feuillages et de fleurs ou *mai* devant la porte de sa belle. Ce *mai* que l'on offre ou dont on se pare joue un grand rôle dans les chansons du Moyen Age; à cette époque, les princes, le 1er mai, habillent tous leurs familiers de vert en l'honneur du printemps. Assez tôt, surtout, est attestée l'existence de véritables fêtes de mai, marquées par des danses, et pendant lesquelles une certaine licence des mœurs était tolérée : une sorte de carnaval printanier. Les folkloristes rapprochent d'ailleurs toutes ces manifestations, carnaval, fêtes des fous, fêtes des enfants, dont une manifestation printanière survit christianisée avec la *roulée* pascale, correspondant de la fête automnale et encore païenne de Halloween dans les pays anglo-saxons. Le thème commun de toutes ces célébrations est celui du monde à l'envers : les rois du jour sont les fous ou les enfants. Lors des fêtes de mai médiévales, c'étaient, semble-t-il, les femmes. C'étaient elles qui menaient les danses, c'étaient elles qui chantaient, c'étaient elles, peut-être, qui, le temps de la fête, choisissaient leurs amours. Ce dernier point reste hypothétique. Mais les deux premiers sont assurés. Dès le VIe siècle et jusqu'au XIIIe, canons conciliaires,

ordonnances pénitentielles, sermons dénoncent les danses et les chansons lascives des femmes sur les parvis et jusqu'à l'intérieur des églises.

Mais avons-nous conservé de telles chansons ? On a cru longtemps en posséder un spécimen ancien avec la célèbre et charmante *Ballade de la reine d'avril*, qui montre cette « reine » de la fête printanière convoquer tous les jeunes gens pour la danse et, en dansant elle-même, se laisser caresser par un beau jeune homme, en dépit du jaloux, que le refrain exclut de la danse. Le schéma strophique et musical de cette chanson est le fameux aaaab, auquel il était plus tentant que jamais de prêter une origine populaire, en y voyant le développement du distique de carole (P. Verrier). Malheureusement, cette chanson est assez loin d'être aussi ancienne qu'elle en a l'air. Bien plus, elle n'est pas écrite en langue d'oc, comme elle semble l'être, mais dans une langue d'oïl déguisée en langue d'oc pour faire joli, ce qui ne plaide évidemment pas en faveur de la fraîcheur spontanée d'une création populaire; toutefois, il faut observer que c'est aussi le cas d'une autre chanson que l'on peut considérer comme une reverdie, celle de la fille du rossignol et de la sirène. Mais s'il y a là un parti pris systématique, sa raison d'être reste mystérieuse.

On ne peut donc faire servir la *Ballade de la reine d'avril* ou telle autre chanson à la démonstration d'une éventuelle filiation des fêtes printanières au lyrisme roman et particulièrement aux chansons de femmes. Il est également vain de vouloir localiser, en fonction des fêtes de mai, le berceau de ce lyrisme aux confins du Poitou et du Limousin (G. Paris). Mais, libérée de la gangue d'un positivisme suranné, l'idée d'un lien entre les célébrations du renouveau printanier et la poésie lyrique de l'Occident médiéval est féconde, malgré les sarcasmes qu'elle s'est attirés. Non seulement elle s'accorde avec la place des chansons de femmes, avec l'existence des reverdies, avec l'importance des strophes printanières, mais encore elle aide à comprendre les deux grands thèmes de la chanson de rencontre amoureuse, qui est le genre non courtois le plus pratiqué, et de très loin, par les trouvères, qu'il est impossible de rattacher à la poésie populaire, comme d'ailleurs à la chanson de femmes, et qui n'a pourtant rien à voir, c'est le moins qu'on puisse dire, avec la poésie inspirée de la *fin'amor*.

Dans toutes ces chansons, qui sont narratives et dialoguées, le poète raconte qu'en se promenant dans la campagne ou dans un jardin il a rencontré une jeune personne qu'il a tenté de séduire, tantôt avec, tantôt sans succès. A l'exception de quelques pièces où la belle est une jeune fille de rang social indéterminé ou plaisamment présenté comme très élevé, deux situations peuvent se présenter : ou bien le poète rencontre une dame mal satisfaite de son mari, et sa chanson est une chanson de malmariée; ou bien il rencontre une bergère, et sa chanson est une pastourelle. Le premier cas représente, comme on l'a dit plus haut, un contrepoint comique de

l'adultère courtois, l'accent étant mis, non sur la passion des amants, mais sur l'incapacité du mari, qui oblige la femme à chercher sa satisfaction ailleurs. Mais l'aspiration au plaisir, que la belle insatisfaite proclame souvent de façon provocante et crue, dans le cadre agreste et printanier où le poète la rencontre, s'accorde avec l'atmosphère de licence qui marquait la célébration du renouveau et avec une hypothétique initiative laissée alors aux femmes. Dans les chansons, c'est souvent la dame qui provoque le poète, et qui éventuellement l'injurie s'il ne parvient pas à satisfaire ses besoins, parfois considérables.

Au contraire, la bergère des pastourelles est plutôt farouche, au moins au début, au moins en apparence; il est vrai qu'elle devient vite plus accommodante et que, sinon, le poète n'hésite pas à la violer. Mais, au-delà des effets comiques tirés, à l'intention d'un public courtois, du contraste entre le chevalier poète d'une part, la bergère et les autres *vilains* qui l'entourent d'autre part, il semble que le succès, considérable en langue d'oïl, de ce genre vient de l'attrait exercé par le personnage de la bergère, pur objet de désir, appartenant à un monde si éloigné de celui du poète qu'il lui est impossible d'avoir avec elle d'autres rapports que des rapports sexuels, et excitante pour cela même. En outre, leur brève rencontre a lieu dans la campagne sauvage et printanière, comme si l'érotisme diffus de la nature au printemps s'incarnait dans la bergère qui vit à son contact et qui semble en être l'émanation.

Certes, il ne faut pas traiter des conventions littéraires comme si elles reflétaient la vie réelle et raisonner comme si les trouvères avaient composé des chansons de malmariées et des pastourelles parce que, dans la réalité, ils séduisaient des bergères et fournissaient aux femmes ce qu'elles ne trouvaient pas à la maison. C'est pourquoi il est dangereux et vain de vouloir expliquer directement un genre littéraire par des pratiques de la vie réelle, comme les fêtes de mai. Il reste, néanmoins, que les fantasmes de cette poésie s'organisent autour de thèmes agrestes et printaniers et dans une sorte d'esprit de revanche sexuelle : revanche de la femme mal mariée sur son mari, de la jeune fille sur sa mère qui l'empêche d'aimer, du chevalier trousseur de bergères sur la dame courtoise qui le fait languir, de tous sur une morale qui condamne la chair et dont ils se vengent en l'ignorant avec une innocence trop parfaite pour n'être pas jouée. La force de ces fantasmes apparaît de façon particulièrement saisissante dans les brefs rondeaux à danser (ABaAabAB), justement parce qu'ils ne traitent pas un sujet précis, mais qu'ils les évoquent tous pêle-mêle, sous une forme hachée, allusive, fragmentaire, disloquée entre les trois vers du couplet et les deux vers du refrain, entre le soliste qui chante le premier et le chœur qui chante le second, sans souci de les associer logiquement, sachant bien quel lien secret et profond unit leur apparent disparate : le pré et ses

fleurs nouvelles, la jeune fille et sa toilette à la fontaine, la bergère et son troupeau, la belle et ceux qui la regardent, la malmariée et son jaloux, le mal d'amour et les gestes de la danse. A la fin du Moyen Age, par une sorte de chassé-croisé, quand la chanson courtoise aura dérivé vers la chanson populaire, le rondeau, un peu modifié, appartiendra au domaine de la grande poésie, avec les genres à forme fixe multiples et savants dont beaucoup auront tiré de lui leur naissance : juste hommage rendu à son pouvoir ténu et troublant.

DEUXIÈME PARTIE

L'art littéraire dans la ville gothique

CHAPITRE V

La ville et le poète au XIIIe siècle

I / L'ESSOR URBAIN

1. *Aspects sociaux et culturels*

« Au début il y eut les villes. » La formule de Jacques Le Goff n'inaugure pas seulement l'histoire de l'intellectuel moderne, elle s'applique aussi à une nouvelle manière d'être poète et à de nouvelles formes poétiques.

Après la longue éclipse du haut Moyen Age, les villes d'Occident recommencent, inégalement selon les régions, à croître en population et en activité à partir de la fin du XIe siècle, au fur et à mesure que le progrès démographique libère des hommes, que la demande de produits artisanaux s'accroît et que le commerce desserre l'enclavement des petites unités territoriales. Les métiers se multiplient et se spécialisent; des catégories sociales nouvelles apparaissent, qui ne se laissent pas ranger dans les classifications traditionnelles entre clercs, seigneurs et paysans : ce sont les manouvriers qui louent leurs bras au jour le jour, comme les « ribauds de Grève » évoqués par un dit de Rutebeuf, attendant l'embauche auprès du port de Paris; ce sont les « valets » des métiers, soucieux de protéger leur gagne-pain contre les immigrés de la campagne environnante; ce sont les artisans et les commerçants, qui fabriquent et font circuler les biens de consommation et les instruments de travail, et contribuent ainsi à placer la monnaie au centre de l'activité économique; ce sont les riches marchands, détenteurs du capital, avides de s'approprier dans leurs villes un pouvoir politique progressivement affranchi des tutelles seigneuriales. Dans les villes de Flandre et de Picardie, la fabrication et le commerce du drap

provoquent à partir de la fin du XIIe siècle une expansion spectaculaire : la population d'Arras atteint peut-être le chiffre considérable pour l'époque de 20 000 habitants vers 1250. Les métiers du drap sont dirigés par quelques familles implantées de longue date, qui monopolisent le grand commerce et qui pratiquent les activités bancaires : elles comptent bientôt parmi leurs débiteurs les comtes de Flandre et les rois de France. Une partie d'entre elles se constitue en oligarchie, se réserve le pouvoir local par le biais de l'échevinage et s'attire l'hostilité des habitants moins fortunés, le *commun*. A la lutte pour conquérir les privilèges communaux succèdent dans le courant du XIIIe siècle des conflits parfois sanglants entre partis pour le pouvoir à l'intérieur de la ville.

La concentration des hommes et la complexité de leurs activités exigent une administration compétente : la fraction de la population capable de lire et d'écrire augmente, les écoles se multiplient et se renforcent. La croissance profite aux activités intellectuelles, dont les villes deviennent les foyers principaux. Sur ce point, il convient toutefois de mettre à part le cas de Paris, sans rivale depuis longtemps déjà dans le monde des études. En 1108, Guillaume de Champeaux avait fondé Saint-Victor, bientôt siège d'une école brillante ajoutée à celle de la cathédrale. Peu après, Pierre Abélard s'installait à son tour sur la montagne Sainte-Geneviève. Depuis lors, sans égard aux péripéties, étudiants et maîtres ne cessèrent d'affluer de toute l'Europe. A la théologie et aux matières du *trivium* s'ajoutent la médecine et le droit, prometteur d'emplois dans les administrations ecclésiastique et royale, toujours plus lourdes et avides d'hommes.

Avec l'essor urbain apparaissent de nouvelles formes d'organisation sociale. Le système « féodal », fondé sur les liens verticaux d'homme à seigneur, ne convient pas à des citoyens épris de libertés et conscients de former des communautés d'égaux à base professionnelle. La corporation regroupe tous ceux qui exercent le même métier; au prix de luttes plus ou moins âpres, liées au mouvement communal, les corporations obtiennent le droit de fixer leurs statuts, d'élire leurs officiers, de réglementer l'exercice du métier et surtout de le réserver à leurs membres. Comme l'indique son nom latin d'*universitas*, la corporation vise au monopole.

Le nom d'Université est resté attaché aux communautés où se réunirent, entre 1180 et 1210 environ, les maîtres et les étudiants des écoles, à Paris, à Bologne, à Montpellier puis dans bien d'autres villes au cours du siècle. A Paris, l'Université se rend relativement indépendante de l'évêque et de son chancelier, traditionnellement responsables de tout l'enseignement dispensé dans le diocèse; elle garde toutefois des liens étroits avec la cathédrale et le chapitre. L'appui du pape lui permet d'obtenir des privilèges analogues à ceux des autres corporations : elle reçoit le monopole de la collation des grades, qui la rend maîtresse de son recrutement, le droit

d'élire ses officiers et de fixer ses statuts. Jouissant le plus souvent de l'appui du roi, elle s'abrite toutefois des interventions de sa justice en garantissant à ses membres le « privilège du for (ecclésiastique) », qui leur permet, en tant que clercs, de ne relever que des tribunaux d'Eglise, moins rigoureux.

La vie religieuse ne demeurait pas à l'abri des changements sociaux. Dès le début du XIIe siècle, des esprits lucides, attachés à l'ordre ancien, avaient reconnu le danger que lui faisait courir l'essor urbain. Se faisant le chroniqueur de la révolte communale de Laon contre le seigneur-évêque de la ville (1111), le moine Guibert de Nogent commence son récit par une condamnation résolue : « Communio autem, nouum ac pessimum nomen... » En 1128, un autre abbé bénédictin, Rupert de Deutz, dénonce dans les villes des repaires de trafiquants et d'hommes sans foi ni loi. Quant aux moines blancs de l'ordre cistercien, ils combattent avec plus d'acharnement que personne les nouveautés des « Babylones » modernes. Depuis leurs solitudes reculées au fond des forêts, ils appellent parents et amis à rejeter le monde et à les suivre dans la contemplation. Rien ne les effarouche plus que de voir la dialectique appliquée aux plus hautes questions théologiques : « Ce n'est pas en disputant que l'on comprend ces choses, écrit saint Bernard, c'est par la sainteté. » Le combat et les persécutions de l'abbé de Clairvaux contre Abélard ou contre Gilbert de La Porrée s'expliquent en partie par ce refus. L'ordre a pu attirer à lui, par le rayonnement de sa spiritualité, des personnalités urbaines marquantes, comme Alain de Lille qui s'y retira à la fin de sa vie, mais il est demeuré étranger à ce monde nouveau et n'a pas pu influer sur lui. Contre les hérésies qui se développaient particulièrement dans les villes, la prédication et l'exemple des cisterciens n'eurent pas de succès.

Un grand mouvement de retour à la pureté évangélique, né dans les cités d'Italie du Nord autour du genre de vie des prêtres et souvent lié aux luttes communales, se répandait en effet dans les régions les plus développées de l'Europe. Les chrétiens les plus ardents aspiraient à la pauvreté volontaire, à « suivre nu le Christ nu »; ils blâmaient le clergé pour ses mœurs et pour sa richesse, et les moines, tous les moines, pour la puissance économique qu'ils s'étaient acquise sous couvert de pauvreté individuelle. Chez de nombreux laïcs s'imposait le désir d'accéder à la Parole de Dieu, de la traduire en langue vulgaire, voire de prêcher eux-mêmes : ils rencontraient alors l'opposition des évêques et ne trouvaient d'issue que dans le schisme, comme Pierre Valdo, marchand lyonnais excommunié en 1184.

A ce mouvement répond, pour le canaliser plus que pour le combattre, la constitution d'ordres religieux d'un type nouveau, dépourvus de biens fonciers et vivant de la mendicité, consacrés à la prédication et aux sacre-

ments : ces « ordres mendiants » occupent pendant trois siècles le centre de la vie spirituelle de l'Occident. C'est dans les villes qu'ils quêtent, prêchent, confessent et peu à peu s'installent. Les Frères Prêcheurs, fondés par saint Dominique pour prêcher l'orthodoxie contre les Cathares du Languedoc, arrivent à Paris en 1219 (ils y reçoivent le nom de Jacobins); les Frères Mineurs, ou Cordeliers, issus du groupe qui suivait saint François d'Assise, s'y installent l'année suivante. Leur succès auprès de la population montre à quelle attente ils répondaient, mais les expose aussi aux réactions du clergé séculier. Ils entrent bientôt à l'Université, dans laquelle ils reconnaissent un lieu privilégié d'étude et d'enseignement, mais ils s'y attirent l'hostilité des maîtres séculiers : les conflits dans lesquels ils sont impliqués prennent une place importante dans la littérature urbaine de la deuxième moitié du XIIIe siècle.

La piété des laïcs, encadrée par les Frères et par un réseau plus efficace de paroisses, s'exprime en premier lieu par la pratique des sacrements et l'écoute des prédicateurs. L'obligation faite par le IVe Concile de Latran (1215) à tous les chrétiens de recevoir au moins une fois l'an la Pénitence en se confessant renforce l'influence du clergé sur les fidèles. En outre la vie professionnelle fournit à la dévotion un cadre nouveau, la confrérie, qui se superpose fréquemment soit à la paroisse, soit à la corporation. Depuis 1155, par exemple, il existait à Arras une « confrérie Notre-Dame des Ardents » dite aussi « des jongleurs et bourgeois d'Arras ». Cette année-là un jongleur de la ville avait bénéficié d'un miracle grâce à la « Sainte Chandelle »; ses collègues avaient alors fondé une association qui devait célébrer le culte marial et apporter à ses membres malades l'objet miraculeux. Des seuls jongleurs la confrérie s'étendit à d'autres habitants et inclut les échevins. Son rôle principal consistait au XIIIe siècle dans l'organisation de fêtes, en particulier le 14 août, veille de l'Assomption. Par le biais de telles assemblées, les confréries jouèrent dans la vie poétique et surtout théâtrale des villes médiévales un rôle décisif.

Vie sacramentelle et solidarité confraternelle ne suffisaient pas toutefois aux plus exigeants. Des chrétiens désireux de spiritualité fondèrent des communautés où vivre sans quitter l'ordre des laïcs et sans prononcer de vœux de religion, tout en pratiquant la charité, la continence et la prière : les béguinages. Souvent encadrés par les religieux mendiants, béguins et béguines leur furent associés dans la réprobation par leurs adversaires : le *Dit des Béguines* de Rutebeuf n'est qu'un exemple des pamphlets dont ils furent la cible. Eux-mêmes, moins nombreux en France centrale que dans la vallée du Rhin, ont laissé peu d'écrits, à l'exception du béguinage de Metz dont on a conservé quelques traités et poèmes mystiques en français.

2. *Les activités urbaines en procès*

Tous ces phénomènes n'apparaissent que progressivement et leur écho ne retentit guère dans la littérature en langue vulgaire avant le XIIIe siècle. La ville rassemble d'abord un public plus nombreux, plus instruit, plus soucieux d'apprendre, d'entendre des œuvres et même de participer à la vie intellectuelle et littéraire. Elle ne provoque pas directement de bouleversement brutal dans les formes traditionnelles de l'activité poétique : on y chante des chansons de geste durant tout le XIIIe siècle. Bien des bourgeois enrichis n'ont d'autre ambition que d'imiter la vie des seigneurs qu'ils éclipsent par la fortune monétaire et dont ils rêvent d'égaler le prestige. Dans les villes du Nord ils fondent des sociétés littéraires, les *puys*, où sont organisés des concours de poésie courtoise; de riches marchands se piquent de rimer, comme Jehan Bretel, drapier et banquier arrageois, qui participe à plusieurs jeux-partis avec le trouvère Adam le Bossu. La production des grands poètes d'Arras se partage entre des œuvres d'inspiration proprement urbaine, comme les jeux dramatiques et les *Congés*, et les genres anciens : Jean Bodel compose une chanson de geste (la *Chanson des Saisnes*) et Adam des chansons d'amour, motets et rondeaux, ainsi qu'une épopée à la gloire de Charles d'Anjou, la *Chanson du roi de Sicile*, probablement inachevée.

Il n'est pas impossible que la ville ait favorisé et accéléré le mouvement de vulgarisation auquel des seigneurs laïcs avaient donné l'impulsion au XIIe siècle : traductions et adaptations de la Bible, abrégés de théologie, vies de saints, prières... Certains auteurs laissent paraître leur formation scolaire, comme l'augustin anglais Pierre de Peckham qui, sous le titre révélateur de *Lumière as lais* (« adaptation de l'*Elucidarium* pour les laïcs »), offre un traité de théologie divisé par des rubriques en *libri*, *distinctiones*, *capitula*, à la manière de l'Ecole; le vieux traité d'Honorius Augustodunensis est considérablement rajeuni à la lumière d'un enseignement qui doit à saint Victor, mais peut-être aussi à un procédé pédagogique, l'usage abondant des groupements numériques : sept dons du Saint-Esprit, sept sacrements, etc. Signe des temps : l'œuvre fut achevée à Oxford.

C'est dans la littérature morale, et d'abord par le biais de la satire, que retentissent le plus nettement les échos de la ville. Pour les apprécier, il faut remonter à une œuvre du XIIe siècle, le *Livre des Manières* d'Etienne de Fougères. Ce serviteur d'Henri II Plantagenêt, devenu pour sa récompense évêque de Rennes, décrit les devoirs particuliers dont chaque catégorie sociale, chaque « manière » d'hommes, doit s'acquitter pour assurer son salut et concourir au bien commun. Le début du poème est consacré aux dirigeants, laïcs et religieux, la seconde aux sujets. Or, parmi ces derniers, entre les paysans et les femmes apparaissent les bourgeois et les marchands. Etienne ne les condamne pas en bloc, mais il les avertit de ne tricher ni sur

la qualité, ni sur la quantité : mouiller son vin ou étirer le tissu avant de le couper sont des pratiques trop fréquentes chez eux.

Une fois entrés dans la littérature en langue vulgaire, marchands et citadins ne la quitteront plus, même si c'est pour y tenir le plus mauvais rôle et servir de cible à une satire qui se remplit sans retard d'innombrables lieux communs. A partir du *Livre des Manières*, qui date de 1170 environ, les revues des *estats du monde* jouissent d'un succès constant : Jean Batany en a dénombré plusieurs centaines, jusqu'au début du XVIIe siècle. Si les ordres traditionnels y gardent leur place, celle des couches urbaines grandit. Le cadre formel varie beaucoup d'une œuvre à l'autre : songe, voyage, quête d'un objet allégorique, etc., mais le cadre conceptuel devient une loi du genre : la description des devoirs d'état, fondée sur la considération du salut éternel, contraste avec la dénonciation des vices particuliers à chaque *estat*. Ce n'est pas le métier qui est mauvais, c'est celui qui l'exerce. Il en va de même pour la richesse : même les riches pourraient se sauver, estime par exemple le narrateur du *Roman de Carité* du reclus Barthélemy de Moilliens (vers 1224); mais cette possibilité ne s'actualise pas : Charité, que le narrateur cherche à travers les *estats*, a délaissé notre bas monde et s'est réfugiée dans la Jérusalem céleste. La diversification des métiers et des organismes corporatifs se reflète dans un texte comme la *Queue de Renart*. Cette queue, c'est la tromperie, qu'on va chercher auprès de chaque métier : belle occasion de présenter une série impressionnante de fraudes diverses, au point que le lecteur se demande si un tel texte ne procède pas, autant et plus que d'une intention moralisatrice, du goût pour les énumérations et les dénombrements caractéristique, par exemple, des *dits* des marchands.

Parmi les métiers les plus régulièrement blâmés, trois groupes dominent tous les autres. Les fournisseurs des biens de première nécessité font payer cher des produits sur la qualité desquels ils trichent sans vergogne; le plus méprisé de tous est le tavernier. Sur ce point les moralistes rejoignent les plaintes du petit peuple, comme le feront encore, trois siècles plus tard, les auteurs de farces et de sotties.

La justice royale, dans son effort pour étendre ses compétences au détriment des seigneurs locaux, et les nouvelles formes d'activités économiques, génératrices de conflits, concouraient à la formation du monde puissant, redouté et haï des gens de loi, des légistes. « La diversité des griefs et la complexité de leur nature bâtissent... le monument satirique le plus vaste et le plus permanent qu'une profession ait jamais connu » (J. V. Alter). Avides du bien d'autrui, indifférents au droit comme au tort, juges et avocats dissimulent leur ignorance derrière un jargon incompréhensible et ridicule. La qualité maîtresse de l'avocat est l'habileté à défendre une cause, fût-elle mauvaise, dans le maquis du droit : rien n'est plus opposé à l'idéal de prouesse et de *franchise* qu'honorent les poètes. La

langue, arme de l'avocat, est aussi l'instrument de son péché, la fourberie. Le monde du Palais inquiète par son étrangeté, il évoque Bologne — l'image de l'Italie est négative en France jusqu'à l'Humanisme et la Curie romaine inspire plus encore que les tribunaux français l'agressivité des polémistes. Au surplus, les légistes issus de la petite noblesse, des *ministériaux* (administrateurs des domaines seigneuriaux) ou de la bourgeoisie disposent, par le biais des tribunaux, des biens contestés des seigneurs, et grâce à la politique des Capétiens ils occupent des charges importantes dans le gouvernement, à la vive irritation des princes de haut rang et de leurs porte-parole. La nostalgie de l'ordre ancien s'indigne au spectacle des parvenus : dans sa *Bible*, revue des *estats* consacrée aux riches laïcs et au clergé, Guiot de Provins, ancien trouvère entré dans l'ordre de Cluny, se lamente sur l'appauvrissement de la noblesse et sur l'éclat perdu des fêtes courtoises :

> Bien sont perdu li biau repaire
> Li grant pallais dont je sospir
> Qui furent fait por cort tenir !

Il se scandalise à penser

> Se un roi ou un cuens
> Savoit des lois et des decrés
> Qu'il en seroit molt honorés.
>
> (V. 248-250 et 2409-2411.)

Il est enfin une activité avec laquelle les poètes n'acceptent aucune composition, c'est le maniement de l'argent pour lui-même, l'usure. Même les auteurs conscients des bienfaits que les métiers urbains apportent à la collectivité rejettent dans son principe même l'idée du prêt à intérêt; ils suivent en cela plus fidèlement que sur tout autre point l'enseignement permanent de l'Eglise, fondé sur le commandement évangélique de donner sans rien attendre en retour. Qu'il soit marchand, changeur ou qu'il exerce quelque autre profession que ce soit, l'usurier ne peut espérer aucune indulgence, il est voué à la damnation s'il ne restitue pas avant de mourir tout ce qu'il a acquis en profitant du besoin d'autrui et en vendant le temps, qui n'appartient qu'à Dieu. Dans le *Songe d'Enfer*, où Raoul de Houdenc utilise la fiction du voyage dans l'au-delà pour dénoncer les vices des *estats*, le narrateur est invité en rêve à un festin infernal, pour lequel un serviteur du diable...

> ... Napes qui sont faites de piaus
> De ces useriers desloiaux
> A estendues sor les dois.
>
> (V. 431-433.)

Au menu ce sont des langues d'avocats, puis des usuriers encore, engraissés de la fortune d'autrui : tel est l'ordinaire de l'enfer !

II / TRANSFORMATION DE LA POÉSIE

1. *Les « Vers de la Mort » et les « Congés »*

La poésie des *Vers de la Mort* s'en prend aux vices du siècle de manière à la fois plus radicale et plus incisive. L'invention de cette forme revient, semble-t-il, à un trouvère du Beauvaisis qui, entre 1182 et 1185, se convertit brusquement, quitte le monde et se fait moine chez les cisterciens de Froidmont. Hélinand est connu par plusieurs œuvres latines, mais c'est en langue vulgaire qu'il s'adresse à ceux qu'il a laissés derrière lui pour justifier son nouvel état de vie (le poème commence et s'achève par une apologie du cloître) et les inviter à choisir à leur tour Dieu contre le monde. Radical, ce fils de saint Bernard, ne connaît que deux voies, les joies séculières et les macérations monastiques, qu'un seul argument pour faire mépriser les premières et choisir les secondes : le *memento mori*. Sur les 50 strophes que comptent les *Vers de la Mort*, 35 commencent par le mot *Morz*, souvent répété encore en tête des vers suivants, soit que le poète développe à satiété, sur le ton de l'enseignement, les pouvoirs de la mort, soit qu'il s'adresse à elle et en fasse sa messagère auprès de ses anciens compagnons : « Morz, je t'envoi a mes amis. » Incisif, Hélinand nomme ses destinataires, ceux dont il a partagé la vie brillante à la cour, les princes et les prélats qu'il a fréquentés. S'il retourne agressivement l'*envoi* lyrique et donne ici à la mort le rôle habituellement dévolu à la chanson de porter le message à son destinataire, c'est qu'il rejette toutes les conventions courtoises et s'en justifie par l'idée que la mort, pourvoyeuse du Jugement, inverse les conditions et tourne en leur contraire peines et joies du siècle. Le talent poétique qu'on admirait en lui, le voici paradoxalement appelé à condamner les chansons des trouvères et l'insouciance de leurs auditeurs; Hélinand n'a jamais été aussi grand poète que pour attaquer la poésie :

> Morz, va m'a çaus qui d'amors chantent
> Et qui de vanité se vantent...

Il rejette en même temps les formes de la chanson et pratique une rhétorique violente fondée sur le sarcasme et l'invective, recherche la surprise, accumule les images empruntées aux domaines les plus divers de la nature et de la vie sociale; jeux de vocabulaire et de sons (*annominatio*, rime riche) tiennent lieu de mélodie; la forme strophique, qu'Hélinand a peut-être inventée, un douzain d'octosyllabes sur deux rimes *aabaabbbabba*, établit dans le développement une symétrie volontiers répétitive et aboutit à une

formule capable de se graver dans la mémoire, soit par son audace ou un tour paradoxal :

> Morz dit a totes aises : « Tropt ! »...
> Et plus a froit qui plus a plume.

soit parce qu'on y reconnaît une sentence investie d'autorité ou un proverbe :

> Mal se moille qui ne s'essue...
> Hom n'est pas faiz por vivre a gas.

Il va sans dire qu'Hélinand ne s'adresse pas à un cercle étroit de connaisseurs, mais à tout le monde. Son compatriote Vincent de Beauvais, grâce à qui nous connaissons la carrière d'Hélinand, atteste d'ailleurs que les *Vers de la Mort* étaient récités en public. Sans être fictifs, les destinataires nommés sont encore des personnages littéraires, des épicuriens adeptes de la « bonne vie » que l'on chante dans la poésie, en latin comme en langue vulgaire; des évocations semblables rappellent le monde des goliards, de même que les nasardes à l'encontre des cardinaux romains semblent rivaliser avec tel poème de Gautier de Châtillon. Si le moine s'en prend aux insouciants et aux puissants, c'est qu'il les croit plus exposés que les autres hommes à la vengeance de la Mort. La sévérité culmine contre les riches. Le moraliste jubile à imaginer la Mort leur faisant subir les traitements qu'ils infligeaient, vivants, à leurs victimes :

> Tes ongles, sanz oster, enz fiches
> El riche, qui art et escume
> Sor le povre, cui sanc il hume.

Universelle, la condamnation des activités mondaines ne laisse guère de place à la satire des groupes particuliers, sauf peut-être les prélats des curies de Rome et de Reims. L'exacteur qui fait « d'autrui cuir large corroie » peut être l'usurier autant que le seigneur; les villes voisines de Froidmont, Proneroi, Péronne, Angivilliers représentent en bloc le monde du péché et de la damnation, face au refuge salutaire de l'abbaye.

L'édifice poétique que le moine de Froidmont substitue aux jeux réprouvés de la Cour, d'autres poètes viennent l'habiter, l'aménager, pour en faire le mode original d'expression du monde urbain.

Il a dû se constituer de bonne heure une tradition des *Vers de la Mort*, dont il ne demeure, outre trois strophes incertaines d'Adam le Bossu, que le poème d'un autre Arrageois, Robert le Clerc. Postérieurs à leur modèle d'un demi-siècle environ, et, comme il est fréquent, beaucoup plus longs que lui, ses *Vers de la Mort* reprennent tout l'héritage d'Hélinand, mais lui ajoutent la satire de catégories sociales précises (avocats et usuriers en premier lieu) et des allusions directes à l'actualité : Robert appelle Saint

Louis et la chevalerie à une huitième croisade, et prend fait et cause pour l'évêque d'Arras dans un conflit qui opposait ce dernier aux autorités bourgeoises de la ville. Une forme poétique déjà ancienne a été investie par la poésie politique.

Entre-temps, plusieurs grands poètes s'étaient approprié, à des fins diverses, la strophe d'Hélinand. Vers 1202, Jehan Bodel, atteint de la lèpre, « moitié sain et moitié porri », se retire pour toujours à la maladrerie. A ses amis jongleurs et bourgeois d'Arras il adresse des *Congés*, non pour les fustiger comme Hélinand, mais pour les remercier et pour leur dire adieu. Comme dans les *Vers de la Mort*, chaque strophe s'adresse, sans modifier beaucoup le cadre syntaxique, à un destinataire nouveau, et le poème tout entier tisse sur la trame d'une situation personnelle la chaîne d'une méditation de portée universelle : l'épreuve vient de Dieu, le poète la reçoit avec soumission et espère dans son salut éternel. Soixante-dix ans plus tard, Bodel est imité dans des circonstances analogues par son concitoyen Baude Fastoul. En 1276-1277, Adam le Bossu (dit aussi Adam de La Halle) reprend, dans une situation moins douloureuse, la forme poétique adoptée par ses devanciers pour remercier, au moment de quitter sa ville, quelques protecteurs, laisser son épouse « trésorière de son cœur », exhaler sa rancune contre ceux qui lui ont refusé leur aide et contre Arras :

> Arras, Arras, vile de plait
> Et de haïne et de detrait...

Quoi qu'il en soit des formules de politesse convenues et des éloges stéréotypés qu'ils peuvent contenir, ces poèmes « assument comme telle une situation individuelle » (Paul Zumthor). Hélinand se voulait exemplaire, les moralistes s'autorisent d'une sagesse transmise; les auteurs de *Congés* prennent la parole au nom d'une expérience concrète et originale.

Un nouveau lyrisme est apparu, et de nouvelles relations se sont établies entre le poète et son public. Interprète d'un cercle aristocratique dont il célèbre les rites et le langage, le trouvère courtois se plie à des normes strictes de forme, de vocabulaire et de thèmes, et cherche à provoquer un plaisir fondé sur la reconnaissance de ce code; d'une manière générale, la poésie traditionnelle, qu'elle soit de registre « aristocratisant » ou « popularisant », unit étroitement paroles et mélodie; même l'épopée mérite son nom de chanson de geste, comme l'atteste encore à la fin du XIIIe siècle de *De Musica* de Jean de Grouchy. Les *Vers de la Mort*, les *Congés* et les *dits* (ce mot désigne de plus en plus souvent les œuvres poétiques non chantées) s'affranchissent de ces contraintes et de ces conventions. Ils accueillent le monde contemporain dans ses aspects concrets et contingents, et répondent à une volonté nouvelle de persuader. Ils ne renoncent évidemment pas à un code moral reçu, celui des prédicateurs ou celui de la

société chevaleresque; ils l'actualisent dans des lieux communs comme le *contemptus mundi*, la *laudatio temporis acti*; ils recourent même volontiers au proverbe et à la citation d'autorités. Mais au lieu de dissimuler celui qui parle derrière la collectivité qu'il incarne, ils portent sur lui un regard attentif au détail concret, le menu du réfectoire d'Hélinand (les *pois* et la *porree* du derniers vers du poème), la décomposition physique du ladre chez Bodel et Fastoul.

2. *La pauvreté du poète*

Le poète souligne la distance qui le sépare du public, distance que l'auto-ironie peut accentuer au point de présenter l'auteur comme un déclassé, un pauvre hère ridicule et peu recommandable, adonné aux vices du jeu, des tavernes et des filles. La poésie française rejoint alors une tradition latine contemporaine bien vivante chez les goliards, poètes de la « bonne vie », et qui fleurit aussi en Allemagne et en Italie. Plusieurs poèmes français démarquent de près ou de loin des pièces goliardiques. *De Dan Denier* (« Monsieur Denier ») stigmatise le pouvoir de l'argent, y compris dans l'amour, en répétant son nom, Dan Denier, au début de chaque vers. C'est l'adaptation d'un poème des *Carmina Burana*, « *In terra summus rex* », où le même effet d'allitération repose sur le mot *Nummus*. *Des fames, des dés et de la taverne* plaide la cause de la *bonne vie* en mêlant latin et français. Des formules de prières latines farcies de roman laissent paraître les obsessions du personnage qui les prononce : la *Patenostre* et le *Credo* de l'usurier sont des satires violentes et dépourvues d'ambiguïté, mais dans la *Patenostre du vin* et la *Patenostre d'amour*, critique et sympathie à l'égard du buveur et du jouisseur deviennent difficiles à démêler. Dans le *Credo au Ribaud*, le personnage fait un panégyrique paradoxal, mais fort convaincant, des dés, du vin et des catins. Il devient à la mode de se dire pauvre, et d'ironiser sur le sujet, comme Jean Renart (est-ce le romancier, ou seulement un homonyme ?) disputant avec son cheval, ou le Clerc de Vaudoy expliquant dans le *Dit de Niceroles* que le responsable de cette pauvreté est l'abus du jeu.

Aucun poète français n'a exploité cette veine avec autant de réussite que Rutebeuf dans les dits « personnels » ou « de l'infortune » : la *Griesche d'esté* et la *Griesche d'hiver*, le *Mariage*, la *Complainte* et la *Pauvreté* Rutebeuf. Ces pièces sont autant de requêtes : le dénuement complaisamment décrit doit inspirer la pitié, et le talent déployé doit orienter cette pitié dans le sens voulu : les commandes, le mécénat. Que la description soit véridique importe moins. Il n'est pas impossible que Rutebeuf cherche à retrouver des protections que ses pamphlets contre les Mendiants lui ont fait perdre.

La chronologie des pièces, les circonstances précises de leur composition et leur objet immédiat sont controversés. Il est sûr en tout cas que le poète souligne sa situation précise : faute de métier (« Ne sui pas ovrier des mains »), il dépend entièrement d'autrui pour sa subsistance. Le mouvement des saisons ne l'affecte pas dans ses amours, comme le trouvère courtois, mais dans sa chair :

> Issi sui com l'osiere franche
> Ou com li oisiaus seur la branche :
> En esté chante,
> En yver plor et me gaimante,
> Et me desfuel ausi com l'ente
> Au premier giel.

Que Rutebeuf soit accordé au rythme de la nature signale un désordre plus profond, social :

> Diex me fet le tens si a point
> Noire mousche en esté me point
> En yver blanche.

(*Griesche d'hiver*, v. 34-49, 31-33.)

Le poète est semblable aux Ribauds de Grève exposés aux rigueurs du temps :

> Ribaud, or estes vos a point :
> ... Les noires mouches vos ont point,
> Or vos repoinderont les blanches.

(*Dit des Ribauds de Grève*, v. 1, 11-12.)

Le *Mariage Rutebeuf*, célèbre par la formule

> L'esperance de l'endemain
> Ce sont mes festes

(V. 114-115),

et la *Complainte Rutebeuf* qui lui fait suite accumulent sans périphrases les détails les plus humbles de la vie quotidienne :

> Or a d'enfant geü ma fame...
> Mon cheval a brisié la jame
> A une lice.
> Or veut de l'argent ma norrice
> Qui m'en destraint et me pelice
> Por l'enfant pestre
> Ou il revendra brere en l'estre...
> Mes ostes veut l'argent avoir
> De son osté.

(V. 53-59, 75-76.)

Parler de ces réalités, parler d'argent ou des infortunes d'un mal marié, dans une poésie à la première personne, est ridicule, le poète le sait et sa requête y gagne l'humilité nécessaire face aux puissants qu'il sollicite. Il adhère à leurs préjugés de seigneurs, et va au-devant de leurs moqueries. Il partage pourtant avec les nobles un trait qui le distingue des bourgeois, des avares qui accumulent l'or dans leurs coffres au lieu de le gaspiller en largesse, des ordres mendiants qui transforment les aumônes en palais grandioses et en pouvoir politique : le jeu des dés, la *griesche* (« la grecque »), que pratiquaient, disait-on, les frères du roi... Les deux poèmes de ce nom rapportent la pauvreté du poète à la malédiction du jeu : le « je » initial fait d'ailleurs rapidement place au « il » singulier ou pluriel de tous ses compagnons; c'est un genre de vie, fait d'illusion toujours déjouée, de gain hasardeux dépensé sur-le-champ, d'imprévoyance. Largesse de pauvre, l'insouciance abrite au moins le poète des vices bourgeois, et de proclamer sa philosophie écarte de lui tout soupçon d'hypocrisie. Par là les « poèmes de l'infortune » participent à leur manière du même esprit que les appels à la Croisade et les pamphlets contre les Ordres Mendiants.

Rutebeuf reprend la strophe d'Hélinand pour de courtes pièces comme la *Paix*, la *Pauvreté* et la *Repentance* (dite aussi la *Mort*) Rutebeuf. La *Pauvreté* s'adresse au roi Philippe III dont le poète espère commandes et protection : est-ce pour donner la mesure de son talent qu'il forge des rimes équivoquées ?

> Je sui sanz coutes et sans liz,
> N'a si povre jusqu'a Sanliz.
> Sire, si ne sai quel part aille;
> Mes costeiz connoit le pailliz,
> Et liz de paille n'est pas liz
> Et en mon lit n'a fors la paille.
>
> (V. 31-36.)

Plus grave et plus sobre, la *Repentance* semble rompre avec ce ton mi-léger, mi-plaintif. Le poète proclame qu'il veut renoncer à la poésie, aux rimes qu'il a faites « sor les uns por aus autres plaire » (probablement à ses œuvres de combat). L'adieu à la poésie (« laissier m'estuet le rimoier ») est à la fois adieu au péché et don du poème. La conscience du rôle social du poète s'affirme plus nettement que jamais le jour où elle tourne à la contrition : c'est la carrière singulière d'un individu qui remplit les formules consacrées du repentir.

Rutebeuf doit beaucoup de sa célébrité actuelle au caractère autobiographique qu'on a attribué à ces pièces, au ton de sincérité qu'on a cru y déceler, et, pourquoi ne pas le dire, à un vague romantisme populaire qui a fait de lui le poète des pauvres. Féconde erreur qui nous a aidés à l'aimer ! Elle ne nous empêche pas de reconnaître dans sa voix les accents de son temps, de son milieu, de sa ville.

3. *Les conflits urbains*

Les poètes n'ont jamais cessé de s'intéresser aux conflits de leur temps : la chanson de geste l'illustre encore au XIIIe siècle sans renoncer à sa poétique traditionnelle. Mais le siècle des villes et des Universités voit naître une forme nouvelle de l'engagement littéraire. Etudiants et maîtres, clercs dispersés parmi les métiers ou nantis d'une prébende, agents de l'administration communale ou royale, marchands et gens de loi constituent un public instruit, informé, désireux de conquérir, s'il ne la détient déjà, une part dans la vie publique. Il suscite des écrivains dont il attend un commentaire immédiat des événements, petits ou grands, qui l'agitent. Il fait naître une littérature où l'on va droit au but, où on attaque et où on loue sans passer par les détours des rituels épique et courtois. On est moins loin des *Provinciales* que du XIIe siècle. Le libelle qui court sous le manteau, tout Paris le connaît en quelques jours, et il peut mener son auteur en prison : on se donne en l'écoutant le doux frisson de fronder les gens en place et les pouvoirs. On entendait les *dits* de Rutebeuf « en redoutant » ou bien dissimulé « en secret ou en chambre » : c'est du moins l'éloge que le poète se décerne dans le *Dit d'Hypocrisie* (v. 59-61). Le règne de Saint Louis voit naître le pamphlet et sa répression : les chansons et poèmes que le pape interdit de faire, les gens du roi les empêchent de circuler.

Dès le deuxième quart du siècle les polémiques scolaires retentissent dans la *Bataille des sept Arts*. Henri d'Andeli, son auteur, appartient au milieu universitaire. Entre 1220, et 1240 il vit, étudie et enseigne peut-être à Paris. C'est l'époque où l'enseignement des Belles-Lettres recule devant les progrès de la logique; la *grammatica* traditionnelle cède le pas à la théorie de la signification. On ne consacre plus aux auteurs sacrés qu'une première année de Faculté des Arts. De ces changements dans les programmes — qui reflètent une évolution profonde de la culture — le poète fait une épopée burlesque où des personnages qu'on croirait sortis des vieilles allégories de Martianus Capella, Dame Logique et Dame Grammaire, Médecine et Jurisprudence, entraînent Platon, Aristote et les professeurs des Facultés, auteurs classiques, et les auteurs récents dans une mêlée analogue à une Psychomachie. Vaincue, la Grammaire abandonne à la Logique les rives de la Seine et replie ses troupes sur la Loire, à Orléans. Les sympathies de l'auteur allaient de son côté; est-ce en toute innocence que son *Lai d'Aristote* ravale au rang de l'humanité presque commune le maître à penser des nouveaux docteurs ? En tout cas la *Bataille* ne pouvait dépasser le cercle universitaire, seul capable de saisir les allusions personnelles et le jargon étudiant dont s'émaille le texte.

Il en va tout autrement quand Rutebeuf met sa plume au service des maîtres séculiers dans le conflit qu'ils mènent, à partir de 1252, contre

les Mendiants. Ces derniers refusaient de prendre en considération la solidarité corporative et de se conformer aux statuts et décisions de l'Université. L'importance de l'affaire débordait largement le Quartier Latin : la mise en cause des nouveaux Ordres intéressait toute la chrétienté, la papauté qui les soutenait constamment depuis Innocent III, et le roi Louis IX qui leur était tout dévoué. Rutebeuf, connu depuis 1249 pour son *Dit des Cordeliers* favorable aux franciscains de Troyes persécutés par une abbesse bénédictine, entre dans la querelle, sans doute par fidélité à son ami et maître Guillaume de Saint-Amour, chef du parti des Séculiers, et publie la *Descorde de l'Université et des Jacobins* :

> Quant Jacobin vindrent el monde
> S'entrèrent chiés Humilité...
> Mes orgueux, qui toz biens esmonde
> I a tant mis d'iniquité
> Que par leur grant chape roonde
> Ont versé l'Université.
>
> (V. 17-18, 21-24.)

Quand en 1257 Guillaume se voit interdire de rentrer en France après une démarche à Rome et doit demeurer confiné dans son fief de Saint-Amour en Bourgogne, Rutebeuf s'adresse, devant l'opinion tout entière, aux « prelats et prince et roi » pour qu'ils réunissent une assemblée pour le sauver, et condamner vigoureusement la décision :

> Qui escille homme sanz reson
> Je di que Diex qui vit et regne
> Le doit escillier de son regne.
>
> (*Dit de Guillaume de Saint-Amour*, v. 6-8.)

Avec les événements, les pièces se succèdent. Encore subordonnée jusqu'alors à une visée parénétique globale, la satire s'émancipe et soumet à son objet immédiat les considérations générales et les procédés traditionnels d'écriture. *Dou Pharisien* ne feint d'attaquer le triomphe d'Hypocrisie dans le siècle que pour faire reconnaître les Frères derrière l'idée personnifiée. Le *Dit d'Hypocrisie* travestit sous l'apparence d'un songe allégorique l'élection d'un nouveau pape. La *Bataille des Vices et des Vertus* reprend le procédé à la mode de la Psychomachie, mais le détourne de son sens : quand Humilité a vaincu Orgueil, elle se fait construire des palais sous prétexte d'assurer son succès : ce retournement rompt le lien du personnage avec son nom, fondement de la convention allégorique, mais désigne les Jacobins à qui un semblant d'humilité a permis de conquérir le pouvoir. *L'estat du monde* passe en revue, comme ses nombreux devanciers, diverses catégories sociales, mais le poète y dénonce particulièrement

l'avarice des adversaires de son parti, religieux et gens du roi. Le fabliau de *Frère Denise* donne un rôle ignoble à un Cordelier. Avec *Renart le Bestourné*, Rutebeuf reprend les personnages bien connus de l'épopée animale, leur donne des rôles où le public pouvait aisément reconnaître les forces politiques contemporaines et peut-être des personnages précis; Renart incarne les ordres mendiants, maîtres de l'esprit du roi : « Renart regne. »

Les vices le plus souvent reprochés aux Frères, avarice, goût du pouvoir et hypocrisie, laissent deviner de manière négative l'inspiration de Rutebeuf. Des plaintes sur la disparition des vertus chevaleresques et ses poèmes en faveur de la Croisade la précisent positivement. Le jongleur regrette le temps où la noblesse militaire pratiquait la libéralité aristocratique, « largesse ». Significative est sa colère quand Saint Louis, sous l'inspiration des Jacobins peut-être, décide de fermer l'accès de sa table aux jongleurs : avec les chants, les danses et les fêtes le poète perd ses moyens de vivre et d'exercer son art. C'est dans un contexte idéologique incomparablement plus puissant et plus novateur que Jean de Meung rassemble, pour dessiner la figure de Faux Semblant, toutes les critiques du siècle contre les Ordres Mendiants.

Paris n'avait pas le monopole de la littérature de combat. Dans les villes du Nord, la domination de la grande bourgeoisie suscite les réactions du « commun », et les poètes accompagnent par la polémique les luttes sévères entre les factions. Arras, là comme ailleurs, donne le ton : les *dits* satiriques dénoncent, souvent nommément, des échevins pour leurs malversations, leurs fraudes fiscales et leurs abus de pouvoir. Les polémistes recourent volontiers à l'affabulation animale : entre 1260 et 1280, le *Couronnement de Renard* dénonce le pouvoir que l'argent s'est acquis, aux dépens de la chevalerie et pour le malheur du peuple, sur une Flandre gouvernée par la bourgeoisie d'affaires. A la fin du siècle, *Renart le Nouvel* (1289) du Lillois Jacquemart Giélée rassemble un bilan consternant des mœurs du temps. Son Renart n'incarne aucun groupe particulier, mais la puissance des vices modernes. Il règne sur toutes les catégories sociales, et parvient même à établir son pouvoir sur ceux qui jusqu'à présent lui avaient résisté, les Ordres militaires et les Ordres mendiants. Pour lui Fortune bloque sa roue, l'avenir, si Dieu n'y met ordre, appartient au prince de ce monde.

4. *La poésie du non-sens et l'antilyrique*

C'est encore dans les milieux littéraires des villes du Nord, là où les genres courtois jouissaient auprès de la bourgeoisie du même prestige

que chez les princes, qu'apparaissent au cours du XIIIe siècle des formes d'antilyrique agressif : la *sotte-chanson* dégrade la chanson d'amour tandis que la *resverie*, la *fatrasie* puis le *fatras* brisent jusqu'au non-sens les règles thématiques du langage poétique.

La sotte-chanson respecte scrupuleusement la prosodie, le vocabulaire et les motifs de la chanson d'amour, mais elle inverse le contenu : « La *fine amor* glisse vers l'obscénité grossière, la dame... se transforme en une mégère lubrique, la louange courtoise s'avilit en portraits grimaçants et le *joi* troubadouresque, le fameux *joi* enfin, n'est plus qu'euphorie post-prandiale ou orgasme trop bien satisfait » (Pierre Bec). La sotte-chanson trouve naturellement sa place et son nom dans l'atmosphère de « monde à l'envers » qui préside aux fêtes urbaines.

La *resverie* (*resver* signifie d'abord « traîner les rues », puis « délirer », « se conduire comme un fou ») est faite d'une série de distiques aux vers inégaux (le premier de sept ou huit syllabes, le second de quatre) dont le second rime avec le premier du distique suivant. Chaque distique présente un sens acceptable, mais aucune liaison logique ne le rattache au précédent ni au suivant. L'ensemble du poème n'a donc aucun sens. En outre tous les vers qui se suivent étant de longueur inégale, ceux que le sens unit ne riment pas et ceux qui riment sont dépourvus de lien sémantique : il en résulte une impression de claudication perpétuelle. Parmi les trois *resveries* conservées, les *Oiseuses* portent la signature du jurisconsulte Philippe de Rémi, sire de Beaumanoir, qui passe également pour le créateur de la fatrasie.

La fatrasie nous est connue par les 11 pièces de cet auteur, et par le recueil anonyme des 54 *Fatrasies d'Arras*. C'est un poème de 11 vers, les 6 premiers de 5, les 5 derniers de 7 syllabes, sur 2 rimes *aabaabbabab*. Le procédé consiste à attribuer à un sujet des actions, et à ces actions des objets complètement disparates et aux yeux du sens commun impossibles. Toute organisation du monde et du discours est brisée sans que rien puisse arrêter le jeu :

> Uns mortiers de plume
> But toute l'escume
> Qui estoit en mer,
> Ne mais une enclume
> Qui mout iert enfrume,
> Si l'en va blamer.
> Uns chas emprist a plorer
> Si que la mer en alume;
> Un juedi apres souper
> La convint il une plume
> Quatre truies a espouser.

(*Fatrasies d'Arras*, no 8.)

Le *fatras*, attesté sous ce nom en 1327 par Watriquet de Couvin, fleurit surtout au XVe siècle. C'est aussi un onzain, mais souvent isosyllabique, dont le premier et le dernier vers sont donnés par un distique préliminaire. L'effet d'incongruité est renforcé par le contraste entre ce distique, sensé et généralement emprunté au registre amoureux, et les absurdités du onzain, où la scatologie et l'obscénité se glissent volontiers. Les *chansons de menteries* que les folkloristes connaissent à partir du XVIe siècle entretiennent avec ces formes poétiques du non-sens une parenté qui peut faire penser à un arrière-plan folklorique. Mais qu'elles aient été assumées par les milieux littéraires qui comptent parmi les plus actifs du temps illustre le climat de bouleversement et de recherche qui caractérise la fin du siècle.

III / LITTÉRATURE DRAMATIQUE

1. *Scènes de la ville dans le drame*

Ce que nous avons conservé de jeux dramatiques antérieurs à l'imprimerie ne représente probablement qu'une part infime de ce qui fut écrit et représenté. Destinés au spectacle, les textes ne lui ont survécu que dans des circonstances exceptionnelles. Les pièces de Jean Bodel, de Rutebeuf et d'Adam le Bossu ne doivent leur survie qu'à la gloire de leurs auteurs, dont on a voulu assez tôt rassembler les œuvres. *Courtois d'Arras* a pu entrer dans le répertoire des jongleurs grâce à ses dimensions restreintes et au nombre modeste des personnages. La plupart des miracles et des mystères n'ont survécu qu'en un seul exemplaire dans la collection d'une confrérie, pour perpétuer le souvenir d'une réalisation exceptionnelle ou pour être lus à loisir par un amateur.

Comment dessiner, dans ces conditions, une histoire du théâtre français médiéval sans extrapoler audacieusement de ce qui demeure à ce qui fut ? Tout au plus les monuments disponibles laissent-ils pressentir qu'un tournant décisif eut lieu à l'aube du XIIIe siècle, à Arras, lorsque Jean Bodel inséra dans la vie culturelle de la ville la représentation d'un miracle par personnages.

2. *Avant le théâtre urbain : le « Jeu d'Adam » et la « Seinte Resurreccion »*

Les deux seules œuvres dramatiques que nous ait laissées le XIIe siècle entretiennent des rapports étroits avec la liturgie. Dans le manuscrit de

Tours où il figure à côté d'un drame liturgique de la Résurrection, le *Jeu d'Adam*, est intitulé *Ordo representacionis Ade* : un *ordo* est un livre liturgique où sont consignés les paroles et les gestes d'une cérémonie. L'architecture des deux premières parties, vie d'Adam et d'Eve, meurtre d'Abel par Caïn, repose sur des lectures et des chants dialogués en latin, empruntés à l'Office monastique du début du Carême. Dans la troisième se succèdent les Prophètes du Christ, selon un schéma qu'on retrouve dans les *Ordines Prophetarum* latins et qui remonte à un sermon de Quodvultdeus de Carthage (ve siècle) attribué pendant le Moyen Age à saint Augustin. Les historiens ont cru longtemps, sur la foi d'indications scéniques peu claires, que le *Jeu* devait être représenté sur un parvis, et constituait par là une étape intermédiaire entre le drame liturgique de l'église et le théâtre de la place publique. Mais on incline aujourd'hui à penser qu'il se jouait plutôt à l'intérieur de l'église lui aussi.

Cela dit, l'originalité du *Jeu* l'emporte de beaucoup sur ces ressemblances superficielles. Au lieu de se limiter à un épisode de l'Ecriture Sainte, il embrasse toute l'histoire humaine. Le sermon final sur les *Quinze Signes du Jugement* doit être restitué, malgré une lacune du manuscrit, à la dernière des Prophètes du Christ, la Sibylle; cette prêtresse païenne avait annoncé, croyait-on, la naissance de Jésus à l'empereur Auguste. Ici, elle stigmatise l'infidélité des chrétiens et brandit la menace du châtiment final. La procession des Prophètes, détachée du cycle de la Nativité où l'intègrent les *Ordines Prophetarum*, se préoccupe moins de polémiquer contre les Juifs (encore qu'un *Judaeus* sorte de la synagogue pour contredire Isaïe) que de montrer, après le péché, le rétablissement de l'Alliance et la Rédemption offerte aux pécheurs. Bien loin de se contrarier, ces deux motifs se renforcent, comme il est d'usage dans une prédication de Carême où l'annonce de Pâques invite à la pénitence.

Du reste, quelle que soit l'importance qualitative et quantitative de l'élément latin, ce sont les prédications et les dialogues en vulgaire qui révèlent le message. Il est possible que le choix des scènes et des personnages obéisse à l'intelligence typologique, selon laquelle les médiévaux interprétaient les épisodes de l'Ancien Testament comme des préfigurations du Nouveau. Saint Paul enseigne déjà qu'Adam annonce (par contraste) le Christ; l'union d'Adam et d'Eve dans le mariage signifie celle du Christ et de l'Eglise; le meurtre d'Abel ressemble à celui de Jésus, le sacrifice d'Isaac à l'obéissance du Fils de Dieu, etc. Mais le public pouvait très bien comprendre directement ce que le texte expose avec insistance. Le péché rompt simultanément les liens complexes, d'amour et de subordination, qui unissent l'homme à Dieu, la femme à l'homme, le frère au frère... Eve prend le pas sur Adam sous prétexte qu'ils deviennent les égaux de Dieu. Ils retiennent pour eux-mêmes, comme Caïn plus tard, la part impres-

criptible réservée au Créateur et Seigneur; le fruit défendu, les meilleurs fruits de la terre. Le châtiment est immédiat, mais la Rédemption est annoncée dès la Chute et de plus en plus nettement à mesure que les Prophètes se succèdent. Déjà Abraham offre son fils et la bénédiction de sa descendance efface la malédiction adamique. Dieu est d'ailleurs appelé Salvator ou Figura, deux noms qui désignent le Sauveur. Même si les nécessités de la prédication par la crainte l'emportent dans le dit des *Quinze Signes*, le salut reste offert aux fidèles. Leurs devoirs sont formulés dans les termes de la morale féodale; ils doivent s'acquitter de bonne grâce de la dîme, comme Abel ! Quant à l'éloge célèbre de la douceur et de l'intelligence féminines, on apprend de qui il vient et quelles sont ses conséquences.

Œuvre complexe et subtile, le *Jeu d'Adam* paraît n'avoir ni précédent ni postérité. Il pourrait toutefois se rattacher au mouvement de vulgarisation théologique qui occupe à la fin du XIIe siècle les clercs anglo-normands (la couleur dialectale du manuscrit renvoie soit à l'Angleterre, soit à la Normandie), et qui a pu leur faire trouver des formes de spectacles originales, tandis que le drame liturgique se développait de son côté. *La Seinte Resurreccion* anglo-normande de la même époque se rapproche davantage des *Ludi Paschales* par les proportions et la matière (les premiers jours de l'Eglise, du soir du Vendredi saint au soir de Pâques). Elle ne comporte cependant pas de textes latins ni de parties chantées, et accueille des traditions apocryphes propres aux récits en langue vulgaire. Rien n'indique où elle devait être jouée, mais elle était destinée à des laïcs.

Le dispositif scénique décrit dans les deux textes se retrouvera durant tout le Moyen Age. Le décor ne cherche pas à imiter, mais à signifier; il peut donc être réduit au minimum. Seul le Paradis du *Jeu d'Adam* reçoit quelques ornements. Entre le Ciel et l'Enfer sont distribués les *lieux* assignés aux personnages : l'action se déplace de lieu en lieu. Il est exceptionnel que des personnages sortent, comme les Prophètes du *Jeu d'Adam*, d'un *locus secretus* : d'ordinaire il n'y a pas de coulisses et les acteurs demeurent dans leur lieu quand l'action ne les appelle pas ailleurs.

3. *Le drame religieux au treizième siècle*

Le théâtre du XIIIe siècle nous vient d'Arras et de Paris. Vers 1200, Jean Bodel d'Arras donne le *Miracle de saint Nicolas par personnages*. Le dramaturge médiéval n'invente quasiment jamais sa matière : Bodel reprend la trame narrative du miracle de l'Image de saint Nicolas, connue de tous et déjà utilisée par des pièces latines du XIIe siècle. Il y ajoute toutefois deux scènes, ou plutôt deux groupes de personnages et de scènes nouveaux. La pièce commence avec une guerre ouverte par les chrétiens

contre un roi sarrasin (qui remplace le Juif des versions antérieures) dans une atmosphère de Croisade suicidaire : un Ange annonce aux chevaliers qu'ils mourront tous, ce qui arrive, et qu'ils obtiendront la couronne des martyrs. Non loin du palais royal, une taverne semblable à celles d'Arras accueille les passants et sert de lieu de rencontre à trois voleurs. Est-ce à la réussite de Bodel que la scène de taverne doit de devenir un morceau de bravoure de théâtre comique ? Deux grandes scènes — avant et après le vol — donnaient aux spectateurs l'occasion de reconnaître des éléments de leur vie quotidienne : le crieur de vin et sa réclame (ici fort poétique), le tavernier et son valet, rusés compères, le comptoir qui donne sur la rue, où l'on s'accoude sans entrer quand on est pressé, les dés contrôlés par les échevins, les additions comptées et recomptées. Moins familiers sans doute du public, les voleurs incarnent les obsessions des citadins et leurs noms, Pincedé, Rasoir et Cliquet annoncent les talents inquiétants de tricheur, de coupeur de bourses et de crocheteur de serrures. L'argot, le vin et les parties de dés qui s'achèvent par deux fois en bagarre générale donnent couleur, rythme et variété à des morceaux qui occupent dans l'ensemble du jeu une place que l'action n'exige pas.

Le comique frappe les aspects inquiétants ou condamnables du monde : la règle vaut pour le théâtre médiéval tout entier. La ville est portée sur la scène sous l'aspect d'un repaire de filous et de malfaiteurs : on s'y dispute, on s'y trompe; son ombre se porte sur le palais royal, dont la taverne offre un reflet paradoxal : le roi et le sénéchal sont chez eux comme l'hôte et son valet, les quatre émirs arrivent comme les trois voleurs; des deux côtés on parle et on rêve d'or. Du bric-à-brac traditionnel sort un Orient de pacotille, un monde à l'envers : en Orkenie « li chien esquitent l'or », les crottes de chiens sont en or. Le roi est un grigou; il compte à son idole l'or et l'argent dont il l'orne et c'est au sens littéral et matériel qu'il entend ce que son prisonnier lui annonce des vertus de saint Nicolas :

Riens qui en se garde soit mise
N'iert ja perdue ne maumise
Tant ne sera abandonnee,
Non, se chis palais ert plains d'or
Et il geüst seur le tresor.

Mis à l'épreuve, saint Nicolas sauve à la fois la vie du chrétien et l'or de l'infidèle.

Le monde de la taverne ne bénéficie guère du miracle : les voleurs perdent le trésor et se dispersent vers des butins plus modestes et moins dangereux. Apparaissant aux trois ivrognes dans les vapeurs du vin, le saint ne les a pas « ravoiés », remis sur le droit chemin. Ils ne se convertissent pas. Ils sont voleurs, il est vrai, par profession. Les chevaliers chré-

tiens restent étrangers au miracle. Ils ne voient pas saint Nicolas, ils veulent le martyre et le trouvent. Leur croisade n'aspire pas à un succès militaire, mais spirituel : attitude curieuse chez des soldats derrière lesquels on peut discerner non seulement l'évocation de la prédication de Croisade (on préparait à l'époque du *Jeu* l'expédition qui prit Constantinople au lieu d'aller vers Jérusalem) et de la chanson de geste, mais aussi une contestation indirecte de leur rodomontades. Etrange chanson de geste, d'ailleurs, où la victoire des païens est complète et sans retour ! Les chevaliers n'étendent pas le royaume de Dieu et ne protègent pas le *preudome*. Ils obtiennent leur salut, ce qui est bien, mais un autre fait mieux qu'eux : un vieillard, que le roi appelle « le vilain à l'aumuche », humble (il parle respectueusement à tous et donne du « sire » au bourreau), désarmé et quasi mort de terreur, fort seulement de sa foi en « Dieu et saint Nicolas », obtient la conversion des païens. La supériorité de la parole sur la guerre est aussi celle des petits sur les héros : ne peut-on lire dans cet aspect du *Jeu* l'aspiration à une spiritualité des simples, ignorante des exploits militaires ou ascétiques, consolidée par la dévotion aux saints ? Dans les versions antérieures du même miracle, saint Nicolas intervenait comme un baron outragé pour venger son image insultée et frappée par un Juif. Ici, il sauve la vie d'un fidèle et l'âme des infidèles : les saints, désormais, se préoccupent des hommes.

Bodel inaugure à nos yeux une double tradition : celle du miracle et du drame religieux, celle du théâtre comique avec ses scènes empruntées à l'expérience quotidienne. Plus exactement, il devient habituel après lui que des pièces à sujet religieux relient plus ou moins étroitement à la trame narrative des scènes comiques inspirées de la vie urbaine. Ce n'est pas là rendre profane le théâtre religieux : ce qui s'oppose au profane ce n'est pas le religieux, c'est le sacré, et le christianisme prétend toujours refuser cette distinction pour assumer les aspects de la vie dans la perspective de la foi. Phénomène urbain, le théâtre religieux intègre, même si c'est sous un jour défavorable, la vie urbaine, et actualise du même coup le message de l'Eglise. Il n'empêche pas le théâtre comique de vivre, de son côté, de sa vie propre.

Dans le premier tiers du XIIIe siècle, un successeur artésien de Jean Bodel transpose la parabole de l'Enfant prodigue dans le contexte de son époque et de sa contrée et en fait le jeu de *Courtois d'Arras*. Ce que saint Luc rapporte en une ligne : « Profectus est in regionem longinquam et ibi dissipauit substantiam suam uiuendo luxuriose » (Lc 15, 13) donne lieu à une longue scène, la moitié de la pièce, où Courtois, attiré par le « cri » du serviteur, mange et boit dans une taverne en compagnie de deux filles — jusqu'à ce qu'il se retrouve à la porte, nu et sans le sou. Le « pays lointain » de l'Evangile, c'est ici la taverne, lieu de l'illusion, de la tromperie

et du vol, où n'entrent pas les honnêtes gens. La distance sociale remplace l'éloignement géographique. L'auteur recherche « l'effet de réel » en évoquant des figures et des activités familières. Sans les dix derniers vers, on oublierait que la pointe de la parabole insiste sur la miséricorde de Dieu, pour ne retenir que les leçons d'une sagesse tout humaine : la faute de Courtois est d'avoir voulu échapper à sa condition et d'avoir préféré aux troupeaux *(pelue aumaille)* les espèces sonnantes, *sec argent et deniers menus.*

Le *preudomme* du *Jeu de saint Nicolas* était en danger pour sa vie. Bien plus grave est la situation du clerc Théophile, qui a fait pacte avec le diable en échange des honneurs et richesses du siècle. Plus grand est le péché, plus éclatant le miracle par lequel Notre-Dame obtient le salut du malheureux, sur une simple prière de sa part. Le *Miracle de Théophile* de Rutebeuf appartient déjà au type pratiqué couramment au XIVe siècle, inspiré des collections de miracles de Notre-Dame narratifs, en particulier du recueil de Gautier de Coincy. On suppose que la pièce fut composée pour une fête de la Vierge, on ignore pour qui.

L'argument du *Miracle* était présent à tous les esprits; de nombreuses sources l'attestent et l'iconographie l'illustre abondamment. L'originalité du poète réside avant tout dans l'adaptation des formes lyriques au spectacle. Jean Bodel recourait déjà à des mètres variés ou à des combinaisons strophiques pour marquer la différence entre le cours ordinaire du dialogue et certaines répliques particulières : par exemple les chevaliers qui s'encouragent avant le combat mortel, l'Ange et saint Nicolas, quand ils exhortent les hommes, emploient les quatrains d'alexandrins monorimes; de même le roi convoquant ses vassaux, et son courrier, dans une intention parodique. Rutebeuf exploite plus largement le procédé dans les dialogues mais surtout dans les monologues, auxquels il donne une place considérable. Avant de conclure son pacte avec le diable Théophile hésite entre la crainte du châtiment et la révolte contre Dieu : il y parle alors en tercets « coués » (deux octosyllabes, un tétrasyllabe rimant $a^8\,a^8\,b^4\,b^8\,b^8\,c^4$...); c'est la strophe chère à Rutebeuf dans les poèmes « de l'infortune ». La méditation du héros sur son péché forme un poème de douze quatrains d'alexandrins monorimes et sa prière à la Vierge un autre de neuf douzains d'hexasyllabes *aabaabbbabba.* Non qu'une forme particulière d'expressivité attache tel schéma à tel contenu ou à telle situation : Rutebeuf exploite aussi, dans le *Miracle*, pour le dialogue entre Théophile, Salatin et le Diable, et hors du théâtre, dans des poèmes de Croisade et des pamphlets, le même tercet coué. Mais le changement de mètre souligne une articulation importante de la pièce : le passage des strophes courtes de vers longs aux strophes longues de vers courts correspond dans le monologue de Théophile à l'instant de la conversion.

Les jeux phoniques à la mode chez les trouvères contemporains ont

leur place dans les poèmes de Théophile, où ils gagnent peut-être le pouvoir d'exprimer une émotion. Dans les strophes centrales de la méditation, les répétitions semblent refléter l'obsession et l'angoisse :

> Sathan, plus de set anz ai tenu ton sentier;
> Maus chans m'ont fait chanter li vin de mon chantier.
> Molt felonesse rente me rendront mi rentier;
> Ma char charpenteront li felon charpentier.
>
> Ame doit l'en amer : m'ame n'est pas amee.
> N'os demander la Dame qu'ele ne soit dampnee.
> Trop a male semence en semoisons semee
> De qui l'ame sera en enfer sorsemee.

Les premières strophes s'enchaînent sur les mots « chétif » et « dolent », et tout au long du poème le retour incessant du « je » met en avant le sujet et sa parole. En général l'extension des monologues et le suspense de l'action concentrent l'attention sur le personnage. Reconnaissant sur le théâtre les formes lyriques qu'il a coutume d'entendre ailleurs, le public est invité à rapprocher Théophile du poète soumis aux aléas de la fortune, du moraliste et du croyant en prière. Par le caractère artificiel de son langage, le schématisme de sa situation et l'excès même de sa révolte contre Dieu (« Diex m'a grevé, jel greverai »), Théophile devient paradoxalement représentatif de tout un chacun. A la fin de la pièce, l'évêque se tourne vers le public et lui lit une lettre du diable où est contée l'histoire de Théophile : l'univers de la scène s'ouvre alors explicitement vers l'auditoire tandis que le personnage principal, naguère entièrement préoccupé des regards dont il était le centre et du salut de son âme individuelle, s'évanouit dans sa fonction d'exemple : on ne saura rien de sa destinée postérieure. Sur la scène médiévale, les héros ne se signalent pas par des exploits brillants, mais bien plutôt par leur ressemblance avec l'humanité commune dans la crainte et dans l'espérance, dans l'égarement et le retour, dans la fragilité et dans la foi.

4. *Les jeux dramatiques d'Adam le Bossu*

Loin de toute préoccupation religieuse déclarée, le *Jeu de la Feuillée* d'Adam de La Halle (vers 1276-1277 ?) illustre le triomphe de l'esprit urbain. Le cadre est Arras. Autour d'Adam, les personnages sont des gens de la ville, bien réels et appelés par leur nom véritable — peut-être jouaient-ils, qui sait ?, leur propre rôle — ou bien des « emplois » connus, le médecin, le moine, le tavernier... Les scènes se succèdent sans enchaînement, sur le mode du coq-à-l'âne, et la conversation rebondit à chaque fois qu'apparaît

un nouveau venu. Elle roule sur les ambitions et les vices des uns et des autres, sur les scandales politiques d'Arras et sur la grande affaire des « clercs bigames », qui tourmente fort ce petit monde : il s'agit des nombreux clercs pourvus seulement des ordres mineurs, à qui le pape et le roi veulent retirer leurs privilèges (surtout fiscaux : ils échappaient à la taille) s'ils se remarient, vivent scandaleusement ou avec une femme suspecte, ou exercent un métier incompatible avec la cléricature : belle occasion pour multiplier les insinuations sur son voisin et sa voisine ! C'est un soir de fête, on attend la visite annuelle des fées, à qui on a préparé un repas. Elles viennent, mais elles doivent s'éloigner avant le jour et tout le monde des hommes se retrouve au matin dans la taverne.

Les personnages sont tous présentés sous leur jour le plus défavorable. Adam a *muavle kief* : il veut partir étudier à Paris mais on le retrouve à la fin attablé avec les autres à la taverne. Maître Henri son père mange et boit tout son avoir et ne laisse rien à son fils; Dame Douche, la mal nommée, est une prostituée et une sorcière... Ceux qu'on évoque ne sont pas mieux servis : Adam fait un portrait antithétique de sa femme Maroie telle qu'il l'a connue jeune et désirable et telle qu'il la voit aujourd'hui, laide comme la dame des sottes-chansons. Robert Sommeillon, nouveau prince du *puy* d'Arras — derrière lequel les commentateurs veulent reconnaître le riche bourgeois Jehan Bretel —, n'est pas le chevalier courtois dont la fée Morgue s'est entichée, mais un jouteur maladroit et un don Juan vulgaire. Il n'est pas jusqu'aux trois fées qui, de « belles dames » qu'elles étaient, ou qu'on les croyait être, ne deviennent hostiles : Maglore, offensée qu'on ne lui ait pas donné de couteau pour le festin, se venge par un don « fatal » (aux ambitions scolaires et parisiennes d'Adam) : c'est un motif de conte populaire qu'on retrouve dans *La Belle au bois dormant*. Puis les trois fées s'en vont pratiquer la magie noire avec Dame Douche.

Le seul fil conducteur apparent, c'est la folie. Le moine porte les reliques de saint Acaire, guérisseur des fous, et le nombre des offrandes qu'il reçoit montre que tout Arras est plus ou moins atteint. Si le jeune Walet n'est qu'un sot, un « pois pilés », le *dervé* (« fou furieux ») amené par son père sème le désordre sur scène par ses propos décousus et ses gestes grossiers, ses cris et les vérités désagréables dont son délire est émaillé. Tous les ordres de la réalité sont soumis à un travestissement grotesque : *parisien* rime avec *pois baiens* (nourriture des fous), le cornet à musique devient un cornet à dés, le médecin troque l'urinal professionnel contre l'onychomancie... les exemples sont légion. Le monde se renverse : à la taverne, le moine laisse froc et reliques en gage pour la dette de jeu d'un autre, le tavernier peut prêcher saint Acaire, et le chœur, au lieu de chanter, brait. Au centre les fées font apparaître la roue de Fortune, symbole de l'arbitraire universel.

Peu d'œuvres médiévales intriguent les commentateurs comme le *Jeu de la Feuillée* : si la pièce a un secret, elle ne l'a pas livré. En y appliquant la méthode psychocritique, Claude Mauron y retrouve, comme il est fréquent dans la comédie, l'angoisse de la mère terrible et le rêve de parricide dissimulés. Pour Norman Cartier, Adam de La Hale exprime son désir de reprendre ses études à Paris et manie la satire sans méchanceté pour obtenir les subsides nécessaires : les *Congés* remercient peu après les protecteurs du poète et prouvent qu'il a atteint son but. Selon Jean Dufournet, l'aspiration à la beauté et à la raison se heurtent constamment à la laideur, au vice et à la folie; le recours aux emplois et aux scènes déjà connus masque, dans cette « œuvre amère », « le drame personnel du poète ». Sans vouloir trancher entre des lectures qui ne s'excluent pas radicalement, on notera, pour les deux dernières surtout, qu'elles supposent que le débordement de la folie masque un sens rationnel et que le personnage d'Adam exprime directement les sentiments et les pensées de l'auteur. Il faut d'abord, comme le proposait plus récemment Jean Dufournet, rapprocher le comique du *Jeu* de celui qui caractérise la fête urbaine, « fête des fous » cléricale et Carnaval. Entre Noël et l'Epiphanie, les ordres ecclésiastiques subalternes mimant au pied de la lettre le verset du *Magnificat*, « Deposuit potentes de sede et exaltauit humiles », prennent dans le chœur la place des chanoines et de l'évêque. A partir du XIIIe siècle, on sait que les clergeons élisaient un chef, l'évêque des fous, et se livraient sous sa conduite à toutes sortes de réjouissances débridées et de parodies, en mimant l'inversion de toutes les hiérarchies, la levée des interdits, le triomphe de la licence : tout était permis. La fête des fous donnait un rôle important à l'âne, plusieurs fois évoqué dans le *Jeu de la Feuillée*. Quant au Carnaval, il célèbre lui aussi, avant le jeûne du Carême, la joie de vivre et la libération des instincts; il a inspiré d'ailleurs quelques poèmes, narratifs, comme *La Bataille de Caresme et de Charnage*, dramatiques comme *La Bataille... de saint Pansard a l'encontre de Caresme* (Tours, 1485) et *Le Testament de Carmentrant* de Jehan d'Abondance (1540). Un prince pour rire, « roi des ribauds », « prince des fous » ou « des sots »..., préside aux réjouissances, qui ont un caractère officiel et sont confiées à des troupes joyeuses.

L'inspiration de la fête se reconnaît dans le titre du *Jeu de la Feuillée*, le mot picard *fullie* désignant aussi bien la loge de feuillage où l'on déposait la châsse de Notre-Dame que la folie. Sans l'immunité que la fête assure à la licence, on ne s'expliquerait pas la violence du ridicule dont pâtissent petites gens et grands personnages — y compris ceux dont Adam fait l'éloge dans le *Congé* — ni, sans la convention du monde renversé, le rôle peu glorieux du personnage d'Adam. Les motifs comiques sont ceux de la fête : avec leur gros ventre, Maître Henri, qui semble en mal d'enfant, et Dame Douche, qui l'est pour de bon, figurent le couple grotesque; les

femmes d'Arras sont *tencheresses*, querelleuses, et leurs maris filent doux; le ventre et le sexe sont omniprésents et le *dervé* règne sur ce beau monde de fous, tantôt pape et tantôt taureau, avant de sortir au bras de son père en disant : « Allons ! Je sui li esposés ! »

La parenté de la pièce avec la fête met au premier plan l'aspect comique que rend l'épithète médiévale de « joyeux », souvent donnée à des pièces postérieures, et qui implique licence impunie, sérieux dégradé, irrévérence. Cela n'ôte rien à sa portée. Même comiques, les fées-Parques renvoient comme Freud le montrait à propos du thème « des trois coffrets », à la naissance, à la vie et à la mort, lesquelles s'échangent constamment dans le Carnaval et sous-tendent aussi dans le *Jeu*, selon Charles Méla, l'image de la femme — redoutable —, de la paternité — dérisoire — et de l'argent — fatal. Signalons encore que, pour ce dernier interprète, l'aube de la scène finale dissipe toutes les angoisses, grâce à la médiation de Notre-Dame et au rite de la Sainte-Chandelle. Tout commence, tout finit, à Arras.

L'inspiration du *Jeu de Robin et Marion*, où le Bossu fait parler, chanter et danser les personnages de la pastourelle et de la bergerie, paraît tourner le dos au monde urbain pour s'enchanter d'une vie rustique imaginaire, où des paysans s'aiment sans artifice, pique-niquent sans façon d'une tartine et jouent pour le plaisir sans désir de rien gagner. La grâce de la jeune Marion désarme la brutalité du chevalier et réprime doucement la grossièreté des vilains. La folie ne dépasse guère les réponses incongrues de la bergère au chevalier, l'évocation réitérée du fromage, attribut habituel de la démence. La nostalgie du bonheur s'est réfugiée à la campagne.

CHAPITRE VI

Le rire au Moyen Age

Parler du rire médiéval est une entreprise hasardeuse, qui se heurte à cet obstacle insurmontable qu'est la transposition des catégories mentales et esthétiques actuelles à une culture fondamentalement différente, mais ressentie comme proche. Il nous est, en effet, impossible d'entrer dans la psychologie du comique au Moyen Age, de comprendre les intentions et les effets d'une œuvre, sans nous référer soit à la fiction d'un Homme éternel, dont les sujets de rire seraient toujours les mêmes en tout temps et tout lieu, soit à une « mentalité » d'époque, dont la définition se révèle alors aussi difficile que nécessaire. Deux des formes les plus fréquentes du rire en littérature, la satire et la parodie, sont étroitement liées à l'éthique, à la société, au langage du moment; même le comique « pur » que représente la fantaisie débridée débouche le plus souvent sur une attitude philosophique de détachement, de refus vis-à-vis du monde (car le fou n'est pas le moins sage), qui traduit une évolution des conditions d'existence (on le trouve généralement aux temps les plus troublés et dans les sociétés qui ont perdu la foi en une image de l'univers cohérente), et qui relève, formellement, de la subversion d'un discours solidement établi.

Pouvons-nous, d'ailleurs, isoler un « comique médiéval », alors que le Moyen Age ne le dissocie pas dans son expression littéraire, de ce que nous avons tendance à prendre « au sérieux » ? Le lecteur moderne est dérouté par le mélange des genres et des tons constamment pratiqué : une pièce religieuse comme le *Miracle de Théophile* comporte des passages drôles, sinon obscènes. Le critère de cette distinction est évidemment celui de notre sensibilité actuelle. Mais elle est le seul moyen de reconnaître le comique d'une autre époque, malgré son caractère subjectif et peu rigoureux.

Dans l'incapacité de faire systématiquement une psychologie du rire médiéval (de quoi rit-on ?), ainsi qu'une sociologie (qui rit ?), il nous reste, une fois posée l'existence de ce comique que nous identifierons selon notre propre appréciation, à définir ses fonctions et sa place dans le système littéraire du temps. Trois variétés, essentiellement, en regroupent les manifestations : le rire critique de la satire, qui juge les écarts sociaux et moraux; le rire d'imitation irrespectueuse, ambigu parce qu'il est à la fois volonté de destruction et forme suprême du respect, dans la parodie; le rire libérateur, d'évasion, de défoulement, hors d'une réalité trop contraignante, que l'on rencontre dans la farce et les jeux de l'absurde.

La tentation est grande de retrouver ainsi les traces d'un rire « intemporel », qui apparaîtrait aussi bien dans la *Farce de Maistre Pathelin* que dans les « gags » du cinéma muet. Son rôle semble extrêmement réduit. Il dépend lui aussi des sensibilités de l'époque. Le spectacle d'aveugles se battant en duel pour un goret, tel qu'il est rapporté comme très drôle dans le *Journal d'un bourgeois de Paris*, ou celui de nains exhibant leurs difformités, ne provoquerait sans doute pas, comme à cette époque, l'hilarité, mais le malaise ou la pitié. Le rire médiéval, dans toutes ses facettes, est indissociable de conditions culturelles qu'il nous faut reconstituer : la satire exige la connaissance de l'échelle des valeurs éthiques, esthétiques et sociales (qu'elle permet d'ailleurs, en tant que témoignage, de restituer), la parodie suppose celle des rites et des langages; la fantaisie n'existe que par rapport à un univers cohérent qu'elle peut désorganiser.

L'originalité du Moyen Age ne réside pas dans cette répartition des formes du comique, mais dans une hésitation que la critique ressent constamment entre une explication « réaliste » (psychologique ou sociale) de son fonctionnement, et une interprétation « formaliste » : dans chacun de ses domaines, le rire est autant un élément constitutif d'un discours poétique, d'un système formel, qu'un reflet de l'homme ou de la société. Introduit dans toutes les variétés d'écriture, il tend à y prendre de plus en plus de place, jusqu'à en devenir parfois l'unique « contenu ». Il peut être l'unique finalité d'un type d'œuvres (le fabliau, le *Roman de Renart*), ou une digression, une amplification d'un genre déjà bien codifié. Aussi faudra-t-il s'interroger sur les finalités du comique, et se demander dans quelle mesure il intervient comme motivation externe ou processus inhérent à un système formel donné, ainsi que recenser les secteurs où il joue un rôle prépondérant.

I / LES FONCTIONS DU COMIQUE

A / Rire et société : l'inspiration satirique

Faire rire des travers de ses contemporains, ridiculiser les mœurs du temps, toujours plus corrompues qu'au siècle précédent, tourner en dérision toute innovation, tel est le but principal de la satire médiévale, mais aussi moderne et antique. Tout au plus trouve-t-elle ici un terrain plus favorable, et reste-t-elle plus proche de ses origines (la croyance dans le pouvoir magique du mot, telle qu'on la voit dans les sociétés « primitives » — Eskimos, mais aussi Grecs). Il est impossible de la limiter à un genre. C'est une attitude d'esprit. Critique, mais non destructrice, elle blâme pour remettre en place tout ce qui s'écarte de la norme, qui est au Moyen Age beaucoup plus stricte et rigide qu'aujourd'hui, parce qu'elle résulte non seulement d'un consensus social, mais de la pression d'une pensée théocratique.

1. *La satire, force conservatrice*

Son principe, c'est de s'en prendre aux détails (perspective qui explique l'importance qu'elle accorde à la description, à des thèmes superficiels comme la mode), aux mauvais usages, pour mieux affirmer l'essentiel, le principe. La justice n'est pas mise en cause : si tout va mal, c'est la faute aux magistrats oublieux de leurs devoirs, c'est parce que les péchés humains empêchent la réalisation de l'idéal.

Fondée sur une division minutieuse de la société en « états » (le terme même implique l'idée de la stabilité, de l'immuabilité), définis par leur degré de sainteté et leur place dans la hiérarchie des fonctions culturelles, car il s'agit d'une amplification du schéma des trois Ordres, avatar médiéval de la tri-fonctionnalité indo-européenne, sans pertinence quant à l'analyse de la « réalité » sociale, la satire assigne à chacun une place définitive, un rang dont il ne peut sortir sans encourir l'anathème pour « orgueil ». L' « état » détermine le comportement, surtout d'ailleurs les manquements à une conduite stéréotype, qui est présentée, positivement, comme un idéal (pour la chevalerie, on ne cesse de rappeler les vertus d'antan, des preux de Roland), ou se dégage simplement en filigrane, comme antithèse des vices toujours ressassés, encore que l'on ait de la peine à imaginer quel pourrait être le marchand selon les désirs des écrivains satiriques, tant cette catégorie paraît résister à toute tentative de récupération théologique... Un phénomène qui ne se laisse pas intégrer à cette grille, qui reste irréduc-

tible au carcan de cette représentation simplifiée, est considéré comme un abus, une menace pour l'ordre du monde, avec la complicité de ceux qui se sentent attaqués dans leurs prérogatives; les extravagances de la mode prennent ainsi une dimension inattendue, et leur signification dépasse le simple ridicule : la hauteur du hennin ou la longueur des chaussures à la poulaine mettent en péril non seulement le sens de la convenance, mais les fondements de la société. Urbain V et Charles V essaient en vain d'interdire les poulaines, Jean de Condé, Henri Baude et le Sire de la Tour-Landry se donnent à cœur joie contre les « singes », les « contrefaits » et les « gorriers bragards ». Un vilain ne peut être courtois, sous peine de remettre en cause une relation qui a valeur d'axiome entre aristocratie et courtoisie et de bouleverser un système conceptuel autant que social. Aussi ne peut-il se montrer que sous un jour grotesque, imitant parfois maladroitement les mœurs du chevalier, et finissant toujours par s'en repentir.

Mais, parallèlement à ce mouvement de sauvegarde de l'ordre établi, de confirmation des situations acquises, d'hygiène sociale, la satire peut aussi servir à démystifier les puissances. Ainsi parle-t-on généralement d'une satire « bourgeoise » et « anti-aristocratique », qui fait le bilan de l'effritement des valeurs chevaleresques. Il semble acquis pour la plupart des critiques que l'essor de la bourgeoisie après 1250 favorise l'expansion de la satire en français, en particulier dans des villes comme Arras. Mais cette analyse mérite quelques nuances : les principaux animateurs de la satire sont les clercs; les œuvres destinées au public aristocratique comportent une part importante de satire, et la fréquence des thèmes antibourgeois est plus grande que l'inverse; enfin, les textes ne se font l'écho d'aucune véritable évolution et répètent des figures identiques du Chevalier et du Marchand, du XIIe au XVe siècle : chevalier, bourgeois et vilain sont des types que la transformation des conditions historiques ne modifie guère.

2. *La satire, reflet d'une société?*

J. Alter a étudié un secteur de la production satirique qui pourrait servir de témoin et de révélateur de l'évolution d'une classe : le courant antibourgeois. Il y repère trois directions : professionnelle (les métiers), politique (l' « orgueil » et la présomption de la bourgeoisie à jouer un rôle accru dans la cité), morale (les défauts communs). Dans la revue des métiers, le seul détail réaliste réside dans la précision de l'énumération. Mais l'intention satirique porte généralement sur la manière d'exercer, non sur les conditions de l'exercice, ou sur le principe. A chacun, marchands, usuriers, changeurs, hommes de loi, sa forme particulière de fraude : « bons sont cil de mestier et necessaire au monde / Convoitise en tous et chascun habonde... »

Aux avocats les pots de vin, aux marchands l'instabilité et l'âpreté au gain, à tous l'avarice, la crédulité, la gloutonnerie, la couardise et l'irreligiosité. Ainsi procèdent le *Livre des Manières* d'Etienne de Fougères et le *Songe d'Enfer* de Raoul de Houdenc. Même la montée des classes urbaines et leur poids croissant dans l'économie sont assimilés à des phénomènes moraux par les catégories de l' « orgueil », de l' « envie » (*Castoiement d'un père à son fils*, poèmes de Martial d'Auvergne). L'unique élément non moralisant de ces satires se trouve au niveau des attaques personnelles, des références à des individus connus et des scandales dont nous avons perdu la résonance particulière (et en même temps le sel), comme dans le *Congé* d'Adam de la Halle. Mais ces allusions sont souvent elles-mêmes récupérées comme événements exemplaires : les mésaventures de Pierre de la Broce, son ascension rapide et sa chute brutale sous le règne de Louis IX, servent d'illustration pour les pouvoirs de Fortune et de leçon à ceux qui voudraient sortir du rang (*Complainte de Pierre de Broce*, *Dit de la Fortune Monniot*). L'impact historique ou sociologique de ces satires ne peut être qu'un effet secondaire, moins significatif que leur valeur didactique : dans le siècle se déroulent les péripéties, dans l'éternité réside leur sens.

3. *L'orientation religieuse et morale*

Sans doute est-elle à l'origine de la satire en français, car ses premières manifestations sont cléricales, latines, voire homilétiques. Guibert de Nogent (*PL* 156, 21) et Alain de Lille (*PL* 210, *Ars praedicatoria*) fournissent aux prédicateurs des indications sur le développement du schéma des vices du siècle. Quand naît la satire française, à la fin du XIIe siècle, un répertoire est déjà constitué, simonie, vénalité, Fortune, mœurs, luxe, arrivisme, hypocrisie sont les thèmes clefs de *De Contemptu Mundi* de Bernard de Cluny (1140-1150), du *Policraticus* de Jean de Salisbury (1159), de l'*Architrenius* de Jean de Hanville (1184), du *Speculum stultorum* de Nigel de Longchamp (1190 ?). C'est aussi le moment où commencent à être composés les *Carmina Burana*, dans lesquels les motifs satiriques traditionnels prennent l'aspect de revendications d'une catégorie de clercs, les « vagantes » ou Goliards, marginaux (parfois reclassés) de l'institution ecclésiastique.

L'adaptation française ne renouvelle pas de manière notable la topique. Le monde est mauvais. Ce n'est pas la faute d'une organisation viciée à la base : les hommes sont corrompus. A la distribution en « états » correspond la représentation d'un univers mental et moral divisé en Vertus et en Vices. Chaque barreau de l'échelle sociale, du roi au vilain, a son vice privilégié : le moine est paillard, le prêtre simoniaque, le marchand cupide, la femme trompeuse; autant de perversions de leur fonction théologique. La

satire médiévale nous propose une série de stéréotypes qui sont des incarnations sociales des figures allégoriques de la Luxure, de l'Avarice, de l'Hypocrisie. Le comportement de chaque « état » s'inscrit dans sa définition, comme l'action d'une personnification; l'une des formes les plus usitées nous présente d'ailleurs les « états » liés à une personnification par la métaphore du mariage (le *Mariage des neuf filles du Diable*, de Robert Grosseteste). Le jugement moral, ainsi que la réduction allégorique renforcent la cohésion du système. Le principe des institutions est épargné, la condamnation n'atteint que le fonctionnement, perturbé par les péchés des hommes, et par le temps, ce « siècle puant et orrible » *(Bible Guiot)*, principale force de dégénérescence, champ d'action de Satan. Le passé est le modèle inaccessible, la référence mythique aux origines, pierre de touche de la dépréciation du présent. Au nom de l'autrefois utopique, achronique, l'époque contemporaine du satirique apparaît comme le lieu où s'affrontent les forces du Mal, se disputant l'âme du pécheur. La frontière de la satire, du rire, devient alors floue : il disparaît dans l'invective et les lamentations. Ainsi dans la *Bible Guiot*, catalogue des tares de la société : le siècle n'est plus ce qu'il était; où sont les grands seigneurs généreux d'autrefois ? Le clergé ne vaut guère mieux : voyez la rigueur inhumaine de certains Ordres, et le laisser-aller des autres. Le seul éclat de rire que l'on entende est celui du Prince de ce monde, qui mène la danse jusqu'à l'abîme où grimacent ses suppôts.

Qu'elle vise les excentricités vestimentaires — mais n'y a-t-il pas là un écho des diatribes cléricales contre le luxe et les prestiges illusoires de la chair —, qu'elle s'en prenne aux velléités de sortir de son rang par la table, la tenue ou l'ambition, qui se résout en un mélange d'orgueil et de cupidité, qu'elle dénonce les manquements à la règle morale, la satire est l'arme du conformisme; la moins redoutable à une époque qui disposait d'autres moyens pour ramener sur la bonne voie les égarés. Elle est aussi le signe de l'impuissance à penser le temps, l'histoire, l'évolution de la réalité sociale, trait de l'imaginaire médiéval que nous retrouvons dans d'autres domaines, comme la littérature allégorique.

4. *Les origines formelles de la satire*

« Parler de satire sociale est ambigu. Sociologiquement la contestation médiévale reste intérieure au système», écrit P. Zumthor. La satire au Moyen Age est plus une subversion de traditions poétiques que de la société. Le rire se manifeste souvent, d'abord, comme effet secondaire, dans la conscience d'une altération parodique du système formel d'un genre, ensuite seulement dans la reconnaissance de ses insuffisances idéologiques. L'antiféminisme a certes des origines religieuses, et la figure d'Eve, en concurrence avec celle

de la Vierge, hypothèque la représentation (masculine) de la femme. Mais n'est-il pas le produit aussi de la chanson courtoise, « ornement amplificateur ou digressif » (Zumthor), ou inversion pure et simple des motifs ? C'est ainsi qu'il se voit dès les troubadours, dans la distorsion des thèmes de la requête courtoise, chez Marcabru et Cercamon. Le *sirventès* peut servir ici d'exemple significatif : empruntant la mélodie, le cadre formel de chansons existantes, il en remplace la thématique pour « traiter de blâme, de reproches généraux pour corriger fous et méchants », selon les *Leys d'Amors*; attaques personnelles, conventionnelles (comme dans les « portraits » des rivaux par Pèire d'Alvernhe : « Cantarai d'aquestz trobadors... »), considérations morales (le temps présent, la disparition des vertus de chevalerie), polémique d'actualité sont des éléments de rupture à l'intérieur d'un code très élaboré; l'écart crée une tradition nouvelle. La satire de « jongleur » pratiquée par Colin Muset ou Rutebeuf repose sur des « topoi » liés à la situation typique : manque de générosité du protecteur, triste vie du poète. L'avarice de Louis IX dans *Renart le Bestourné* s'éclaire de manière nouvelle si l'on y voit le refus de prendre les poètes à son service, pour donner d'un autre côté sans compter aux Mendiants.

5. *Satire et actualité*

La technique allégorique offre à la satire les possibilités de la double lecture, les jeux du travestissement, et lui permet de saisir d'emblée le cas particulier dans l'idée générale, de porter le débat au niveau des normes et des concepts. C'est dans le cadre de l'évolution des formes allégoriques que la satire va s'orienter de plus en plus à la fin du XIIIe siècle, vers une appréhension nouvelle du concret. Avec les poèmes de Rutebeuf sur les Ordres mendiants, avec Jean de Meun, elle prend en compte l'événement, qui reste d'abord en marge du texte, comme allusion, pour s'y introduire de plus en plus pendant la période troublée de la guerre de Cent ans et des rivalités de partis. Mais l'univers de référence habituel de la satire se maintient intact : derrière les Ordres se profile le spectre de Renart, nouveau masque d'Hypocrisie, inversion de toutes les Vertus. Les vicissitudes de l'actualité rentrent dans les grilles d'interprétation accoutumées (Fortune est le sens ultime de l'histoire), et les actions humaines reçoivent pour explications des mobiles qui ne dépareraient pas les « états » : la vengeance, la cupidité et l'orgueil suffisent à rendre lisible un monde de plus en plus complexe, et si le pays se trouve dans une situation lamentable au XIVe siècle, c'est parce que « Long Conseil, Orgueil et Envie... Ont tant fait par leur grant effort... Qu'ils ont mis bien pres de la mort / Le noble royaume de France » (Eustache Deschamps).

B / La parodie, ou le renouvellement des formes

La parodie est, dans une certaine mesure, le complément indispensable de la satire. Quand l'ordre se fait trop contraignant, il peut être rendu supportable par un défoulement organisé, un renversement temporaire et codifié des rapports (comme dans les Saturnales romaines et le Carnaval). La possibilité de la parodie est inscrite dans la Création même : Satan y représente le principe de l'inversion, de la déception. L'hypocrisie, ce thème obsédant de la fin du XIIIe siècle, est un cas limite de la parodie non plus en tant que phénomène littéraire, mais comportement moral et social : le retournement des valeurs, l'impossibilité de distinguer le vrai du faux. Faux-semblant et Renart, personnages insaisissables, symbolisent la frontière au-delà de laquelle la parodie deviendrait pure destruction.

La parodie littéraire est particulièrement florissante au Moyen Age, parce qu'elle peut jouer avec des traditions formelles et thématiques extrêmement élaborées. Son modèle n'est pas la société, mais le langage, véhicule de toutes les valeurs : une parodie n'est donc jamais innocente, et, à travers l'irrespect vis-à-vis d'un langage, les valeurs elles-mêmes sont éraflées. Son origine est la figure rhétorique d'ironie, qui crée la distance entre l' « expression » et le « contenu », un décalage entre les registres. Un texte devient le signifiant d'un autre : le désaccord entre le « noble » et l' « ignoble » produit le rire, satisfaction de la démystification, de la conjuration des puissances, de la dégradation des prestiges, ou simplement plaisir du jeu avec les richesses d'un système. La satisfaction qu'apporte la reconnaissance du code à travers ses déformations est aussi importante sans doute que celle, plus proche des origines psychologiques ou ethnologiques de la parodie, d'une profanation du sacré. Les racines religieuses de la parodie sont incontestables, et les rites ou les formules du culte constituent une source essentielle de l'inspiration, d'autant plus que ses premiers adeptes sont des clercs nourris de la Bible et des tournures liturgiques. Les Goliards ont établi tout un rituel parodique de la messe, où les prières se transforment de la façon la plus inattendue : l'Introït sert d'invitation au jeu ou à la boisson *(Introibo ad altare Bachi)*, le Kyrie devient une querelle pour les dés, le Gloria une liste de blasphèmes, le *dominus vobiscum* une malédiction réciproque *(Dolus vobiscum-Et cum gemito tuo)*, l'Epître s'intitule *Titivillus apostolus ad ebrios* et l'office se termine sur un *Ite missa est* de circonstance : *Ite bursa vacua. Reo gratias.*

La parodie fait donc intervenir une discordance entre le vocabulaire, les motifs et la phraséologie d'une tradition bien ancrée dans l'imaginaire, et les habitudes du public et des auteurs avec des personnages, des actions, des objets, des mots situés en dehors de ce contexte, souvent même à l'opposé : dans le *Roman de Renart*, les animaux se conduisent en héros de la

chanson de geste, utilisent le langage juridique et les expressions de la *fin'amor*. Au premier abord, la tentation est grande de voir dans ce procédé la dénonciation des prestiges usurpés, la volonté de faire tomber les masques. Mais la fonction de la parodie est aussi dialectique : feignant de ne pas prendre le modèle au sérieux, elle le confirme d'autant mieux dans sa dignité et sa valeur. Elle est toute de connivence, de sympathie, pour la victime. Elle est le signe de la puissance des traditions, du poids des inerties stylistiques : « la tradition médiévale est assez forte pour intégrer sa propre contestation. La densité de ses réseaux associatifs permet en effet d'innombrables jeux de parodie qui constituent l'une de ses constantes » (P. Zumthor). Ainsi, ceux qui recherchent des effets héroï-comiques avec la forme allégorique (*Bataille de Caresme et de Charnage*, *Bataille des Vins* de Henri d'Andeli) bénéficient de ses structures linguistiques, de sa faveur auprès du lecteur, de son niveau de vérité et de l'effet de rupture. Le courant antiféministe représente aussi dans une certaine mesure un contrepoint parodique de l'idéologie dominante.

Il est rare que la parodie serve d'arme comme chez Jean de Meun, qui en fait un instrument de mise en question du langage et de l'esthétique courtois : le contenu qu'il donne aux thèmes, aux mots mêmes de Guillaume de Lorris révèle les limites, les mensonges des euphémismes et litotes de la tradition amoureuse, y démasque le désir, les ruses d'une « nature » qui arrive à faire valoir ses droits à travers les illusions des hommes. L'exemple de Meun démontre qu'il arrive un moment où le jeu avec un système formel conduit à un examen critique de ses fondements idéologiques : la plupart des écrivains du Moyen Age se sont arrêtés avant.

La tendance parodique a produit aussi bien des variations à l'intérieur d'un genre déjà constitué (dans la chanson de geste, avec *Audigier*, qui transpose les registres de l'épopée dans le domaine scatologique, dans le grand chant courtois avec la « sotte chanson », dont la *Ballade de la grosse Margot* de Villon nous donne un exemple), que des « genres » nouveaux, des traditions qui deviennent elles-mêmes susceptibles d'imitations. Elle est une source essentielle du renouvellement des courants de la littérature médiévale.

C / Le comique d'évasion

C'est ainsi que l'on pourrait appeler ce rire plus difficile à saisir, bien qu'il soit apparemment le plus simple, le plus immédiat, le plus dépourvu d'arrière-pensées. Il naît des actions, des situations « cocasses » qui déclenchent un rire presque involontaire : scènes de bagarre, d'ivrognerie et de taverne, quiproquos de la *Male Honte*, ruse qui triomphe de la force dans les *Quinze Joies de Mariage*, dupeur dupé dans *Pathelin*. C'est le stock inépuisable de la farce, du guignol, de Charlot. Le rire, ici, est le « mécanique plaqué sur

le vivant » de Bergson, la surprise et la joie du danger surmonté définies par Freud. Son analyse relève plus de la psychologie, de la psychanalyse, que de la critique littéraire. Encore faut-il y distinguer ce qui appartient à la violation des tabous d'une société donnée : le rire, anodin, s'enrichit alors des plaisirs de la transgression. Dans quelle mesure les nombreux passages qui nous semblent obscènes ou scatologiques en participent-ils ? Sont-ils le témoignage d'une plus grande liberté ou d'autres interdits ? Même ce type de rire n'existe que par rapport à un jugement esthétique, à une évaluation du Beau et du laid qui ne sont évidemment pas identiques à chaque époque.

En dehors des thèmes « intemporels » de la farce, ce sont les mots qui ont fourni aux auteurs médiévaux la source d'un rire d'évasion. Tous les jeux sont pratiqués : association inattendue, calembour, coq-à-l'âne, altération de la substance phonique qui produit un effet d'antithèse et de rupture (c'est le procédé favori de la parodie cléricale des formules de l'Ecriture ou de la liturgie : *Pater noster qui es in cypho, multiplicetur nomen tuum*...), réunion de fragments incohérents, répétition de schémas syntaxiques avec des contenus incongrus. L'aboutissement peut être la décomposition du langage en pur « bruit », lorsque seule subsiste une forme rigide remplie de mots sans lien et sans signification, comme dans le « fatras ».

Une forme particulièrement appréciée de ce comique vient d'un personnage qui prendra de plus en plus d'importance avec la dureté des temps et le sentiment croissant de l'absurdité de la vie : le fou. Si le « fol » du *Jeu de la Feuillée* n'est encore qu'un pauvre égaré, ni bouffon, ni sage, que son entourage essaie en vain de soigner, le XIVe siècle s'achemine vers une figure de fou véridique, de sage « au-delà de toute sagesse », qui refuse la réalité d'un univers privé de sens, qui renverse les idoles et démasque les impostures, au milieu de l'indulgence de tous, parce qu'il reste en dehors. Constat railleur de la folie générale et du désordre établi, son attitude ne débouche pas sur une volonté de changement. Situé entre la fantaisie pure, qui traduit l'impossible réconciliation avec le monde, entre la subversion des valeurs ou l'expérience de l'interdit, et une lucidité destructrice, ce rire nous paraît plus radical que celui de la satire, ou de la parodie, moins innocent, voire inquiétant. Mais il s'achève en une philosophie fataliste de l'inanité de toutes choses, peu éloignée somme toute de l'image obsédante de la Roue de Fortune, du refus du siècle des religieux, de la société abandonnée par Dieu et livrée aux démons.

« Satire de la norme quotidienne » (N. Frye), tenant pour acquis que le monde est rempli d'anomalies, attaquant l'originalité qui brise la convention ; libération, démystification, imitation dégradante mais complaisante; destruction et constat d'impuissance de l'esprit devant l'absurdité du monde : toutes ces fonctions sont représentées dans le rire médiéval. Ce n'est certes pas là qu'il faut chercher sa spécificité, mais dans sa présence à travers

l'ensemble du système littéraire, comme principe créateur d'œuvres comme les fabliaux ou le *Roman de Renart*, puis le théâtre comique, ou comme registre à la fois subversif et régénérateur des formes constituées.

II / LES GENRES COMIQUES

A / Le fabliau

Nombreux (150 dans des recueils de la fin du XIIIe et du début du XIVe siècle, mais de création antérieure), limités dans leurs thèmes, ce sont des « contes à rire en vers », textes narratifs courts en général, dont la motivation essentielle est l'effet comique. L'unité relative dans la forme (les octosyllabes à rime plate) ne doit pas faire oublier la diversité des tons. Si l'on peut les distinguer des « lais » narratifs ou des « dits » moraux, les limites restent floues, et l'indétermination habituelle de la terminologie médiévale contribue à brouiller les définitions : le mot « fabliau » n'est pas employé pour tous les textes que la critique range dans cette catégorie et se trouve utilisé pour désigner des œuvres qui ne peuvent y figurer (fables et débats). La *Housse Partie* est considérée comme fabliau parce que ses acteurs sont des vilains, tandis que la *Lai d'Aristote* l'est pour son inspiration plaisante et anticourtoise.

Les auteurs peuvent être de pauvres jongleurs affamés ou méprisés, ou des « bourgeois » comme Jean Bodel, des clercs comme Gautier le Leu ou Henri d'Andeli. Pour ses personnages, le fabliau emprunte à toutes les couches sociales, avec une préférence marquée pour les vilains, le clergé et les femmes, cibles privilégiées de la satire. Les « états » y défilent avec leurs vices attitrés, mais moins dans un but critique que pour obtenir un rire facile, programmé. Ainsi se succèdent les chevaliers (*Le chevalier qui fist sa femme confesse* — mais l'aristocratie est assez faiblement représentée), les moines et prêtres paillards (qui, eux, sont légion), les épouses rouées (*Le chevalier à la robe vermeille*), les vilains stupides que l'on vole, trompe et bat comme plâtre (*Le vilain mire*), et qui assument avec constance le rôle de la victime née, pour qui toute pitié est déplacée; parfois apparaissent les infirmes que leur disgrâce rend ridicules (*Les trois aveugles de Compiègne, Les trois bossus ménestrels*).

La psychologie de ces textes est sommaire. Chaque personnage est figé dans un rôle sans surprise : la femme ne peut être que frivole et retorse, le prêtre ivrogne et débauché, le paysan grotesque et borné. Ce n'est donc pas dans un comique psychologique, de « caractère » que réside l'intérêt des fabliaux, mais dans la reconnaissance des sujets de rire accoutumés, dans les

péripéties prévues et néanmoins attendues avec impatience, dans la parodie. L'inspiration est toute de bonne humeur, de verve maligne et gaillarde, dans le style de nos « bonnes histoires » modernes, avec un goût prononcé pour la trivialité, l'obscénité, l'ordure.

Le rire est causé par le spectacle classique de la tromperie, par cette « catharsis » à l'envers que produit la satisfaction du malheur d'autrui et la conscience de sa propre supériorité, ainsi que par l'attirail habituel du cocasse : coups et blessures (sinon mort, que le contexte rend anodine), répétitions mécaniques, outrances caricaturales qui renversent les perspectives de l'expérience quotidienne, jeux de mots et malentendus (*Estula*, qui est le titre d'un fabliau, le nom d'un chien et une question de lieu; la *Male Honte* qui est la « malle de honte »). La finalité de ces pièces est d'amuser, de fournir un contrepoint burlesque aux genres nobles, plutôt que de mettre en question. Quand la satire se manifeste, c'est de manière indirecte, comme effet secondaire; elle se cantonne d'ailleurs dans l'anticléricalisme primaire et l'antiféminisme, impertinences envers le système dominant et le snobisme de la « fin'amor ».

Les situations se répètent : sexe et matières fécales (*De Charlot le Juif qui chia en la peau du lièvre*, de Rutebeuf), mangeaille, tavernes avec leur cortège de joueurs, buveurs et filles, violences subies et rendues selon une morale élémentaire de la loi du talion. Proverbes compris littéralement (*La vache au prêtre)*, quiproquos (*Les trois bossus ménestrels)*, bastonnades (*La bourgeoise d'Orléans)*, ainsi que l'inévitable trio mari-femme-amant, constituent un répertoire inépuisable, dont on pourrait établir un parallèle par une transposition dans le registre « noble » et y trouver alors la thématique des formes « sérieuses » (figuration allégorique, combats épiques, « adultère » courtois).

Dans le *Vilain Mire*, une femme battue se venge en laissant croire que son mari n'est médecin que si on le roue de coups. Dans le *Chevalier qui fist sa femme confesse*, le mari déguisé entend à son grand dam la confession de sa volage épouse, mais celle-ci lui fait accroire qu'elle l'avait reconnu et voulait ainsi attiser sa jalousie. Dans les *Trois bossus ménestrels* la farce devient macabre : une femme mariée à un bossu cache trois bossus dans un coffre où ils meurent; l'homme de peine qui porte les cadavres à la rivière, tombe sur le mari, et le tue, pensant avoir affaire à un revenant. Dans la *Vache au prêtre*, le curé annonce que Dieu rend au double ce qu'on lui donne : un vilain offre sa vache au prêtre; elle revient à l'étable, suivie de la vache du prêtre. Dans le *Dit des perdreaux*, une femme mange les volatiles qu'elle préparait, et réussit à berner aussi bien le mari que le prêtre qu'il a invité. Le fabliau d'*Aloul* met en scène un épisode de séduction nocturne dans le lit conjugal, par un prêtre paillard, au détriment d'un vilain laid et brutal, le tout se terminant par une sanglante bagarre.

Selon P. Nykrog, la totalité du corpus se répartit environ 150 thèmes, dont 100 à connotation érotique, parmi lesquels une quarantaine comportant le trio femme-mari-amant, une vingtaine d' « histoires de ménage », autant de séductions. Ainsi le fabliau serait la caricature de la littérature courtoise, le contrepoint parodique du « mal d'amour » et du désir différé, le retour des « exigences » de la nature contre les sophistications de la culture (phénomène qui correspondrait chronologiquement à la mise en question plus philosophique effectuée par Jean de Meun). La fréquence même de la situation triangulaire n'est pas sans rappeler le schéma du désir selon l'idéologie courtoise, avec son mari (absent, ou intervenant comme obstacle), sa dame et son soupirant; dans le fabliau, tous ces éléments sont décalés d'un cran vers le burlesque, le mari n'est plus le puissant seigneur mais le vilain qui résume en lui tous les défauts antichevaleresques, la Dame devient femme, et l'amoureux rassemble dans son personnage la recherche anticourtoise de la satisfaction immédiate des sens et la profanation de l'état ecclésiastique. Mais on ne peut réduire l'interprétation du fabliau à cette orientation unique, quoique privilégiée, et l'on est obligé souvent de recourir à la notion de « folklore », de tradition de noyaux narratifs dont la provenance reste obscure, et dans laquelle puise la littérature populaire ou le jongleur de métier.

Malgré une certaine unité formelle et le nombre limité de thèmes, le « genre » se prête mal à la définition : le fabliau peut être moralisant *(La Housse Partie)*, antiquisant (le *Lai d'Aristote*, basé sur un *exemplum* dont on peut trouver l'illustration dans la sculpture religieuse, et qui reprend l'histoire du philosophe chevauché par une courtisane, édifiant témoignage des faiblesses de l'esprit devant les séductions de la chair), écrit en mètres lyriques comme *Le prêtre au lardier*, franchement pornographique comme le *Conte des trois vits*. La longueur des textes est inégale, se situant entre plusieurs centaines et plus d'un millier de vers. Le moment de son apogée correspond à l'époque où le vers représente le mode d'expression préférentiel de la littérature de fiction. Sa transmission était surtout orale.

La critique s'est posé aussi pour le fabliau la question des origines populaires ou savantes, qui rejoint celle du public. Si Bédier croit à une « poésie de petites gens », P. Nykrog apporte de nombreux arguments en faveur d'une inspiration aristocratique. Sans doute ces textes figuraient-ils dans le même répertoire de jongleurs que les chansons de gestes et les romans, et avaient-ils les mêmes auditeurs. Quant au choix des personnages, il est dicté par la convention d'un genre plutôt que par l'intention sociale.

B / Le « Roman de Renart »

C'est une collection d'histoires plaisantes, de récits plus ou moins indépendants, les « branches », dont le lien essentiel est le retour des personnages. La particularité de cette littérature est d'avoir pour acteurs les animaux de la tradition des *Isopets*, mimant un comportement humain. Cet ensemble de vingt-six contributions d'époques différentes remonte pour ses parties les plus anciennes (II et V *a*) au XIIe siècle.

Deux traits distinguent le *Roman de Renart* du courant qui a perpétué la fable ésopique : la primauté de l'anecdote sur la valeur édifiante (dans la fable, le récit est uniquement illustration, exemple d'une vérité générale ou cas particulier de l'application d'une règle de conduite) et les glissements permanents entre les plans humain et animal (Renart dans le puits comporte une séquence animale, la substitution d'Ysengrin au goupil dans sa fâcheuse position, puis l'intervention des « renduz », les moines qui mettent le loup à mal). L'animal est un miroir dans lequel l'homme voit l'image déformée de ses actions (satire), en même temps qu'il agit en homme, l'imite de manière parodique dans sa vie sociale, dans son langage. Les acteurs incarnent chacun une qualité ou un défaut donnés, fixés une fois pour toutes par la tradition littéraire et l'observation de la nature (qu'il faut entendre plus au sens des *Bestiaires* que dans une optique scientifique moderne) : la couardise prend l'aspect concret du lièvre, la gourmandise celui de l'ours, la vanité celui du coq; le renard est d'un symbolisme plus riche, dominé par la ruse. Ils sont figés dans leur détermination comme les hommes dans les « états ». Ils portent un nom : Renart, Brun, Ysengrin, Couard, Thibert, Chantecler, qui sert de signal à leur portée humaine. Mais ils gardent les mœurs de l'espèce à laquelle ils appartiennent : Renart vole les poules. Le symbolisme est donc complexe : le renard et l'ours sont dans un premier temps des animaux que l'expérience quotidienne a fait connaître au public; ensuite ils sont les hommes dont ils empruntent le nom, les gestes, les paroles (cela les met parfois en contradiction avec le premier registre); enfin, ils fonctionnent comme type moral, voire social, car il y a parallélisme avec les « états », et on peut aussi distinguer des seigneurs, des bourgeois, des prélats. Nous sommes donc en présence de figures à la signification très riche, à mi-chemin de la personnification allégorique à laquelle elles empruntent la métaphore du comportement humain ainsi que le double plan de lecture (concret, au niveau de l'image animale, et abstrait pour le « sens », pour les notions incarnées), mais comme le remarque P. Zumthor, elles ne sont jamais perçues comme telles (« Renart supplante le goupil assez tard »). La clef d'interprétation nous est d'ailleurs fournie par ce fameux passage de la branche III, dont la terminologie très marquée (le verbe « senefie » étant presque le signal de la lecture allégorique) distingue les trois registres animal-homme-défaut : « Icil

gorpis (= le renard en tant que bête) vos senefie (= annonce les différentes façons de lire) / Renart qui tant sot de ministrie (= le nom, première étape de l'humanisation, et le comportement) / Tot cil qui sont d'anging et d'art (= passage à la généralisation) / Sont mes tuit apelez Renart» (lien entre le cas humain particulier et l'universalité de la notion).

Le comique est à son tour multiple. Au niveau de l'anecdote, il procède de la farce (Renart dans le puits). En tant que reflet de la société des hommes, le monde animal permet d'innombrables jeux de parodie, du roman courtois (dame Hersent) et de l'épopée : la cour de Noble est féodale et rappelle celle de Louis VII; Renart est un baron installé dans sa forteresse de Maupertuis, dont le nom pourtant garde la référence animale au terrier. L'inspiration morale sous-tend la satire, sans âpreté, sauf en III *b*. D'abord légère et burlesque proche encore du fabliau, elle s'en prend à l'ignorance des moines, à l'inconstance des femmes, à la bêtise des vilains, à l'hypocrisie religieuse (le faux pèlerinage de Renart), à l'égoïsme brutal et l'agressivité des seigneurs. Le *Roman de Renart* est un tableau de la sottise universelle, une galerie de dupes, préparant ainsi la voie à ces auteurs de la fin du XIIIe siècle pour qui le protagoniste deviendra le Décepteur, la quintessence de l'hypocrisie. De l'antiféminisme discret et de l'impertinence sans conséquence vis-à-vis du clergé (prêtres mariés, pèlerinages peu édifiants, fausses reliques), de l'héroï-comique antichevaleresque, parfois scabreux (le viol de la louve), il évolue vers un ton de plus en plus caustique. La branche XVII ne laisse plus qu'une frontière très imprécise entre la satire et la folie : l'éloge funèbre de Renart par l'âne Bernard est une apologie de ses vices et péchés, une préfiguration du monde à l'envers de *Fauvel*.

Les branches les plus anciennes, II (origine de la guerre entre le loup et le goupil, affront à Hersent) et V *a*, attribuées à Pierre de Saint-Cloud, sont encore des recueils de petites fables : Renart, dupé par Chantecler, par Tibert le chat, par Mésange, se rabat sur Ysengrin; leur querelle est rapportée devant Noble le lion. L'auteur veut faire rire en ne respectant personne, en singeant les thèmes et le style de la chanson de geste (combat, conseil, ambassade, siège, énumérations, appels à l'auditoire, comparaisons), les rites religieux (funérailles, confession, messe) et en s'attaquant aussi aux différentes conditions sociales. Les épisodes s'ajoutent progressivement : IV (Renart dans le puits), V (Renart et Grillon), III (Le marchand de poissons). Un auteur artésien achève la branche II et réorganise le tout (branche I), concentrant la satire sur la cour de Noble (procès de Renart qui s'enfuit pour son pèlerinage). La branche I *a* est une narration épique : Renart est assiégé dans Maupertuis; XI une épopée burlesque (croisade contre les scorpions, les chameaux, les buffles), XIV une parodie biblique (les enfances Renart) et XVII (vers 1205), un tableau du monde où toutes les valeurs sont perverties.

Mais la satire l'emportera de plus en plus sur les autres aspects (voir chapitre V). Tradition qui s'achèvera avec le *Fauvel* du XIVe siècle; il nous décrit en effet l'univers entier rendant hommage (« torchant ») cet animal (ici, un cheval), symbole de tous les péchés, et dont le mariage final coïncide avec la fin des temps. *Fauvain*, de Raoul le Petit, reprend le thème avec la mule que tous veulent chevaucher; mais la morale est sauve : le diable emporte Fauvain tandis que Dieu couronne Loyauté.

C / Le théâtre comique

Il n'existe pas en français avant 1270, en tant que phénomène indépendant. Mais le Moyen Age pratique le mélange des genres et des tons, si bien que les pièces religieuses comportent des éléments comiques : la taverne du *Jeu de Saint Nicolas*, où les truands combinent le vol d'un trésor, le tavernier fait l'article pour son établissement dans un style proche du boniment du charlatan que l'on retrouvera dans le *Dit de l'Herberie*. De même *Courtois d'Arras* nous transporte dans une taverne de la ville, au milieu d'une parabole évangélique (l'enfant prodigue). On hésite entre le réalisme et le symbole : la représentation grotesque du surnaturel n'enlève rien à la valeur exemplaire de l'œuvre. Faut-il voir dans cet amalgame de comique et de sérieux l'origine du théâtre comique ? Ou faut-il le considérer comme une adaptation des pièces latines composées par des clercs du pays de Loire au XIIe et au XIIIe siècle, voire comme une élaboration des canevas qui figuraient au répertoire des jongleurs ? Rutebeuf a laissé un exemple de ces monologues dramatiques, dans lesquels un seul acteur mime divers personnages : le *Dit de l'Herberie* (vers 1270) ou la faconde allie grossièreté et fantaisie, et qui fonctionne aussi comme parodie d'un discours savant (la médecine, car le jongleur se déclare maître en cet art, formé par les Facultés étrangères les plus prestigieuses, capable de guérir toutes les maladies, pour vendre une herbe contre les vers). Dans ces « bourdes », le discours sérieux débouche sur l'invraisemblance, l'outrance caricaturale et se détruit de lui-même. Un autre texte complexe peut servir d'ancêtre au théâtre des siècles suivants : le *Jeu de la Feuillée* d'Adam de la Halle qui juxtapose un « congé » satirique, une féerie nourrie de mythes celtiques et une scène de taverne. A ce moment, on ne saurait encore parler de formes constituées : le théâtre cherche sa voie, entre le fabliau qui s'éteint, le dit du jongleur et la tradition savante de l'école, qui renoue avec les origines antiques. Les comédies latines étaient en effet fort goûtées des clercs : *Geta*, *Aulularia*, *Alda*, de Guillaume de Blois; *Pamphilus* anonyme. Toutes ces œuvres n'ont pas été nécessairement jouées et contiennent des passages narratifs; seul le *De Babione* (XIIe siècle) ne comprend que des monologues

et dialogues (joués par un seul acteur ?). Elles empruntent à Plaute les sujets, les thèmes (bêtise, cocufiage, entremise) et les personnages (femme, valet, mari, amant, courtisane). La filiation directe de la comédie en français est cependant douteuse, car les situations et les personnages restent différents.

Le XIIIe siècle a développé une intrigue simpliste, opposant deux types traditionnels dans une atmosphère drôle et féroce de farce (le *Garçon et l'Aveugle*), des trames assez lâches sur lesquelles les auteurs brodent avec beaucoup de fantaisie : faut-il partir à Paris poursuivre ses études en abandonnant femmes et amis ? C'est ce qui fait le lien entre les épisodes du *Jeu de la Feuillée*; il a exploité aussi les possibilités dramatiques contenues dans certaines formes comme la pastourelle; c'est le cas pour *Robin et Marion* d'Adam de la Halle, qui supprime les séquences narratives, pour ne conserver que les dialogues de la rencontre, étoffés de chansons et de péripéties annexes. Toutes ces trouvailles restent curieusement sans lendemain, et le silence du XIVe siècle pose des problèmes : peut-on parler d'une éclipse du théâtre comique à cette époque, ou les pièces ont-elles disparu pour des remaniements ultérieurs ?

Ce n'est qu'au XVe siècle qu'on assiste à la véritable naissance d'un théâtre comique avec constitution de troupes, de genres, de thèmes. Les grandes villes se créent des « confréries joyeuses », associations d'amateurs qui se dévouent aux jours de fête : Enfants sans soucis et Clercs de la Basoche à Paris, Suppôts de la Mère Folle à Lyon, Cornards de Rouen, Guespins d'Orléans. Des traditions s'établissent : la farce, le sermon joyeux, le monologue dramatique, la sotie, la moralité. Grande variété de formes, à laquelle s'ajoute l'importance de la production, qui fait de cette fin du Moyen Age un moment privilégié de l'histoire du théâtre.

Cent cinquante farces ont été jouées entre 1440 et 1560. Leur action est simple et rapide, leur langue verte, les répliques vives. Le rire comme dans le fabliau ne recule pas devant la scatologie la plus épaisse. Dans une anecdote fantaisiste se meuvent des personnages toujours identiques, caricaturés (paysans, prêtres, soldats), parfois typiques comme le « badin » avec ses questions faussement ingénues, ses interprétations trop littérales, ses mimiques, son costume. Les thèmes semblent hérités du fabliau : femmes infidèles et tyranniques, soldats couards, prêtres débauchés. Ruse et duplicité y triomphent : vision du monde cynique ou défense du faible. Les farces s'inspirent d'une morale sommaire mais efficace : mieux vaut manger qu'être mangé. Parfois, nous y retrouvons les tendances habituelles de la satire, surtout des gens d'Eglise pleutres et paillards *(Frère Guillebert)* ou hypocrites *(Sœur Fessue)*. Mais à côté de pièces sans ambitions comme l'*Obstination des femmes* (querelle de ménage à propos d'un oiseau à mettre en cage), la *Farce du brigand* que l'on trouve au milieu du *Mystère de Saint Fiacre* (série de corrections aux dépens du « sergent »), la *Farce du Pont aux*

Anes (1475) ou le *Meunier de qui le diable emporta l'âme en enfer* (1496), nous avons une comédie assez élaborée avec la *Farce de Maistre Pathelin.*

La sotie est la pièce des sots : les acteurs jouissent de la liberté de parole sous le masque de la folie. Le dialogue se réduit souvent à une sorte de « fatrasie », série de répliques disparates dont la rime est le seul lien. Les anciens célébrants de la Fête des fous, chassés de l'église, se réfugient sur la place publique où ils maintiennent la tradition du Carnaval et des Saturnales. L'intention est donc généralement satirique, portant sur les derniers potins de l'actualité. *Les gens nouveaux qui mangent le monde et le logent de mal en pire* (1461) reflètent l'opposition que soulèvent les pratiques du règne de Louis XI, mais aussi le comportement de toutes les classes de la société, selon la vieille technique des « états » (avocats cupides, médecins charlatans, prêtres à filles, soldats brutaux). La *Folie des Gorriers* traite le thème facile de la mode. Mais le *Jeu du Prince des Sots* de Pierre Gringore (1512) donnera à cette veine ses lettres de noblesse avec une représentation complexe, véritable contrepoint des Mystères sacrés.

Le « sermon joyeux » relève de la parodie. Sur un thème bouffon (Saint Hareng, Sainte Andouille), l'auteur déploie toutes les techniques de l'homélie, à la manière des rhéteurs antiques dans leurs éloges de la mouche, de la maladie... Le monologue dramatique est un *one man show*, qui permet à un acteur unique de présenter ses manies et ses vices, selon la fantaisie la plus débridée, souvent à propos d'une question d'actualité : le *Franc Archer de Bagnolet*, en 1468, fait allusion aux réformes militaires de Charles VII, tout en exploitant le thème du « miles gloriosus ».

III / LE COMIQUE ÉLÉMENT CONSTITUTIF DU SYSTÈME

L'ensemble des formes littéraires médiévales rentre dans une étude du comique, car cet élément apparaît dans toutes les traditions à un moment ou un autre. Ainsi, du XIIe au XVe siècle, l'inspiration satirique ne se tarit pas, sans pour autant se renouveler. La parodie s'introduit aussi bien dans l'épopée que dans le corpus courtois : seule l'historiographie en est exempte, bien qu'elle fournisse aussi ses procédés stylistiques aux séquences comiques (l'appel à la vérité du témoignage pour les plus grandes extravagances).

A / Le champ de la satire

Sans que l'on puisse parler à ce propos d'un « genre » littéraire, la satire est la principale source de nombreuses œuvres, souvent anonymes, la plupart peu connues et mal éditées. Elle semble privilégier le vers, sous la forme du « dit ». Elle ressasse inlassablement les mêmes plaintes.

1. *Origines et formes*

Le XIIe siècle est l'âge d'Or de la satire cléricale en latin. Le français prend le relais à la fin du siècle et au début du suivant avec les Bibles et les revues d' « états »; la veine satirique se perpétuera sur les mêmes schémas jusqu'à la fin du Moyen Age, avec des temps forts comme la deuxième moitié du XIIIe siècle, lors de la querelle des Ordres Mendiants. Il est difficile de préciser une unité formelle satisfaisante, il reste qu'on peut classer les « poèmes satiriques » selon quelques orientations préférentielles, comme la satire des conditions sociales, l'anticléricalisme, l'antiféminisme, la satire de la nouveauté, la satire de l'actualité. Chacune finit par constituer une tradition, avec ses thèmes obligés, et par évoluer en vase clos, au mépris des transformations historiques. On peut y rajouter un courant anti-aristocratique, qui se développe sous divers aspects au XIVe et au XVe siècle, en particulier dans la prose.

2. *Répartition thématique*

a) Les « Etats du monde ». — *Bibles* comme celle de Guiot de Provins (avant 1206) ou celle du Seigneur de Berzé, *Besant de Dieu* de Guillaume le Clerc (1226), « *Etats du monde* » attribués à des auteurs connus comme Rutebeuf, Baudouin et Jean de Condé, ou anonymes pour la plupart, *Livre des Manières* d'Etienne de Fougères (1170), *Poème Moral*, *Lamentations* de Gilles li Muisis, vers d'Hélinand : tous ces textes sont construits sur le même schéma énumératif (un défilé qui va du pape et du roi aux moines et aux vilains) qui semble être une constante de la représentation médiévale (on la retrouve dans la technique de la description allégorique, dans les phénomènes plus tardifs des Danses Macabres). Le ton aussi est invariable : prêtres cupides et débauchés, chevaliers orgueilleux et brutaux, vilains félons, tous se précipitent à la file vers le Jugement Dernier et l'Enfer. Le siècle ne vaut rien, toutes les couches de la société sont pourries de vices : à peine toutes les métaphores de la répulsion suffisent-elles à l'auteur satirique pour brosser un tableau assez sombre. « Dou siècle puant et

orrible / M'estuet commencier une Bible » *(Bible Guiot)* : l'auteur est poussé par son indignation (« m'estuet »), par la nécessité de sauver ses contemporains aux bords de l'abîme et de leur montrer une dernière fois la bonne voie. Dans cette vaste et monotone production se dessinent des préférences formelles : quatrains monorimes du *Livre des Manières* et du *Poème Moral* (« Li clerc qui sevent l'Ecriture / Qu'est jugement et qu'est dreiture / Que leialté, que desmesure / Icil n'ont el mes de Dé cure ») ou distiques de la *Bible Guiot*, de la *Bible au seigneur de Berzé*, du *Besant de Dieu* (« Si les ordres fussent tenues / Mes eles sont si corrompus / Que petit en tient nului ores / Ce qui l'en fut commandé lores »), strophes de douze vers d'Hélinand et du Reclus de Molliens, sur deux rimes. La technique énumérative se double souvent d'une structure d'irréel du présent (si les choses étaient ce qu'elles furent) et de l'opposition « ores » / « lores », qui à elle seule porte la condamnation. La même vision pessimiste des hommes que leurs péchés rendent incapables d'assumer leur dignité et de tenir la place assignée par Dieu se perpétue à travers les évocations de la simonie, de la vénalité, de la cupidité, de la luxure, de l'ambition, de l'hypocrisie, de toutes ces faiblesses de la Chair dont le deuxième livre du *De Contemptu Mundi* de Bernard de Cluny avait déjà fait le recensement exhaustif. La référence à cette œuvre monastique peut nous éclairer sur la motivation principale de ce type de littérature : dans l'impossibilité d'amender les hommes, la seule issue reste la renonciation au monde, la retraite au cloître. Hélinand rompt avec une jeunesse brillante et dissipée en se retirant chez les Cisterciens de Froidmont, Barthélémy vit dans une recluserie à Moilliens-Vidame, Guiot de Provins, après avoir été en relations avec les plus grands seigneurs de son temps, fut moine à Clairvaux et Cluny.

Il y a peu de différences entre la *Bible Guiot* où l'on peut lire au sujet des médecins : « Cil d'orde prison eschappe / Qui de lor mains puet eschapper » et le *Livre des Manières*, premier en date de ce modèle en français, qui développe le *vanitas vanitatum* de l'Ecclésiaste; l'évêque de Rennes ne trouve que des clercs « dilapideurs du patrimoine de Dieu », des chevaliers « qui trop aiment dance et balerie / Et demener bachelerie », des marchands qui ont des poids et mesures frauduleux, qui jurent et vendent à des prix trop élevés (les trois défauts se placent sur le même plan pour ce qui est du salut); vainement, il recherche cette image idéale du roi, du prélat, de la justice, qui a déserté le monde (comme la Charité du Reclus de Moilliens), et qu'il ne peut plus définir que par antithèse. Le *Poème Moral*, au nom de l'utopie d'un âge d'Or à jamais perdu, juge que « vaine est la joie de cest siècle » et s'en prend particulièrement aux prêcheurs et jongleurs qui prostituent la parole : « Mais li bon precheor que sont or devenut ? Par foit ! des bons n'en est gaire, mais des altres en est mut ! » (on remarque là aussi le terme clef : « or »). Rutebeuf aussi constate la décadence des anciennes

vertus de la chevalerie *(Complainte de Constantinople)*, qui ne montre plus aucun digne descendant des compagnons de Roland *(Etat du Monde)*, et déplore la disparition de la loyauté, le manque d'enthousiasme pour la Croisade à laquelle on préfère la « bonne vie » *(Nouvelle Complainte de Constantinople)*; les fonctionnaires d'autorité se signalent par leur vénalité, les hommes de loi par leur cupidité et le goût de la chicane, les marchands s'engraissent en trompant l'acheteur, les médecins ne vendent que des remèdes de bonne femme.

La tradition moralisante des « états » continue sous des formes plus diversifiées jusqu'à la fin du XVe siècle. Au XIIe siècle, les vers de Thibaut de Marly ont une orientation eschatologique prononcée; les désignations sociales précises sont rares, et les peines infernales promises sont décrites à chaque passage en revue; les acteurs sont moins les hommes que Dieu, l'âme et le diable. L'ensemble est encadré d'un prologue sur l'origine du monde et d'un épilogue évoquant la parousie. Plus tard le schéma s'assouplit. Le ton reste le même. Ainsi dans le *Doctrinal du temps présent* de Pierre Michault (1460), qui se calque sur le *Doctrinale Puerorum*, sorte de grammaire moralisée, et les jeux subtils des Rhétoriqueurs; dans les *Lamentations Bourrien* d'Henri Baude; dans la satire bougonne de Guillaume Alecis, ou mélancolique et plaisante de Villon. On la retrouverait aussi bien dans le *Livre de Mandevie* (les « Mélancolies ») de Jean Dupin, que dans le *Livre des bonnes mœurs* de Jacques Legrand.

Parfois l'ironie, la parodie viennent relever la monotonie de l'énumération des tares de la société, nous présentant tel ou tel personnage plus individualisé : ainsi, la *Procession du bon abbé Poinçon*, petit poème anonyme composé vers 1240, contre les guerres privées et les religieux trop attirés par le temporel, chante sur le ton épique les vices d'un clergé violent et intéressé (« De la procession au bon abbé Poinçon / Me covient à chanter / Hons de religion / Ne fist mais tel pardon / Par son pais aler / Tout a fait agaster / Et tout mis a charbon... »). La *Patenostre à l'usurier*, le *Credo à l'usurier* s'inspirent d'une technique de l'inversion pratiquée volontiers par la parodie cléricale en latin : dans la *Patenostre*, chaque strophe débute par une formule de la prière, suivie par les vœux fort peu catholiques de l'usurier (« Pater noster, biaus sire Diex / Quar donez que je soie tiex / Que je puisse par mon savoir / Et le los et le pris avoir / De gaaigner et d'amasser / Tant que je puisse sormonter / Trestoz les riches useriers... »).

b) L'anticléricalisme. — Il est le thème le plus riche dès les satires latines, et l'on peut s'interroger sur cette faveur, d'autant plus que beaucoup d'auteurs sont eux-mêmes clercs. S'agit-il d'un processus d'hygiène interne au clergé, de la part de membres conscients de leur mission, qui se sentent le devoir de préserver le rôle et la dignité de leur fonction ? La

critique vient-elle d'éléments en marge cherchant une intégration qui se fait attendre (ce qui est le cas des « vagantes ») ? La protestation est-elle externe au clergé, venant d'auteurs qui en veulent à sa trop grande puissance et à son omniprésence ? Sans doute les trois possibilités se confondent-elles (avec une vraisemblance moindre pour la dernière). Dans la thématique se dégagent trois temps forts : contre les réguliers, chez qui l'on relève les manquements aux règles et aux vœux, contre les séculiers, dont on dénonce l'amour du siècle, contre l'institution ecclésiastique symbolisée par Rome et les prélats. Rome est la cible favorite des Goliards, que leur nombre rend impossibles à reclasser : tous les vices y sont réunis. Rome, en effet, draine l'argent de la Chrétienté, les chefs de l'Eglise y vivent dans le luxe, l'intrigue et la faveur y règnent en maîtresses, le sort de la Chrétienté est le dernier des soucis de ces souverains qui n'ont rien à envier aux rois de ce monde, et dans lesquels saint Pierre aurait du mal à se reconnaître. Ainsi, chez Gautier de Châtillon : « vidi vidi caput mundi / Instar maris et profundi / Ibi sorbet aureum Crassus... », chez Pierre le Peintre (« denarium Romam fer qui venalia queris / hic pro denario donatur pontificatus » - *Contra Simoniam*) et chez Gautier de Coincy (*De Sainte Léocade*, vv. 917-927). Chaque secteur de la satire anticléricale a son thème automatique : à Rome s'associe l'argent, au clergé séculier, la vie laïque (biens temporels placés avant les spirituels, débauche, confort et pouvoir préférés à la prière et à la charité), aux ordres, l'hypocrisie.

La vie des moines est le sujet le plus riche. La vie monacale était proposée en exemple, comme étape la plus sûre pour le salut, dans la renonciation au monde, dans l'accomplissement des vertus de l'Eglise primitive. Mais les auteurs médiévaux ne se lassent pas de démasquer cette « couverture », qui met les pires vices à l'abri du jugement des contemporains. Les réguliers deviennent une société à part, avec ses ordres que l'on passe en revue comme les « états », chacun se spécialisant dans une perversion, mais partageant tous cette véritable profession de foi inversée qu'est l'hypocrisie, déjà exploitée par le *Policraticus* (VII, 21), Jacques de Vitry et Guillaume de Saint-Amour dans leur prédication. L'hypocrisie, c'est l'apparence de sainteté conférée par les vœux de pauvreté et de chasteté, qui cache une vie tout à fait de ce monde, la favorise même par l'impunité temporelle. Les nuances entre les différents ordres tiennent à leur vocation particulière, et la distribution des vices ne répond pas toujours à notre attente. Ainsi s'étonne-t-on de trouver les Cisterciens « mercheant » (*Bible Guiot*, v. 1245) et les Prémontrés particulièrement coupables d'hypocrisie (*ibid.*, 1625-1628).

Rutebeuf a dirigé la plupart de ses œuvres satiriques contre le clergé : Rome est la ville du monde où la Justice est la plus bafouée, remplacée par la corruption et la brigue (*Vie du monde*, *Dit d'Hypocrisie*) ; le haut

clergé se moque des besoins de la Chrétienté et se vautre dans les plaisirs; pour les simples clercs et les prêtres n'existent que les biens de ce monde, la religion leur est un fardeau, la chasteté une utopie *(Plaies de ce monde)*; les chanoines surtout profitent du « patrimoine divin ». Les ordres négligent leurs vœux et vivent protégés par leur faux air de sainteté; les Mendiants, concurrents à la cour et à l'Université, sont un résumé de tous les vices, cachant leur « bonne vie » et leurs débauches *(Frère Denise)*, leurs ambitions politiques derrière leur humilité et leur pauvreté, exploitant la naïveté du peuple et du roi. Chez Rutebeuf, une thématique déjà ancienne et stéréotypée se renouvelle au contact de l'actualité, et les catégories générales, morales reçoivent un contenu précis; c'est l'un des rares cas où nous pouvons étudier la « pertinence » d'une satire qui, ailleurs, ne nous paraît que forme vide se multipliant à l'infini. Faut-il dès lors se demander si l'impression de monotonie, d'immuabilité, qui émane de la production satirique médiévale, n'est pas un effet de perspective, un résultat de l'ignorance où nous sommes des conditions « réelles » de son écriture, de l'impossibilité de reconstituer l'occasion qui a fait surgir l'œuvre ? Il n'en reste pas moins que les écrivains, même quand ils se trouvent en face d'une situation nouvelle, puisent dans le répertoire des prédécesseurs et ramènent tout au déjà connu.

c) L'antiféminisme. — Il plonge ses racines dans la tradition religieuse, pour laquelle la femme a toujours été la cause de la Chute, le symbole des pouvoirs de la chair, la somme de tous les maux (« Eva prima Pandora »), mais aussi dans la littérature antique (Juvénal), voire dans l'idéologie courtoise : la femme félone, qui trahit son serment ou ne répond pas aux avances du poète, concentre en elle tous les vices : vénalité, cupidité (si elle se donne à un seigneur de plus haute importance), débauche et ruse (ainsi l'image des *putas venales* que nous trace Marcabru, choisissant les puissants aux dépens des petits chevaliers, forniquant avec leurs gardiens - intention satirique ou inversion d'un motif lyrique). D'ailleurs l'attitude de la courtoisie est faite autant de peur de la femme que de fascination, d'un mélange de culpabilisation et d'exaltation du désir (il n'est que de voir l'impact de la Belle Dame sans mercy d'Alain Chartier) : la dépréciation de la femme est une issue possible au conflit, une espèce de soupape de sûreté par laquelle on se délivre d'obscures craintes. On brûle ce qu'on a adoré, mais les deux comportements témoignent de la même impossibilité de trouver une relation simple et sans problèmes.

La « querelle du *Roman de la Rose* » montre comment l'idéalisation de la femme et sa caricature vont de pair. Le fabliau prenait le thème à son niveau le plus bas : épouses trop rusées affublées d'un mari trop naïf, obscénité sans complexes, par laquelle la femme est réduite au statut rassurant d'objet

de plaisir, enjeu d'une lutte de possession entre vilains, chevaliers et clercs. La satire moralisante aggrave les griefs, emprunte aux prédicateurs leurs anathèmes : ainsi, l'anonyme *Chastie Musart*, tissu de récriminations et de vertueuses invectives contre l'« éternel féminin », instrument de la perdition (« Feme est de mal atret et de male nature... Trop set feme d'engin, de barat et de lobe... Feme semble sansue, un ver qui la gent seine... Feme sens et sustance trait d'ome debonnaire... »). Mais au fond même de cette perversité subsiste encore l'étincelle de l'espoir : « Feme est mult haute chose, ce voz di sanz mespenre... Bien le vos mostra Diex quant il daigna descendre / En la virge Marie et char i daigna penre » *(ibid.)*. Avec Jean de Meun, le débat change de ton : la satire antiféministe, dont le support principal est la Vieille, y devient une mise en question des hypocrisies du code courtois dont Guillaume de Lorris avait montré l'achèvement; les motifs habituels (ruse, goût du plaisir) servent d'affirmation dialectique des droits de Nature. Le *Roman de la Rose* trace la voie, et nombreux seront les textes qui n'en retiendront que la thématique sans la finalité.

Chez Rutebeuf, nous la trouvons sous la forme des plaintes du jongleur mal marié (la *Pauvreté*, le *Mariage Rutebeuf*), ou de manière plus traditionnelle dans le *Dit des Cordeliers* (la femme héritière d'Eve, v. 131, querelleuse, vv. 133-134), la *Vie de Sainte Marie l'Egyptienne* (la femme trompeuse, v. 135), la *Dame qui fist trois tours autour du moustier*, la vie du monde (où il s'en prend au luxe déployé par les princesses de France Marguerite et Béatrix). La traduction des *Lamentations de Matheolus* par Jean Le Fevre de Ressons (1370), triste aventure d'un clerc qui gagne le paradis pour les souffrances endurées pendant le mariage, connaît un grand succès. La prose du XVe siècle puisera avec les *Quinze Joies de mariage* et les *Cent nouvelles nouvelles* dans le répertoire désormais classique du mari victime de sa femme trop maligne. Tous les genres font écho : poésie avec Deschamps *(Miroir de mariage)* et Guillaume Alecis *(Blason des fausses amours)*, roman (le *Petit Jehan de Saintré*), théâtre (la *Farce du cuvier*). Le thème antiféministe peut être édulcoré, traité avec distance et ironie, comme dans l'*Amant rendu cordelier*.

d) La « nouvelleté ». — Son domaine de prédilection est la mode vestimentaire, mais aussi les coutumes de table, les divertissements comme la danse. Le vêtement est un problème complexe : l'innovation bouleverse le rapport assez strict entre habit et rang (la distinction porte sur le type d'habit, sur les matériaux utilisés), et plusieurs catégories morales se recoupent dans la condamnation. L'ambition se trahit chez les bourgeois qui prétendent se vêtir d'étoffes de prix; le luxe se manifeste dans toutes les couches sociales; la débauche se profile derrière les audaces de la tenue féminine, dont le portrait d'Agnès Sorel peut nous offrir une idée. A partir

de 1350, on constate une certaine extravagance dans les formes et les matières, qui a laissé à l'époque moderne l'image d'Epinal du costume médiéval : fantaisie dans la combinaison des couleurs, abus des tissus précieux (velours, hermine), rupture des proportions du corps. Ce renouveau explique la popularité au XIVe et XVe siècle de la satire des aberrations du vêtement, qui met d'ailleurs plus l'accent sur la folie des hommes que sur leurs vices, alors que les époques précédentes avaient pratiqué une satire plus moralisante. « Qui oncques vit corps de telle façon ? » se demande Deschamps, tandis que Jean de Condé consacre à ces « contrefaits » un conte intitulé *Du Singe*, et que Henri Baude se gausse d'un dandy fort satisfait de sa personne (« Chascun s'en rit et il y prend plaisance », *Ballade du Gorrier Bragard*).

e) Les textes satiriques sur l'actualité politique. — Si l'on a en langue d'oc des *sirventès* à portée politique, il faut attendre la querelle de l'Université de Paris pour voir ce type de satire s'imposer en français. Les ambitions des Frères Mendiants, agents de la papauté, à l'Université et à la cour, ont fourni une riche matière à des clercs « engagés » et désireux d'indépendance comme Rutebeuf et Jean de Meun. Ces deux écrivains utilisent les ressources de la technique allégorique (*Roman de la Rose* II, et cinq poèmes de Rutebeuf : *Renart le bestourné*, le *Dit d'Hypocrisie*, le *Dit du pharisien*, la *Bataille des Vices contre les Vertus*, la *Voie de Paradis*), créant ainsi un procédé nouveau d'allusion : la personnification, au lieu de représenter simplement la notion abstraite, conduit à un personnage réel (les Mendiants ou Guillaume de Saint-Amour); la réalité trouve une place, bien que marginale, dans le système allégorique. La figure de Faux Semblant, celle d'Hypocrisie condensent toutes les attaques contre les Ordres. D'autres poèmes, non allégoriques, de Rutebeuf prennent prétexte de cette querelle pour réactualiser les thèmes de la satire anticléricale : la *Discorde de l'Université et des Jacobins* (1254), la *Complainte Guillaume* (1259), le *Dit des Jacobins* (1263-1265), le *Dit des Règles*.

La tradition est créée. La satire politique prendra de plus en plus d'importance au rythme des péripéties de l'histoire : la lutte entre la royauté et la papauté sous Philippe le Bel (dont le *Fauvel* répercute les échos), la guerre et ses préoccupations (*Paix aux Anglois*), la rivalité entre Armagnacs et Bourguignons (*Complainte des bons François* de Robert Blondel), entre les maisons de France et de Bourgogne (*Ballade du lion rampant* de Jean Molinet, *Ballade du lion couchant* de Gilles des Ormes). Le *Pastoralet* de Bucarius est un pamphlet sous forme de parodie d'un genre poétique courtois, sur la guerre civile, les deux factions y sont déguisées en bergers. Mais, pour la plupart de ces textes, il est difficile de parler de satire, tant l'aspect polémique et l'agressivité étouffent toute fibre comique.

f) Les éléments d'une satire anti-aristocratique. — L'aristocratie n'échappe évidemment pas à la critique généralisée de la littérature des « états ». Cependant, certains textes lui sont plus particulièrement consacrés à partir du XIVe siècle, lorsque se répand l'idée que la chevalerie a failli à sa tâche sur le champ de bataille et que l'on recherche les raisons de ce fiasco, d'autant plus que cette classe semble se réfugier à ce moment dans un véritable délire mystique et poétique. On trouve des traces de ce courant dans les œuvres d'Alain Chartier *(Quadrilogue invectif, Livre des quatre dames)*, dans la prose *(Jehan de Saintré, Jehan de Paris, Jouvencel)*. Mais le chevalier a gardé les mêmes traits que dans les « états », et si l'on voulait prendre cette production comme témoin d'une décadence de l'aristocratie, il faudrait parler de « crise » dès le XIIe siècle. N'y voir que le triomphe — la vengeance — d'un esprit « bourgeois », c'est oublier que l'aristocratie elle-même peut être consciente de ses insuffisances, de l'écart par rapport à un idéal qu'elle n'a cessé de prôner (quelle partie de la société médiévale a eu, plus qu'elle, le sens du modèle à imiter, de la perfection ?). Il existe par ailleurs une longue tradition de la supériorité (littéraire) du clerc sur le chevalier, qu'il faudrait alors prendre en compte (la fin du *Jehan de Saintré* nous en donne, en quelque sorte, la caricature).

B / Omniprésence de la parodie

Face aux créations purement comiques, elle est la source d'un rire qui s'introduit dans la plupart des formes littéraires, chaque fois qu'il y a un registre assez cohérent pour supporter que l'on prenne avec lui quelques libertés. Présente très tôt dans les œuvres en latin (*Joca monacchorum* du XIIIe siècle, qui sont des jeux sur la Bible, *Dialogues de Salomon et Marcolf* vers l'An Mil, *Cena Cypriani* du IXe siècle sur les Noces de Cana), elle s'épanouit du XIe au XVe. Si elle apparaît ainsi dans tous les secteurs, c'est sans doute parce qu'elle constitue l'une des rares possibilités de diversification à l'intérieur de systèmes aux règles strictes. Le moment privilégié de son intervention se situe généralement vers la fin de l'évolution des genres : aussi la critique parle-t-elle souvent de « décadence » dès qu'il y a parodie. Mais l'on peut découvrir des éléments parodiques dès les premières œuvres.

Ainsi, dans la chanson de geste, les « gabs » forment des séquences à rire, dans lesquelles l'exagération épique se transforme en vantardises de rudes guerriers grands buveurs. Avec le temps, la place de ces passages se fait plus importante; la chanson se maintient et se renouvelle grâce à la parodie, qui prend ici l'aspect de l'héroï-comique et du burlesque : dans le *Voyage de Charlemagne à Jérusalem*, l'empereur qui a entendu dire qu'un

autre roi le dépassait en magnificence tient à s'assurer lui-même des faits (le texte comporte deux passages où le comique est prépondérant : la scène des « gabs » et celle du palais tournant); dans *Gormont et Isembart*, Hugon et Gontier, envoyés dans le camp ennemi, en profitent pour jouer quelques tours pendables; dans *Floovant*, le fils de Clovis décide de couper la barbe de son maître; dans *Aliscans*, Rainouart, Sarrazin acheté à des marchands et relégué aux cuisines, où il est le souffre-douleur des valets, accomplit des exploits grotesques, armé d'un énorme « tinel », sapin qu'il a déraciné. *Baudouin de Sebourg*, au XIVe siècle, met en scène un héros plus séducteur que brave, et transforme en bonne histoire le thème classique de la vengeance : le héros, fils d'un seigneur trahi, est un « picaro » qui déshonore la fille de son tuteur, se retrouve au service d'un cordonnier à Bagdad, finit comme ermite accomplissant des miracles.

Le registre courtois n'est pas en reste. Le lai est parodié dans *Ignaure* de Renaud (de Beaujeu ?), du début du XIIIe siècle, où nous voyons un héros ami de douze dames à la fois, dénoncé aux douze maris qui le font assassiner et servir à manger à leurs femmes, et dans le *Lai du Lecheor*, la poésie trouve son contrepoids dans la « sotte chanson ». Même le roman comporte des passages comiques : le « nice » du *Perceval* offre à Chrétien de Troyes l'occasion de désamorcer le merveilleux arthurien (le chapeau du roi abattu par le cheval, Perceval avec la jeune fille sous la tente, Perceval avec les cinq chevaliers, la nuit passée chez Blanchefleur) par l'ironie; le personnage de Gauvain, parangon des vertus courtoises, s'y voit même assez malmené (sa fin est une plaisante conclusion d'une vie passée au service des dames, puisque nous le trouvons « piégé » dans un sérail d'innombrables belles amies) : l'ironie est-elle dialectique, destinée à mettre en évidence les limites d'une idéologie qui pourtant n'est que naissante ?

Le grotesque est une catégorie très vivante, comme on peut le constater aussi bien dans les chapiteaux romans (les monstres du cloître d'Elne) que dans les sculptures des cathédrales (démons et gargouilles). Les œuvres allégoriques sont un terrain d'élection pour le grotesque littéraire. Les personnifications se prêtent volontiers au travestissement. Ainsi, dans l'anonyme *Bataille de Caresme et de Charnage*, deux armées, les poissons et les plats riches, s'affrontent à la cour du roi Louis : Caresme est défait et banni, sauf pendant six semaines de l'année (les descriptions des Vices, où chaque auteur rivalise d'horreur, préparent d'ailleurs à cette exploitation comique de l'allégorie); dans la *Bataille des Vins* de Henri d'Andeli, le combat se joue entre les crus célèbres de l'époque sur le modèle prestigieux d'une « psychomachia ».

C / Les jeux de l'absurde et de la fantaisie

Les poètes s'amusent aux jeux du langage, créant des suites de propos incohérents : *Dit des Ivrognes* de Jean Auri (« Il n'est miracle qui égale / Saint Tortuel de la Montagne...), le « charivari » que Raoul Chaillou de Pestain a introduit dans sa suite au *Fauvel*, les pièces cocasses de Pierre Chastellain (Cornerie des anges) ou les vers de Guillaume Coquillart. Disloquer le « contenu », la représentation en faisant se succéder des énoncés qui n'ont aucun lien, désarticuler le langage en calembours et contre-pèteries, tels sont les procédés favoris de ce type de comique. Un exemple peut illustrer les principales formes que prend cette inspiration : *Aucassin et Nicolette*, image du monde à l'envers. Ce divertissement anonyme, exemplaire unique de « chantefable » (mélange de prose et de vers, prose pour la narration, vers pour les parties chantées), comprend de la satire (discrètement anti-féministe et anticléricale), mais surtout de la folie. Le monde semble emporté par un mouvement irrésistible de dérèglement et le sens échapper : une aristocratie ridicule ne rêve que plaies et bosses, et veut empêcher le héros d'épouser son amie, un paysan hideux donne des leçons de sagesse. Le jeu consiste ici en l'inversion des images littéraires habituelles : Nicolette, qui « jetee fu de Cartage », porte un nom chrétien tandis que le chevalier tire son nom d'Al Kassim; le protagoniste est dépassé par ce qui lui arrive au contraire de son amie; la fin de l'ouvrage nous fait visiter le pays de Torelore, triomphe de l'absurde, préfiguration d'un tableau de Jérôme Bosch : les hommes accouchent, les femmes vont au combat.

CHAPITRE VII

Romans et merveilles

1. *Panorama*

Que la production romanesque des XIIe et XIIIe siècles soit à prendre comme un tout, mais qui ne cesse de se reprendre; où chaque œuvre tient aux autres par le jeu de la mémoire, la mise en concurrence ou le ressort de l'appel, mais sans que rien, fût-ce au travers de cycles, ne se totalise jamais, rend d'autant plus délicate la tâche de la décrire et de la cataloguer. Le meilleur parti est, là encore, d'adopter le point de vue des contemporains. Nul doute, ici, que le relevé systématique et comparé des groupements d'œuvres propres à chaque manuscrit renouvellerait la question et rendrait caduques bon nombre d'histoires littéraires.

Ainsi l'*Escoufle* est couplé avec *Guillaume de Palerne* dans le manuscrit de l'Arsenal 6565 (fin XIIIe siècle) et le *Roman de la Rose* de Jean Renart s'accompagne de la *Charrette* et du *Chevalier au lion* de Chrétien, ainsi que de *Meraugis* de Raoul de Houdenc, dans celui du Vatican *Reg*, 1725 (fin XIIIe siècle). Le BN f. fr. 1444 (fin XIIIe siècle) qui contient *Eracle*, donne, comme l'indique G. Raynaud de Lage, « vingt-trois textes ou morceaux qui sont de caractère exclusivement moral et religieux » (on notera sur la fin le *Bestiaire d'Amours* et *Marqués de Rome*). *Eracle*, à la quatorzième place, se trouve encadré entre *Li nombre des cages des Adam dusques a Crist* et l'*orison ke Deus fist*. Voilà qui invite à la réflexion et à la découverte. A quand l'édition savante de manuscrits complets ? Mieux vaudrait ne plus substituer notre ordre à celui des « grands clercs » du Moyen Age.

D'autres recours sont possibles : dans le roman de *Flamenca* (peu après 1272), tout à la gloire de l'*amor cortes* (v. 1197), les noces du comte de Nemours donnent lieu, à la Saint-Jean, à une fête brillante dont l'auteur

détaille les réjouissances. L'exhibition des jongleurs notamment est un panorama complet de la littérature de l'époque (v. 592-709). Tout commence par la musique, dans un grand concert d'instruments, avec force cabrioles et jongleries, et, faut-il le dire, le brouhaha est général.

Per la rumor dels viuladors E per brug d'aitans comtadors Hac gran murmuri per la sala. (V. 707-709.)	La rumeur des joueurs de viole, le bruit de tant de conteurs font résonner toute la salle.

Viuladors, *comtadors* : la manifestation artistique compte autant sur les musiciens que sur les récitants. La poésie lyrique les réunit : *chansons*, *descorts*, *lais*. On y vielle le lai du *Chèvrefeuille*, celui de *Tintagel* ou encore des *Parfaits amants* : l'un dit les paroles *(motz)*, l'autre les accompagne *(nota)*. Puis viennent « les contes de rois, de marquis et de comtes ».

Le premier groupe rassemble la matière antique, qui inclut dans le même souffle les histoires de *Troie* que se partagent les conteurs (Priam, Pâris et Hélène, Ulysse, Hector et Achille), celles tirées de l'*Enéas* (Enéas et Didon, Lavine) et de *Thèbes* (Polynice, Tydée et Etéocle), à quoi s'ajoutent *Alexandre* et *Apollonius de Tyr*; dans la même série toujours, les récits ovidiens (Hero et Léandre, Phyllis et Démophon, Cadmus, Jason, Heraklès, Narcisse, Orphée) auxquels semblent faire contrepoint les héros bibliques : après la force d'Alcide et la belle femme d'Orphée, voici Goliath et David, Samson et Dalila. Se répondent de même Macchabée, le soldat de Dieu et Jules César, le conquérant impavide. L'Antiquité est donc indissolublement mythologique et biblique, gréco-romaine et hébraïque.

Second groupe : autour de la Table Ronde. Dans l'ordre : *Gauvain*, le *Chevalier au lion*, *Lancelot* (prisonnier de la « pucelle bretonne » : Morgane, sans doute, épisode du roman en prose), *Perceval*, *Erec et Enide*; puis Tristan et son maître Governal; Phénice, la fausse morte *(Cligès)*; et aussi le *Bel Inconnu*, un conte de l'*Ecu vermeil* (la *Première continuation* mentionne aussi « le conte de l'Ecu »), des aventures de Calogrenant, de Keu le sénéchal, de Mordred (c'est-à-dire la *Mort Artu*), enfin une curieuse version du Roi Pêcheur.

Dernier groupe : après une mention obscure de « l'astre d'Ermeli » et une allusion au Vieux de la Montagne, à ses ruses et à la secte des Assassins, qui nous ramène à la Terre Sainte[1], l'énumération s'achève sur les récits de geste et la matière de France : Charlemagne et le partage de l'Allemagne, l'histoire complète de Clovis et de Pépin, *Gui de Nanteuil*, « Olivier de Verdun » mais aussi une fin de Satan (la chute de Sire Lucifer !)

1. Notons le voisinage du Roi Pêcheur (le roi du Graal) et du chef des Ismaéliens mort en 1124, de la « matière de Bretagne » et de la Gnose.

L'auteur clôt sa liste par un retour à la lyrique (Marcabru) et à Ovide (Dédale et Icare). Au total, si le passage confirme la distinction des trois matières selon Jean Bodel : « de France et de Bretaigne et de Rome la grant » (Saisnes, v. 6-II), l'important est plutôt de saisir le jeu des alliances et des échanges : l'épopée antique avec la *Bible* et les *Métamorphoses*; *Tristan* et *Cligès* encadrés, de pair, par « Gauvain » et les romans de Chrétien de Troyes d'une part, le *Bel Inconnu* et la diversité arthurienne, de l'autre. Table Ronde et Charlemagne semblent s'équilibrer et, avec ce dernier, se mêlent la geste, la chronique et l'eschatologie. Le tout au sein d'un roman, *Flamenca*, dont le décor, réel, les mœurs, actuelles, et la broderie, lyrique (en guise de liturgie passionnelle sur fond de ruse de fabliau, d'après une histoire des *Sept Sages*), en appellent à la manière du *Roman de la Rose* de Jean Renart.

2. *L'art des mélanges*

Peut-être est-ce le propre de l'esthétique romanesque du XIIIe siècle (surtout à la fin) de mêler les divers registres, de les confronter les uns avec les autres, de les rendre parlants à force de confusion des langues, Babel littéraire de tous nos vestiges ! *Joufroi de Poitiers* (c. 1275), sur les traces du *Bel Inconnu* et de Jean Renart, propose, comme le *Châtelain de Couci* (c. 1270), la *vida* imaginaire d'un poète illustre (Guillaume IX de Poitiers) qui se traduit à la fois dans l'ordre des aventures romanesques, inspirées de *Tristan*, à travers *Flamenca* et les *Sept Sages*, et celui des motifs lyriques (plaintes ou joies amoureuses de l'auteur lui-même). Il se peut qu'*Aucassin et Nicolette*, chantefable comme il existe une « Chantepleure » dans le *Roman de Laurin* (c. 1260, éd. Thorpe, l. 14666; cf. aussi Rutebeuf, éd. Faral I, p. 430 et 515, poèmes des années 1260), jouant sur tous les tableaux : vers et prose, geste et roman, errance arthurienne et naufrages gréco-byzantins, pastourelle et chanson courtoise (Châtelain de Couci), soit à dater de la même période.

Mais regardons de plus près les lieux et les temps de la fiction. Le *Roman d'Aubéron* (après 1260), féerie en guise de prologue à la chanson de geste de *Huon de Bordeaux*, relie généalogiquement Jules César à Judas Macchabée, marie celui-ci à la fille d'un émir païen, dont le nom a une résonance graalienne (Bandifors), et celui-là à la sœur d'Arthur, Morgain, dont l'enfant, « Auberon le faé », est mis, par sa naissance, en parallèle avec Jésus Christ :

> « Ne jamais pour, plus biax ne naistera
> Fors cils sans plus qui le mont sal vera ».
>
> (V. 1405-1406.)

Dans le remarquable cycle des *Sept sages*, l'histoire de « Lucemien », fils du roi Dolopathos (début XIIIe siècle), nouveau Perceval nourri par un Virgile aux allures de Merlin, nous conduit en ces temps de César Auguste au bord de la Révélation, et la lumière de son nom brille du seul mystère de la divine naissance. A l'inverse, dans le *Roman de Laurin*, le héros, Laurin de Grèce, nouveau Cligès, ramène la matière byzantine au seuil des merveilles de Bretagne et ce roman étonnant se déroule sur tous les théâtres d'opération du roman médiéval : de Rome à Constantinople d'abord, soit deux empires d'Occident et d'Orient, sans oublier la Sicile; puis de Provence en Aragon, dans un cadre politique tout à fait contemporain; et surtout de Grèce en Bretagne, sous le règne d'Arthur, cette fois, conformément au roman breton, avec, pour finir, un retour en Espagne dans le style de la geste, d'une part, où s'affrontent chrétiens et païens et, d'autre part, du « roman grec », du type d'*Apollonius*, où s'égarent au gré des flots et des marchands l'héroïne et l'enfant !

La fameuse *translatio imperii* qui mena jadis de Troie à Rome, puis en Bretagne, d'après le roman antique (d'*Eneas* à *Brut*), se projette dans la tripartition narrative que propose *Cligès* en 1176 pour les temps arthuriens (au Ve siècle), soit : le royaume de Bretagne, Constantinople et Rome (celle-ci, d'ailleurs, sur le modèle du Saint Empire romain germanique). La scène peut se restreindre au va-et-vient entre deux royaumes : Ecosse et Angleterre *(Guillaume d'Angleterre)*, Grande et Petite Bretagne *(Tristan, Erec)*, se jouer dans des contrées imaginaires du Pays de Galles et du royaume de Logres (cf. *Chevalier au lion*, *Charrette*, *Conte du Graal*) ou faire alterner la pseudo-réalité historique de la France de Clovis du VIe siècle et la splendeur de Constantinople en passant par le monde musulman *(Partonopeu)*, voire opposer aux Perses la Chrétienté, unie de Rome à Byzance (*Eracle* : l'empereur Heraclius, du VIIe siècle). Un choix plus contemporain, sous couleur du temps jadis, nous transporte entre la Sicile et l'Italie *(Ipomédon)*, ou l'Armorique et la Rome impériale, convoitées par les Allemands et les Byzantins *(Ille et Galeron)*. On passe des Normands aux Romains que menacent les Turcs, dans *Robert le Diable*, on circule entre la Normandie, l'Empire romain germanique et la Terre Sainte, dans l'*Escoufle*, on se cantonne en terre d'Empire, pays de Liège et Franche-Comté dans le *Roman de la Rose*. Le romanesque peut enfin se complaire aux enlèvements et naufrages qui mènent, en Méditerranée, des rivages chrétiens aux noirceurs sarrasines (de *Floire et Blancheflor* jusqu'à *Aucassin et Nicolette*).

Ajoutons, pour la matière antique, que le *Roman d'Alexandre* avait poussé plus loin vers l'Orient jusqu'à l'Inde, tandis qu'*Apollonius* se situait tout entier sur les côtes de l'Asie mineure, et, pour la matière de Bretagne, que l'aventure du Graal s'était étagée dans le temps, depuis l'époque des miracles et des conversions qui s'étendirent de l'Orient de Joseph d'Arimathie à l'Occident des Vaux d'Avalon et du Roi Pêcheur, jusqu'à l'ère

des merveilles et des enchantements qui envahirent, trente-trois années durant, le pays de Logres pour les héros arthuriens, sans oublier le passé proche de leurs pères (règne d'Uther Pandragon), chargé d'épouvantes, de trahisons et de terribles secrets (cf. Robert de Boron, puis le *Livre de Lancelot*). Il s'ensuit que le roman breton renoue avec la tradition de Wace et du « livre des lignées », inclut une chronique de guerres féodales et s'entoure de croisades contre les infidèles. La tragédie à venir du règne arthurien compose avec la gloire promise un jour à Constantinople à Helain le Blanc, fils de Bohort, et avec l'élection mystique et mortelle réservée à Galaad, fils de Lancelot. Equilibre que rompt, il est vrai, la *Queste du Saint Graal*, tandis que *Perlesvaus* tient pour complémentaires les deux réalités, spirituelle et temporelle, en chargeant Lancelot de lutter ici-bas sans faillir contre les païens.

Il est clair que les romanciers ont disposé d'une palette infiniment diversifiée pour enluminer leurs aventures et que le roman médiéval, indivisible, embrasse la totalité de l'histoire et de la géographie, pour aussitôt s'ouvrir à la transcendance divine et néanmoins sans fin se perdre en ces pays de nulle part qu'on dit de Féerie. A l'opposé, Guillaume de Lorris a choisi, dans son *Roman de la Rose*, d'explorer une voie tout intérieure, véritable anamnèse amoureuse, et de monter un théâtre d'ombres allégoriques où Jean de Meung, entre 1268 et 1270, n'a pas craint de comprendre une autre totalité, le champ entier du savoir, mais aimanté par un délire.

3. *Obsessions communes*

Ces confluences ou ces échanges qui déjouent les classifications suggèrent une parenté profonde entre les divers romans, comme s'ils étaient, chacun différemment, soulevés par la force d'un même questionnement. Le roman est, de fait, le lieu privilégié du discours amoureux, mais le définir par l'amour cache la vraie question, insistante, même sous les refus, celle du mariage. Tout roman est un roman nuptial où prendre femme veut dire, tel est le ressort secret de la crise, succéder au père. Qu'un héros devienne, à son tour, roi, c'est en quoi consiste le vrai roman d'amour. Le reste, comme on dit plaisamment, est littérature.

Mais cette voie vraiment royale du roman ne s'est pas imposée d'entrée ni sans la contrepartie de l'échec qui la hante. Elle débute, en effet, avec l'histoire de Tristan (dont le premier roman, « l'estoire », daterait des années 1165-1170) et s'arrête où commence l'aventure du Graal (soit à partir de 1181, avec le *Conte du Graal* de Chrétien Troyes), les deux récits se présentant sous forme d'une biographie. Elle coïncide donc avec la grande vogue de la matière de Bretagne qui dépayse le héros et projette son aventure dans

l'étrangeté de l'Autre Monde celtique. Au contraire, ce qui précède (sur les traces de l'épopée antique et du roman grec des IIe et IIIe siècles après J.-C.) et ce qui suit (orienté par la *Bible* et les *Apocryphes*), soit, dans un cas, vers le milieu du siècle (c. 1150) et, dans l'autre, à la fin (c. 1200), rattache l'aventure humaine et individuelle à une intimité familiale, un « trouble généalogique », une faute originelle. En d'autres termes, ce qui fait, dans l'aventure, retour sur le héros lui vient non pas d'un autre lieu mais d'un autre temps, non du plus étrange (l'Autre Monde), mais du plus intime (la lignée).

L'énigme d'Œdipe sert d'aventure au *Roman de Thèbes* (c. 1152) et la malédiction proférée contre les fils dont la haine et la guerre forment le sujet de l'œuvre se poursuit jusqu'à la destruction de tout le pays, la première « terre gaste» (v. 6949, 10549). « Terre gaste» de Troie aussi bien, d'où repart le *Roman d'Eneas*, c. 1156 (v. 3), par la faute d'une femme, Hélène, qui vaut bien Eve, et d'un homme, Pâris, qui lui aussi fut, comme Œdipe, exposé, par crainte des malheurs à venir. Quant à la fuite de Brutus, le petit-fils d'Ascagne et le héros éponyme des Bretons, selon *Brut* de Wace (1155), elle suit la mort de sa mère et le meurtre accidentel de son père. La substitution du nom de Brutus à celui d'Enée fils de Silvius et le petit-fils d'Enée donne elle-même à réfléchir : est-ce pour mieux signifier le parricide ? Après quoi, la chronique de Wace propose bon nombre de guerres fratricides dans la succession des rois bretons, à l'instar d'Etéocle et Polynice (entre autres : Belinus et Brennus).

Mais la *Vie de saint Grégoire* (c. 1130), le pape incestueux, le pénitent du rocher sur la mer, qui inspirera plus tard à Hartmann d'Aue son admirable *Gregorius* (c. 1159), semble avoir choisi le péché d'Œdipe pour dire qu'il n'est de pire faute que la pénitence ne puisse racheter. Et on sait que Judas, dans la légende, tue son père et épouse sa mère avant de se jeter aux pieds du Christ et... le trahir[2] ! Il ne faut donc pas séparer récit hagiographique et roman antique (tous deux offrant, de surcroît, des formes de transition entre la laisse épique et la suite d'octosyllabes à rimes plates du roman : cf. *Alexis*, *Alexandre*, *Thèbes*, *Rou*). Que penser d'ailleurs de la *Vie de saint Alexis* (XIe siècle) et de sa fuite, le soir de ses noces, loin de la chambre nuptiale ? Serait-ce pour éviter le destin de Grégoire, comme si le mariage représentait l'inceste ?

Tournons-nous maintenant vers le roman grec d'*Apollonius de Tyr* (c. 1150) : une énigme encore proposée, dès le début, par Antiochus aux prétendants de sa fille, parmis lesquels Apollonius :

« Je suis possédé par le crime, je me nourris de la chair de ma mère, je cherche mon frère et ne le trouve pas dans le rejeton de ma mère. » Il faut y

2. Dans le *Livre de Cassidorus*, le héros s'éprend de la fille d'Edipus et venge celui-ci d'un certain Lapsus qui avait tué son fils : imbroglio freudien !

lire l'inceste du roi Antiochus avec sa fille, mais celui qui trouvera la réponse épousera justement celle-ci ! Subtil déplacement qui revient à prendre la place incestueuse occupée par un père. Apollonius doit donc s'enfuir. Au second temps des aventures, une autre fille du roi s'éprend du héros sauvé des eaux (un naufrage) et fait de lui son maître de lyre (digne d'Apollon !) pour l'épouser enfin, concevoir un enfant et mourir (faussement) au cours d'un nouveau naufrage. La dernière partie montre cette enfant, la propre fille du roi Apollonius, prostituée à un *leno* (mais heureusement préservée), bercer de ses chants la douleur d'un père qui avait juré de ne se couper barbe ni cheveux ni ongles jusqu'au mariage de sa fille. Ainsi, de proche en proche, se propage un trouble qui envahit l'histoire entière sans être pour autant saisissable : Apollonius frôle à chaque fois le pire et devient le bourreau de soi-même.

Si l'inceste qui obsède le récit se voile néanmoins de l'énigme, c'est aussi bien qu'il recèle autre chose, à quoi s'attache électivement la littérature. Le hasard peut offrir en mariage au fils, suivant le désir profond, la mère ou son ombre, mais ce n'est pas l'essentiel, car sa mère est moins l'objet de son secret désir que le lieu où se tient le secret de son désir, à savoir ce qu'elle-même désire. C'est pourquoi le roman reporte plus haut l'histoire d'Œdipe et pour ainsi dire la redouble : Grégoire l'innocent incestueux est lui-même le fruit d'un inceste coupable entre frère et sœur, ou plutôt, comme l'indique la légende de saint Alban, entre père et fille (au reste, dans *Grégorius*, le père n'a-t-il pas, en mourant, confié lui-même sa fille à son fils ?). C'est encore trop peu dire, car le père dont il s'agit ne saurait être trop humain. D'où suit que l'enfant semble conçu d'un rêve de sa mère avec Dieu ou avec le diable (à moins que ce ne soit malgré, par divine ou maligne surprise), comme s'il fallait que l'Autre de la mère fût autre que le père.

Or la première époque du développement romanesque est riche de cette problématique. En voici deux exemples extrêmes, mais consonants : Alexis et Alexandre. Le père du premier, noble romain en faveur auprès de l'empereur et nommé Eufémien (serait-il père par euphémisme ?), fut longtemps sans obtenir d'enfant de son honnête épouse. Il fallut le recours de Dieu, invoqué pour la circonstance : Alexis est un don de Dieu, « Dieudonné » comme Eracle plus tard. A l'inverse, la tradition grecque rejetée avec une horreur qui vaut un aveu, dans le poème d'Albéric de Pisançon (c. 1130) où est enfin célébré un héros antique et païen et non plus un saint ou un héros chrétien, atteste pour Alexandre une inquiétante naissance : il serait le fils de l'enchanteur égyptien Nectanebo. Qu'on ne veuille rien savoir de pareille bâtardise n'empêche pas qu'elle peut seule expliquer la prodigieuse soif de découverte d'un héros parvenu aux limites du monde, en quête de monstres et de merveilles tout autant qu'à la conquête de terres et de royaumes. Le livre de Lambert le Tort, consacré aux merveilles de l'Orient,

s'il est plus tardif (1165-1170), utilise les données légendaires de la geste d'Alexandre et on doit se souvenir que dans l'*Iter ad paradism* (récit d'origine talmudique) le héros rapporte du paradis la pierre mystique, semblable à un œil, qui d'avance lui signifie le néant de sa puissance : *Lapis exilis (ex celis ?)* dirons-nous d'après Wolfram d'Eschenbach qui, selon toute vraisemblance, s'en est, plus tard, souvenu, dans *Parzival* (1203-1204), pour donner forme nouvelle au Graal.

4. *Histoire de dragons*

Reste le cas de l'*Historia Regum Britanniae* de Geoffroy de Monmouth, traduite par Wace dans *Brut*. Sans doute part-on du scénario œdipien de Brutus et des frères ennemis, mais pour aboutir, à travers Merlin, le fils du diable, au grand règne d'Arthur. Les trois temps forts de la geste des Bretons sont en effet représentés par Brutus, Belinus et Arthur, trois conquérants. Mais la guerre et la gloire ne résument pas seules l'histoire d'Arthur. En voici l'autre lecture : apparaît d'abord Merlin, l'enfant d'une nonne et d'un incube, qui révèle au roi Vortigern l'existence de deux dragons, l'un rouge, l'autre blanc (les deux couleurs de la féerie), sous la tour qu'il voulait construire sur le mont Snowdon (Erith), puis prophétise le règne d'Uther, dénommé Pendragon (tête de dragon) en souvenir du prodige qui devait annoncer sa victoire. D'où l'étendard aux deux dragons. Suit l'histoire de Stonehenge, des Pierres levées *(structura lapidum)* par les Géants venus d'Afrique en Irlande : Merlin fait transporter cette « carole aux géants » *(chorea Gigantum)* près de Salisbury pour qu'elle serve de cimetière aux rois bretons (Aurèle, puis Uther). Les dragons président à l'avènement d'Uther et annoncent l'empire des Bretons; les géants désignent sa tombe et leur ronde délimite le lieu de la catastrophe arthurienne. Le mont Snowdon d'un côté, la plaine de Salisbury, de l'autre. C'est, à l'avance, unir d'un trait l'histoire encore inouïe de Perceval le Gallois, natif de Snowdon en Nord-Galles (« Scaudone » dans le *Conte du Graal*, v. 298, « Sinaudone », la cité *gaste*, dans le *Bel Inconnu*), et la tragédie de la *Mort le roi Artu*, qui viendra clore le cycle en prose du *Lancelot Graal*.

Puis, comme en écho à la naissance de Merlin, voici celle d'Arthur, renouvelée de celle d'Héraklès à travers celle de Mongan fils de Fiachna Finn (cf. Amphitryon). Uther doit, en effet, à la magie de Merlin de posséder la femme si belle du duc Gorlois de Cornouailles, dont il a pris l'apparence (de même Mananna mac Lir auprès de l'épouse de Fiachna). Est-ce à dire qu'Arthur, le sanglier de Cornouailles, est fils de roi comme Héraklès l'est de la divinité ? Il est aussi fils du diable, puisqu'il y fallut l'opération de Merlin ! Comme en reflet, d'ailleurs, son mariage avec Guenièvre reste

stérile, tandis que son destin suscite d'étranges figures : il est, en rêve, le dragon qui tue l'ours (figure du géant du Mont-Saint-Michel, venu d'Espagne, dont la brutale étreinte avait étouffé la belle Hélène), mais il est aussi le héros qui a revêtu un manteau fait de barbes royales (une fois vaincu le géant Rithon sur le mont Snowdon ou mont Araive, Erith) ! L'aspect velu, notons-le, est le signe le plus sûr d'une ascendance diabolique.

L'histoire fabuleuse d'Arthur a donc partie liée, à travers sa naissance, avec celle du Dragon, son père; mais elle regarde, par sa mort, du côté d'un fils, Mordred, l'enfant de sa sœur. En amont, « le fils du diable »; en aval, « le fils de la sœur » ; dans l'intervalle : un roi sans enfant aux prises avec des géants velus. Le secret familial d'un héros s'étend donc sur trois générations : à l'un des bouts, la question de savoir de qui on est le fils; à l'autre, celle que pose le visage de la femme aimée. Mordred représente en effet une variation du schéma œdipien : il s'est substitué à son oncle dans son royaume comme auprès de sa femme,

> « Car contre crestïenne loi
> Prist a son lit fame le roi,
> Fame son oncle et son seignor
> Prist a guise de traïtor...
> Sa terre tint, sa fame ot prise. »
>
> (V. 13027-13033.)

Mais sur lui s'étend l'ombre d'une mère mystérieuse : qui est donc cette « sœur d'Arthur », mère de Gauvain et de Mordred, et pourtant confondue avec la mère d'Hoël, roi de la petite Bretagne, neveu d'Arthur et père d'Hélène ? Et que dire du départ final d'Arthur mortellement blessé dans l'île d'Avalon ? Morgane, la fée aux mille visages, se glisse, immémoriale, entre les lignes du livre qui raconte la geste des Bretons, avant d'apparaître bientôt sous les traits de la fée Amante du roman arthurien, de hanter pour longtemps l'histoire interdite de Gauvain et de cristalliser, plus tardivement, le désir incestueux d'Arthur, nouveau Charlemagne !

L'histoire d'Œdipe se rejoue donc du côté de la sœur merveilleuse, *faée*. Le récit avait débuté par Brutus le parricide; il est près de s'achever avec Mordred l'incestueux. Entre-temps, parmi les géants et les tombes, fut révélé le savoir obscur de Merlin. Or, sur ce point, un subtil entrelacement nous prédispose à l'aventure ultérieure du Graal : Arthur lui-même, sur le point de vaincre Rome, évoque l'histoire de Belinus et Brennus, puis de Constantin, le grand empereur chrétien et breton, fils longtemps désiré et tard venu (par la grâce de Dieu) du Romain Constant et de la très savante Hélène (encore une, fille de Coël, cette fois ! cf. v. 5594-5667). Or c'est elle à qui on doit l'invention de la Sainte Croix (cp. *Eracle*). D'autre part, les guerres qui suivirent la mort d'Arthur et qui furent fatales aux Bretons

mirent au premier plan un certain Cadvan, roi de Nord-Galles, dont le fils, Cadwallo, attire l'attention pour s'être débarrassé d'un redoutable magicien, venu d'Espagne, nommé Pelliz, et avoir dû manger, avant de guérir de maladie, du gras de la cuisse de son neveu Brien (lequel tua Pellit. cf. v. 14145-14313). Nous sommes là en présence de ce qui constitue les deux versants de l'histoire future du Graal, à la fois sainte et lumineuse d'un côté, barbare et atroce de l'autre (cf. *Perlesvaus*, ou encore *Guillaume d'Angleterre* rapproché du *Conte du Graal*).

5. *Entre deux femmes*

En bref, l'histoire d'Arthur, partagée entre Merlin et Mordred, l'un en puissance du Graal, l'autre à l'ombre de Morgane la fée, est riche de tout l'avenir du roman médiéval. Mais à une double condition, que deux périodes successives vont justement remplir dans la seconde moitié du XIIe siècle : que l'Autre Monde des fées s'épanche en celui des mortels et que brille, un jour, le Graal. Il faut, dans le premier cas, rompre avec la conception généalogique de la chronique, c'est-à-dire avec la succession *temporelle*, pour réorganiser l'*espace* du roman, et, dans le second, ouvrir, à force d'absence, le récit à la transcendance. Quant à savoir comment nouer à la question de l'*Autre Monde* celle de la *Fin des Temps*, c'est l'objet d'un ultime développement qui culmine au XIIIe siècle dans le *Livre de Lancelot*.

Cette dialectique se dégage des faits mêmes de l'histoire littéraire, qu'on peut ainsi résumer : après l'historique d'Arthur selon Wace, les fables arthuriennes selon Chrétien, puis leur reprise (et multiplication) dans un cadre même qu'avait fixé Wace. Toutefois, entre Wace et Chrétien, s'interposent le *Roman d'Enéas* et le premier roman (perdu) de Tristan, tandis que le Roman de *Troie* fait surgir, au firmament de ses merveilles, la pléiade de ses enchanteresses et de ses amoureuses : l'ensemble entre 1155 et 1165 (date probable également des *Ovidiana* : *Pyrame et Thisbé* et *Narcisse*, ainsi que de *Floire et Blancheflor*). En clair, l'espace des aventures, investi par la magie et les métamorphoses, est désormais orienté par l'amour qui varie ses figures de l'interdit à la promesse et se cristallise dans le destin individuel d'un héros affronté à sa vérité.

Eneas est, à cet égard, décisif, puisque le moment critique où se rejoue la vie d'un homme jeté à l'aventure est aussi bien celui où se décide le sort d'un lignage et du monde entre la chute de Troie et la fondation de Rome. Selon le point de vue, on opposera Lavinia à Hélène ou bien à Didon, soit, dans un cas, la gloire de Rome à la destruction de Troie et, dans l'autre, la fiancée promise au héros à la femme interdite à l'homme. Mais la mère d'Eneas, la déesse Vénus, fait le lien entre les deux puisque c'est elle qui

donna Hélène à Pâris et qui maintenant enflamme Didon à la vie du héros. Le récit, de caractère historique, est de forme épisodique : une aventure centrale impose au héros, au tournant de sa vie, de choisir entre deux amours. Or Tristan est celui aussi partagé entre deux femmes, qui, de surcroît, ont même nom : Yseut la blonde Irlandaise ou la Bretonne aux blanches mains (nul doute que ce soit là l'invention propre qui transforma en roman une légende d'origine celtique). Le récit ne s'inscrit plus dans une suite historique mais acquiert en revanche le caractère d'une biographie. On se place non plus entre la fin de Troie et la naissance de Rome, mais entre la naissance d'un héros et sa propre mort. Dans les deux cas pourtant, la situation et l'enjeu sont identiques : un homme entre deux femmes, à qui son mariage vaudrait terre ou couronne. Epouser Yseut aux blanches mains c'est pour Tristan, dans la version de Thomas (entre 1172 et 1175), revenir en Armorique, non loin de l'héritage paternel, c'est-à-dire prendre à son tour rang dans la suite des générations. Mais la seconde Yseut reste trop hantée par la première, pour n'être pas aussi marquée d'une impossibilité et Tristan poursuit dans l'échec la voie où Enéas s'est accompli. Fils de la déesse d'amour et livré aux périls de la mer, Enéas s'est pourtant arraché aux bras de la veuve de « Sicheüs » qui lui était apparue telle Diane chasseresse : c'est alors que parvenu aux ports « Sichanz » (de Sicile), il voit son père en songe et descend aux Enfers pour y apprendre quelle royale lignée sortira de son mariage avec la fille du roi Latin.

Fécondité promise à qui d'abord a renoncé à un fatal amour, pour retrouver la terre ancestrale, celle-là même d'où était venu Dardanus, le fondateur de Troie. La voie de Tristan est strictement inverse : il a quitté le pays de son père pour retrouver celui de sa mère, car il est le fils de la sœur de Marc (Blanchefleur chez Eilhart d'Oberg, c. 1170-1175) et s'il conquiert une princesse lointaine, Yseut, la sorcière d'Irlande, c'est justement pour faire de celle dont il va s'éprendre la femme de son oncle. Ainsi se renouvelle le scénario œdipien dont Mordred était l'exemple. Celui-ci avait tout à la fois usurpé le trône et déshonoré la couche royale. La question se scinde dans le cas de Tristan : père et mère étant morts à sa naissance, la voie est libre pour que le désir incestueux et meurtrier se reporte sur d'autres figures, Rivalin le père avait succombé sous les coups du duc Morgan, tandis que Blanchefleur la mère avait été enlevée au roi Marc son frère (cf. d'après le texte partiellement perdu de Thomas la version de Gottfried de Strasbourg, c. 1210 et la traduction norroise de frère Robert en 1226). Tristan va donc venger son père et marier son oncle. C'est la nouvelle formule : tuer celui qui a tué le père, aimer la femme du frère de la mère, les deux voies restant distinctes (d'où, plus tard, dans le *Conte du Graal*, le double rapport au Chevalier Vermeil d'une part, au Roi Pêcheur, c'est-à-dire à l'oncle maternel, d'autre part. Dans le poème anglais du XIVe siècle, *Sir*

Perceval of *Gales*, le chevalier Vermeil était le meurtrier du père et Acheflour, la mère, est sœur d'Arthur).

Résumons l'entrelacement de nos romans : Enéas est fils d'une déesse, comme Mordred l'est d'une fée, mais celle-ci est encore sœur du roi Arthur, comme la mère de Tristan l'est du roi Marc et Tristan, comme Mordred, a trahi son oncle en lui prenant sa femme (de même plus tard Lancelot). Yseut la reine rappelle la reine de Carthage, mais Lavinia a effacé Didon, tandis qu'Yseut la blonde hante toujours Yseut aux blanches mains. Mais dans cette crise, les deux romans d'*Enéas* et de *Tristan* ont également privilégié le point de vue d'un héros dont le parcours fait sens au regard de la vérité intérieure. Rien désormais ne s'avère sinon dans le nœud même du mariage où se rejoue ce qu'on ignore de soi.

6. *Le roman nuptial*

Chrétien de Troyes fait figure de maître du roman médiéval. C'est à bon droit, car il en a trouvé la formule et comme le point d'équilibre, mais pour aussitôt le démentir; il donnait forme à la tension, il n'y mettait pas fin et il le savait trop pour jamais se satisfaire. Il conjure Tristan avec *Cligès* (1176), mais le retrouve derrière Lancelot (la *Charrette*, 1178-1179); il conduit Erec à bon port (*Erec et Enide*, 1170) mais ne peut conclure à temps le récit par trop égaré de Perceval (le *Conte du Graal*, à partir de 1181). La problématique fondamentale de ses romans est celle du mariage : à quel prix ce dernier peut-il se conclure et que signifie la crise qu'il a nécessairement impliquée ? Chrétien a transposé dans le registre arthurien le modèle d'Enéas pour s'opposer encore à celui de Tristan.

Il choisit d'abord la forme épisodique : un conte parmi d'autres de l'âge arthurien, qui prend aussi place au moment critique d'une vie d'homme (sa transition à l'âge adulte). Il adopte résolument la perspective subjective : rien ne prend sens sinon pour le héros en qui retentit l'événement. Tout voir par ses yeux. Il organise enfin l'espace du roman comme va-et-vient entre deux mondes, le nôtre, celui de la cour, et l'autre, celui de la fée amante (mais la cour est celle, tout idéale, d'Arthur et la fée se cache sous le masque, féodal, de la riche héritière). Tels sont les trois caractères qui, réunis, assurent le succès de sa conception romanesque. Mais ses deux œuvres les plus fascinantes et les plus fécondes y contreviennent en partie, puisque la *Charrette* n'est pas l'aventure inaugurale de son héros (Lancelot est l'amant de Guenièvre, avant que ne commence l'action) et que le *Conte du Graal* revient au récit biographique. Dans le premier cas, cependant, la traversée de Gorre a la valeur unique d'une transfiguration et, dans le second, le Cortège du Graal aimante le récit de part en part.

Retenons donc les trois traits définis. Au premier est liée la décision nuptiale. *Erec* prouve que la conquête en autre terre d'une femme sans pareille n'est pas tout. Pour que cela ait un sens, il faut qu'y soit impliqué le fait de succéder au père, ce qui a lieu, en effet, mais bien plus tard, après l'irruption d'une crise inattendue et un temps d'épreuve et d'expiation. Quand la paix est enfin conquise, survient la nouvelle de la mort du père qui prélude au couronnement final. *Cligès*, aiguillonné par le *Tristan* de Thomas, n'atteint la solution qu'au travers d'obsessions plus manifestement œdipiennes : Arthur aurait tout donné à Alexandre le père de Cligès, « fors la corone et la reïne » (v. 2185). A quoi fait écho plus tard l'oncle de Cligès, l'empereur de Constantinople, qui, tout à la joie de retrouver son neveu,

« li abandone
Tot quan qu'il a fors la corone »

(V. 5083-5084.)

Mais que désire Cligès ? « La femme de son oncle » justement (v. 3865), la reine qu'il était allé chercher pour ce dernier en Allemagne. C'est elle qu'il enlève et tiendra nue entre ses bras avant que la mort de son oncle ne lui « abandonne » la Grèce et Constantinople. Mais les noms propres étaient par eux-mêmes révélateurs : le père de Cligès s'appelle « Alixandres » et son oncle, le plus jeune frère, « *Alis* li *mandres* », les grands-parents, Alixandres et Tant*alis* (la mère dont le nom recouvre d'une horreur infernale celui même d'Alis).

Mais arrêtons-nous à l'héroïne de ces romans : Enide, Fénice, Laudine. Elle est, à chaque fois, unique mais pourtant devient autre, selon le lieu ou le moment du récit où elle apparaît. Didon et Lavinia sont des personnes distinctes, Yseut d'Irlande et Yseut de Bretagne se confondent en nom, mais « Phénix », la fausse morte, renaît de ses cendres, vierge fiancée de Cligès après avoir été femme de son oncle. Enide présente aussi deux visages : « pucelle au blanc chaisne » conduite jusqu'à la reine pour recevoir d'elle sa robe; épouse aux somptueux atours, exposée aux périls de l'aventure (cf. dans le *Roman de la Rose*, Lïenor à l'ouvroir, « la pucelle à la rose », puis la grande mariée en pleurs, chevauchant richement vêtue). Quant à Laudine, il a fallu trouver deux fois le chemin de sa fontaine ensorcelée. Toute figure féminine qui participe de la fée est ambivalente, comme on le sait par le *Bel Inconnu* ou le *Conte de la bourgeoise de Bath* de Chaucer, ou plus simplement *Melusine*, que le charme de la beauté couvre l'horreur reptilienne, ou qu'un baiser métamorphose la serpente hideuse en belle princesse (Belle Lïenor, dans le *Roman de la Rose*, comme « Belle Aelis à la claire fontaine », mais le mariage serait entaché de mésalliance et la belle, qui sait ? cache la garce ou l'ordure). En recourant aux merveilles de Bretagne, Chrétien projette dans l'Autre Monde l'infernale épouvante

qui nous habite, car l'effroi qui saisit l'amant au cœur du ravissement est seulement à la mesure d'une culpabilité incestueuse qui soudain se rappelle (et par les yeux de Guillaume de Dole l'empereur Conrad peut rêver à une Lïenor sororale). A preuve l'aventure de *Gregorius, le saint pécheur*, selon Hartmann d'Aue, l'adaptateur allemand des romans de Chrétien (*Erec, Iwein*) : la délivrance de la dame assiégée par un formidable prétendant y suffit en effet pour illustrer la période chevaleresque de la vie du futur pape (cf. Beaurepaire ou Montesclaire dans le *Conte du Graal*). Or celle dont il gagne ainsi l'amour dans cet épisode typique est sa propre mère, qu'il épouse (v. 1825-2750 : le passage doit aussi beaucoup au *Chevalier au lion*). De façon plus voilée, comme dans le *Bel Inconnu*, la jeune fille peut être la victime d'un enchanteur (Mabon) qui a pris la place de son père disparu (cf. v. 3319-3400 et cf. la fille du seigneur de Pesme Aventure dans le *Chevalier au lion*, où apparaissent les « netuns », les neptunes diaboliques) : c'est la variante fabuleuse de ce roi trop jaloux de sa fille pour admettre des prétendants (cf. *Apollonius de Tyr*, le *lai des Deux Amants* ou Enide chérie du vavasseur, son père, comme Lïenor le sera, dans les mêmes termes, de son frère).

Le désir coupable du héros, ainsi remis à la charge d'un autre, se trouve à la fois représenté et exorcisé. Mais c'est là un point délicat de l'interprétation. Il reste qu'Erec, ébloui par Enide, s'est ensuite détourné d'elle, avant d'atteindre à un amour pacifié; que le Bel Inconnu pris au charme de la fée de l'Ile d'Or doit désenchanter la vouivre pour épouser la princesse qui le fera « riche roi couronné » (le schéma se compliquant ici de l'hésitation entre deux femmes reprises du *Tristan*); et que, dans la tradition dynastique celte, l'élu qui poursuit le leurre du blanc cerf doit surmonter l'horreur inspirée par l'horrible vieille pour épouser Eriu, la « Souveraineté d'Irlande » (cf. Perceval, la Laide Demoiselle et la Porteuse du Graal).

Le dernier aspect des romans de Chrétien touche à l'identité du héros : il s'engage toujours incognito dans l'errance aventureuse; il met son nom entre parenthèses, parce qu'il cherche l'épreuve de vérité. Si on ignore en chemin qui est qui, il se pourrait bien qu'on tue son père et qu'on épouse sa mère. Le chevalier Grégoire en donne l'exemple et, dans le *Conte du Graal* pour un peu, Gauvain courtisait sa sœur dans le Palais des Merveilles maternelles ! Dans une aventure typique, de la *Première continuation*, le père et le fils s'affrontent sans merci, faute de se reconnaître : il s'agit ici de Gauvain et de Guinglain son fils; ailleurs, au tournoi du Mont Saint-Michel (*Lai de Milon*), le vieux Milon est aux prises avec le sien (cf. Laurin et son père, Marques au tournoi de Winchester dans le *Roman de Laurin*, l. 11420-11474). Quel sens donner à la démesure qui pousse le chevalier errant à rechercher un adversaire toujours plus redoutable pour lui ravir l'honneur d'être le meilleur, ou à la honte qu'il ressent à trop

s'abandonner aux plaisirs de la fée ? Au royaume de Gorre, dans la *Charrette*, Guenièvre a pris un autre visage et Lancelot pourrait capter dans celui de Méleagant le reflet de ses désirs les plus insensés.

7. *Le Graal*

Mais Chrétien est allé plus loin : quand un héros cherche ce qu'il est, n'est-ce pas plus profondément qu'il ignore qui il est ? c'est à la lettre qu'il ne se connaît pas. Le nom manque, non parce qu'il le masque, mais parce qu'il ne l'a jamais su. Aussi l'appelle-t-on « le Bel Inconnu ». Son histoire est voisine de celle de Tristan, comme le montre *Lanzelet* (après 1194), dont l'auteur, Ulrich de Zatzikhoven, renvoie à un « welschez buoch », un livre français composé probablement avant la *Charrette* de Chrétien (1178-1179) qui mentionne la légende de la Dame du Lac[3]. Ce « Lancelot » anglo-normand (de Gautier Map ?) pourrait même précéder « l'estoire » ou premier roman de Tristan, donc c. 1165-1170, s'il s'avère que celui-ci en tire un scénario renouvelé (à l'aide d'*Apollonius*) des enfances de la fiancée lointaine et du dragon, tandis qu'*Enéas* lui fournissait sa version des deux femmes et sa psychologie amoureuse : la tragédie des enfances est, en effet, comparable (guerres féodales en Armorique où succombe le père) et Lanzelet comme Tristan sont fils de la sœur du roi de Grande-Bretagne (Arthur ou Marc), mais le second est adopté par des fidèles de son père, tandis que le premier est ravi au sein de sa mère par la merveilleuse ondine, ou la Dame du Lac (le Bel Inconnu, de même, est environné de féerie : fils de Blancemal la fée, il a été veillé par la fée de l'Ile d'Or, la Pucelle aux blanches mains) ; en outre, Lancelot n'est pas encore devenu, comme chez Chrétien, l'amant de la reine, à l'instar de Tristan ; bien plutôt, suivant en cela Erec ou le Bel Inconnu, il observe le scénario du roman nuptial, épouse la belle « Iblis », après avoir tué Iweret, le père cruel de celle-ci, puis se fait, pour finir, couronner sur ses propres terres, à Genewîs, et dans celles de sa femme, à « Dodone » (Lire, selon Loomis, le paradis de « Sibylle » et le Mont « Senaudone » — Snowdon ; « Genewîs correspond à Benoïc, c'est-à-dire à Ban ou Bran *li beneïs*).

Or que fait Chrétien ? Refusant à Lancelot le destin d'Erec, il lui donne celui de Tristan, mais il renouvelle Erec en Perceval, lequel est aussi un « bel inconnu », entouré de la seule tendresse féminine. Seulement ce n'est plus la Dame du Lac mais la Veuve Dame. Tout bascule ici : l'ondine appelait Lanzelet à tuer le terrible Iweret pour épouser Iblis, quand

3. Chrétien a pu recevoir de ce Lancelot anglo-normand l'impulsion de son Erec (fils de Lac) vers 1170.

la Veuve Dame rappelle Perceval au passé d'un père qu'on a tué (au-delà de Blanchefleur) et, à la différence de Tristan parti venger le sien, Perceval n'en serait pas quitte pour autant, bien au contraire. L'aventure dès lors le mène au Château du Graal, chez le Roi Pêcheur, son oncle maternel, blessé à l'entrecuisse comme le fut son propre père. Or, cette nuit-là, la merveilleuse Porteuse du Graal en illuminait la grande salle du château. Soit, donc, réunis : un roi « mehaigné » (mutilé), une Lance qui saigne et un Graal étincelant, c'est-à-dire un plat, scintillant de mille joyaux, destiné à un mystérieux banquet (en passe de devenir, par la grâce de l'hostie, une autre Cène).

L'invention de cette brillance, d'un objet qui captive les regards, crée dans le roman une situation nouvelle : le récit gravite désormais autour de cette présence énigmatique qui signe une absence au monde; car le château du Graal, ainsi que Jean Frappier a su dire, surgit lui-même telle une apparition, comme de nulle part. Mais la vision du Cortège assigne au sujet qu'elle fascine une place où advenir. La Porteuse du Graal ne rappelle-t-elle pas Eriu, la Souveraineté d'Irlande, comme une promesse de royauté pour le héros ? La hideur de la vieille, voire du reptile (Mélusine, Sibylle et la vouivre de Snowdon), et la merveille de la pucelle interrogent pareillement celui qu'elle révulse ou qu'elle séduit. Mais pour que le sujet reconnaisse cette place, qui lui est propre et où l'attend, à l'image du roi mutilé, la rétorsion du Coup Douloureux, il faut que soit rétabli dans la sienne, comme en vis-à-vis, un Autre sans lequel rien ne prendrait sens (et que « guérit » cette fois la répétition, sur nouveaux frais, du coup douloureux, d'après le récit plus tardif du *Chevalier aux deux épées*). Qui est-il ? C'est trop vite dit, puisque toute la question est de savoir qui est le père !

Comparons l'histoire de *Yonec* ou de *Tydorel* fils de l'Amant Oiseau ou Ondin, celle de *Désiré* ou d'*Eracle*, « miracle » de Dieu ou « Dieudonné », avec celle de *Robert le Diable* (fin XIIe siècle) ou de *Merlin*, le fils du diable, voire d'Yvain, l'homme sauvage, qui a sombré dans la folie comme Merlin et affronte, un jour, les deux fils du diable de Pesme Aventure, ou de Lanzelet, victime au Château de la Mort, de Mabuz, le fils poltron de l'Ondine, et en quête, plus tard, de Malduc, le sorcier du Lac des Brumes. Il s'avère toujours qu'un Autre que le père hante le rêve ou le désir de la mère et que le héros doit remonter jusqu'à lui, pour être, à son tour, foudroyé, avant de renaître enfin. Ce qui, en termes chrétiens, se traduit par la pénitence et le rachat. Or, la tradition celtique de la naissance de Conaire, roi d'Irlande, offre une équivalence entre les amours de l'oiseau et de la jeune femme (ou l'absorption d'un breuvage fécondant) et l'inceste du père avec la fille, lequel, on l'a vu, s'atténue dans celui du frère et de la sœur (cf. *Revue celtique*, XXII, p. 13 ss., et la *Destruction de l'Hôtel de Da*

Darga). Il suffit alors de comparer l'étrange famille du *Conte du Graal* et celle d'*Ipomedon* de Hugues de Rutland (1189-1190) pour saisir le secret de la Veuve Dame.

Ipomédon, fils du roi de Pouille, apprend de sa mère mourante qu'il a un demi-frère, ignoré de son père. Après s'être imposé à la cour du vieux roi de Sicile, Méléagre, comme « le dru de la reine » (non sans scandale) et avoir gagné le cœur de La Fière, nièce de celui-ci, il sera reconnu par Capaneus, neveu du même, comme son frère. Soit le tableau :

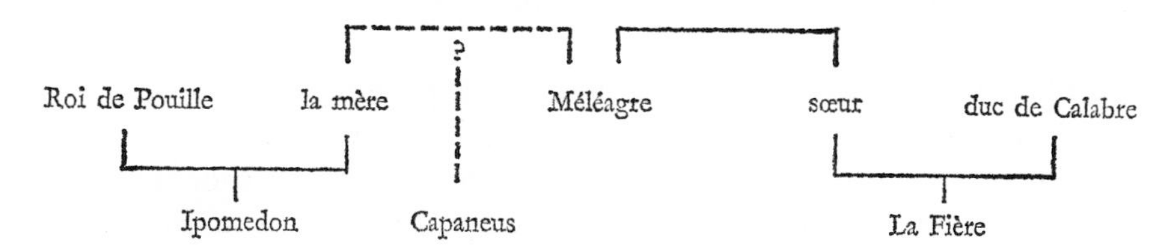

La mère aurait-elle eu un second fils d'un frère de Méléagre ? Ou serait-elle la sœur de Méléagre ? Mais qui serait le père ? Considérons Perceval :

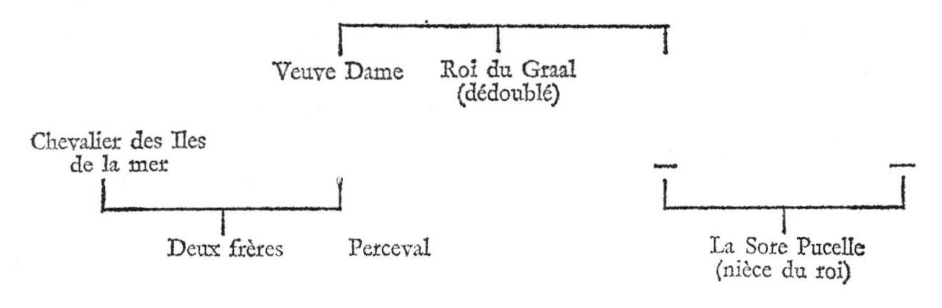

Voici, pour finir, Gauvain :

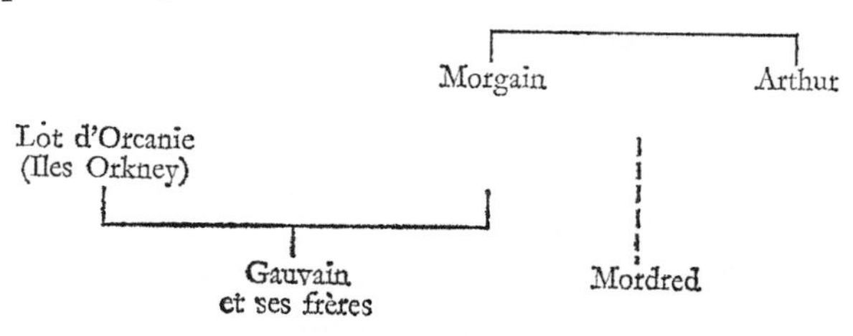

La tradition ultérieure fait de Mordred le fils incestueux d'Arthur et de sa sœur (ou demi-sœur). Il y a, d'un côté, trop d'obscurité pour ne pas cacher une faute et, de l'autre, assez d'intuition pour que l'interprétation incestueuse soit non pas notre fait mais celle des successeurs immédiats. Le *Gregorius* de Hartmann date de la même période (*c.* 1195), et ce héros de

la pénitence, à l'instar de ce qui attendait Perceval, est bien le fils incestueux d'un frère et d'une sœur. En clair, l'Autre du désir de la mère est Dieu ou diable, ou aussi bien son propre père, sinon son frère.

8. *La « senefiance »*

C'est ici qu'intervient Robert de Boron, de pair avec les continuateurs. Christianiser la légende veut dire mettre en parallèle l'histoire du Christ, nouvel Adam, et celle de Perceval, au troisième temps de l'eschatologie (serait-ce sous l'influence de Joachim de Fiore ?). Naissance diabolique de Caïn, fils d'Eve et d'Adam (ou du Serpent ?); naissance divine de Jésus; diabolique, encore, de Merlin et, non moins étrange, à force de chasteté, du fils d'Alain ! Le coup de force de Robert de Boron est d'avoir transporté en Orient le Graal (désormais vase du Précieux Sang, épanché à la Crucifixion, à l'image du Calice liturgique) et Merlin, qui doit ensuite partir vers la Bretagne. Le premier continuateur du *Conte du Graal* christianise la Lance (de Longin), non le Graal (plat magique hérité des Celtes); Robert de Boron le fait du Graal, non de la Lance. Les années 1190-1200 conviendraient ici. Le second continuateur (Wauchier de Denain) réunit en sainteté Graal et Lance (*c.* 1205-1208), mais surgit alors le Maléfice de l'Epée, avec le cadavre sur la bière, de même que chez Robert de Boron le Siège Périlleux jouxtait le Graal. Plus le récit s'oriente vers la lumière divine, plus s'épaississent en contrepartie les ténèbres du diable. Le Siège Périlleux est resté vide en mémoire de Judas, lequel, répétons-le pour nous en émerveiller, nouvel Œdipe nourri comme Lancelot par une merveilleuse reine insulaire (d'Iscariote), a tué son père et épousé sa mère en entrant au service de Pilate.

Tout se tient, du début à la fin du roman médiéval, comme d'une culture à l'autre, parmi celles dont il s'est nourri : biblique, celtique, antique, et d'une langue ou d'un pays à l'autre, sans qu'on puisse séparer oc et oïl, français, allemand et anglais. La *senefiance* installe désormais Dieu à l'arrière-plan du récit, tandis que le devant de la scène s'emplit du mystère de la Présence Réelle (cf. *Perlesvaus*), lequel renvoie, on le sait, au miracle de la messe de saint Grégoire ! Mais avec, en contrepoint, toujours, les violences meurtrières de l'aventure et les sollicitations amoureuses de la féerie; les premières, non sans gloire, les secondes, au plus près de l'abîme.

Dès lors, comme dans le *Conte du Graal*, partagé entre le Château du Graal et le Palais des Merveilles, c'est-à-dire entre Perceval et Gauvain, le récit se présente double et ne semble jamais pouvoir se rejoindre. Il devient à proprement parler interminable et requiert une autre organisation. Le grand narrateur à cet égard, mais combien méconnu, est l'auteur de la

Première Continuation, dite de Gauvain. La principale masse du récit est constituée par l'histoire de Caradoc Briebras, fils de Caradoc de Nantes et d'Isave de Carchés; le père est en réalité l'enchanteur Elyavrés, selon un scénario qui combine la tradition du fils du diable et celle d'Amphitryon (cf. Arthur); l'aventure du héros se résume dans la fameuse épreuve de la décapitation qui caractérise en propre Gauvain (voir *Sir Gawain and the Green Knight*, *c.* 1360-1370). Or l'épisode est encastré dans l'aventure de Gauvain avec Bran de Lis et la Pucelle de Lis, dont sont offertes deux versions opposées, l'une dans la branche consacrée à Brun et Branlant qui précède, l'autre dans celle du Riche Soudoyer, qui suit; le tout étant à son tour compris entre deux visites de Gauvain au Graal (épisode de Guiromelant en tête du récit; épisode du fils de Gauvain, à la pénultième). Le conte de Guerrehés, frère de Gauvain, et du chevalier au Cygne sert d'aventure finale. Celle-ci consiste dans la vengeance de *Bran*gemor le roi mort, exposé à la cour dans le cercueil tiré par le Cygne, après une visite au château désert du Petit Chevalier.

Toutes les curiosités à venir des romans en prose sont ici rassemblées : le poids d'un meurtre passé pèse sur Gauvain (Guiromelant) ainsi que d'une faute sexuelle (le viol de la Pucelle de Lis); ce qui le met aux prises avec l'hôte terrible (le château de Bran de Lis), avant que lui-même ne se mesure, sans le savoir, à son propre fils (après la seconde visite au Graal); mais son histoire semble prise en charge par d'autres : Caradoc d'un côté; Guerrehés, son frère, de l'autre; l'un aux prises avec l'Enchanteur, l'autre avec un cadavre (et l'épisode du Petit Chevalier offre une variante païenne du Roi Pêcheur; si ce n'est lui, c'est son frère Beli, Pellés, le nain !) Qui parlerait encore d'incohérence ou de fatras ?

La technique est celle d'une fragmentation, suite de contes qui se regardent obliquement; d'un entrelacement (retour du même, mais autrement, jusqu'à en être méconnaissable); et d'un déplacement ou d'un miroitement, qui délègue à l'autre figure le soin de représenter la tragédie secrète du héros. Les romans de Raoul de Houdenc consacrés à Gauvain héritent de ce dernier procédé : *Meraugis de Porlesguez* (*c.* 1210) et *Vengeance Raguidel* (si c'est du même).

L'autre formule, issue de Robert de Boron, dont la trilogie mérite de s'appeler le *Livre du Graal*, repose sur un schéma trinitaire et eschatologique qui donne au roman une épaisseur temporelle et une scansion propre (cf. le messianisme de *Perlesvaus*, *c.* 1230, entre le reflet de la faute originelle et la préfiguration du Règne à venir). Or le retrait de la Parole dans l'attente de sa Parousie s'imagine précisément du recours à la prose comme perte de la présence par l'effet de la traduction (c'est notre thèse).

Mais la dernière trouvaille est de l'auteur du *Livre de Lancelot* (1225-

1230), qui intègre par ailleurs les techniques concurrentes des continuateurs et des prosateurs. Il inscrit, en effet, la division au cœur même de son héros, puisque Lancelot s'appelait en baptême Galaad; puis il la projette dans le temps, quand le fils succède au père et restaure à force de pureté ce que celui-ci a perdu par sa luxure; il l'éclate enfin dans l'espace, entre Gorre et Corbenic, terre de féerie et terre sainte, Géants amis et ennemis (Galehot et Méléagant), fées bénéfiques et hostiles (Niniane et Morgain) et il distribue sur plusieurs figures parallèles le mystère originel (Hestor, le demi-frère; Bohort, préfiguration de Galaad), le tout oscillant entre les saintes merveilles du Graal, promises à Galaad, et les funestes merveilles de Merlin, près desquelles rôde Mordred.

Tout un cycle en prose, le *Lancelot-Graal*, se forme entre 1230 et 1235 autour du livre central de Lancelot, tandis qu'en contraste se préparent d'autres cycles : celui de *Tristan*, enfin reparu sur la scène littéraire, après avoir longtemps été banni (une première version, vers 1235; la seconde, après 1240); celui de *Guiron le courtois* (avant 1240) qui s'attache à la génération des pères; enfin l'ultime *Roman du Graal* (cycle du pseudo-Robert de Boron, avant 1240), qui éclaire l'ensemble à partir de l'inceste d'Arthur et du grand mythe du Coup douloureux. A l'évidence, les années 1225-1240 furent extraordinairement fécondes, si on songe aux masses romanesques qui y ont vu le jour, sans cesser de se compléter ou de s'opposer entre elles.

Mais un autre héros devient, parallèlement, un pôle d'attraction : Gauvain. Son paradoxe est qu'il semble bien principiel (s'il a pour archétype Cuchulainn), comme le pensait J. Weston, et qu'on l'ait pourtant écarté du rôle principal (comme le déplore l'auteur du *Chevalier à l'épée*). Si l'aventure du Graal envahit la prose, le roman épisodique en vers choisit Gauvain. Fabuleuse antithèse ! La trop charmante hôtesse du *Chevalier à l'Epée*, le Château tournant de la *Mule sans frein* (avant 1210), le cadavre au tronçon de lance et l'Orgueilleuse Pucelle de la *Vengeance Raguidel* (entre 1210-1215), l'épreuve de décapitation dans *Hunbaut* (*c.* 1250) et le Coup douloureux du *Chevalier aux deux épées* (vers 1235, avant le *Huth. Merlin*), la perte quasi matérielle du nom dans l'*Atre Périlleux* (*c.* 1250) et surtout l'élection de Gauvain aux *Meirveilles de Rigomer* (après le *Livre de Lancelot* que connaît aussi *Jaufre*, autre monument arthurien) répètent et varient inlassablement la matière du rêve auquel l'aventure du Graal cherche de son côté à donner corps et sens. Mais on ne peut pas plus concevoir la prose du XIIIe siècle sans les romans arthuriens en vers que Perceval sans Gauvain, dans le *Conte du Graal*, ni les scènes du Graal sans les châteaux déserts de Bran de Lis ou du Petit Chevalier dans la *Première continuation*.

9. *Fantasmatique*

La richesse de cette élaboration romanesque ne se laisse toujours pas épuiser et son lecteur doit accepter l'étrangeté des scènes, les intrications de la matière, l'ordonnance des égarements, les inconséquences délibérées et l'insensé des jeux de mots, bref tout ce qui définit aussi bien Rabelais et Shakespeare.

Wace nous apprend que les Bretons, porteurs du rêve arthurien et des prophéties du fils du diable, furent, à la venue de Henguist, massacrés dans les grandes plaines de Salesbières (déjà ! v. 7227) par les traîtres saxons, aux cris de « Nim eure sexes ! » (« Nimad corre seax », sortez vos couteaux ! v. 7237). C'est en souvenir de la trahison des Couteaux que les Anglais s'appellent les « Sexes » (v. 7299). Faut-il y pressentir le Coup douloureux infligé au roi qui fut conçu par l'opération de Merlin ? L'auteur de *Tristan* a, quant à lui, inventé l'amour sur la simple équivoque de « la mer amère » *(lamer)*, à quoi fait écho le nom de Marie dans l'onomastique chrétienne et chez Robert de Boron : *mare amarum.*

Il serait possible de dessiner toute une fantasmatique du roman médiéval, tenant compte des liens qui se tissent entre *Ovidiana* et *Arthuriana*, comme entre le courant féerique et le courant (pseudo) réaliste. On y distinguerait quatre scénarios; Mélusine d'abord, fée de l'Ile d'Or et Serpente de la Gaste Cité en Nord-Galles, à moins qu'on ne préfère l'image du Phénix dans le conte de la fausse morte, soit d'un côté le roman arthurien du *Bel Inconnu*, de l'autre le roman grec d'*Apollonius*. En regard : l'innocente persécutée, fiancée mutilée du cycle de la gageure *(Comte de Poitiers, Roman de la Rose, Roman de la violette)* ou fille sans mains trop aimée d'un père *(Manekine, Roman du comte d'Anjou)*, épouse pourtant chaste, retrouvée intacte et aimée pour le signe de sa rose. Puis l'enfant merveilleux, de Merlin et Arthur à Perceval et Grégoire, entre le conte du Coup douloureux et la légende hagiographique, entre la lumière du Graal et la plus cruelle ascèse. Mais la Cène n'est pas le seul Banquet; il existe d'autres communions et de plus atroces festins (cf. *Perlesvaus* ou *Guillaume d'Angleterre*) ; la voix du Rossignol, *Philomena*, nous guide ici du repas cannibalique où le fils fut servi au père (noter que Chrétien dit avoir aussi écrit de Thyeste), à celui, mélancolique, où le cœur de l'amant est donné à manger à sa dame *(Le Châtelain de Couci)*.

Mélusine, Merlin, la Manekine (la manchote), le Cœur Mangé. Quatre lais de Marie de France dans le roman en douze épisodes qu'elle avait assemblé pour tracer, avant Marguerite de Navarre et comme elle, les différentes figures amoureuses, le disent aussi bien : la dame de *Guigemar* (ou la fée d'Avalon dans *Lanval*) et le *Fresne* (déjà Grisélidis); *Yonec* (le fils de « l'oiseau bleu ») et le *Laöstic* (c'est-à-dire le rossignol, adoré, lui

aussi, tel une relique, dans un petit « vaissel »). Michelet avait déjà rapproché ces termes, et sa *Sorcière* nous conduit dans certaines collines du centre de l'Ouest, « entre le pays de *Merlin* et celui de *Mélusine* » (1, 6), tandis que d'Orient nous revient « l'idylle mélancolique des impossibles amours de la *Rose* et du *Rossignol* » (1, 3).

Le secret de la femme se dévoile, dans sa nudité, insoutenable au regard, hideur squameuse ou merveille de la rose; dans le sacrifice de la Cène que transmet la Parole, adoration du Graal ou dévoration du cœur. La contemplation du Graal s'est longtemps perdue dans les entrelacs de la prose, mais l'entrevision de la rose s'est transmuée en allégorie de la rose.

CHAPITRE VIII

La littérature allégorique

La littérature allégorique médiévale nous apparaît aujourd'hui comme une vaste et monotone production devant laquelle nous ne pouvons nous défendre d'un certain malaise : difficulté de lecture de ces œuvres dont beaucoup ne sont rien moins qu'attrayantes; conscience aussi de la présence d'un arrière-plan philosophique, d'une mentalité, de formes de représentation qui nous sont devenus étrangers; incompréhension de la critique dont l'unique argument a été pendant longtemps le préjugé esthétique, et qui s'est cantonnée dans quelques « grandes œuvres », laissant de côté les trop nombreux « anonymes » et « mineurs ». On ne peut aborder ce domaine sans essayer de retrouver, par-delà les notions contemporaines dont la pertinence n'est pas toujours évidente, les conceptions de l'époque, même si elles souffrent de ce flou, de cette indétermination typiques des « théories » du Moyen Age. On se rend alors compte que l'allégorie médiévale constitue un système riche et complexe, qui réunit une vision du monde et une pratique de l'écriture (et de la lecture), qui repose sur une exploitation originale des possibilités expressives du langage et sur une réflexion très élaborée quant aux phénomènes de la création du sens, étonnamment proche des recherches actuelles — est-ce là l'origine de son regain de prestige ?

I / L'ALLÉGORIE ET LA CRITIQUE LITTÉRAIRE : HITOIRE D'UN MALENTENDU

Il est impossible de parler des œuvres allégoriques médiévales sans évoquer les réserves, parfois le véritable mépris, de la plupart des historiens

de la littérature, à l'égard de ce « genre complètement faux », comme l'écrivait encore G. Paris. Pourtant, la faveur que cette forme a connue du XIIe au XVe siècle devrait nous encourager à la considérer autrement que comme procédé mécanique et « froid » dont le succès relèverait d'une imperfection du goût, d'une puérilité compréhensible à une époque où « naît » la littérature (car tel est le jugement implicite dans cette façon de voir l'allégorie).

Depuis quelques années on assiste à un nouvel engouement pour cette littérature, avec notamment les études de H. R. Jauss et M. R. Jung — la partie anglo-saxonne en est bien étudiée. Mais beaucoup de questions restent sans réponse. La plus fondamentale concerne le langage lui-même : peu d'auteurs arrivent à se mettre d'accord sur le sens à donner au terme d' « allégorie », et l'on va de la définition la plus large (A. Fletcher) à la restriction abusive qui confond allégorie et personnification. Le mot s'est trop chargé de traditions culturelles depuis la Renaissance, et même au Moyen Age il n'existe aucune unité de conception. Il n'y a pas lieu d'entrer ici dans le détail de son évolution. Mais il faut en rappeler une étape capitale : la distinction entre « symbole » et « allégorie », datant du XVIIIe siècle, et qui hypothèque encore notre approche du problème. La formulation la plus célèbre s'en trouve chez Goethe : « Un poète qui cherche le particulier pour illustrer le général est très différent d'un poète qui conçoit le général dans le particulier. La première manière résulte de l'allégorie » *(Maximes et réflexions)*. G. Lanson a donné de cette définition une expression lapidaire : « Dans le symbole on part du réel, dans l'allégorie on part de l'abstrait. » Malgré l'imprécision d'une opposition entre « réel » et « abstrait », cette idée s'est maintenue dans une partie de la critique : nous la découvrons chez C. S. Lewis *(The allegory of love)*, R. R. Bezzola *(Le sens de l'aventure et de l'amour)*, S. Bayrav *(Le symbolisme médiéval)*, Huizinga *(L'automne du Moyen Age)*, H. Dunbar *(Symbolism in medieval thought)* et même chez E. Auerbach dans son « allégorie typologique » et « allégorie abstraite ». Or il s'agit là d'une perspective rationaliste, qui privilégie la personnification, l'idée, aux dépens du pouvoir de représentation, et range d'emblée l'allégorie dans la littérature didactique. D'autre part, elle appartient à un contexte intellectuel qui n'a que peu de rapports avec l'univers de la pensée médiévale, celui du romantisme naissant avec son concept du « génie poétique » et le rôle prépondérant de l'individu.

Reposant sur des notions modernes de « fond » et de « forme », de « concret » et d' « abstrait » (les spéculations réalistes et nominalistes devraient nous prouver que la frontière ne passe pas pour le Moyen Age par les mêmes oppositions), de « particulier » et de « général », elle ne correspond en tout cas nullement aux habitudes de la terminologie médiévale, qui réserve le « symbole » aux théologiens et désigne tout « symbolisme »

littéraire par l'appellation générique d' « allégorie ». Le problème n'en est pas simplifié pour autant, car l'allégorie peut intervenir à des niveaux très différents. En dehors du système clos et original de l'exégèse théologique, elle se présente aussi bien comme création, écriture (une chaîne de figures métaphoriques ou métonymiques rendant un concept accessible à une imagination « concrète »), que comme technique de lecture, d'interprétation (qui essaie de restituer à partir d'un texte pris comme image un concept).

La transformation peut porter sur un passage donné d'une œuvre ou sur sa totalité, et l'allégorie prend alors un aspect autre, à tel point qu'il faudrait distinguer deux pratiques : la question se pose surtout au XIVe et au XVe siècle, quand on confronte des poèmes de Charles d'Orléans et les grandes fresques du genre *Livre du cueur d'amour espris*.

A une représentation simple et unique de l'allégorie, il y a un autre obstacle : la variété des procédés rhétoriques mis en œuvre : métaphore, métonymie, comparaison, prosopopée, dont aucun n'est suffisant pour expliquer les mécanismes de la production du sens, mais qui sont les seuls éléments techniques dont disposaient les écrivains.

Cependant, les œuvres allégoriques médiévales reproduisent toutes un certain nombre de moyens d'expression, et une série limitée de schémas ou de thèmes qu'il est possible d'identifier, au point que l'on peut parler de signaux, de symptômes, nous permettant de reconnaître dans la plupart des cas l'intention de l'auteur. La détermination de ces critères devrait épargner d'interminables discussions, comme celle qui divise les médiévistes sur le Perceval de Chrétien de Troyes.

II / LA GENÈSE DE LA TECHNIQUE ALLÉGORIQUE ET LES CONCEPTIONS MÉDIÉVALES

Deux courants de réflexion théorique se sont occupés de l'allégorie; chacun propose une grille séduisante mais incomplète, incapable de rendre compte de la complexité du phénomène de l'écriture allégorique. La théologie intègre l'allégorie dans une vision totale de l'univers et un système du sens extraordinairement exhaustif, mais dont le principe même est fort éloigné de la littérature profane; la rhétorique s'intéresse à la pratique — microscopique — du langage, à la fabrication presque artisanale des séquences allégoriques.

A / Le modèle théologique

L'Ecriture Sainte, depuis saint Augustin, est considérée comme un tissu de signes, exprimant en termes compréhensibles, en images, en équivalences humaines, les mystères de la révélation. La théorie du *De doctrina christiana* en fait un texte de « signes figurés » *(signa translata)*, désignant des objets qui en signifient d'autres à leur tour. Elle inaugure ainsi un système théologique, un symbolisme qui fonctionne au-delà du langage. Aussi peut-on lire la page sacrée superficiellement, en y cherchant le sens des mots et du récit (sens littéral), ou en profondeur, en tentant d'y retrouver ce que traduisent les approximations sensibles, les réseaux d'associations qui mènent inévitablement à l'Origine divine (sens allégorique). Saint Augustin est à la base de deux mouvements très importants pour la « mentalité » médiévale, et qui forment l'arrière-plan intellectuel de l'allégorie littéraire : d'une part, la conviction que l'univers entier n'est que symbole et que tout y reflète Dieu (fondement de la réflexion théologique et de l'inspiration artistique jusqu'au XIIIe siècle); d'autre part, l'édifice de l'exégèse, qui s'enrichit de siècle en siècle et offre un modèle de lecture cohérent. A partir de Bède le Vénérable, on prend l'habitude de distinguer dans le plan littéral celui de l'énonciation pure (histoire) et celui de la figuration, de la signification indirecte relevant des tropes (« allegoria in verbis »), tandis que le sens allégorique, reposant sur le symbolisme des choses, l' « allegoria in factis », se scinde en trois variétés, définies par la nature de leur signifié ultime : tropologique, allégorique-typologique, anagogique, selon que l'interprétation fait appel à la morale (conduite du chrétien), à l'histoire de l'Incarnation et de l'Eglise, ou à l'eschatologie.

L'exégèse n'a pas eu avec l'écriture allégorique profane de relation directe de filiation, mais elle oblige les écrivains à se référer à ses constructions, ne serait-ce que sur le mode de la concurrence (ainsi, les débuts de l'allégorie en français sont marqués par les débats sur la « vérité », le degré de signification d'un texte non religieux, et Dante dans sa fameuse *Lettre à Can Grande* opposera encore l' « allégorie des poètes » à celle des théologiens). Elle offre aussi aux auteurs leurs premiers sujets (puisque l'allégorie littéraire commence par les paraphrases bibliques), une tradition de lecture (un « comportement interprétatif »), un répertoire de thèmes et d'images. Le rôle des sermons en tant que facteur de vulgarisation, de transmission, est essentiel.

B / Les apports de la rhétorique

L'allégorie est classée dès l'Antiquité parmi les tropes, figures de style qui opèrent un changement de sens, le passage d'une signification « propre »

à une signification « impropre ». Deux caractères essentiellement ont été retenus, qui conditionnent encore maintenant notre compréhension de l'allégorie. Quintilien insiste d'abord sur la différence entre un sens caché et un sens apparent (« aliud verbis, aliud sensu ostendit », *Institution oratoire*, VIII, 3.83), qui peut prendre sept formes (ironie, antiphrase, énigme...), mais aussi sur la métaphore continuée qui regroupe une série d'images autour d'une comparaison centrale (« continuae translationes »). Ces deux définitions ne permettent qu'une approche partielle de l'allégorie littéraire et se révèlent insuffisantes pour décrire une composition complexe comme le *Roman de la Rose*. Mais elles sont les seules que les *Artes dictaminis* de Geoffroy de Vinsauf, Matthieu de Vendôme, Gervais de Melkley mettent à la disposition des écrivains des XIIe et XIIIe siècles : ces auteurs, soucieux d'établir les règles d'une poétique, reprennent en effet les analyses antiques perpétuées par Isidore de Séville, Bède, gardant comme Matthieu de Vendôme et Gervais de Melkley le terme d'*allegoria*, ou le remplaçant, comme Geoffroy de Vinsauf, par celui de *permutatio*, plus proche de la notion de similitude.

L'influence de ces traités de rhétorique latins n'est pas facile à cerner. Même en admettant que les créateurs avaient présentes à l'esprit leurs analyses, il y a un grand pas à franchir entre les recettes qu'ils donnent et l'élaboration d'une grande œuvre; la France ne dispose d'ailleurs pas d'un *De vulgari eloquentia* qui jetterait le pont entre le latin et le français. Cependant, il n'est pas possible de méconnaître le rôle de la rhétorique dans la formation d'une conscience médiévale de la signification indirecte. Sa contribution pratique se limite sans doute à quelques procédés de rédaction.

C / Les grands ancêtres en latin

Depuis la fin de l'Antiquité, il existe de vastes fresques qui relèvent entièrement de l'allégorie. La *Psychomachia* de Prudence décrit le combat, « dans » l'âme, des Vices et des Vertus : Fides et sa suite luttent contre la « veterum cultura deorum » en une succession de sept duels symétriques, et dans une perspective typologique précisée dès le prologue. Ce schéma aura une innombrable descendance et deviendra, avec celui du voyage, la marque la plus évidente de l'allégorie. Les *Noces de Mercure et de Philologie* de Martianus Capella montrent le cortège des sept Arts, jeunes filles qui portent chacune l'emblème de leur fonction (un compas pour Géométrie). La littérature allégorique dispose alors de ses éléments fondamentaux : la métaphore dominante, les personnifications, le style énumératif.

Ce type d'œuvre retrouve au XIIe siècle une grande faveur, fournissant à l'Ecole de Chartres le moyen d'expression approprié pour ses spéculations cosmogoniques : création du monde et de l'homme, statut de l'homme dans

l'univers, mais aussi morales. Bâties sur un modèle semblable, elles évoquent les relations du microcosme et du macrocosme, et imaginent une entité, Nature, intermédiaire entre la personnification et la divinité antique, entourée d'acteurs secondaires qui sont encore de simples abstractions dotées d'une action concrète. Leurs séquences allégoriques deviendront traditionnelles (cortège, combat, voyage), ainsi que les figures de Raison, Prudence... Mais ce ne sont encore que des traités enveloppés dans un revêtement allégorique; le discours, le sens y sont mieux maîtrisés que l'image. Elles constituent néanmoins une forme typique de l'allégorie à tendance didactique, à laquelle se rattachent aussi bien Jean de Meung que Philippe de Mézières.

Ainsi, le *De mundi universitate* de Bernard Silvestris enchaîne des prosopopées de Nature, Uranie, Physis, Noys, en un embryon d'action : Nature se plaint à Noys de la confusion qui règne dans la *prima materia*; Noys accepte d'y mettre bon ordre, et crée dans un premier temps le macrocosme, puis l'homme. L'*Anticlaudianus* d'Alain de Lille est plus élaboré : Nature convoque les Vertus pour façonner l'homme nouveau; après les discours de Prudence, Raison, Concorde, nous assistons à la construction du char qui doit conduire Prudence au ciel, puis à la fabrication du *juvenis* par les Arts et les Vertus; le tout s'achève sur une *psychomachia*; cette œuvre est intéressante pour son prologue qui expose les différentes manières de lire un écrit; pour son sens littéral mieux développé et ses complexes d'images mieux intégrés. Mais le *De Planctu Naturae* du même auteur ressemble plus au *De mundi universitate* : Nature se plaint de l'abandon de ses lois par les hommes et charge Vénus, aidée de Cupido, de redresser la situation; Hymen réconcilie les contraires.

L'*Architrenius* de Jean de Hanville se démarque de cette production hermétique par son ton satirique et son inspiration moralisante : le narrateur, l' « archipleureur », part à la recherche de Nature, en passant par le palais de Vénus, la taverne de Gloutonnerie, le milieu estudiantin de Paris, avant d'arriver en Macédoine chez Ambition et Présomption, où il trouve les Philosophes de l'Antiquité qui lui exposent leur doctrine, et se marie avec Moderantia. L'imagerie devient plus concrète (elle sert d'ailleurs de référence aux morceaux de bravoure du style allégorique grotesque du *Songe d'Enfer*, des descriptions de Vices), mais se défait en une suite de tableaux (la cour de Vénus, le tripot, la colline de Présomption), tandis que la fin de l'œuvre renoue avec les thèmes de l'Ecole de Chartres (discours de Nature sur l'ordre de l'univers).

La parenté de ces œuvres avec celles que créera la langue vulgaire est manifeste au niveau des motifs et de l'écriture. Si l'on peut déterminer leur impact sur les auteurs en français, on y trouve le chaînon manquant entre les réflexions théologiques et rhétoriques et la littérature allégorique.

III / LES PROCÉDÉS DE L'ÉCRITURE ALLÉGORIQUE

L'allégorie se présente comme une forme concertée, consciente de ses effets et de ses moyens, affirmant sa différence et indiquant son « mode d'emploi ».

A / Un vocabulaire formel typique

La coutume s'est établie, pour l'œuvre allégorique, que l'auteur ne laisse aucun doute sur sa nature (cela semble être un héritage des débuts, quand il fallait insister sur le degré de vérité que l'on visait et rappeler au lecteur la parenté avec le discours théologique). A cet effet, il a recours à une terminologie spécialisée. Ainsi, les poètes opposent leur « dit » aux « fables » et « contes » des autres. Pour nommer le sens littéral, ils font appel aux notions de l' « estoire » (afin d'insister sur la vérité supérieure du récit, car « estoire » désigne le sens historique de l'Ecriture), ou du « roman ». Mais les termes clefs de l'allégorie sont le couple « lettre »/« senefiance », qui s'appliquent au mécanisme fondamental du double registre; les synonymes sont nombreux : à « lettre » répond parfois simplement « matire » (ainsi chez Guillaume de Lorris), tandis qu'à la « senefiance » font écho aussi bien « vérité », « esprit », « sentence », « demonstrance », « raison », « entendement ». Les acceptions de « moralité », et paradoxalement d' « allégorie », semblent réservées aux textes qui tendent à la lecture, à l'interprétation plutôt qu'à la création (les paraboles allégoriques et les moralisations). Il faut signaler à ce propos que le « sen » du roman courtois n'est pas réductible à la « senefiance » ou « sentence » allégorique. L'on assiste à partir du XIVe siècle à une confusion progressive du vocabulaire de la lecture et de celui de l'écriture, dont le *Songe du vieil pèlerin* peut nous offrir un exemple : « parabole » et « exposition (morale) » tendent à remplacer « lettre »/« senefiance » (le glissement du vocabulaire est un indice d'une modification de la forme, qui va aussi vers la séparation de l'image et de l'interprétation typique des moralisations).

B / La double lecture

Une œuvre allégorique suppose un lecteur qui cherche derrière ce qui est dit un « vouloir dire » caché, plus cohérent, plus vraisemblable, plus

profond. Elle est basée sur la séparation de deux instances dont la présence simultanée crée le sens : l'une constituée par le sens habituel des mots, par une combinaison d'images (plus exactement de figures de rhétorique du genre métaphore), l'autre par une déduction neuve qui relie le premier sens à un second dont il est le « signifiant ». Un texte fait signe dans un autre, et y introduit des indices de son existence. Ils peuvent être de deux espèces :

1) *Des indices formels :* Le sens littéral paraît insuffisant, tout n'est pas dit, et une attente est ainsi créée chez le lecteur; il est invraisemblable, par la succession illogique des péripéties, la présence du merveilleux, l'étrangeté des personnifications; il se compose d'éléments (thèmes et motifs) dont la codification est très poussée, appartenant à des séries limitées, et faciles à repérer (l'exégèse patristique avait développé toute une stratégie de l'interprétation, et catalogué les moments où le texte l'exigeait : passages contredisant ouvertement la doctrine chrétienne, ou le bon sens, ou dont l'utilité pour la doctrine n'est pas évidente; passages qui par leur nature même en sont justiciables — ces indices, liés à la spécificité du texte sacré, n'ont pu être repris dans la littérature profane, mais l'esprit en est resté).

2) *Des indices externes :* Les auteurs nous mettent eux-mêmes sur la voie en explicitant leurs intentions dans un prologue (*Anticlaudianus*, dédicace du *De mundi universitate*), ou dès les premiers vers, en affirmant pesamment leur intention et la vérité de leur fiction (*Songe d'Enfer*, *Besant de Dieu*). Peu confiants dans leur lecteur, ils interviennent parfois aux endroits les plus importants pour mettre en garde contre une fausse lecture. Le vocabulaire qu'ils utilisent alors fournit une clef précieuse : tiré de l'exégèse, il se sert de quelques métaphores toujours identiques, qui donnent au public profane une représentation imagée, accessible (corps et ombre, écorce et moelle, fondations et superstructures, sens « enclos » et sens « desclos » chez le Reclus de Moilliens, toutes les variantes de l'intérieur/extérieur). Dans le cours même du récit la transition entre les deux registres est toujours explicite, par l'emploi des mots signaux comme « senefier », « pouvoir être entendu », ou simplement « être » renforcé d'adverbes (clairement, nettement), qui annoncent le début du commentaire. Il arrive que le passage d'un registre à l'autre provoque une véritable rupture, séparant le texte en deux développements distincts, récit d'un côté, exploitation allégorique de l'autre (*Dit de la panthère d'Amour*, *Complainte d'Amour*, *Voie de Paradis*, « dits » à tournure de parabole).

3) *Rapports entre les deux plans :* Plusieurs possibilités se rencontrent. Les deux textes peuvent être juxtaposés, se développer parallèlement ou

être indépendants; mais ils peuvent être aussi combinés au point que le sens allégorique ne se dégage de la lettre que par quelques jalons disséminés; enfin, ils sont parfois superposés sans qu'ils se recoupent exactement, le sens littéral restant riche d'implications que le commentaire n'évoque pas, ou le sens allégorique allant dans une direction que la lettre ne faisait pas prévoir. Il y a toujours une tension entre les registres, et l'équilibre n'est jamais pleinement réalisé; le système est fragile et menace d'éclater dès que l'on y introduit des éléments étrangers (discours, allusions à l'actualité).

La variante explicite et décomposée, dans laquelle le commentaire colle à la lettre, est la plus courante : l'auteur fait suivre l'énoncé figuré de son interprétation *(Les quatre filles de Dieu, Le Songe de Paradis)*, en interrompant le cours du récit (c'est le procédé du roman, où les ermites attendent au bout du chemin), ou en le faisant suivre immédiatement par le sens, quand l'anecdote n'est pas trop longue. L'explication au fur et à mesure de tous les détails est la pratique habituelle de l'allégorie descriptive, dans laquelle l'énumération des parties d'un objet se double de ses équivalences parmi les concepts (*Roman des ailes* de Raoul de Houdenc, *Armeüre du chevalier* de Guiot de Provins, *Dit de l'épée* de Jacques de Baisieux, *Bestiaires*, mais encore le *Songe du vieil pèlerin* pour la nef). Une méthode très usitée consiste à confier l'interprétation à une personnification, surtout dans la tradition de l'allégorie d'amour, où Amour lui-même livre d'habitude ses secrets *(De Vénus la déesse d'amour)*. Souvent le lien est extrêmement ténu et ne porte que sur un seul élément de ressemblance, aussi accessoire que le nombre.

Quand le commentaire est à peine isolé des images, le mécanisme devient moins évident. C'est alors le jeu des situations métaphoriques et des « idées » incarnées par les personnifications, par leur nom et leur discours, qui fournissent la clef du sens. On ne voit une telle virtuosité que dans les œuvres très élaborées comme le *Roman de la Rose*, le *Songe d'Enfer* de Raoul de Houdenc, le *Tournoiement Antéchrist* de Huon de Méry, ou le *Dit du cerf amoureux*.

Les rapports entre les niveaux du sens peuvent être plus raffinés, permettant d'obtenir des effets de polysémie (quand la lettre appelle plusieurs interprétations : *Psychomachia* de Prudence, *Dit du vrai anneau* avec sa double moralité, *Complainte d'Amour*, *Roman de la Rose* de Guillaume de Lorris qui peut se lire comme mise en images d'une aventure subjective et comme art d'aimer), d'attente (quand une explication promise et nécessaire est toujours différée, comme encore chez Guillaume de Lorris) ou d'ironie (lorsque le sens allégorique devient littéral par un effet de rupture, ou lorsque une première allégorie devient « lettre » pour un autre, comme chez Jean de Meung).

C / Le cadre fictif du songe

Un grand nombre de récits allégoriques se donnent pour des songes de l'auteur *(Roman de la Rose, Songe d'Enfer, Voie(s) de Paradis, Bien est raison et droiture, Complainte d'Amour, Dit de la mort de Largesse, Dit de la panthère d'Amour, Dit d'Hypocrisie, Fablel du dieu d'Amour, Roman de la poire...)*. La fascination qu'exerce cette « enveloppe » plonge ses racines dans la conception même de l'allégorie, comme manière différente de « représenter » la réalité, et surtout comme unique moyen de placer la littérature profane sur un plan de vérité comparable à celle du texte sacré. On indique ainsi le passage de la réalité à la fiction (mais une fiction qui se révélera d'une réalité supérieure) et on échappe à la catégorie méprisante de la « fable », domaine du jongleur, vain divertissement. La phraséologie des écrivains nous montre bien la référence à une antique tradition du songe prophétique, dont Macrobe s'était fait le théoricien dans le *Commentum in somnium Scipionis*. Aussi trouverons-nous, comme véritable motif signal, le topos du songe qui n'est pas mensonge (« en songes doit fables avoir / Se songes peut devenir voir », *Songe d'Enfer* — « Mes l'en puet tex songes songier / Qui ne sont mie mensongier », *Roman de la Rose*, v. 4-5). L'usage constant de ces mises au point d'auteur est un indice du degré de conscience littéraire habituel à l'allégorie, ainsi que de la conviction d'innover, de découvrir un nouveau fonctionnement du langage.

D / La rhétorique de l'allégorie

Bien qu'il soit difficile de cerner exactement la complexité de ce phénomène et la diversité des moyens mis en œuvre, il est possible d'en donner une idée par la notion de « montage métaphorique », à condition de prendre « métaphore » dans une acception très large.

1. *La mise en scène de la ressemblance*

Le procédé de base consiste à imaginer pour la pensée que l'on veut exposer (leçon de conduite, doctrine religieuse ou courtoise) une équivalence imagée susceptible d'une riche exploitation (domaines dont le champ sémantique est vaste comme la chasse, la guerre, le voyage), et décomposable en éléments. Le conflit des passions, la tentation et les résistances deviennent une vraie bataille, l'affinité de concepts ou de sentiments devient le mariage; l'initiation et l'apprentissage, la vie, se traduisent par le voyage, avec ses étapes, ses rencontres, ses erreurs qui sont errements; le choix, c'est

le carrefour. L'allégorie offre une représentation « concrète », parlant à l'imagination, une approximation picturale de l'analogie (aussi n'est-ce pas un hasard si les manuscrits d'œuvres allégoriques sont abondamment et soigneusement illustrés, créant un jeu de miroirs entre l' « image » linguistique du texte et l'image à percevoir). Cette analogie est « prise à la lettre », en une interprétation naïve, qui est aussi une tentative de rendre au langage cette capacité de rendre sensible la chose, l'idée, qu'il a toujours déjà perdue (à ce titre l'allégorie est une réponse à un vieux débat que nous avons dans le *Cratyle* de Platon sur le rapport du mot et de la chose, et que le Moyen Age avait repris par la querelle des universaux). A partir de cette figure générale, l'auteur développe une série d'analogies secondaires dont la cohérence est maintenue par la constante référence à l'image initiale, et dont chacune précise le sens. La signification totale émerge progressivement. La rhétorique moderne décrit le mécanisme comme la combinaison, en une double transformation, de la métaphore (changement de sens selon la similitude) qui produit l'image fondamentale, et de la métonymie (changement selon la contiguïté) qui relie entre elles les images secondaires par inclusion :

vie = voyage	(voyage = étapes	
(métaphore)	rencontres	(métonymie)
	erreurs de route)	

On obtient ainsi un message à déchiffrer, un code dont la clef est fournie par la métaphore première : à chaque élément du développement métonymique de l'image on peut faire correspondre un élément du développement de l'idée :

voyage ——→	étapes ——→	rencontres —→	erreurs de route —→	incidents
vie ——→	progression de l'apprentissage —→	passions sentiments —→	mauvais choix —→	châtiment

L'axe vertical fonctionne dans l'ensemble et pour les détails successifs selon la ressemblance (parfois comparaison seulement, le plus souvent métaphore), et l'axe horizontal selon la contiguïté, l'inclusion. Cette description reste théorique et la plupart des textes ne présentent pas un schéma aussi parfait. L'art de l'écrivain se manifeste essentiellement dans son talent à faire oublier sous le « naturel » de sa narration la rigidité du mécanisme.

2. *Le développement analytique*

Deux possibilités se rencontrent dans les textes allégoriques pour ce qui est de l'exploitation métonymique de la métaphore : la dramatisation

d'une équivalence narrative (à partir d'une image qui permet un récit : le voyage ou le combat), la décomposition « statique » d'une équivalence descriptive (un objet est divisé en ses parties, auxquelles on fait répondre les subdivisions d'une notion : les parties d'une armure signifient les vertus résumées par la « chevalerie »); un bâtiment reflète dans ses pièces et étages l' « étagement » des valeurs courtoises. Le choix du procédé détermine la longueur de la séquence : la narration donne naissance à des œuvres complexes et étendues, la description ne permet que les pièces courtes, ou sert d'appoint à la narration pour des développements adventices. Le lien métaphorique et métonymique est plus étroit dans la description et plus aisé à identifier; aussi voit-on disparaître l'appareil explicatif dans des raccourcis d'expression : « li esperon sont de Patience » *(L'Armeüre du chevalier)*; « selle a d'Engien » *(Dit de Raoul de Houdenc)*. Le verbe être et l'article suffisent à résumer toute une tirade sur la « senefiance » : il se crée ainsi, du « haubert de Loialté » du *Fief d'Amour* de Jacques de Baisieux jusqu'à la « forest d'Ennuyeuse Tristesse » de Charles d'Orléans, une tradition de « micro-allégorie » utilisée surtout par la poésie lyrique. La cohérence du texte descriptif tient à la richesse du rapport pris comme point de départ : si le récit d'un voyage ou d'un combat peut se continuer inlassablement avec des épisodes nouveaux, la liste des objets susceptibles d'offrir assez de parties pour approfondir des notions complexes reste limitée : le bâtiment permet de multiplier les portes, tours, étages, pièces, habitants; le navire (dont le *Songe du vieil Pèlerin* présente un exemple particulièrement élaboré), l'armure sont des sources d'inspiration privilégiées, ainsi que le char, l'arbre, la cité, l'aile. Toutes ces images sont d'ailleurs héritées de l'exégèse, ainsi que la technique d'exposition, qui se calque sur les *Distinctiones*, véritables répertoires d'équations symboliques à l'usage des lecteurs de la Bible.

Narration et description fonctionnent sur le même modèle d'écriture : l'énumération, l'accumulation, et sont dès lors tributaires des séries du langage, du vocabulaire. L'allégorie est la mise en œuvre de structures linguistiques fondamentales : le rapport métaphorique repose souvent sur des « paradigmes » comme J. Batany les a définis (opposition, couples), tandis que la relation métonymique explore et épuise un champ sémantique.

E / Figures de la représentation : la personnification

S'il faut la séparer des figures de rhétorique, c'est parce que tous les essais de définition purement rhétoriques ne parviennent pas à rendre compte de son originalité. Il s'agit du procédé le plus mal interprété. Deux écueils ne sont en effet pas toujours évités : lire une personnification comme n'importe quel « personnage » littéraire; confondre la personnification lit-

téraire avec l' « allégorie » des Beaux-Arts (la Justice avec sa balance). Il y a peu d'œuvres allégoriques sans personnifications, mais la présence de cette figure ne suffit pas à rendre allégorique un texte. La seule approche théorique esquissée est la définition de la prosopopée, qui concerne aussi bien les inanimés que les êtres humains morts : elle ne nous donne pas d'indication sur la façon dont la personnification signifie.

Quand on étudie la personnification comme moyen de représentation, on constate qu'elle dépasse le cadre d'une simple figure de rhétorique, et qu'elle est une expression condensée de la technique allégorique, la combinaison d'une image (l'apparence humaine, le vêtement, les attributs) et de son interprétation (le nom), le tout réduit à un pur schéma. Elle joue sur trois plans : dans le signe graphique qui en est le moyen de reconnaissance moderne (la majuscule), dans le contexte narratif, puisqu'elle n'existe que comme source d'actions, et dans une dimension picturale plus ou moins riche (description de l'aspect extérieur, énumération des emblèmes). Nous la trouvons souvent dans des structures de récit simplistes : parenté, opposition par paires (Vices et Vertus), qui lui créent un statut allégorique. Pour qu'il y ait personnification allégorique il ne suffit pas en effet de rendre une abstraction sujet d'une action *(abstractum agens)*, il faut aussi un environnement métaphorique dans lequel la notion prend son aspect concret. Parfois l'illusion de la réalité est poussée assez loin pour qu'une personnification finisse par acquérir une existence de personnage mythique (Amour, Mort, Fortune).

Pour le public médiéval la personnification n'est pas une fiction, un artifice de langage : elle participe d'une essence supérieure, d'une réalité comparable à celle que la métaphysique du temps attribue aux notions abstraites et générales (les « universaux »), et que A. Fletcher a essayé de traduire par sa formule du *daemonic agent*.

L'application de ces procédés, isolés ou groupés, est le critère par lequel nous pouvons juger de la nature allégorique d'une œuvre médiévale. L'originalité de ces formes d'écriture, ainsi que la thématique limitée inciteraient à parler ici de « genre » littéraire; mais la variété des œuvres qui en relèvent, ainsi que les problèmes que pose la détermination des limites de cette technique, doivent suggérer la prudence. Il y a en effet toute une série de textes que le Moyen Age considérait comme allégoriques, et qui ne mettent pas en œuvre ce mode de création, se contentant d'imposer à rebours une grille d'interprétation, un système d'équivalences, sur des écrits autrement conçus à l'origine. D'autre part, il n'est pas toujours facile de tracer une frontière nette entre l'allégorie et des procédés très voisins, comme ceux que l'on voit dans la fable et la parabole, et qui contaminent surtout à la fin du XIIIe siècle la littérature allégorique (notamment dans les « paraboles allégoriques »).

IV / LIMITES ET MARGES DE LA PRATIQUE ALLÉGORIQUE

A / L' « ALLÉGORÈSE »

Ce terme allemand nous sera utile pour désigner un courant bien antérieur au Moyen Age (cf. exégèse rabbinique, hellénistique, chrétienne), dont le principe est de choisir un texte célèbre, exemplaire et riche, et de le traiter comme s'il avait été fabriqué selon une technique allégorique. Parti d'œuvres littéraires, il s'étendra à toutes sortes d'objets, et constitue le témoin privilégié d'une « mentalité symbolique » qui est l'arrière-plan intellectuel de l'écriture allégorique. Il apparaît aussi bien dans l' « integumentum » du XIIe siècle que dans les « moralisations » des XIVe et XVe siècles.

1. « *Integumentum* », *et l'art de récupérer le mythe*

Ce terme définit la tentative de théologiens soucieux d'intégrer à la culture les mythes de l'Antiquité sans risquer les foudres de l'Eglise, en leur attribuant une vérité détournée, « allégorique ». Guillaume de Conches l'emploie pour Platon, Ovide, Juvénal, Bernard Silvestris pour Virgile. C'est un travail de rationalisation, de réduction du mythe au discours qui le rend compatible avec la doctrine chrétienne, en se fondant sur des indices arbitraires : la volonté de l'auteur ancien de voiler un enseignement secret, l'obscurité de certains passages, l'absurdité logique, l'impossibilité naturelle, l'indignité morale. L'esprit est exactement celui de l'exégèse biblique, la méthode celle de l'écriture allégorique (le texte est considéré comme métaphore, les personnages comme personnifications). La plus grande partie des commentaires repose sur les chiffres et les noms propres (jeux d'étymologie). L'allégorie est ici plus une attitude mentale qu'un langage, une conception totalitaire de l'univers, et tend à se substituer à toute autre forme d'expression. Ce phénomène serait intéressant pour la théologie uniquement, s'il n'avait influencé la littérature française surtout après le XIIIe siècle.

2. *L'allégorie et la moralisation*

Les schémas de lecture élaborés par les théologiens seront repris aussi bien pour l'exploitation de textes littéraires antiques (Ovide) récents (le

Roman de la Rose) que pour des activités ou objets de la vie quotidienne : chasse et échecs. On y rapporte toujours une grille extérieure que l'on raccroche aux éléments de la matière par des équivalences qui se réduisent souvent au même terme, des ressemblances accidentelles. L'*Ovide moralisé* est un exemple typique de l'intarissable frénésie d'allégorisation qui prend, à ce moment, l'allure d'une mode : inlassable répétition d'anecdotes, suivies d'une explication immédiate introduite par les mêmes formules (« or vous dirai que senefie », « or m'estuet ceste fable espondre », « dirai quel sens i puet entendre », « or vous dirai l'allegorie que ceste fable senefie »), et puisée dans un répertoire limité. On retrouve cette manière dans l'*Epistre d'Othéa* de Christine de Pizan, le *Roman de la Rose moralisé* de Molinet, les *Echecs moralisés*, les *Echecs amoureux*, le *Livre du roy Modus et de la royne Ratio*.

Il n'est pas rare que les « dits » d'inspiration religieuse reflètent dès le XIIIe siècle des préoccupations identiques, quand la trame métaphorique est sommaire et succombe à l'intention didactique. Les *Bestiaires* pourraient se ranger dans la même catégorie, mais leur sujet les met à part.

B / De la fable a la parabole : les degrés de la signification indirecte

Allégorie, fable et parabole répondent tous trois à la volonté d'illustrer une vérité générale par un récit concret et particulier. La différence réside dans les figures de rhétorique de base ainsi que dans la façon d'envisager le rapport entre les niveaux du sens.

1. *La fable*

Elle juxtapose une narration (apologue) exemplaire et un commentaire embryonnaire (morale) selon une relation d'inclusion assez lâche : un cas particulier auquel s'applique une vérité d'expérience, de conduite. L'anecdote existe par elle-même, et ne possède pas les indices d'insuffisance et d'appel à l'interprétation habituels à l'allégorie. Les deux textes ne sont pas liés par une nécessité intrinsèque : toutes sortes d'exemples feraient l'affaire. La fable, technique plus ancienne que l'allégorie, en présente quelques caractéristiques rudimentaires, comme si les deux méthodes se situaient à des étapes successives d'approfondissement des ressources de la signification indirecte.

2. *La parabole*

Le commentaire y est plus développé, et poursuivi jusque dans les détails. Le passage de l'anecdote (qui, à défaut de marques syntaxiques précises, comporte une exigence vague et générale d'explication) à l'interprétation se fait par une comparaison explicitée (« il en sera ainsi dans le royaume des cieux... »). L'originalité de la parabole tient dans son orientation morale et religieuse (le commentaire concerne la conduite ou la vie future, en une forme simplifiée de l'anagogie ou de la tropologie des Pères). Il faut noter que les théoriciens de l'exégèse placent les paraboles de l'Evangile dans le sens littéral, dans l' « allegoria in verbis ».

La parabole est importante pour l'allégorie dans la mesure où elle sert de modèle à des « dits » comme le *Dit du vrai aniel*, voire au roman. Les textes qui présentent une « lettre » et un sens allégorique nettement séparés tendent à se rapprocher de ce type : à ce moment, le critère reste la cohérence des images qui est toujours de nature métonymique dans l'allégorie.

C / Les « Bestiaires »

Ils se situent aussi en marge de la production allégorique : leur matière est le « livre de la nature ». A partir du *Physiologus* alexandrin (IIe siècle) et de quelques observations, ils imaginent des comportements animaux susceptibles d'une lecture typologique ou morale. Traits légendaires hérités de la tradition littéraire, « natures » semblables aux attributs d'une personnification débouchent inévitablement sur la vie du Christ, sur le diable, sur l'Eglise. L'image est discontinue : l'auteur se contente de mettre côte à côte la notation pittoresque (le pélican nourrissant ses petits, le phénix qui ressuscite) et l'équivalence christologique, d'après une similitude souvent ténue (le chiffre trois pour les lionceaux qui paraissent morts à la naissance, symbole des trois jours passés par le Christ au tombeau). Le mécanisme des équations est rigide, imposé par les modèles : la variété des épisodes se ramène la plupart du temps à un schéma unique. L'importance de ce corpus pour l'imaginaire médiéval n'est pas à démontrer, ne serait-ce que par sa présence dans l'iconographie. Il concerne l'allégorie par le vocabulaire de l'interprétation (dont il couvre toute la diversité), et par l'interpénétration qui se fait après 1250 entre les poèmes courtois et la zoologie des Bestiaires, dans le *Bestiaire d'Amour* de Richart de Fournival, dans le *Bestiaire d'Amonr* rimé anonyme; mais l'animal y devient source de métaphores, et non plus prétexte à l'enseignement des vérités de la foi. Les « natures » sont intégrées dans un récit du type « salut d'amour », et ordonnées dans une intrigue cohérente.

D / L'allégorie dans le roman

Intermédiaire entre la parabole et l'écriture allégorique, le roman, au début du XIIIe siècle, combine une riche matière dont les éléments sont au départ dépourvus d'implications allégoriques, et une lecture systématiquement chrétienne. La logique propre du récit commande la structure répétitive; la péripétie est suivie d'une mise en forme par des « preudomes » et des ermites, qui en développent la signification profonde, toujours réductible à une relation de base, qui joue le même rôle que la métaphore initiale du poème allégorique. Si l'on obtient ainsi une succession de paraboles, l'ensemble doit être compris comme procédé allégorique, car l'aventure et son sens finissent par constituer deux textes également cohérents, fonctionnant chacun d'après un principe métonymique. Cette définition n'est pas pertinente au même point pour toutes les œuvres, et l'on peut distinguer des degrés, correspondant en gros à la chronologie.

1. *Les origines*

Le *Perceval* de Chrétien de Troyes ne contient aucune des marques de l'allégorie, et le « sen » ne suppose pas la « senefiance ». Mais il laisse une énigme, un appel à la rationalisation de ces données éparses dans le texte, dont les racines mythiques (en particulier celtiques) semblent établies. Dès la fin du XIIe siècle, les continuateurs expliquent les lacunes de l'œuvre selon la technique décrite par E. Vinaver, en multipliant les épisodes, les échos thématiques, mais sans faire intervenir de « raison », de causalité. La fixation des méthodes de l'allégorie offre bientôt aux écrivains un moyen plus efficace de composition et d'unification. De « matière », la légende arthurienne devient prétexte pour un projet didactique, et les incidents de l'aventure s'enchaînent non plus au hasard des rencontres, mais selon la rigueur d'un schéma d'interprétation.

2. *La raison par l'histoire : Robert de Boron*

Robert de Boron est une transition : ses œuvres ne relèvent pas d'une écriture allégorique, mais elles en sont la préparation. La perspective chrétienne est définitivement mise en place (le prologue pose le mystère de l'Incarnation). Le Graal est rattaché à l'histoire du salut non par une relation logique mais par la transmission chronologique. Le travail de signification indirecte est très développé au niveau emblématique, à défaut de porter sur l'ensemble (ainsi, aux vv. 900 sqq. de l'*Estoire*, quand

Boron détaille les ressemblances entre le rituel de la messe et la mise au tombeau). Nous restons sur le plan de la similitude et de la succession. La mise en rapport du message évangélique et de l'épopée arthurienne est du même ordre que celle qui fonde la liturgie d'après la vie du Christ. Mais, à travers la suite dans le temps des trois tables (celle de la Cène, celle du Graal, la Table Ronde), nous atteignons l'intemporalité des origines, où éclate la « senefiance ». La voie est ouverte : après Boron, cette « senefiance » va s'incarner dans le texte et se déployer de manière rationnelle.

3. *La transposition allégorique de l'aventure*

Le *Perlesvaus* met en œuvre un schéma simple, à travers lequel le lecteur est invité à voir toute aventure comme le triomphe de la nouvelle loi sur l'ancienne. L'auteur s'applique à pourvoir les scènes d'un second sens, et l'on peut analyser en détail les systèmes d'équivalences de chaque situation : la défaite du roi de Château-Mortel représente une crucifixion symbolique; les personnages ont des correspondants dans l'Ancien et le Nouveau Testament (Méliot de Logres est le Christ enfant, Pellès un prophète). L'appareil typique du roman allégorique se crée : juxtaposition des péripéties selon les exigences du sens profond, exégèses par ermites interposés, qui tissent progressivement un autre récit dans lequel le premier se dénonce comme pure apparence. Mais le *Perlesvaus* manifeste encore l'incompatibilité du mythe et de l'exigence chrétienne par la complaisance et la cruauté de certaines descriptions; l'aventure ne s'est pas encore totalement perdue dans la glose.

Le *Lancelot-Graal* est l'exemple achevé du roman allégorique, surtout dans sa quatrième partie, la *Queste*. Le récit et la glose se développent parallèlement comme la métaphore et le commentaire du poème allégorique. A peine l'aventure est-elle accomplie que l'ermite apparaît au bout du chemin pour déclarer qu'elle n'est que signe, pour en faire un autre texte dans lequel la narration se justifie. L'œuvre se compose de trois trames superposées : les événements vécus par Galaad, Perceval, Lancelot, Bohort dans le présent; ces actions ne sont que la reproduction des existences antérieures de Joseph d'Arimathie, Josephes et Mordrain; les deux narrations se rejoignent et sont dépassées dans la transformation de la « semblance » en « senefiance », selon les techniques de l'exégèse typologique et tropologique. Mais la présence, la multiplication des péripéties, l'entrelacement des quêtes donnent à l'œuvre un caractère différent des poèmes allégoriques. Malgré la rigueur de la trame interprétative, l'anecdote garde sa séduction propre.

V / LE CORPUS ET SON ÉVOLUTION

La production allégorique est vaste et souvent indifférenciée. Son étude diachronique doit se limiter à la découverte des grands courants, au risque d'un certain flou chronologique (la datation de beaucoup de pièces est incertaine). Les travaux de H. R. Jauss constituent à cet égard une base indispensable.

Il est tentant de rechercher les influences littéraires qui ont pu favoriser la naissance de l'allégorie en français : les troubadours et Chrétien de Troyes usent volontiers de la personnification (Amor, Joi, Joven), voire de l' « allégorie grammaticale » : mais il s'agit encore d'un procédé purement rhétorique, qui ne suppose aucune exploitation du double sens (les personnifications restent des *abstracta agentia*). L'unique modèle contemporain se trouve dans les poèmes de l'Ecole de Chartres : pourtant les œuvres qui voient le jour en 1180 ne présentent guère d'affinités ni thématiques ni techniques; les deux courants évoluent séparément, et il est remarquable que les traités de poétique du temps se contentent de reprendre les vieilles définitions de l'allégorie sans tenir compte du nouveau phénomène. Comme le répertoire d'images des premiers textes est entièrement puisé dans la tradition exégétique, l'on peut admettre un rôle essentiel de l'homilétique pour la transmission des schémas.

A / 1180-1190. Les balbutiements

Si l'on excepte l'usage discret et fragmentaire de l'allégorie-trope chez les Troubadours et Chrétiens de Troyes (et chez Gautier d'Arras, où le conflit intérieur d'Ille est évoqué par l'image du château tenu par Galeron, assiégé par Ganor), il faut attendre la fin du XIIe siècle pour que l'allégorie apparaisse comme une technique autonome et susceptible de produire une œuvre entière, dans la littérature en langue vulgaire, en concurrence avec l'exégèse et les sermons, dans des paraphrases qui brodent sur des thèmes bibliques. Nous avons ainsi le *Pater Noster* de Sylvestre et la *Prophétie David* (1180). Landri de Waben compose à la même époque un *Cantique des cantiques* (1176-1181), tandis qu'Adam de Perseigne, dans l'*Eructavit*, imite le psaume 44 et décrit l' « avision » de David (1181-1187 — on y rencontre le motif de l'arc, dont le bois, l'Ancienne Loi, est assoupli par la corde de la Nouvelle Loi). De *Jherusalem la cité* nous montre l'âme, assimilée à une ville forte, assaillie par les Péchés conduits par Orgueil. Evrart s'inspire de la même veine pour son commentaire de la *Genèse* (1192). C'est à ce moment

et par l'intermédiaire de ces formes encore rudimentaires que la littérature accapare les thèmes de l'exégèse, qui garderont leur popularité durant tout le XIIIe siècle : les trois ennemis de l'homme (Monde, Chair, Démonie), l'âme-forteresse. Les *Vers de la Mort* du moine Hélinant de Froidmont (1193-1197) sont un jalon important, non seulement pour une forme poétique amenée à se développer (la strophe), mais aussi pour l'insertion d'une personnification dans une trame métaphorique (la métaphore qui s'attache à la Mort est l'univers).

B / 1200-1230. La floraison du début du XIIIe siècle

La nouvelle écriture connaît un rapide succès. Des noms d'écrivains « spécialisés » émergent. Ainsi, Jacques de Baisieux, dans son *Dit de l'épée*, choisit parmi l'équipement du chevalier son arme dont le pommeau représente la puissance du chevalier sur le monde, la poignée, la défense de la croix, les deux « taillans », la lutte contre les ennemis de la foi; dans le *Dit des cinq lettres de Marie*, il décompose le nom, associant à chaque lettre une qualité de la Vierge; dans le *Fief d'Amour*, il oppose le fief « terrien » et le fief « célestien », l'amour profane et divin. Guiot de Provins reprend le thème de l'armure du chevalier, avec plus de détails : les chausses sont la « Charité », les éperons « Patience », le haubert la Foi, l'épée la droiture, le heaume l'humilité, le bouclier la pitié...; la *Bible Guiot* a recours à l'allégorie pour la description du vêtement des Templiers et pour le motif des « trois pucelles » (Charité, Droiture, Vérité). Mais c'est Raoul de Houdenc qui, avec le *Songe d'Enfer* (1214-1215), écrit le premier grand poème allégorique : c'est le rêve d'un pèlerinage vers l'Enfer, par la Cité de Convoitise, où vivent Envie, Tricherie et Avarice; choisissant la « route a senestre », il arrive à Foi Mentie, traverse le fleuve de Gloutonie; à vile Taverne, il trouve Roberie, Hasard et Méconte, se bat avec Ivresse qui le conduit à Château-Bordel chez Honte et Larcin; en Enfer il partage un repas grotesque où on lui sert, entre autres spécialités, des langues d'avocat, des peaux d'usuriers, etc. Le *Songe*... est la première œuvre à maintenir entièrement la fiction du rêve, à mettre en scène des personnifications à l'intérieur d'un schéma d'itinéraire aux étapes symboliques. Une *Voie de Paradis* anonyme, longtemps attribuée à Raoul, l'imite grossièrement et obtient parfois des effets d'un comique involontaire (chez les Vertus, on se repaît de soupirs et de larmes); l'ensemble est maladroitement moralisant, et l'auteur se hâte de renier son rêve pour nous livrer la « fine vérité ». Dans le *Roman des ailes*, Raoul renoue avec l'allégorie descriptive, prenant pour point de départ la Prouesse ailée, dont les deux ailes, Largesse et Courtoisie, ont chacune sept plumes, subdivisions de ces qualités. Guillaume le Clerc est le poète d'une

Vie de Tobie, d'un *Besant de Dieu*, et d'un *Dit des trois mots* (parabole de la licorne — la *vie de Tobie* utilise le thème des quatre filles de Dieu : Miséricorde, Vérité, Justice et Paix, comme le fera Robert Grosseteste dans son *Château d'Amour*, s'inspirant des sermons de saint Bernard). Au Reclus de Moilliens nous devons le *Roman de Charité* (histoire de la quête de Charité qui a quitté ce monde pour le ciel, prétexte à une revue satirique des « états ») et le *Roman de Miserere* qui est un véritable répertoire des éléments du *Roman de la Rose* (1230, Le Paradis est un « bel vergié », l'âme une maison). D'innombrables écrits anonymes de moindre importance traitent les mêmes sujets : le *Chevalier de Dieu* (trois ennemis de l'homme : Mundus, Caro et Demonia), le *Roman des trois ennemis de l'homme*, le *Dit des quatre filles de Dieu*.

C / Dans les années 1230/1240

Deux vastes poèmes adaptent à la mentalité courtoise les composantes de la *Psychomachia* : le *Roman de la Rose* et le *Tournoiement Antechrist* de Huon de Méry (1234-1435). L'auteur s'arrête en forêt de Brocéliande, à la fontaine périlleuse, où il revit l'aventure de Calogrenant : une tempête se déchaîne, un chevalier, Bras de Fer, apparaît qui l'amène dans la Cité de Désespérance où se prépare l'armée d'Antechrist. Après la description des troupes célestes, le lecteur assiste au combat et à la victoire du Ciel, et le poème se termine sur le banquet de Largesse dans la Cité d'Espérance, après un intermède personnel (le poète est blessé par une flèche de Vénus et guéri). Huon utilise les motifs romanesques et le langage courtois, et se met lui-même au centre de son œuvre. Trois plans se recoupent, comme chez Lorris : un sens littéral (le monde des personnifications et des chevaliers arthuriens), le sens général (moral et religieux) et le sens autobiographique (la conversion d'un pauvre chevalier et son entrée dans les Ordres). Mais les « dits » continuent à former l'essentiel de la production (*Dit du Chancelier Philippe* de Henri d'Andeli (1236), tandis que les *Bestiaires* connaissent leur apogée (Gervaise, Pierre de Beauvais, Guillaume le Clerc)).

D / Après 1240

Deux tendances se partagent la faveur du public. La tradition morale des « dits » d'inspiration religieuse et de structure souvent parabolique, et un groupe de poèmes plus élaborés qui, à la suite de Lorris, raffinent sur le thème du « paradis d'Amour ».

1. « DITS » : leur variété peut se réduire à quelques schémas de base : la description d'un « objet », comme dans le *Dit des sept serpents* de Robert de l'Oulme (avant 1260 — motif de l'arbre), le *Chapelet à sept fleurs*, le *Dit du corps humain*, le *Dit de la lampe* (allégorie de la lampe du sanctuaire, dont la mèche, l'huile et le feu signifient l'entendement, la « retenance » et leur mise en œuvre), le *Dit de la vigne*, le *Dit de la dent*, l'*Abecès par ékivoche* (imitation de Jacques de Baisieux); la parabole qui après une histoire riche en suggestions symboliques en donne une explication parfois simpliste : *Dit des trois amis* de Huon le Roi de Cambrai, *Dit du vrai anneau*, *Dit du roi qui racheta le larron*, *Dit de l'unicorne et du serpent*; la « psychomachia » offre de nombreuses facilités aussi bien pour des ouvrages d'une grande banalité (*Bataille d'Enfer et de Paradis*, *Tournoiement d'Enfer*, innombrables *Batailles des Vices et des Vertus*) que pour des transpositions plus soignées, mêlées au motif du voyage dans l'au-delà (*Voie de Paradis* de Baudouin de Condé et de Rutebeuf qui présente encore d'autres particularités), ou même des usages satiriques (*Bataille des sept Arts*, qui raille la concurrence des Universités de Paris et d'Orléans, *Bataille des Vins* de Henri d'Andeli, après laquelle le narrateur se réveille assoiffé, *Bataille de Caresme et Charnage*). Le débat en est une variante édulcorée et souvent indigente (*Desputoison du Corps et de l'Ame*, *Desputoison de Synagogue et Sainte Eglise*, *Dit de la mort de Largesse*, *Dit de triacle et de venin*, *Dit de Largesse et de Débonnaireté*). L'image du mariage alimente encore quelques poèmes (le *Mariage des sept Arts* de Jean le Teinturier d'Arras, le *Mariage des neuf filles du diable* de Robert Grosseteste), très proches de ceux du début du siècle (cf. la *Dîme de Pénitence* sur les « trois ennemis de l'homme »).

Dans cette longue liste (qui n'est pas exhaustive), peu d'auteurs réussissent à composer un réseau métaphorique séduisant, ou à donner vie à leurs personnifications (si l'on excepte le *Songe du castel*). Mais le genre va se renouveler grâce à Rutebeuf qui, dans ses attaques contre les Ordres Mendiants (la *Bataille des Vertus contre les Vices*, le *Dit d'Hypocrisie*), fait de l'allégorie un détour qui ramène au concret (les personnifications représentent des personnes réelles). Son innovation fera école dans les adaptations allégoriques de Renart, imitant son *Renart le Bestourné* (le *Couronnement de Renart*, *Renart le Nouvel*).

2. L'allégorie d'Amour. Le dieu se retrouve au centre d'une constellation très riche, et apparaît sous des aspects variés : comme enfant, hérité de l'Antiquité, souvent nu (*Bien est Raison et Droiture*), mais aussi comme femme (dans le *Salut d'Amour* de Philippe de Rémi); il peut être accompagné de Vénus (*De Vénus la déesse d'Amour*), ou d'autres parèdres (les Grâces). Ses attributs vont de l'arc (indispensable) au cheval (*Dit de la panthère d'Amour*) et au cortège d'oiseaux. Son décor habituel est la « Cour », l'assemblée dans laquelle il prononce ses jugements (cf. *Cour d'Amour* de

Mahieu le Poirier, où l'on voit un bailli et douze pairs : Avisé, Hardi...) ou donne ses explications. Le verger ou jardin merveilleux est omniprésent (*Fablel du dieu d'Amour*) ainsi que le bâtiment emblématique occupé par des personnifications (*Jugement d'Amour*, *Roman du verger*). Le monde animal est une mine de symboles (*Dit de la panthère...*, *Dit du cerf amoureux*, *Bestiaire d'Amour* et *Bestiaire d'Amour rimé*), mais l'arbre lui fait une sérieuse concurrence (*De Vénus la déesse d'Amour*, l'*Arbre d'Amour*, la *Complainte d'Amour*). Les motifs les plus courants sont celui de la fontaine, et des flèches du regard, transposition du « coup de foudre » (cf. *Complainte d'Amour*, où elles pénètrent par les « fenêtres » des yeux). Les types d'action sont eux aussi codifiés : l'accès au jardin se fait par un bain purificateur, le passage d'un pont, l'agrément d'un portier qui refoule les indignes, quand on n'est pas enlevé par des oiseaux. Tout cela est évidemment raconté sous la forme d'un songe. L'initiation, la conquête deviennent voyage et combat (parfois duel d'oiseaux, quand il s'agit de savoir qui est préférable, du clerc ou du chevalier), l'échec prison (*Prison d'Amour* de Baudouin de Condé). La présentation séparée de l'histoire et du commentaire n'est pas rare (*Complainte...*, *De Vénus...*, *Dit de la panthère*) : le dieu éclaire le symbolisme des aventures du poète et lui enseigne l'art d'aimer. Parfois les développements de la métaphore sont assez réussis : *Dit du cerf amoureux* (les phases de la conquête sont représentées par les étapes d'une chasse, la dame assimilée au cerf dont les ramures sont les qualités courtoises, son refuge est Orgueil, tandis qu'elle est poursuivie par les chiens Pensée, Désir, Volonté, Souvenir...), *Roman de la Poire* (l'auteur est assiégé dans une tour et une ambassade d'Amour le somme de se rendre — il se soumet et vient à Paris, où il fait porter son cœur par Doux Regard à une dame à qui il n'ose avouer ses sentiments, à cause de la différence de condition — Raison, après avoir en vain tenté de le décourager, lui conseille d'aller chez elle, et il lui envoie son roman — il rêve qu'il la rencontre, que la flèche d'Amour la touche — la dame lui fait apporter son cœur), *Dit de la Panthère d'Amour* (le poète rêve qu'il est emporté par des oiseaux dans une forêt où il voit une bête extraordinaire — il devient le serviteur du dieu qui lui en a expliqué la signification — lorsqu'il rencontre à nouveau la panthère, il n'ose l'approcher, mais est blessé, puis soigné par Doux Regard, Espérance et Souvenir. Une visite à Vénus et Amour lui confirme que sa timidité l'a empêché de réaliser ses desseins. Nous le retrouvons ensuite dans la double demeure de Fortune, dans la moitié d'Adversité, dont il est tiré par Bonne Volonté). On pourrait encore citer de nombreuses œuvres qui reprennent toutes les mêmes thèmes : le *Dit de la vraie médecine d'Amour* de Bernier de Chartres, le *Dit de la puissance d'Amour*, la *Cour d'Amour* provençale, le *Conte d'Amour* de Philippe de Rémi, l'*Arrièreban d'Amour*, le *Conseil d'Amour* de Richard de Fournival. Mais le *Roman de la Rose* en est une synthèse bien plus profonde et plus riche.

E / Le « Roman de la Rose »

1. *Guillaume de Lorris*

Il s'agit de l'œuvre allégorique la plus connue et la plus élaborée, composée vers 1230 par Guillaume de Lorris qui nous présente un « art d'aimer » sous le voile du songe, joué par des personnifications de sentiments et d'attitudes courtois.

1. Les deux registres du sens : le cadre narratif est celui d'une fiction, aventure d'un jeune homme au mois de mai, dont l'auteur ne cesse d'affirmer la vérité. L'intérêt du lecteur est ménagé par le procédé de l'explication toujours différée, et par une superposition très souple de la lettre et du sens allégorique : le commentaire ne vient pas troubler la succession des métaphores. Trois ordres de signification se dégagent de ce texte : la lettre (quête d'une rose au milieu d'un jardin peuplé de personnifications qui favorisent cette action ou s'y opposent), un premier niveau d'allégorie, l'histoire d'un jeune homme qui tombe amoureux, et un second, l'enseignement général, qui, dans la tradition ovidienne de l' « Ars amandi », décompose les étapes de la conquête, de la séduction, les résistances extérieures ou psychologiques. L'univers évoqué est celui de la courtoisie, avec ses manières raffinées, son langage fait d'euphémismes, la « cueillette de la rose » évoquant une récompense plus concrète... Le sens littéral est ambigu dans sa combinaison d'éléments mythologiques et réels (Ami).

2. La trame métaphorique. Se promenant le long d'une rivière, le narrateur se trouve devant le jardin de Déduit et peut y pénétrer grâce à Dame Oiseuse. Il y découvre une compagnie raffinée, Déduit, Amour, Beauté, Doux Regard, qui dansent dans un parc magnifique. Tandis qu'il se mire avec complaisance dans la « fontaine de Narcisse », il est frappé par les cinq flèches du Dieu qui va lui enseigner les règles de l'amour. L'Amant part maintenant à la conquête de la rose, aidé de Bel Accueil, mais se heurtant à ses propres réticences (Raison, Danger), aux autres (l'opinion : Male Bouche, Jalousie) et aux défenses de la dame. Lorris laisse son récit au moment où la rose et Bel Accueil sont enfermés dans une tour sur l'ordre de Jalousie. La figure centrale (femme = rose) domine, de sa richesse, tout le poème (suggestion des qualités féminines, de la fécondité, de la beauté fragile, des épines-difficultés). Le montage est exécuté avec beaucoup de soin, utilisant aussi bien les procédés de la description (le mur) que ceux de l'allégorie dramatique (une « psychomachia » des Vertus et Vices de la courtoisie). Le discours direct interrompt à temps l'accumulation des éléments statiques du début, l'énumération et la juxtaposition d'emblèmes

(les flèches, qui sont les qualités de la dame qui séduisent dès le premier regard : Beauté, Simplesse, Courtoisie, Compagnie, Beau Semblant — les personnages représentés sur le mur, qui sont les vices exclus). L'entrée dans le monde merveilleux et poétique de la métaphore se fait progressivement : de la rivière (la vie), on passe au jardin (la société), puis à la rose (la femme). Mais les effets de décalage persistent : les implications de l'épisode de Narcisse (pin et fontaine) dépassent les limites d'une simple explication allégorique (l'escarboucle suggère aussi bien la pierre précieuse, que l'œil féminin, ou le miroir universel, le prisme de la poésie). Guillaume n'a pas étouffé le sens métaphorique sous la doctrine, et a réussi à préserver un univers de formes où le signifiant l'emporte encore sur le signifié.

2. *Jean de Meun*

Ce n'est pas le cas de son continuateur, clerc traducteur de Boèce, Végèce et Abélard, qui rédige la deuxième partie du roman vers 1270-1275, et en fait un poème encyclopédique qui allie un projet d'érudition et de satire (contre les femmes, contre les Ordres Mendiants, dans la nouvelle tradition polémique que Rutebeuf vient d'inaugurer pour l'allégorie) à une vision théologique, philosophique. Deux traits caractérisent sa conception de l'allégorie : l'exubérance des procédés d'amplification (discours, portraits, rhétorique) et du commentaire, et le jeu sur les possibilités du double sens, qu'il exploite pour l'ironie.

Après les dialogues de l'Amant avec Raison, Ami, Amour, les discours de la Vieille et de Faux Semblant, nous assistons à l'attaque de la tour. Amant, avec Abstinence Contrainte et Faux Semblant contre Male Bouche, avec Courtoisie et Largesse contre la Vieille, avec Franchise et Pitié contre Danger, échoue dans un premier assaut. Après l'intervention de Nature et de Génius, la deuxième tentative réussit. L'ironie joue à tous les niveaux du texte : langage, mythe et société. Elle se fait dialectique : Raison prépare la voie au cynisme d'Ami, de Vieille, de Faux-Semblant, qui prennent le contre-pied des conventions courtoises, l'un en insistant sur les artifices de la séduction, l'autre en inversant les poncifs de la misogynie pour exprimer les revendications féminines, le dernier en dénonçant l'universelle hypocrisie. Mais ce premier temps négatif, destiné à détruire les illusions (les impostures !) du monde courtois et les fausses valeurs véhiculées par la littérature d'amour, est neutralisé, récupéré par l'indignation de Nature et l'enthousiasme de Génius. Une fois que toutes les possibilités d'un art d'aimer courtois ou libertin ont été écartées, Meun peut célébrer l'avènement final, lui-même non dénué d'ironie, d'une Nature qui détourne le plaisir à son profit, et place le sens ultime de l'érotique dans la génération.

L'ironie introduit la subversion dans le langage même, et sape les fondements de l'euphémisme, procédé courtois par excellence, en imposant les mots — vérité, en nommant le tabou (répétition de « coillons » une dizaine de fois en cinquante vers dans le discours de Raison, obsession du mythe castrateur de Saturne).

Le mythe n'est plus ici un élément d'ambiguïté uniquement. Fortune, Adonis, Pygmalion, l'âge d'Or sont des éléments rationalisés, mais en même temps ils dépassent et enrichissent le discours qui les récupère. Jean de Meun emploie le mythe comme le faisait Platon : au moment où doit se révéler la vérité suprême, la leçon de portée cosmique. Il s'agit donc d'une œuvre complexe, allégorique au deuxième degré (une « allégorie de l'allégorie », le texte du prédécesseur servant de « lettre » au commentaire), cosmogonique dans la tradition de l'Ecole de Chartres (le sujet en est la vie, l'univers) et satirique (contre l'idéologie dominante et l'esthétique qui l'accompagne) : Amour, le Dieu tout-puissant de Guillaume de Lorris, se soumet à Nature et à Raison. La discipline du désir et le « mal d'aimer » que l'on cultive avec une trouble délectation cèdent le pas à un « hédonisme théologique », apologie de la joie terrestre, sanctifiée comme moyen de permanence de l'univers, réhabilitée comme instrument de la Providence étroitement associée à Nature. Ces thèses furent condamnées par l'évêque Tempier en liaison avec les propositions averroïstes. Quant aux éléments satiriques, on leur doit pour l'orientation antiféministe le débat de la « querelle du *Roman de la rose* », qui a donné une nouvelle vie à l'idéalisation de la femme; et pour leur impact politique et social (la mise en cause des Frères Mendiants) la longue série des œuvres allégoriques en rapport avec les problèmes d'actualité du XIVe et du XVe siècle.

F / L'allégorie au XIVe et au XVe siècle

Si le XIIIe siècle est avant tout celui de la fixation du répertoire et des techniques, les deux siècles suivants peuvent être considérés comme l'époque de son extension maximale : l'allégorie devient une habitude de langage, de pensée et la forme privilégiée de l'expression poétique. Les procédés ne se renouvellent guère, mais on cherche un autre rapport avec la réalité, avec laquelle l'allégorie poursuit une adéquation peut-être impossible. En devenant le moyen par excellence de la représentation « littéraire » du monde, de la vie quotidienne, des objets, elle essaie de trouver ce point de fuite et de réconciliation que serait une parfaite fusion du « réel » et du langage, des choses, des créations imaginaires et des mots, en une entité, une présence différentes. En même temps, elle s'annexe tous les secteurs de la production littéraire et diversifie ses formes.

1. *L'allégorie omniprésente*

Le phénomène allégorique prend de plus en plus de place dans la vie, non seulement comme « mode » (dans tous les sens du terme) littéraire, mais comme manière de penser et de mettre en scène l'existence. Il se répand une pratique allégorique diffuse qui récupère dans le rite, dans le jeu les motifs littéraires, les dispersant en emblèmes, allégorisant la vie et donnant vie à l'allégorie (Huizinga nous donne de nombreux exemples de ces manifestations). Cette conception littéraire du quotidien (nous serions tentés de l'appeler « fictive », si elle ne s'imposait pas à l'imagination des contemporains avec toute la présence d'une réalité), nous la rencontrons entre autres dans ces fêtes que multiplie l'aristocratie, et par lesquelles elle se donne à reconnaître, aux spectateurs extérieurs moins qu'à elle-même, en essayant d'identifier sa réalité avec la « senefiance », en se rêvant comme métaphore d'un sens que la joute, le pas d'armes et l'étiquette de la Cour de Bourgogne invitent à lire. Mais ce mouvement ne se limite pas à la chevalerie : les Cours d'Amour y associent la bourgeoisie, et les « entrées dans les bonnes villes du royaume », que les chroniqueurs décrivent avec une complaisance gourmande, la population entière, à qui le théâtre offre déjà le spectacle de l'allégorie concrète, vivante et tangible.

En effet, l'allégorie a colonisé ce secteur neuf qui connaît un grand développement pendant le XVe siècle : la personnification surtout y trouve un mode d'expression naturel. C'est ainsi que les « moralités » pullulent, avec leur pantomime incarnant des notions morales (l'*Enfant ingrat*), politiques (*Métier, Marchandise et le Temps qui court*, 1440), religieuses (Raison, Contrition et Foi dans *Bien Advisé et Mal Advisé*, 1439). Mais elle est surtout florissante dans trois domaines : la moralisation, le lyrisme et la grande fresque narrative.

2. *La moralisation*

Comment expliquer son succès, sinon par le prestige de toute exploitation allégorique de la culture ou de l'expérience quotidienne ? L'entreprise de sauvetage du mythe commencée par les théologiens du XIIe siècle est continuée par Christine de Pizan dans l'*Epistre d'Othéa* : une centaine de « fables » servent de support à une « glose » et une « moralité », et par l'anonyme *Ovide moralisé*. Il est intéressant de constater que dans ce texte le problème de l'intention de l'auteur antique est résolu de manière tout à fait différente au XIVe siècle et au XIIe : on ne lui prête pas comme à Platon la volonté de déguiser un message ineffable, d'enfermer les vérités de la foi dans la narration fabuleuse. Ovide se contente de raconter « des fables

de l'ancien temps », de rassembler un corpus : « Voirs est, qui Ovide prendroit / A la letre, et n'i entendroit / Autre sen, autre entendement / Que tel com l'auctors grossement / I met en racontant fable... » (XV, vv. 2525-2532); ce passage démontre les insuffisances de la matière, et la nouvelle conscience d'un « progrès » intellectuel par lequel on dépasse la simple *translatio studii*. L'indigence de l'interprétation préserve la part irréductible du mythe, qui s'inscrit le plus souvent en faux contre les exigences de la morale chrétienne. Le *Roman de la rose moralisé* de Molinet (1482) applique la même technique à une œuvre récente : « moralité est ma principale queste »; autant dire que l'allégorie si bien structurée de Guillaume de Lorris et de Jean de Meun est ici désintégrée et réduite à un « sen » simpliste. L'originalité du XIVe et du XVe siècle réside surtout dans la transposition du procédé aux réalités de la vie quotidienne : chasse « moraligiée » par les *Livres du Roy Modus et de la Royne Ratio* (avec la particularité que les animaux ne sont plus saisis dans leurs « natures » légendaires des *Bestiaires*, mais selon une observation pratique, qui rend d'autant plus arbitraire l'exploitation morale), échecs qui servent de base pratique aussi bien aux spéculations politiques *(Songe du vieil pèlerin)*, morales *(Echecs moralisés)* ou courtoises *(Echecs amoureux)*.

3. *La poésie lyrique*

Il faut distinguer le poème court (rondeau, ballade) et la longue composition lyrico-narrative qui perpétue les traditions de l'allégorie d'Amour.

La poésie lyrique pratique une allégorie en miniature, qu'elle enferme dans l'espace restreint de la forme fixe, autour de quelques personnifications « ponctuelles » ou d'une image exploitée avec préciosité (l'arbre d'Amour dans une ballade de Chartier : « J'ay ung arbre de la plante d'amours / Enraciné en mon cueur proprement / Qui ne porte fruits sinon de doulours / Fueilles d'ennuy et flours d'encombrement... »). Les procédés rhétoriques de l'allégorie sont utilisés comme moyen le plus banal pour créer l' « alchimie » poétique, la magie du langage; mais leur répétition émousse l'intérêt (*Cent Ballades*). A l'affadissement correspond d'ailleurs un relâchement du soin dans l'élaboration des figures, souvent négligemment semées à travers le texte. La frontière entre métaphore filée et allégorie s'estompe.

Mais la métaphore peut encore donner lieu à des œuvres plus vastes, dans le sillage de Guillaume de Lorris, comme la *Prise amoureuse* d'Acard de Hesdin (1392). Les thèmes du XIIIe siècle (inammoramento, cour d'Amour, animaux) se combinent de façon cohérente autour d'une image centrale,

qui a la particularité d'être parfois un objet de l'expérience quotidienne (*Espinette amoureuse*, *Horloge amoureuse* de Froissart, *La Harpe* de Machaut : la topique s'enrichit d'une dimension réaliste qui nous semble être le trait caractéristique de l'allégorie après le XIIIe siècle, et que nous retrouverons encore à d'autres niveaux, comme dans l'hypertrophie de la description). Mais les motifs traditionnels comme la fontaine, le verger, la prison et l'arbre restent féconds : *Fontaine amoureuse* de Guillaume de Machaut, *Prison amoureuse* et *Joly Buisson de Jonèce* de Froissart. Tous ces textes rivalisent d'ingéniosité dans le développement des métaphores secondaires, sans renouveler l'inspiration. L'allégorie passe de sa période créatrice à la période esthétisante du raffinement, de la recherche de l'effet, de la nuance : aussi est-elle tout à fait réceptive à l'esprit de « merencolie », à cette vision du monde désabusée, qui s'empare de la littérature à la fin du Moyen Age. Elle sert aussi de refuge, de divertissement, face à une existence de plus en plus précaire et menacée : les personnifications, théâtre d'ombres du sentiment, et la métaphore, tissu poétique de la réalité, construisent le lieu utopique et éphémère de la réconciliation avec l'univers, le rêve éveillé.

Ce qui est le plus frappant dans la poésie lyrique de ce temps, c'est la tendance moralisante : les Vertus et les Vices deviennent les protagonistes des arguments des ballades de Cour. Le corpus lyrique nous offre les fragments épars d'une « psychomachia » dont on aurait égaré le metteur en scène. L'aboutissement de cette dispersion se voit surtout chez Charles d'Orléans, qui multiplie les personnifications « ponctuelles » à la limite entre la généralité et le particulier, qui redeviennent prosopopée ou apostrophe : à côté de Fortune, Mort et Amour, apparaissent Penser Doloreux, Soupir, Regret, Confort, Joyeuse Plaisance, Soussi, Soing et Merencolie.

4. *L'allégorie narrative et didactique*

En vers ou en prose, l'allégorie reste le moyen favori de la polémique, de l'enseignement, de la réflexion. Les systèmes de référence sont toujours l'éthique courtoise ou la doctrine chrétienne. Toute cette littérature reprend l'héritage du *Roman de la rose* qui sert de modèle pour les personnages et les situations, ou d'interlocuteur pour toute innovation (cf. la thèse de M. Badel sur la réception du *Roman de la rose*). Guillaume de Lorris y sert d'ailleurs plus de parrainage que Jean de Meun dont l'idéologie ainsi que les jeux ironiques et dialectiques sont trop originaux pour l'imitation formelle : le Jardin d'Amour semble de plus en plus superficiel et insuffisant; aussi le remplace-t-on volontiers par la Jérusalem céleste (*Pèlerinage de vie humaine* de Guillaume de Digulleville).

Guillaume de Digulleville a composé trois œuvres sur ce schéma :

le *Pèlerinage de vie humaine* (1331), le *Pèlerinage de l'âme* et le *Pèlerinage Jésus-Christ*. Biographie psychologique et morale, image du voyage insérée dans le cadre désormais inévitable d'un rêve, le *Pèlerinage de vie humaine* reprend le système qui est le mieux codifié, celui de la *psychomachia* : la quête de la dignité de l'homme et du salut à travers les affrontements de vertus et de vices. Le narrateur-acteur rêve d'un itinéraire vers Jérusalem : Grâce l'équipe en pèlerin dans la maison de Moïse (avec un bourdon muni d'un viseur, Espérance, d'une escarboucle, la Vierge, d'un « gambeson » de Patience, d'un « haubergon » de Force, etc.); après un combat contre un vilain (Rude Entendement), le pèlerin, arrivé comme tout personnage d'allégorie à un carrefour, commet l'imprudence de choisir la voie facile (celle d'Huiseuse, qu'il préfère à celle de Labour) et connaît une série de mésaventures : rencontre de Paresce, Orgueil et Flatterie, de toutes sortes de monstres, avant d'être précipité dans la mer par Tribulation; mais Grâce le sauve par la nef de Religion et le conduit à Jérusalem, où la fiction allégorique s'achève comme prévu par le réveil de l'auteur. Les deux autres textes s'enchaînent en de nouvelles visions : le *Pèlerinage de l'âme* nous fait assister au jugement de l'âme, à son voyage à travers l'espace (on reconnaît ici les thèmes favoris de l'Ecole de Chartres), au débat de l'âme et du corps, et aux châtiments infernaux. Nous ne sommes pas loin des Voies de Paradis du siècle précédent, qui gardent la faveur du public : ainsi, Jean de la Motte écrit encore une *Voie d'Enfer et de Paradis* en 1340.

D'autres constellations de personnifications s'organisent dans les schémas classique du « voyage en quête d'une Vertu », qui donne l'occasion à la fois d'une revue des « estats » et d'une présentation apocalyptique du monde : le *Songe de pestilence*, suite aux *Livres du roy Modus et de la reine Ratio*, d'Henri de Ferrières reprend l'image chartraine de l'homme microcosme formé des quatre éléments (Modus et Ratio se plaignent devant Dieu que Vérité, Charité, Humilité ont disparu; on envoie des messagers qui « visitent » toutes les classes de la société, et le texte nous donne alors d'intéressantes précisions sur les pratiques de sorcellerie de l'époque; la psychomachie ne fait bien entendu pas défaut; le retour à la réalité contemporaine se fait à la fin, quand la Peste, la Jacquerie, la Guerre viennent sur terre pour punir les hommes — image typiquement allégorique de la causalité historique). La mode est alors à une vision sombre de l'existence, marquée par un déséquilibre des humeurs en faveur de la bile noire, de la « mélancolie » : le *Livre de Mandevie* de Jean Dupin (1336-1340) nous transcrit un songe dans lequel l'auteur se voit accompagner le chevalier Mandevie du château d'Amour au château de Mort; la cité de Franchise est conquise par les vices; toutes les classes de la société sont perdues; le huitième livre, en vers, traite des « mélancolies ». Jacques Milet nous conduit dans la *Forêt de Tristesse* un siècle plus tard : l'Amant risque de se noyer dans la rivière

de Refus, rencontre Subtilité qui lui apprend que tous les mortels doivent traverser la forêt maudite, avant d'arriver à la prairie de Merci : motifs de l'allégorie d'Amour certes, mais touchés par une atmosphère de désenchantement (à côté de Justice et Sapience apparaît maintenant Mélancolie : « C'est icy la forest d'ennuy, / Ou arbre nesung fruit ne porte, / Et n'y peut vivre en paix nullui... / Melancolie en est la dame. » L'itinéraire devient la métaphore obligatoire du texte allégorique, qu'il traite de progression morale, ou d'initiation amoureuse (cette image de la quête est certainement l'une des fascinations les plus vivantes du Moyen Age si l'on en juge par son succès romanesque).

René d'Anjou renoue justement avec cette tradition du roman arthurien dans son *Livre du cueur d'amour espris*. A la base de la construction allégorique, le schéma dynamique de la quête, sur lequel vient se greffer un motif de l'imaginaire courtois qui séduit à la fois par sa puissance de suggestion concrète, et sa « rentabilité « formelle, le cœur détaché (cf. le *Roman de la poire*) ; l'allégorie redistribue les éléments romanesques (fontaine merveilleuse, passage périlleux, château sinistre, nef pilotée par deux demoiselles, île avec un hospice et un cimetière antique, prisonnière enfermée dans une tour) selon la logique d'un apprentissage sentimental (Cœur et Désir partent à la recherche de Douce Merci), qui passe par les conflits habituels, incarnés par les oppositions des personnifications du registre traditionnel. Ce n'est donc pas à ce niveau qu'il faut situer l'originalité d'un tel texte : ce qui est frappant, c'est la présence de plus en plus insistante du monde des objets, qui s'imposent dans les séries énumératives de la description; la multiplication des détails fait oublier l'analogie première, et, sans que l'on assiste encore à la rupture de la trame allégorique sous le poids de la réalité, on peut voir ici le germe d'une crise (la forme allégorique n'est-elle plus en accord avec une nouvelle vision du monde plus attentive à la « réalité » des choses qu'à leur insertion symbolique ? Le prince est celui qui aime à s'entourer d'objets, d'art ou de curiosité, et la ménagerie de René d'Anjou est une préfiguration des collections si prisées dans les Cours au XVIe siècle). On note aussi chez René cette tendance au maniérisme, à la mise en abîme de la signification indirecte (allégorie dans l'allégorie par les tapisseries décrites), et à la transposition d'art (épitaphes des tombeaux, description des armes des amants célèbres, « tombeaux » littéraires).

Chez Christine de Pizan, la pratique allégorique est inséparable de la problématique subjective dans l'*Avision* et dans la *Mutation* de *Fortune* (1403) : quête du « je » unificateur parmi les fragments dispersés du « moi » allégorique, transposition de l'expérience et rhétorique du sentiment, bientôt remplacées par la préoccupation morale et politique (les maux de la guerre dans l'*Avision*, histoire de la vie de Christine depuis son enfante-

ment par Nature jusqu'à sa rencontre avec Philosophie, en passant par son séjour au royaume de Libera); la *Mutation* est dominée par les échos de la douleur du veuvage, et nous retrace la transformation en homme de l'héroïne par Fortune, après la perte du « patron de sa nef », mais aboutit après une longue évocation du château de Fortune à une « histoire universelle ». La tentation autobiographique se perd dans l'élaboration allégorique, la généralisation du vécu nous place d'emblée au niveau des grandes figures et des grands problèmes moraux : aussi la plus grande partie de la production de Christine de Pizan finit-elle toujours par revenir à la question « politique » (qui est en fait une moralisation de l'actualité). Le *Chemin de longue estude* a pour sujet un songe dans lequel l'auteur voit apparaître la Sibylle de Cumes, qui l'emmène en voyage et lui montre la fontaine de Sapience, puis le ciel où les reines Richesse, Sagesse, Chevalerie et Noblesse débattent sous la présidence de Raison et des Vertus du choix d'un prince digne de gouverner le monde. L'évocation des problèmes du temps passe par l'allégorie : ainsi, la prise de position dans la « querelle du Roman de la rose » se traduit par le *Dit de la rose* (Raison, Justice et Droiture apparaissent pour demander à Christine de les aider à construire une cité pour les dames sans protection). Un procédé remarquable de Christine est le mélange indifférencié des personnifications et des figures de la mythologie : le mythe devient ornement.

Les formes et les thèmes se multiplient, et l'allégorie devient une technique qui se survit bien plus qu'une source créatrice; elle est le mode inévitable, l'appareil pesant sans lequel l'expression de la pensée et du sentiment paraît impossible : c'est ainsi que les Rhétoriqueurs en feront encore une mine de virtuosité. Temps du raffinement, mais aussi temps de l'éclatement : le « réel » devient objet de représentation grâce à la minutie de l'accumulation des métaphores et des détails emblématiques; tant que l'analogie est maintenue malgré les digressions, l'objet intégré au texte participe lui-même de la « magie » des transpositions, mais on sent de plus en plus que le monde « extérieur » résiste et s'impose dans son essence propre. Le champ du réel est partagé entre deux discours : celui de l'histoire qui recense et rend compte (même lorsque toutes sortes de transformations et d'intentions peuvent affecter ce projet) et celui de l'allégorie. Les œuvres de Christine de Pizan, celles de Chartier aussi, tentent de trouver le point de jonction entre les deux; mais c'est chez Philippe de Mézières que nous voyons le mieux l'impossibilité de la synthèse, tandis que Charles d'Orléans aborde le problème de façon résolument politique, par l'équilibre fragile d'une fusion entre la vie quotidienne, les nuances du sentiment et les subtilités de l'allégorie.

5. *Le « Songe du Vieil Pèlerin » ou les limites de l'allégorie*

Il s'agit là encore d'un itinéraire dans l'au-delà. Le narrateur-pèlerin, devenu Ardent Désir par la transposition allégorique (il y a souvent confusion de ces trois niveaux du sujet dans le cours des aventures), rend visite à Vérité et Justice, puis les accompagne à travers le monde connu pour « examiner les besants » des princes et des peuples. A la satire des « estats » (livre II) s'ajoutent un compte rendu de la plupart des affaires politiques du temps (guerres, réformes), une proposition de réforme de l'administration, de la justice et des finances du royaume, un traité des vertus du roi. La diversité même des intentions menace l'unité de l'allégorie. Malgré de savantes — sinon laborieuses — recherches formelles pour l'organisation du plan métaphorique, comme l'emboîtement des images (le propos didactique épuise successivement plusieurs schémas d'exposition différents, susceptibles chacun de fournir l'image de base d'un texte allégorique complet : le voyage, le parlement, le débat, la nef, le chariot, l'échiquier), la mise en abîme des procédés de la signification indirecte, le développement excessif des séquences descriptives; malgré toutes ces recettes destinées à maintenir la continuité de l'allégorie, la confrontation des éléments bruts de l'actualité avec l'intemporalité des personnifications, la volonté de réforme, la juxtaposition des passages figurés et d'un discours historique sans apprêts (premier livre) créent des tensions fatales au sein de la forme allégorique, qui se rompt ou s'enlise. L'hypertrophie des moyens rhétoriques (le véritable emballement descriptif au niveau de l'image, la multiplication anarchique du commentaire), la redondance des indices formels (le texte est encombré de constantes « mises au point » de l'auteur et d'un vocabulaire de désignation de la forme et des transitions que l'on ne rencontre plus, à l'époque, que dans les moralisations) sont des phénomènes de compensation, des tentatives de rattrapper une trame qui risque à chaque moment d'échapper, et marquent les limites du courant de l'allégorie satirique inauguré par Rutebeuf. L'allégorie menace de se réduire à un vague cadre d'exposition, sans conséquences pour l'écriture, comme dans le *Songe du Verger* qui date de la même époque (règne de Charles V) et contient un discours purement littéral dans une enveloppe qui n'a d'allégorique que la référence à certains thèmes de la tradition (songe, débat).

6. *Charles d'Orléans*

Le prince poète peut être considéré comme un aboutissement de la technique allégorique et comme une transition vers l'usage que fera le XVIe siècle de ses modes d'expression (un usage surtout ornemental).

L'allégorie devient chez lui la structure même du langage nous livrant dans une même formule le « concret » et l' « abstrait », l' « intérieur » et l' « extérieur », le « réel » et l' « imaginaire » (les guillemets représentant ici l'inadaptation de nos concepts philosophiques qui distinguent, découpent et opposent, tandis que la mentalité médiévale pensait plutôt en termes de rapprochement, de ressemblance, d'unité). La vie quotidienne, le spectacle de la Cour, la chasse, la guerre renouvellent les métaphores : il n'y a plus de spécialisation de certaines images particulièrement riches, mais présence des domaines les plus humbles; la brève exploitation de la métaphore dans l'espace du poème court fait accéder toute la réalité au statut allégorique, poétique. C'est ainsi que l'allégorie atteint son degré le plus élevé d'épaisseur concrète, l'illusion la plus totale, et conquiert le monde des objets (vent, nef, fenêtres, livres, moulin, tambourin...). Dans la situation métaphorique esquissée passent fugitives des ébauches de personnifications (composantes du psychisme, figures du mouvement des pensées, humeurs et états d'esprit). L'effet allégorique est plus suggéré qu'exprimé, et se produit le temps d'une rencontre entre image et idée enfermée dans la miniature d'un rapprochement de deux termes : « Despartir fait farine de Doulceur / D'Avecques son de Dure Destinée / L'eaue de Pleur, de Joye ou de Douleur / Qui fait mouldre le molin de Pensée... » Ce procédé du raccourci d'expression existe dès les débuts de la littérature allégorique, à titre d'adjuvant dans les descriptions; Charles d'Orléans l'exploite systématiquement; il lui suffit d'une touche de ce genre pour donner une coloration allégorique à tout un poème. C'est un univers onirique, un théâtre d'ombres qui se situe « ailleurs », dans un espace où les diverses formes de l'expérience humaine (perception, action, pensée, imagination) se confondent, et que le poète contemple de loin, comme le lecteur. Toutes les correspondances deviennent possibles : par la magie du verbe les plans se fondent les uns dans les autres et composent une autre réalité, plus « vraie » et plus éphémère.

VI / FINALITÉS ET SIGNIFICATIONS DE L'ALLÉGORIE MÉDIÉVALE

Pourquoi l'allégorie ? Les écrivains médiévaux sont très avares de réponses. Le seul thème qu'ils développent abondamment est celui de la vérité : l'allégorie est pour eux le moyen d'échapper à l'accusation de vanité et de gratuité que portent depuis toujours les théologiens contre la littérature profane. Mais une explication aussi simpliste ne rend pas compte du succès de cette technique, qui devait répondre à d'autres attentes et d'autres fascinations.

L'exégèse justifie sa démarche (et par conséquent la nature allégorique du texte sacré) de manière plus diversifiée. Saint Augustin voit dans l'allégorie, d'abord, le procédé le plus approprié pour mettre en valeur la vérité de la foi (or, les auteurs profanes ont eux aussi une vérité supérieure à transmettre, qu'elle soit morale ou courtoise), et de rendre justice à sa dignité; ensuite, elle est pour lui une occasion d'éviter la banalité (argument certainement important quand il s'agit d'une littérature basée sur une topique restreinte, et où la manière compte plus que la matière), d'empêcher le dégoût en tablant sur l'intérêt intellectuel d'une transposition subtile; elle permet aussi de renouveler la présentation de la vérité sans pour autant modifier son essence (et nous retrouvons en effet souvent un sens identique dans des créations variées : les leçons d'Amour ne se modifient guère d'un texte à l'autre); enfin, elle est une excellente occasion d'humilier l'orgueil de l'esprit humain (finalité qui est sans doute plus propre à la théologie qu'à la littérature profane). Alain de Lille, dans le prologue de son *Anticlaudianus*, résume les choses plus simplement, en affirmant que l'allégorie réunit plaisir et utilité, agrément et instruction.

Nous pouvons replacer le phénomène allégorique dans l'histoire de la mentalité (en restant conscients de la part de flou contenue inévitablement dans ce mot), et le concevoir par exemple comme l'une des formes les plus achevées de la substitution d'une organisation hypotactique de l'écriture à la composition paratactique des chansons de geste (E. Vinaver, *poétique*) : l'allégorie en représente un stade plus perfectionné que le « sen » du roman. De même, elle est, à une époque où la psychologie n'existe pas, où la vision du monde ne passe pas par une séparation entre sujet et objet, où l'on n'a pas défini de « moi » face à l'univers, une possibilité de représentation du monde des sentiments, des idées, de la morale, une façon de rendre accessible l'insaisissable.

La littérature allégorique dénote une vision du « réel » totalement différente de celle de l'ère scientifique et technique : les catégories du concret et de l'abstrait ne correspondent pas à sa manière d'imaginer la relation entre les mots et les choses. L'idée reste quelque chose de « réel » et n'existe que dans sa manifestation visible. Aussi peut-on parler ici d'une véritable « nostalgie iconographique », d'une volonté de faire du langage un mode de représentation aussi sensible, aussi immédiat que la peinture ou la sculpture : les liens entre le texte et l'illustration, dans l'œuvre allégorique, sont organiques; les thèmes sont identiques; les deux fonctionnent comme miroir l'un de l'autre. Le début du *Bestiaire d'Amour* nous livre d'intéressantes réflexions sur la simultanéité de la « parole » et de la « peinture » (cf. éd. Segre, p. 4, 5 et 6). Mais l'image reste asymptotique au texte : appelée par les facultés mêmes auxquelles s'adresse l'allégorie, elle nous fait entrer dans un domaine différent dès qu'elle existe.

Il est évident, par ailleurs, que l'allégorie médiévale n'est possible que dans un contexte intellectuel, une « mentalité » bien précise : celle qui fait du monde une superposition de niveaux d'être, chacun reflétant l'autre, et le tout renvoyant au Créateur. On ne retrouve plus, certes, les spéculations de la théologie symbolique (cf. le Pseudo-Denys) dans les œuvres profanes, mais le procédé même de l'allégorie relève d'une transposition symbolique de l'expérience : en est-il le reliquat profane qui survit après l'effacement, sous la poussée de l'aristotélisme au XIIIe siècle, des théories de l'univers-livre, pendant à cet autre Livre qu'est la Bible ? Imagination « verticale » et statique de l'univers, l'allégorie n'a pas de place pour la notion de temps, pour l'histoire, sinon dans la catégorie de la « typologie » dont Dante fut l'un des rares utilisateurs en littérature. L'événement n'a de vérité que dans le sens qu'il manifeste et confirme : le fondement de l'esprit historique, le sentiment de la différence ou de l'évolution, est l'antithèse de l'esprit allégorique.

TROISIÈME PARTIE

Le renouvellement de la littérature aux XIVe et XVe siècles

CHAPITRE IX

Le nouveau lyrisme (XIVe-XVe siècles)

De toutes les pièces qui constituent le jeu littéraire aux XIVe et XVe siècles, le lyrisme a toujours paru la plus immobile. Le nom même par lequel on désigne ses manifestations : « formes fixes » n'est peut-être pas étranger, dans ses connotations, à la naissance d'un tel sentiment. Les théoriciens médiévaux n'ont pas perçu, pourtant, ni interprété le travail accompli sur les formes lyriques, à leur époque, comme un arrêt, une fixation, mais comme une ouverture. L'abondance du sème « nouveauté » dans le jugement que porte, sur Machaut, l'auteur anonyme *des Règles de seconde rhétorique* est, à cet égard, caractéristique :

> « Maistre Guillaume de Machault, le grand rethorique de *nouvelle* forme, qui commencha toutes tailles *nouvelles*, et les parfais lays d'amours. »

Mais plus encore que dans les formes, l'impression d'immobilisme, de ressassement infini qui caractérise souvent, pour le critique moderne, cette poésie a sa source dans l'identité de ses thèmes et de ceux de la lyrique courtoise. Certes, cette permanence des thèmes est indéniable. Mais il n'en est pas moins certain que la méthode employée par les critiques « thématiciens », qui vont quêtant les rapprochements comme des reproches, démultiplie l'impression de fixité, de monotonie, qu'ils redoutent mais qui les justifie. Tout catalogue, tout inventaire est, par définition, sensible aux motifs déjà formés.

Le jeu littéraire du XIVe et du XVe siècle est, en fait, plus subtil et c'est l'ensemble de la partie qu'il faut considérer. Il n'est pas sûr, en effet, que ses règles n'aient pas changé, radicalement, du XIIe au XIVe siècle. L'introduction de pièces nouvelles, comme le *dit*, tendrait à le suggérer. Il nous faut donc interroger la nature même du lyrisme de la fin du Moyen Age, sa disposition et ses buts. Sa définition, comme acte de langage, passe par l'examen de sa forme, de son énonciation et de son mode d'action.

I / DU REFUS DU TEMPS À LA FASCINATION PAR LE TEMPS

1. *La tentation du récit*

On proposera tout d'abord une définition par opposition. Le lyrisme s'oppose au narratif comme l'anti-récit au récit. Certes, tout schéma narratif n'est pas forcément absent des formes lyriques et l'on pourrait même dresser une échelle, à cet égard, pour les différents genres lyriques à des époques données, de la chanson courtoise à la pastourelle aux XIIe-XIIIe siècles, ou du rondeau à la ballade aux XIVe-XVe siècles. Il n'en reste pas moins que le lyrisme s'oppose au narratif comme le discontinu au continu. L'invention du refrain qui matérialise cette esthétique de la rupture en porte témoignage. Le lyrisme fondé sur des procédés de retour, de répétition, liés au phénomène du chant n'est pas linéaire. Son mode de développement n'est pas la temporalité. On sait que son temps d'élection est le présent. Or si cette esthétique reste globalement la même aux XIVe et XVe siècles, pour ce qui est de la *pièce*, ce qui a changé, radicalement, c'est la mise en rapport de ces formes. Il n'y a pas aux XIIe-XIIIe siècles de mise en présence organisée, voulue, des pièces lyriques autre que la mémoire ou les chansonniers, d'ailleurs postérieurs aux textes. Il n'y a pas entre les chansons courtoises d'un même poète de ligne narrative explicite, même s'il y a dans les poèmes, individuellement, des possibilités narratives qui seront exploitées, postérieurement là encore, par les auteurs de *Vidas*. L'esthétique pour les poètes est bien celle du discontinu.

Tout change au XIVe siècle. On écrit toujours des pièces lyriques, au présent souvent, sur les thèmes du grand chant courtois, mais ces pièces lyriques sont mises en récit. On a de ce phénomène plusieurs manifestations. Une des plus éclatantes est la composition de recueils de *Cent Ballades*. *Cent* est signe de composition. On connaît le goût de la construction numérologique au Moyen Age. Qu'on pense à la *Divine Comédie* de Dante, au *Décaméron* de Boccace, ou aux *Cent Nouvelles nouvelles*. Ce goût se vérifie dans la constitution de recueils lyriques. Cent ballades, de plus, dessinent l'espace d'un récit. Ce récit peut se construire thématiquement. Les ballades se regroupent selon des motifs : rencontre, désir, requête, refus dont l'enchaînement produit l'image d'un schéma romanesque, de la naissance à la mort d'un amour. Une telle organisation s'esquisse dans *La Louange des Dames* de Guillaume de Machaut. Elle s'affirme dans les deux recueils de Christine de Pizan : *Cent Balades* et *Cent Balades d'Amant et de Dame*. Elle se lit dans les cent premières ballades de Charles d'Orléans. Elle peut

prendre également la forme d'un débat. C'est le cas des *Cent Ballades* de Jean Le Seneschal et de ses amis, sur le thème, qui est celui d'un jeu parti : « Vaut-il mieux, en amour, être loyal ou non ? » L'enchaînement thématique des pièces se double souvent d'un enchaînement formel : reprise d'un mot clef d'une ballade à l'autre, emploi explicite de signes anaphoriques. Dans la constitution de recueils lyriques aux XIVe et XVe siècles on assiste bien, par-delà la coupure des formes, à l'affirmation d'une tentation narrative.

2. *Une nouvelle sensibilité au temps*

Ce goût pour le récit paraît être le signe d'une nouvelle attention au temps caractéristique de la fin du Moyen Age. On en trouve des preuves, d'une manière générale, dans la littérature (développement des chroniques) et dans la vie de l'époque. L'horloge mécanique qui se multiplie alors, relayant en quelque sorte la construction des cathédrales, modifie non seulement la vie de la cité mais sert de modèle symbolique à la compréhension de l'amour chez Froissart *(Orloge amoureux)*, d'emblème à une vertu cardinale : Tempérance *(Attemprance)*, chez Christine de Pizan *(Epistre d'Othea à Hector)*, de métaphore de l'univers chez Nicole Oresme *(Tractié de la Divination)*. L'objet est décrit par Philippe de Mézières dans le *Songe du Vieil Pèlerin*. Le temps se fait savant, daté et chiffré, et entre comme tel dans la poésie lyrique :

> Le jeudi jour .XX & VII. de novembre,
> L'an .M. CCC. IIII. xx et puis deux.
>
> (Eustache Deschamps, *Ballade*, 347.)

Le temps sous tous ses aspects : date, durée, rite, devient un sujet du lyrisme au même titre que l'amour. Des thèmes anciens se trouvent réactivés par cette nouvelle sensibilité : *Ubi sunt* d'Eustache Deschamps à François Villon et aux Rhétoriqueurs, *Passe Temps* de Charles d'Orléans et de Michault Taillevent, *Temps perdu* et *Temps recouvré* de Pierre Chastellain. On comprend mieux ainsi la prégnance du thème de la vieillesse dans cette poésie : sentiment de la vieillesse du monde (Deschamps pense vivre le dernier âge de l'humanité) lié aux grands cataclysmes (peste, guerre), obsession de la vieillesse de la personne :

> « Je deviens courbes et bossus,
> J'oy tres dur, ma vie decline,
> . . . .
> *Ce sont les signes de la mort.* »
>
> (Eustache Deschamps, *Ballade*, 1266.)

« Prince, l'aagë en ce point si me mect,
J'estudie kalendriers et compost,
Medecine de mon fait s'entremet,
Je ne quiers plus que l'aise et le repos. »

(Jean Regnier, *Les Fortunes et Adversitez*,
Ballade faite pour Isabeau Chrétien,
sa femme en l'an 1460.)

On saisit également la sensibilité exacerbée à la mort, caractéristique de l'époque. Elle n'est plus fondée sur la crainte du jugement comme dans la poésie antérieure, mais sur l'horreur de la décomposition du cadavre, sur le regret des jouissances passées, c'est-à-dire sur les ravages du temps. Les *memento mori* sont nombreux tel celui de Pierre de Nesson :

« O tres orde conception,
O vil, nourri d'infection
Dans le ventre, avant ta naissance,
Tu viens a vie miserable
Et atens mort espoventable :
Je te requier, home, or y pense. »

(*Paraphrase des IX leçons de Job.*)

Une puissance qui traverse le Moyen Age — elle vient de Boèce — sort vivifiée de cette fascination par le temps : Fortune, image de l'instabilité, du mouvement, du revers, du bouleversement :

« ... car elle est non seüre
Sans foy, sans loy, sans droit et sans mesure,
C'est fiens couvers de riche couverture,
. . . .
Sa contenance en vertu pas ne dure,
Car c'est tous vens. »

(Guillaume de Machaut, *Motet* VIII.)

Elle est principe concret d'explication du branle perpétuel de l'homme et du monde : changements sociaux, revers amoureux et politiques. Sa figure antagoniste, Espérance, élément majeur de la poésie lyrique de l'époque, de celle de Guillaume de Machaut par excellence, fonctionne elle aussi grâce à un pari sur le temps :

« Pour ce qu'elle avoit esperence
Qu'onques ne fu qu'encor ne soit. »

(Guillaume de Machaut, *Voir Dit*, v. 4510-4511.)

Roue de l'horloge, roue de la Fortune, danse de la Mort, le cercle — qu'on pense aux formes lyriques, au rondeau en particulier — hante la pensée et

la poésie des XIVe et XVe siècles en ce qu'il est signe d'ambiguïté, mouvement et immobilité tout à la fois, disant le temps et l'espace, le cosmos, Dieu.

On cherche parfois à échapper à cette fascination du temps. La poésie religieuse s'y emploie, qu'elle soit religion de l'amour, telle qu'en témoigne l'institution de la Cour d'Amour en 1400, ou poésie mariale. Les puys pourtant prennent occasion de dates à célébrer pour composer en l'honneur de la Vierge. La poésie pastorale est engagée dans ce refus, sous certains de ses aspects. Elle est refuge hors du temps dans le *Dit de Franc Gontier* de Philippe de Vitry par exemple, mais prise de position sur le Temps, sur l'histoire, dans les *Pastourelles* de Froissart.

La tendance au récit qui se manifeste, par le lyrisme, dans cette tentation inouïe de gommer ce qui fait l'essence de sa forme, le discontinu, le poids du temps et de l'histoire ont des répercussions sur le *je* qui énonce la poésie. On assiste aux XIVe et XVe siècles à une nouvelle définition de cette instance du sujet.

II / DU JE NARCISSIQUE AU JE LOCUTEUR

1. *La tentation du dialogue*

On a beaucoup écrit sur le *je* du grand chant courtois. On connaît la thèse de Paul Zumthor à propos de ce qu'il a appelé le *je* universel de la lyrique courtoise, le *je* grammatical. Mais cette instance — il semble utile de le préciser — est moins « universelle » par son abstraction que par son intransitivité. On retrouve ici le trait fondamental du lyrisme, son caractère non narratif. Il y a dans la chanson courtoise, et par l'équivalence qui s'établit entre aimer et chanter, un repliement sur soi, un retour, un écho. Aussi n'est-il pas étonnant de constater que cette poésie est hantée par l'image de Narcisse. Le poète a beau s'adresser à la dame, par le moyen détourné de la chanson, il s'adresse toujours, en fait, un peu à lui-même. En d'autres termes, le lyrisme du grand chant courtois ne fait entendre qu'une seule voix, celle du poète, celle d'un *je* énonçant. Les réponses de la dame sont à restituer par le lecteur-auditeur, s'il le souhaite. Il existe du blanc dans l'évocation de l'expérience amoureuse.

Il est aisé de voir ce qui a changé, de ce point de vue, dans la lyrique des XIVe et XVe siècles. Le poème s'adresse, tout d'abord, à un interlocuteur qu'il représente dans l'espace de la chanson, ou qu'il suscite par des questions. Le *je* devient locuteur, impliquant un allocutaire. Les exemples sont multiples : *Cent Ballades* de Jean le Seneschal offrant toute une série de dialogues enchâssés, *Cent Balades d'Amant et de Dame* de Christine de Pizan

où les poèmes assument, en quelque sorte, la fonction de lettres dans un roman épistolaire. Le lyrisme de la fin du Moyen Age multiplie les voix. Il les fait se lever au sein de l'œuvre ou surgir en écho à l'extérieur. La polyphonie est son art. Le *tu* ou le *vous* que crée la poésie lyrique n'est plus une figure du *je* mais une figure de l'autre, de l'autre en tant qu'il peut exister comme *je*. C'est cette inversion que produit le dialogue. La poésie lyrique a supprimé le blanc. Des voix différentes se font entendre à l'intérieur d'un recueil ou même à l'intérieur d'une pièce. Le *je* se dédouble ou se fend. On connaît le succès des ballades dialoguées à l'époque, d'Eustache Deschamps à Charles d'Orléans et à Villon.

2. *Un nouveau rapport* à *la réalité*

Cette tentation du dialogue apparaît comme le signe d'un nouveau rapport du poète à lui-même et à la réalité. Le *je* qui n'est plus une place vide, sujet énonçant d'où naît le chant, devient un lieu de la poésie, qu'on explore. On passe du *je* au *moi*, d'une poésie intransitive à une poésie transitive. Le *je* se concrétise et se dédouble du XIVe au XVe siècle, du « jou qui ai fait ce livre », de Jehan de Le Mote dans le *Regret Guillaume, Comte de Hainaut* au « je, Charles, duc d'Orléans », de la *Complainte de France* ou au « Je, François Villon, écolier », du *Lais*. Le poète pourtant ne paraît encore que masqué, apprêté pour le tribunal de sa conscience ou du monde, portant les insignes de sa classe ou de son métier : Machaut et Molinet « borgnes » comme Rutebeuf, c'est-à-dire comme le jongleur, Deschamps chauve et Villon rasé, comme le fou. Il ne faudrait pas trop vite tirer de ce portrait typisé la peinture d'un moi personnel. On assiste, en fait, à une théâtralisation du moi qui trouve sa plus remarquable expression dans la poésie de Villon et dans celle des Rhétoriqueurs. Ce *je* qui a pris corps *voit* le monde et le dénombre, témoignant d'une sensualité neuve. Cette dernière passe par l'évocation des biens et des richesses, par l'inventaire du monde quotidien; elle est plaisir à l'énumération, qui est une forme d'appropriation :

> « Brusselle adieu, ou les bains sont jolyz,
> Les estuves, les fillettes plaisans;
> *Adieu beauté, leesse et tous deliz*
> *Chanter, dancer et tous esbatemens.*
>
> Belles chambres, vins de Rin et molz liz,
> Connins, plouviers et capons et fesans,
> Compaignie douce et courtoises gens. »

(Eustache Deschamps, *Rondeau*, 552.)

Ce *je*, incarné, qui inventorie le monde à l'aide, parfois, de grilles préfabriquées le critique également. Il introduit ainsi de nouveaux thèmes dans le lyrisme qui n'est plus uniquement d'exaltation mais de dénigrement. Il se crée un lyrisme de la satire dont Eustache Deschamps est le meilleur représentant :

> « Vint ans a que je ne cessay
> Des vices blasmer et d'escripre
> Les vertus, mais je m'en tairay,
> Car tousjours devient chascun pire. »

(Eustache Deschamps, *Ballade*, 1063.)

3. *Une mentalité juridique*

La tentation du dialogue, enfin, porte témoignage de la mentalité juridique caractéristique de l'époque. On interpelle l'autre ou soi-même comme à la face d'un tribunal. On débat. On connaît le succès de telles mises en scène, aux XIVe et XVe siècles, des Jugements de Machaut : *Jugement dou Roy de Behaingne*, *Jugement dou Roy de Navarre*, aux *Arrêts d'Amour* de Martial d'Auvergne. Le langage juridique se met à traduire toutes les formes de la sensibilité et, en premier lieu, l'amour. Parler d'amour devient un plaidoyer, joute oratoire qui détrône les joutes guerrières. On se rappelle l'institution de la Cour d'Amour et le succès des concours poétiques. Un seigneur avertit ainsi le poète, dans le *Voir Dit* :

> « ... Il est uns advocas
> Qui scet trop mieus monstrer son cas
> Que vous ne faites vraiement. »

(Guillaume de Machaut, *Voir Dit*, v. 7574-7576.)

L'image du tournoi demeure pourtant dans la poésie amoureuse de l'époque. Mais, dans ces jeux, plus qu'à la beauté des faits d'armes on se montre sensible à l'exactitude de leur déroulement. L'Amant de *la Belle Dame sans mercy* s'exprime ainsi :

> « Nully n'y pourroit la paix mettre
> Fors vous qui la guerre y meistes
> Quant vos yeulx escrivent la lettre
> Par quoy deffier me feistes,
> Et que Doulz Regart transmeistes,
> Herault de celle deffiance. »

(Alain Chartier, *La Belle Dame sans mercy*, strophe 29.)

et Charles d'Orléans énonce :

> « J'ay esté poursuivant d'Amours,
> Mais maintenant je suis herault;
> Monter me fault en l'eschaffault,
> Pour jugier des amoureux tours. »

(*Rondeau*, 4.)

C'est la langue juridique des tournois qui retient, langue formelle, comme l'est, dans un tout autre domaine, mais qui sert également à évoquer l'amour, la langue du commerce :

> « Trop estes vers moy endebtee,
> Vous me devés plusieurs baisiers,
> Je vouldroye moult voulentiers
> Que la debte fust acquittee.
> . . . .
> J'en ay bonne lettre seellee,
> Paiez les, sans tenir si chiers;
> Autrement, par les officiers
> D'Amours, vous serez arrestee :
> Trop estes (vers moy endebtee !). »

(Charles d'Orléans, *Chanson*, 47.)

La dame n'est plus une déesse inaccessible. On la voit comme une femme froide et prudente à la dialectique sans défaut. L'image de la Belle Dame sans Merci hante cette poésie prenant la valeur d'un mythe. Ce mythe dit la transformation de la dame courtoise en interlocutrice et il dit la liberté de cette voix qui se fait entendre. Une nouvelle figure de femme, indépendante en amour, indépendante par le pouvoir des armes ou par le pouvoir des lettres apparaît : Belle Dame sans merci, Jeanne d'Arc, Christine de Pizan. Le texte d'Alain Chartier est là fondamental. Il donne naissance à une querelle, en forme de procès, semblable à celle qu'avait suscitée, autour de Christine de Pizan précisément, le *Roman de la Rose*.

La mentalité juridique s'affirme enfin en liaison avec le sentiment de la mort. On écrit des testaments : testaments amoureux, tel celui de Guillaume de Machaut qui est en fait une prière d'amour :

> « Plourez, dames, plourez vostre servant,
> . . . .
> Mon cuer vous lais et met en vo commant,
> Et l'ame à Dieu devotement presente,
> Et voist où doit aler le remanant :
> La char aus vers, car c'est leur droite rente;
> Et l'avoir soit departi
> Aux povres gens. »

(*Ballade*, 229 et *Voir Dit*.)

On compose des testaments satiriques. Eustache Deschamps et François Villon en donnent des exemples éclatants :

« J'ay esleu ma biere
En l'air, pour doubte de perir;
Talent n'avoie de mourir.
. . . .
Je laisse cent soulz de deniers
A ceuls qui boivent voluntiers;
Et s'ay lessié a mon curé
Ma pucelle, quant je mourré ».

(Eustache Deschamps, *lettre* 1411.)

« Item, mon corps j'ordonne et laisse
A nostre grant mere la terre;
Les vers n'y trouveront grant gresse,
Trop lui a fait fain dure guerre. »

(Villon, *le Testament*, v. 841-844.)

On rédige des testaments aux résonances politiques. Ainsi Jean Molinet.

Tendance au récit, tendance au dialogue, nouveaux rapports au temps et à la réalité, tous ces signes désignent le lyrisme comme le lieu d'une mutation fondamentale.

III / DU CHANT A L'ÉCRITURE

L'événement fondateur du nouveau lyrisme des XIVe et XVe siècles est la rupture du lien qui unissait, aux siècles antérieurs, poésie et musique. Guillaume de Machaut marque là un tournant. Dernier poète-musicien, Guillaume n'en répartit pas moins, avec ce souci classificatoire qui le caractérise, sa production en deux volets. L'organisation des manuscrits qu'il a revus lui-même en témoigne. On lit à l'ouverture du manuscrit BN fr. 1584 : « Vesci l'ordenance que G. de Machaut wet qu'il ait en son livre. » Le poète regroupe d'une part ses dits narratifs à la suite ou au sein desquels on trouve *La Louange des dames* et les *Complaintes*, poèmes lyriques à arrangement narratif ou à tendance narrative, et de l'autre, les lais, les motets, la Messe, les ballades, rondeaux et virelais notés qui forment un groupe homogène dominé par la musique. Eustache Deschamps prend acte de cette dissolution dans son *Art de dictier* (art de composer), daté de 1392. Il y définit la poésie comme « musique naturelle », « musique de bouche en proferant paroules metrifiees », pouvant exister sans le concours du chant ou de la musique instrumentale qu'il nomme « musique artificielle » : « Et neantmoins est chascune de ces deux plaisant a ouir par soy », écrit-il. Cette séparation s'accompagne de deux conséquences majeures.

1. *Une fixation des formes*

La parole est devenue première. Les poètes cherchent à créer une musique propre au langage en définissant strictement les lois du rythme et des sons. Les techniques de l'écriture : rhétorique et grammaire, jouent le rôle que tenait auparavant la musique et l'on voit apparaître, au XVe siècle, les premiers arts de rhétorique français, « Arts de seconde rhétorique », qui sont des arts de versifier. Cette dissociation de la musique et de la poésie aboutit, à la fin du siècle, à l'exaltation des jeux de langage — de la rime en particulier, qui tend à envahir tout le poème —, dans le travail de ceux que l'on a appelés « les Grands Rhétoriqueurs ».

Mais dès Guillaume de Machaut des formes se codifient. Machaut en insère des exemples typiques dans son dit narratif, le *Remede de Fortune*, de la forme la plus compliquée, le *lai*, à la forme la plus simple, le *rondeau*. Tous ces genres lyriques ont, au départ, pour structure de base, une forme musicale. Le *rondeau*, forme « ronde », par excellence se clôt sur lui-même. Il se présente généralement selon le schéma suivant : A B a A a b A B, formulation dans laquelle les lettres majuscules désignent le refrain. Cette forme est bien résumée, dans sa richesse symbolique, par le refrain d'un rondeau de Guillaume de Machaut :

> « Ma fin est mon commencement
> Et mon commencement ma fin »
>
> (*Rondeau noté*, XV.)

La *ballade* comporte trois strophes, chacune terminée par un refrain, le plus souvent d'un vers, quelquefois de deux. Elle n'offre pas d'envoi chez Guillaume de Machaut et Jean Froissart, la structure musicale, sous-jacente à l'origine, n'en permettant pas l'apparition. La présence de l'envoi dans les ballades de Christine de Pizan, par exemple, très innovatrice dans ce domaine, signe donc le divorce définitif de la poésie et de la musique.

Le *virelai* que Machaut tient à appeler *Chanson baladée* pour montrer la parenté des deux genres comporte trois strophes comme la ballade mais un refrain en forme de strophe par lequel le poème commence. Guillaume de Machaut le définit ainsi :

> « . . . . une chanson
> De trois vers et a un refrain
> . . . .
> Qui par le refrain se commense,
> Si comme on doit chanter a danse. »
>
> (*Jugement dou Roy de Navarre*, v. 4184-4185 & 4187-4188.)

L'art complexe de versifier remplace, à la fin du Moyen Age, l'art subtil de composer musicalement. Mais Eustache Deschamps le rappelle dans

son *Art de dictier*, la musique naturelle « ne puet estre aprinse a nul, se son propre couraige naturelment ne s'i applique ». Les règles ne sont là que pour soutenir une inclination, un sentiment. Deschamps se propose ainsi de donner « un petit de regle ci après declarée a ceuls que nature avra encliné ou enclinera a ceste naturele musique ». Rhétorique et Musique ne sont pas vécues comme divergentes. Jean Molinet écrit dans son *Art* : « La rhétorique est une espèce de musique appelée richmique... » (rythmique). Rhétorique, pourtant, a bien supplanté Musique dans sa poésie.

2. *Une recherche de garants*

La dissolution du lien étroit entre Poésie et Musique, union sur laquelle reposait la définition du lyrisme antérieur, entraîne une seconde série de conséquences. Le lyrisme des XIIe-XIIIe siècles, en effet, s'ancrait dans le chant pour y trouver sa vérité : vérité d'une communication directe, d'une communion, vérité d'un corps, le corps du chanteur qui assume la parole lyrique. On comprend alors les traits qui nous sont apparus caractéristiques de ce lyrisme. Son aspect non narratif en premier lieu : fondé sur le chant, il agit par la répétition, c'est un charme. Le caractère intransitif de son *je*, ensuite : ancré dans le chant, il parle sans relais, Narcisse, fasciné et fascinant. Il ne prie pas de manière transitive, il est prière, au sens religieux, magique. Il agit par le chant, c'est-à-dire par le corps.

Le lyrisme du XIVe et du XVe siècle, au contraire, est orphelin de son corps et, par là même, de sa vérité dans un temps où l'on prend conscience de plus en plus vigoureusement de la tromperie de la parole. La Belle Dame sans Mercy ne croit pas aux serments en amour et, à la guerre, la parole ne semble plus engager. Ne voit-on pas Louis d'Anjou, fils de Jean le Bon, abandonner son rôle d'ôtage et rentrer en France malgré la parole donnée ? Certes le « sentement » devient le fondement du lyrisme, fixant dans une vérité personnelle, mais que l'on veut partageable, la parole. L'amant écrit ainsi à la dame, dans le *Voir Dit* de Guillaume de Machaut :

> « Et, ma souveraine dame, vous poés legierement veoir et savoir que mes cuers est fermes en vous comme pierre en or et comme chastiaus sur roche. Car vous savés qu'il n'est si juste ne si vraie chose comme experience, et vous poés assez savoir et veoir par experience que toutes mes choses ont été faites de vostre sentement, et pour vous especiaulment, depuis que vous m'envoiastes :
>
> *Celle qui onques ne vous vit*
> *Et qui vous aimme loyaulment*,
>
> (il s'agit du premier rondeau de la dame) car elles sont toutes de ceste matiere. Et, par Jhesûcrist, je ne fis onques puis riens qui ne fust pour vous, car je ne say ne ne vueil faire de sentement d'autrui fors seulement dou mien et du vostre, pour ce que : qui de sentement ne fait, — son dit et son chant contrefait. »
>
> (*Voir Dit*, l'amant, lettre VIII.)

On passe de la définition ancienne du lyrisme : poésie fondée sur le chant, à sa définition moderne : poésie fondée sur le sentiment, sur le moi. Mais cette nouvelle assise du lyrisme pose au Moyen Age deux problèmes. Comment composer sur commande — car telle est la situation de l'écrivain de Cour — une poésie qui repose sur le sentiment ? Christine de Pizan est très consciente de cette contradiction. Elle écrit :

« De triste cuer chanter joyeusement
Et rire en dueil c'est chose fort a faire,
De son penser monstrer tout le contraire,
N'yssir doulz ris de doulent sentement,

Ainsi me fault faire communement,
Et me convient, pour celer mon affaire,
De triste cuer chanter joyeusement.

Car en mon cuer porte couvertement
Le dueil qui soit qui plus me puet deplaire,
Et si me fault, pour les gens faire taire,
Rire en plorant et trés amerement
De triste cuer chanter joyeusement ».

(*Rondeau*, XI.)

Elle résout le problème par une ruse dialectique. Il faut accepter volontairement l'ordre donné par les grands. Cet engagement sera le signe de l'authenticité :

« Prince, bien voy que il se vauldroit mieux taire
Que ne parler a gré; voy cy comment
Payer m'en fault d'amende volontaire
Cent balades d'amoureux sentement. »

(Christine de Pizan, *Cent Balades d'Amant et de Dame*, ballade prologue.)

Ce lyrisme du sentiment n'en est pas moins fort loin, on le voit, d'une sensibilité romantique et l'interprétation des poètes de la fin du Moyen Age, de Villon en particulier, a trop souvent pâti d'un tel contresens.

Le deuxième problème est celui de l'attestation de la vérité du sentiment, c'est-à-dire de celle du lyrisme. La poésie lyrique de la fin du Moyen Age le résout par l'invention de nouveaux garants. Le récit en est un, puissant, qui prend au fil de la temporalité les actes isolés et leur donne une raison, une cause. Dans la même perspective, la date en est un autre, qui atteste. Les circonstances qui viennent étayer le *je* fonctionnent également comme caution. Mais le garant ultime et décisif est, pour ce nouveau lyrisme, l'écriture. Les *Leys d'Amours* selon le titre d'un traité toulousain du XIVe siècle sont des règles de grammaire. Le sacré est passé de la musique qui disait l'harmonie avec le monde, par le rythme, à la lettre qui cherche

à prendre l'univers dans ses entrelacs, la lettre qui atteste. Un passage du *Parfait du Paon* de Jean de le Mote est symptomatique de cette évolution, où l'on voit s'affronter tenants de l'art ancien et de l'art nouveau. Lors d'un concours de ballades, signe, nous l'avons vu, de cette mentalité juridique qui domine le temps, Buchiforas, fils du roi de Mélide, s'oppose à Alexandre. Il s'agit de juger la production de Preamuse, sœur de Buchiforas. Cette dernière s'écrie :

> « Tenés, Buchiforas, ma balade est livree !
> J'ai si grant haste au fere qu'elle n'est pas notee. »
> Et dist Buchifor(a)s, « N'est pas chose ordenee,
> *Balade vault trop peu quant elle n'est chantee* »
> Et respont Preamuse, « Bien tost seroit werblee » (mise en musique).
> « Belle, dist Alixandres, par les dix de Caldee,
> *La balade fu faite de dame enamouree* ;
> *En escript* les aurai toutez ains la vespree.
> Miex les ainme que d'or une salle comblee ».
>
> (Jean de Le Mote, *Le Parfait du Paon*, v. 1208-1216.)

Dans le débat sur la source de valeur du lyrisme, Buchiforas, traditionaliste, tient pour la musique, Alexandre, héros moderne, pour le sentiment. Ce dernier est conscient de plus que, pour pérenniser son prix, la poésie lyrique doit passer à l'écrit.

Cette promotion de l'écriture s'accompagne d'une magnification de l'écrit. La lettre qui a vu se distordre son lien à la musique s'annoblit de son rapport à l'image. Les textes se nourrissant d'illustrations se multiplient. Ils commentent les images ou s'écrivent à partir d'elles. Pensons à Christine de Pizan et à son *Epistre d'Othea à Hector*, aux *Dictz moraulx* de Henri Baude destinés à être brodés, en devises, sur des tapisseries. La parole lyrique s'annoblit également de son rapport au livre et au beau livre. Jean Froissart fait un tel présent au roi d'Angleterre, Richard II :

> « ... et voult veoir le roy le livre que je luy avoie apporté. Si le vey en sa chambre, car tout pourveu je l'avoie, et luy mis sur son lit. Il l'ouvry et regarda ens, et luy pleut très-grandement... Adont me demanda le roy de quoy il traittoit. Je luy dis : « D'amours ». De ceste response fut-il tous resjouys. »
>
> (Jean Froissart, *Chroniques*, troisième livre.)

Il se conjugue dans le goût de l'époque pour le livre deux tentations, celle du récit : le livre a une durée, et celle du bel objet, attestée par ailleurs dans les livres de comptes et les inventaires.

L'écriture lyrique enfin, pour acquérir une pleine majesté, se leste du poids de l'Antiquité. On connaît la foison des ballades mythologiques aux XIVe et XVe siècles, fait nouveau dans la poésie lyrique. L'écriture sur ce thème devient pour les poètes un moyen d'affirmer leur maîtrise. Un

débat naît même, au début du XIVe siècle, sur l'utilisation de la mythologie dans la lyrique. Il oppose Jean de Le Mote, Philippe de Vitry et Jean Campion et se règle par un échange de ballades mythologiques. Dans le *Voir Dit*, Guillaume de Machaut se mesure à un poète du nom de Thomas Paien (peut-être Eustache Deschamps) sur le thème, proposé par l'adversaire de Machaut : « Quant Theseüs, Hercules et Jason », refrain : « Je voi assez puis que je voi ma dame. » La réponse de Machaut est : « Ne quier veoir la biauté d'Absalon. » Froissart fait entendre sa voix dans le concert en composant, toujours sur le même refrain, sa ballade : « Ne quier veoir Medee ne Jason. » L'écriture lyrique se crée ainsi des lettres de noblesse.

Cette promotion de l'écrit dans la lyrique va de pair avec une glorification du métier d'écrivain. Comme l'a remarqué M. Kevin Brownlee, le mot *poète* s'applique pour la première fois dans la littérature vernaculaire, non plus aux auteurs latins, les *auctores*, les autorités, mais à un « poète » français jugé digne d'une telle gloire : Guillaume de Machaut. La première mention du terme dans cet emploi, en effet, semble bien se trouver sous la plume d'Eustache Deschamps parlant de son maître. Il s'adresse à Peronne, la dame anagrammatique du poète dans le *Voir Dit* :

« Après Machaut qui tant vous a amé
Et qui estoit la fleur de toutes flours
Noble poete et *faiseur renommé*
Plus qu'Ovide vray remede d'amours ».

(Eustache Deschamps, *Ballade*, 447.)

On note le besoin qu'éprouve Eustache Deschamps de gloser le mot *poete* par le terme, courant à l'époque, de *faiseur*. L'écrivain devient conscient de son métier, surveillant l'élaboration matérielle de ses œuvres, tels précisément Guillaume de Machaut et Christine de Pizan. La poésie n'est plus vécue comme un amusement mais comme un sacerdoce. L'activité tente les grands seigneurs d'Oton de Grandson et Jean de Garencières à Charles d'Orléans.

Un tel annoblissement ne va pas, pour le poète lyrique de profession, sans une ambiguïté sociologique. Elle éclate chez Guillaume de Machaut qui rêve un instant, dans le *Voir Dit*, de chanter ses propres amours. N'a-t-il pas mis sur le même plan, à l'ouverture du *Remede de Fortune* : armes, amour, littérature ? :

« Einsi est il certeinnement
De vray humein entendement
Qui est ables a recevoir
Tout ce qu'on vuet, et concevoir
Puet tout ç'a quoy on le vuet mettre,
Armes, amours, autre art ou lettre. »

(*Le Remede de Fortune*, v. 35-40.)

La transgression est notable qui modifie le couple de définition du chevalier : Armes et Amour, mais elle est un échec. Le poète reste un homme de métier. Il est fêté et reconnu pour son savoir et sa technique, il n'est pas admis, pour autant, dans une classe qui n'est pas la sienne. Alain Chartier prend acte de cet échec :

> « Ce livret voult ditter et faire escripre
> Pour passer temps sans courage vilain,
> Un simple clerc que l'en appelle Alain
> Qui parle ainsi d'amours par ouïr dire »,

écrit-il à la fin du *Debat des Deux Fortunés d'Amours* (v. 1243-1246).

Le lyrisme de la fin du Moyen Age a changé ses modèles. Son héros n'est plus Narcisse, figure de la parole intransitive, il n'est plus Orphée, incarnation du chant, mais il est celui qui crée de ses mains et qui crée l'autre, le « facteur » : Pygmalion. La fonction du lyrisme et son mode d'action, en effet, se sont modifiés. Le lyrisme n'œuvre plus par la répétition mais par la transformation. Il ne fascine plus l'autre, il cherche à le toucher, à le convaincre, à le faire évoluer. Il n'est plus cri ou chant mais s'oriente vers le récit, vers le dialectique, vers le didactisme. Ils ne se fonde plus sur une poétique de la joie, voulue par Musique, poétique que revendique encore Guillaume de Machaut, mais sur la tristesse. La *Complainte* narrative et douloureuse est le genre qu'il s'invente. Il trempe sa plume dans l'encre de mélancolie :

> « Ou puis parfont de ma merencolie
> L'eaue d'Espoir que ne cesse tirer,
> Soif de Confort la me fait desirer,
> Quoy que souvent je la treuve tarie.
>
> Necte la voy ung temps et esclercie,
> Et puis aprés troubler et empirer,
> Ou puis (parfont de ma merencolie
> L'eaue d'Espoir que ne cesse tirer).
>
> D'elle trempe mon ancre d'estudie,
> Quant j'en escrips, mais pour mon cueur irer
> Fortune vient mon pappier dessirer,
> Et tout gecte par sa grant felonnie
> Ou puis (parfont de ma merencolie).

(Charles d'Orléans, *Rondeau*, 325.)

Dans le domaine lyrique, on est passé du XIIe au XVe siècle de la métaphore à la métamorphose, du charme de la voix à une magie de l'objet. Au plaisir immédiat de la musique et de la danse succède le plaisir, différé, de l'écriture.

IV / LE DIT A INSERTION LYRIQUE COMME PREUVE

L'insertion de pièces lyriques dans une trame narrative est attestée pour la première fois et commentée, dans le *Roman de la Rose* ou *Guillaume de Dole* de Jean Renart. Cette technique se développe ensuite très vite devenant un véritable phénomène de mode chez les auteurs du nord de la France essentiellement. Elle recouvre, en fait, deux attitudes différentes. Le texte narratif peut être premier, intégrant à titre d'ornement, ou à titre de confirmation ou de contestation de sa trame narrative préexistante des pièces lyriques. Les textes qui mettent en œuvre cette technique répondent généralement à la désignation de romans et se rencontrent le plus fréquemment au XIIIe siècle. A l'inverse la poésie lyrique peut être première, devenant la source du récit. Ce sont ces derniers textes qui nous intéressent ici. Ils répondent, dans la période que nous étudions, au nom de *dit* et illustrent parfaitement les tendances qui nous sont apparues caractéristiques du lyrisme des XIVe et XVe siècles.

Les dits à insertion lyrique projettent dans l'espace d'un récit les thèmes des poèmes qu'ils se donnent pour but de rassembler et de monter, de mettre en valeur. Ces pièces figurent d'ailleurs, pour certaines, parallèlement, dans les collections lyriques des poètes. La trame inventée par ces dits peut être très mince, éclairant un moment de la scène lyrique : requête non couronnée de succès comme dans le cas du *Livre Messire Ode* d'Oton de Grandson, séparation d'avec la dame, sous la pression de circonstances extérieures comme dans *La Fontaine amoureuse* de Guillaume de Machaut. Cette trame minimale se construit à l'aide de deux procédés qui permettent d'imaginer une mise en scène : le songe et l'allégorie. La trame peut être plus importante et retracer la naissance et la mort d'un amour. C'est ce qui est esquissé dans *Le Remede de Fortune* de Guillaume de Machaut et dans *l'Espinette amoureuse* de Froissart. Mais si, dans les deux cas, les poètes insistent sur la naissance de l'amour, ils ne s'étendent pas sur sa lente dissolution. Guillaume de Machaut, au contraire, développe le procédé dans le *Voir Dit*, évoquant toutes les phases par lesquelles passe un amour de son apparition à son déclin. Il se crée alors une vraie temporalité. On constate que, dans ce cas, le songe et l'allégorie passent au second plan au profit d'effets de réel : mention de dates, d'événements à allure personnelle. Sur le thème des aléas de l'amour, Christine de Pizan tente un traitement semblable dans *Le Livre du Duc des vrais amans*. D'autres modulations sont possibles qui constituent une trame narrative : mise en perspective de la jeunesse et de l'amour ainsi que le fait Froissart dans *le Joli Buisson de Jonece*, création d'une durée

par l'intermédiaire d'un échange de lettres et de pièces lyriques qu'on commente. Le procédé, dans le *Voir Dit*, ponctuait une évolution. Il existe pour lui-même dans *La Prison amoureuse* de Jean Froissart. Des genres lyriques enfin offrent dans leur forme même et dans les possibilités narratives qu'elle recélait une ligne de récit. C'est le cas de la *pastourelle* qui fournit à Christine de Pizan l'argument du *Dit de la Pastoure*. La pastourelle contenait en germe, d'ailleurs, l'idée même de l'enchâssement lyrique. On le sait, la bergère que le chevalier surprend et dont on raconte l'aventure est souvent occupée à chanter des refrains.

Garantissant le *je* lyrique par un *je* narratif qui en rend compte le dit à insertion lyrique est aussi, par définition, polyphonique. Il produit toujours au minimum deux voix, toujours en *je*, voix lyrique et voix narrative de celui qui énonce le texte, mais il convoque généralement d'autres sujets. Le *je* lyrique se scinde faisant entendre, comme dans *le livre Messire Ode*, le *je* du corps de Grandson et le *je* de son cœur, ou bien ce *je* lyrique a un écho dans un interlocuteur qui envoie des poèmes et des lettres : dame dans le *Voir Dit*, ami princier dans *La Prison amoureuse*.

Le dit à insertion lyrique, enfin, est un genre réflexif — le *Voir Dit* de Guillaume de Machaut en est un des plus beaux exemples —, ancrant dans une expérience dont on nous fournit les données le lyrisme. Il est un commentaire de la création donnant de cette dernière les circonstances matérielles et morales :

« En ces .ij. mois que dit vous ay,
En ma maladie dictay,
Et en mon lit, ces .iiij. choses
Qui sont en ces lettres encloses,
Et sont, icy après, escriptes.
Et se faute y a ou redites,
Maladie m'escusera
Envers celui qui les lira
Ce sont .iij. chansons baladées
Qui ne furent onques chantées.
Une balade y ha aussi
Qu'en joie fis et en soussi. »

(*Voir Dit*, v. 821-832.)

Le *dit* est pour le lyrisme un conservatoire — écrin ou coffre —, qui se substitue à la mémoire :

« Et la recommançay ma plaincte
Et feiz, en façon de complaincte,
Une qu'ay cy mis en escript
Affin que mieulx m'en souvenist. »

(Oton de Grandson, *Le Livre Messire Ode*.)

Il signe le passage définitif, dans la littérature du Moyen Age, de l'oral à l'écrit. Sa forme même qui joue subtilement du continu du récit et du discontinu du lyrisme semble exister essentiellement grâce à la médiation de l'écriture. Le livre devient la finalité de la ballade :

Et lors je meiz mon pensement
A commancier une ballade.
Et la fiz comme homme malade
Et enregistray en mon livre
Et, s'il vous plaist, la pouez lire.

(Oton de Grandson, *Le Livre Messire Ode.*)

Le chant, la parole même ont disparu. Aussi est-il intéressant de noter les termes qui peuvent remplacer le mot *dit* dans la désignation de ce genre. Chacun insiste sur une des composantes qui le définissent. On trouve, en effet, les mots suivants : *dictié*, *traictié* et *livre*. Tous réfèrent à l'idée de composition et de composition écrite, *traictié* insistant en plus sur la notion d'enseignement.

Le *dit* à la fois narratif, polyphonique et didactique est bien à l'horizon du lyrisme des XIVe et XVe siècles. Il en est la frontière et la caution, peut-être même la dissolution, au profit d'une définition nouvelle. De ce point de vue, l'œuvre de François Villon est exemplaire qui se présente comme un dit strophique à insertion lyrique. Poésie de la contradiction non résolue, du rire en pleurs, elle dit la crise du langage que traverse l'époque et dont témoignent, à leur manière, les Grands Rhétoriqueurs, crise du langage qui est une crise de la vérité des langages. Avec Villon et Molinet, la trajectoire est accomplie du lyrisme du chant au lyrisme du théâtre ou de l'écriture.

CHAPITRE X

Le roman de transition (XIVe-XVe siècle)

Cervantès a jeté sur les romans de la fin du Moyen Age un discrédit dont ils ne se sont jamais remis. Chacun, sans même les avoir lus, pressent en eux une forme qui a perdu son sens et qui se répète en remaniements et en compilations interminables et dépourvus d'invention, malgré l'accumulation monotone des aventures merveilleuses et la niaise délicatesse des sentiments amoureux. En outre, si, comme un chapitre le montre plus loin, l'homme de ce temps aime à se mettre en représentation et intègre l'activité littéraire à la perpétuelle parade de la vie, le roman semble jouer ce rôle un peu dérisoire vis-à-vis d'une noblesse féodale virtuellement en déclin. On a vu cette noblesse tenter de raviver son prestige et son importance en conservant, en recréant ou en inventant de façon nostalgique les signes les plus superficiels de sa gloire : ordres de chevalerie, étiquette des cours, entrées princières, fêtes à thème arthurien. Elle fait, semble-t-il, des romans voués à l'exaltation de la chevalerie l'un de ces signes, elle y puise l'inspiration de ces manifestations de sa gloire en même temps qu'ils lui en offrent le reflet en les décrivant avec complaisance.

Mais ce reflet est, précisément, un reflet contemporain. Cette noblesse ne cultive pas le souvenir d'une époque brillante et révolue, mais elle crée de faux souvenirs, elle entretient une illusion de souvenir. Elle ne reconstitue pas un passé historique, mais elle place dans le même lointain mythique aux couleurs de l'Histoire l'époque du roi Arthur, celle de Charlemagne, celle des empereurs de Rome, celle des croisades. Si troublée qu'elle ait pu être par ses échecs sur les champs de bataille de la guerre de Cent Ans, par le pouvoir grandissant des marchands, par la concentration progressive du pouvoir entre les mains du prince, elle était trop brillante et trop puissante encore pour se voir condamnée. L'exaltation de la chevalerie, au moins dans les jeux de cour, n'était-elle pas d'ailleurs souvent le fait du prince lui-même,

quand ce prince était par exemple le duc de Bourgogne ? C'est pourquoi elle cherche moins à faire revivre dans ses fêtes un passé dont les romans garderaient la trace qu'à fonder une esthétique nouvelle sur le regret de ce qui n'a jamais existé, d'un état idéal et mythique de la chevalerie, et les romans que l'on écrit pour elle s'inspirent de cette esthétique et s'installent dans cet imaginaire, bien loin de prolonger réellement, ou de défigurer, une esthétique passée. Il se crée ainsi un mouvement de va-et-vient entre la littérature et la vie contemporaines, chacune prétendant s'inspirer du passé alors qu'elle se regarde dans le miroir de l'autre.

C'est pourquoi il ne faut sans doute pas étudier seulement ces romans en fonction de ceux de l'époque précédente. Certes, l'histoire littéraire l'exige, puisque nombre d'entre eux sont des compilations ou des dérimages d'œuvres du XIIe et du XIIIe siècles. Mais, sous prétexte qu'ils se situent eux-mêmes par rapport à un passé romanesque, il ne faut pas être dupe de ce trompe-l'œil et transformer en perspective historique positive le recul illusoire du passé littéraire. Non seulement une imitation, même servile, n'est, bien entendu, pas réductible à son modèle de deux siècles plus ancien, car les conditions de l'activité littéraire ont changé, mais surtout la référence constante au passé de la littérature pour raconter des histoires, arthuriennes, carolingiennes ou antiques, elles-mêmes toujours présentées et présentées depuis toujours comme très anciennes, provoque une sorte d'exaspération du sentiment du passé où il faut très certainement chercher le sens de ces romans. Par opposition à eux, la nouvelle, qui connaît un tel développement au XVe siècle, se définirait, non par sa brièveté ou par sa *moralité*, mais par le fait qu'elle situe son action à l'époque contemporaine, ce qui lui donne du même coup un sens tout particulier et en fait, accessoirement, l'héritière d'une tradition littéraire toute différente.

I / UNE FORME NOUVELLE

Avant de fonder les distinctions nouvelles, il faut constater l'abolition des distinctions anciennes entre les formes et entre les genres narratifs. Cette littérature avait longtemps admis l'opposition entre la chanson de geste destinée à la récitation chantée ou modulée, essentiellement fondée sur la matière carolingienne, et le roman destiné à la lecture, fondé sur la matière antique, parfois byzantine, et surtout arthurienne. Un peu plus tard, pour des raisons complexes, tenant problablement d'une part à l'assouplissement de la langue, d'autre part au développement de la lecture individuelle, le roman en prose avait concurrencé avec un succès croissant le roman en vers. A la fin du Moyen Age, l'emploi presque généralisé de la prose retire tout

naturellement sa pertinence à une distinction entre les genres fondée en grande partie sur des oppositions de forme poétique, liées elles-mêmes à des modes de réception différents. Mais l'énoncé de cette évidence ne suffit pas à rendre compte d'un phénomène en réalité très complexe.

Un premier point est qu'il existe une différence profonde entre la refonte et l'assemblage, au XIIIe siècle, des romans en vers de la fin du XIIe siècle en vastes cycles en prose, et les pures et simples mises en prose, les *dérimages*, que pratique la fin du Moyen Age. Les écarts d'esprit et de signification eux-mêmes entre les cycles en prose du XIIIe siècle et leurs modèles en vers montrent qu'il s'agit de l'évolution du même courant littéraire. Le dérimage, au contraire, même s'il est souvent davantage dans la réalité, ne se veut rien d'autre qu'une traduction destinée à rendre lisible un modèle ancien dont le langage poétique paraît difficile ou fastidieux aux contemporains. Il témoigne à son égard un respect théoriquement absolu, tout en détruisant sa cohérence d'œuvre d'art, puisqu'il modifie sa forme. Il se situe donc en dehors d'une activité littéraire qu'il considère comme achevée et passée, et qu'il admire, mais de l'extérieur, cherchant à en donner une idée à un public moderne plus qu'à en assimiler le sens et à le poursuivre. Ainsi se manifeste le poids du passé littéraire, conservé et aménagé en tant que tel, qui vient s'ajouter à celui du référent mythique de l'œuvre, comme on l'a suggéré plus haut.

Mais cet écart d'esprit et de signification, qui n'apparaît guère entre chaque dérimage et son modèle, est à l'évidence considérable si l'on envisage l'ensemble des mises en prose et l'ensemble de la production en vers dont elles s'inspirent. La résolution des différents genres littéraires et des modes d'utilisation variés qui leur sont liés en une forme unique, celle de la narration en prose divisée en chapitres, dont les règles, sinon absentes, du moins souples, ne sont sans doute pas analysées consciemment en tant que telles par l'auteur et par son public, a pour conséquence que l'attente de ce dernier est la même quelle que soit l'histoire racontée, et qu'elle dérive d'une chanson de geste, d'un roman antique ou breton, d'un récit hagiographique. La vision du monde propre à chacun de ces genres perd dès lors de sa spécificité aux yeux du lecteur et se fond dans une sorte de syncrétisme idéologique commun à toute la littérature narrative.

1. « *Bérinus* »

On peut avancer une preuve de cette tendance, ou du moins une observation dont l'interprétation peut la confirmer. Certains romans en vers du XIIIe siècle n'ont, semble-t-il, obtenu qu'un faible succès dans leur version d'origine, puisque seuls des fragments nous en sont parvenus, alors que leur

mise en prose de la fin du XIVe ou du XVe siècle a connu une diffusion considérable. Ces romans ont en commun de manquer de cohérence thématique ou idéologique au regard des grands genres narratifs du Moyen Age classique. C'est le cas du long roman de *Bérinus* : du roman en vers du XIIIe siècle, il ne nous reste que deux fragments très brefs, tandis que la mise en prose de la fin du XIVe siècle a connu un grand succès et nous est parvenue intégralement dans quatre manuscrits du XVe siècle et trois éditions du XVIe. Ce roman s'étend sur deux générations et raconte, après l'histoire de Bérinus, celle de son fils Aigre. Bérinus, fils d'un chevalier romain et marchand, devient roi d'une île dont les habitants chicaniers et de mauvaise foi avaient voulu le ruiner, grâce à la ruse d'un ami encore plus chicanier qu'eux, puis, chassé de son royaume et revenu à Rome, il meurt en volant nuitamment le trésor de l'empereur. Après sa mort, son fils Aigre mène une vie chevaleresque et aventureuse. La première partie réunit et compile toute une série de contes orientaux très répandus dans le monde arabe et tout autour de la Méditerranée, et qui tous relèvent de la navigation et du commerce, des aléas et des merveilles liés à la première, de la rouerie et des finasseries juridiques de mise dans le second. La seconde partie présente les aventures classiques d'un chevalier errant de la littérature française médiévale. De l'une à l'autre, il y avait donc une distorsion, un bouleversement des valeurs, que le contresens possible sur la situation sociale du chevalier romain ne suffisait pas à réduire, et qui peut expliquer l'insuccès relatif du roman en vers, au ton et au genre mal définis entre le fabliau et le roman courtois, mais qui ne choquait plus, semble-t-il, le lecteur de la prose.

2. *La « Belle Hélène de Constantinople »*

Le cas du roman de la *Belle Hélène de Constantinople* est un peu plus complexe. Cet interminable roman débute, comme la *Manekine* de Philippe de Beaumanoir, mise d'ailleurs en prose au XVe siècle par Jean Wauquelin, et le *Roman du comte d'Anjou* de Jean Maillart, par la fuite et l'errance d'une jeune personne désireuse d'échapper à l'amour incestueux de son père. Mais la *Belle Hélène de Constantinople* a pour particularité que tous les manuscrits connus du roman en vers, dont on suppose pourtant qu'il remonte au XIIIe siècle, ont été copiés au XVe, au moment même où en étaient faites deux mises en prose, dont l'une est due aussi à Jean Wauquelin. Pourquoi au XVe siècle cette large diffusion, qui ne s'est pas démentie par la suite, puisque, de la fin du XVe au XIXe siècle, une douzaine d'éditions du roman en prose témoignent de sa popularité, alors que le roman en vers, lors de sa composition, semble avoir eu moins de succès que la *Manekine* ou le *Comte d'Anjou* ? C'est peut-être, là encore, que la *Belle Hélène de Constantinople* est

un roman composite. C'est en principe un roman hagiographique, puisque c'est celui des *enfances* de saint Martin et de son frère Brice, père de saint Brice, successeur de son oncle sur le siège épiscopal de Tours. Mais c'est presque un roman breton, dont l'héroïne épouse le roi d'Angleterre. C'est aussi une de ces œuvres à caractère épico-romanesque liées à l'atmosphère des croisades, avec des guerres interminables contre d'innombrables rois sarrasins, des conversions retentissantes, de belles captives. C'est aussi un roman de l'errance, de la vertu outragée, de l'innocence persécutée, des malentendus, des fuites, des quiproquos, des reconnaissances, des repentirs, que l'abondance et l'accumulation des aventures, aussi bien que leur localisation fréquente dans l'espace méditerranéen rapprochent particulièrement des romans alexandrins et byzantins. Enfin ce roman ô combien romanesque est coulé dans le moule épique de la laisse assonancée, comme cela se faisait parfois à la fin du XIIIe siècle, par exemple dans *Berthe aux grands pieds* d'Adenet le Roi, dont l'héroïne fuit également d'injustes persécutions. Ne peut-on penser que le mélange des genres et des visions du monde, hagiographique, romanesque, épique, idyllique, chevaleresque, courtoise, qui déconcertait le lecteur du XIIIe siècle, ne frappait plus celui du XVe, tout se fondant dans la notion uniforme et neutre d'aventures, aventures dont l'accumulation ne pouvait au contraire que le séduire ? L'uniformité de la prose serait le signe de cette évolution.

3. *Apollonius de Tyr*

Ne peut-on penser de même que si le roman latin d'*Apollonius de Tyr*, écrit au VIe siècle d'après un original du IIIe, et qui commence lui aussi par l'histoire d'un père incestueux, a eu peu de succès dans sa traduction en vers du XIIIe siècle, mais beaucoup dans ses traductions en prose du XVe, c'est qu'il s'intégrait mal dans les formes littéraires du XIIIe siècle et qu'il s'accordait difficilement avec le type de récit et de signification propre à chacune, tandis qu'à la fin du Moyen Age tout est bon pour l'aventure ? On comprendrait ainsi qu'en latin, où la rareté relative des œuvres profanes permettait plus facilement à chacune d'être atypique et où surtout le modèle antique était seul en vigueur, le roman n'ait cessé d'être lu et copié, tandis qu'au moment même où la littérature en langue vulgaire renâclait à l'assimiler dans sa totalité, elle lui faisait, dans le détail, de nombreux emprunts.

II / UN SENS NOUVEAU

Si l'on peut admettre cependant que la fusion des différents genres narratifs au sein de la prose uniformise la notion d'aventure, il reste à déterminer quel sens nouveau elle lui donne et sur quelles bases s'effectue cette uniformisation. Un premier trait n'est pas propre au roman en prose. Le roman, à la fin du Moyen Age, devient romanesque au sens moderne et commun du mot. Entendons par là qu'aucun enjeu transcendant n'est plus impliqué par l'aventure individuelle, réduite à une étape dans la conquête par le héros de l'amour et du bonheur, parfois du salut, éventuellement au service d'une communauté, mais dont les intérêts et les visées peuvent être circonscrits, mesurés, satisfaits. De l'appel à des luttes nouvelles pour la défense de la chrétienté sur lequel s'achève la *Chanson de Roland* à la grande histoire du Graal qui ordonne à un dessein divin les aventures et les amours des chevaliers de la Table Ronde, chaque chanson de geste, chaque roman courtois classique apparaît comme un fragment, certes centré sur un destin particulier, d'une histoire qui le dépasse, lui donne, mystérieusement parfois, son sens, l'affronte et le soumet à des valeurs impérieuses dont la soudaine émergence révèle la cohérence souterraine. Désormais, rien ne passe la mesure du héros, et la fin de ses aventures est la fin de tout. D'où la tendance à les multiplier et à allonger le roman par leur accumulation, l'histoire sachant qu'elle mourra avec elles et qu'aucune résonance ne la prolongera. D'où également l'impression que tout se limite à la recherche d'un petit bonheur romanesque. Cette tendance apparaît dès le XIIIe siècle, mais elle se généralise à la fin du Moyen Age. En voici deux exemples empruntés au domaine arthurien, qui se prêtait à l'origine si peu à une telle attitude.

1. « *Le Chevalier au papegau* »

Le Chevalier au papegau, petit roman en prose du XVe siècle, relate une aventure de jeunesse du roi Arthur lui-même. Il est évident qu'Arthur ne peut devenir le héros d'un roman qu'en renonçant à son rôle d'arbitre et de garant des valeurs du monde sur lequel il règne, puisque l'excellence de ses exploits ne peut être sanctionnée par son propre verdict; la chose ne s'était produite qu'une fois, et pour son malheur, à la fin de *La Mort le Roi Artu*. L'accumulation de motifs traditionnels du merveilleux breton n'empêche pas *Le Chevalier au papegau*, où la présence bouffonne du perroquet introduit un élément comique, de se borner à la relation de succès guerriers ou sportifs dont la seule raison d'être est d'ouvrir la voie aux succès amoureux,

limités eux-mêmes à un éphémère repos du guerrier. Aventures et amours ne sont plus le signe d'une vérité essentielle et cachée, mettant en jeu le destin de l'homme. Le héros des unes et des autres pourrait être n'importe qui. Son identification au roi Arthur a pour seule fonction d'éveiller les échos du passé pour en faire les succédanés de ceux, absents, du sens.

2. « *Méliador* »

Telle est aussi la fonction du monde arthurien qui est le cadre du long roman en vers de *Méliador*, composé par Jean Froissart dans le dernier quart du XIVe siècle. Le roi Arthur propose aux meilleurs chevaliers du monde entier une quête, comme à la grande époque. Mais cette quête, qui doit durer cinq ans, est une sorte de championnat par points dont les épreuves consistent en des tournois et en des joutes variées et dont le vainqueur épousera la belle princesse d'Ecosse Hermondine. En outre, pour que tout finisse vraiment bien, les suivants, classés par ordre de mérite, obtiennent des lots de consolation, c'est-à-dire que chacun épouse sa chacune, choisie parmi les jeunes personnes présentées au cours du roman. Ainsi, la quête, au lieu d'être un engagement collectif mettant en cause, à travers les aventures individuelles, les valeurs fondamentales du monde arthurien et son sens, et débouchant sur une révélation lourde de conséquences sur ce monde tout entier, devient une chasse au beau parti sous forme de compétition sportive entre jeunes gens ambitieux. Et la série de mariages qui clôt le roman montre que le dénouement de la quête n'est marqué par rien d'autre que par la juxtaposition de bonheurs particuliers, sanctionnant la réussite limitée à eux-mêmes des couples qui se constituent. Loin de toute métaphysique, le romanesque apparaît ici comme ce qui, par le biais de la fiction, rend désirables les choses de la vie. Le lecteur est invité plus qu'il ne l'avait jamais été à s'identifier à un héros dont les succès ne dépassent pas ses propres désirs et qui n'est séparé de lui que par la distance d'un passé littérairement prestigieux, qui permet à l'évasion de se joindre à l'identification pour le séduire complètement. De tels romans ont tout pour provoquer l'erreur de Don Quichotte.

3. *Les romans idylliques*

Cette tendance se marque d'autre part dans le goût pour les romans d'aventures et d'amour que l'on peut appeler idylliques : on met en prose ceux du XIIIe siècle, on en compose de nouveaux. L'abondance des titres formés de la réunion des deux noms du héros et de l'héroïne témoigne

à elle seule de ce succès : *Cléomadès et Clarmondine* de Philippe Camus, qui est une mise en prose du *Cléomadès* d'Adenet le Roi, *Cleriadus et Meliadice*, *Eledus et Serena*, *Pamphile et Galatée*, *Ponthus et Sidoine*, mise en prose d'un poème perdu. *Apollonius de Tyr* peut être rangé dans cette catégorie. On note la consonance antique de tous ces noms. Ces romans, en effet, se situent généralement dans l'espace méditerranéen et baignent souvent dans l'atmosphère alexandrine ou byzantine déjà signalée à propos de la *Belle Hélène de Constantinople*. Ainsi se trouve complétée l'hypothèse avancée plus haut : si ce roman ou celui d'*Apollonius*, qui étaient hors de la norme du XIIe et du XIIIe siècle, se trouvent soudain à la mode, si des aventures incohérentes ou insignifiantes au regard des formes narratives du Moyen Age classique se trouvent unifiées dans la neutralité de la prose, c'est qu'elles sont alors toutes définies suffisamment par la notion nouvelle de romanesque.

III / LE ROMAN ET L'HISTOIRE

Pour en venir à présent à des phénomènes liés plus directement encore à l'emploi dominant de la prose, le plus visible est sans doute le rapprochement du roman et de l'Histoire, ou plus exactement la mise en forme historique du roman. On a montré le développement de la littérature historique, de plus en plus souvent écrite en prose. Or, ce sont ses formes qui s'imposent dans une large mesure à la littérature de fiction, dès lors qu'elle a perdu, en passant en prose, les caractéristiques des différents genres auxquels elle emprunte sa matière. Compilant au XVe siècle l'ensemble de la matière épique, David Aubert intitule de façon significative son énorme ouvrage *Conquêtes et chroniques de Charlemagne*. La synthèse de la fiction et de l'histoire en une même activité littéraire est frappante également si l'on considère l'œuvre de son contemporain Jean Wauquelin, clerc de la cour du duc de Bourgogne Philippe le Bon. Il traduit en français les *Chronica ducum Lotharingiae et Brabantiae* d'Edmond de Dynter, l'*Historia regum Britanniae* de Geoffroy de Monmouth; il met en prose la *Manekine* de Philippe de Beaumanoir, la chanson de geste de *Girart de Roussillon* et compile les romans français d'*Alexandre* dans son *Livre des conquestes et faits d'Alexandre le Grand* (Bossuat 5978). Ce dernier ouvrage, qui est l'un des nombreux avatars du *Roman d'Alexandre* à la fin du Moyen Age, montre d'autre part, par son titre et par sa place au sein de la production de l'auteur, que c'est par le biais du goût pour l'Histoire que se manifeste un renouveau du roman antique, différent cependant de celui qui, au XIIe siècle, exploitait les grands mythes littéraires de l'Antiquité, la guerre

de Troie, le cycle thébain, l'*Enéide*. Certes, Octovien de Saint-Gelais traduit l'*Enéide*, mais il faut voir là un effort d'humaniste, qu'il serait d'ailleurs intéressant de rapprocher des dérimages de romans français, plutôt que de l'opposer systématiquement à la pratique médiévale pour y voir l'annonce d'un âge nouveau. Certes, il existe un *Roman d'Edipus* attribué à Raoul Lefèvre, qui est d'autre part l'auteur d'un *Roman de Jason et de Médée*; aussi bien, la légende de Jason avait été mise à la mode par l'instauration de l'ordre de la Toison d'Or, et le roman de Raoul Lefèvre, qui était chapelain du duc Philippe le Bon, illustre le va-et-vient mis en évidence au début de ce chapitre entre l'éloge du présent dans le passé que constitue la vie chevaleresque et celui auquel se livre la littérature. Mais lorsque le même Raoul Lefèvre parle de la guerre de Troie, il intitule son ouvrage, d'ailleurs inspiré au départ de Boccace, *Recueil des Histoires de Troye*, et ce *recueil* vient prendre place à côté des autres compilations du même genre, l'*Histoire du siège et de la prise de Troie* ou le *Livre de la destruction de Troie la grant*. Le souci premier désormais est donc de raconter l'Histoire, et plus encore des anecdotes et des épisodes empruntés à l'Histoire, des faits vrais se prêtant à moralité, comme le faisaient depuis longtemps, mais dans un esprit spécifiquement religieux, des ouvrages comme les *Gesta Romanorum* et ses deux traductions françaises. Mais la frontière est indistincte entre l'exploitation de cette matière antique présentée comme historique et les romans retraçant l'histoire de souverains et de dynasties fictifs qui sont supposés avoir régné sur Rome et sur Constantinople, tel le cycle romanesque fondé sur le roman des *Sept sages de Rome* et qui comprend les romans de *Marquès de Rome*, de *Cassidorus* et de *Laurin*, dont les deux premiers sont les mises en prose de versions originales en vers, mais dont les deux derniers ont peut-être été rédigés directement en prose, bien que le verbe *dérimer* apparaisse pour la première fois dans Cassidorus. De même, dans un domaine différent mais toujours fondé sur l'Histoire, le cycle épico-romanesque tiré au XIIe siècle de la matière des croisades avec le *Chevalier au Cygne* et *Godefroy de Bouillon* est remanié au XIVe siècle, poursuivi à la même époque par le poème de *Baudouin de Sebourc*, dont le modèle historique est Baudouin du Bourg, roi de Jérusalem, puis au siècle suivant par le roman en prose de *Jean d'Avesnes*, qui illustre à la fois le goût pour les modèles historiques et la disparition des genres anciens par le passage à la prose.

Toujours en application du procédé qui consiste à attribuer des aventures fictives à un personnage réel, et toujours dans le domaine de l'histoire des croisades, on peut citer l'intéressant *Gilion de Trasignies*, où sont réunis un grand nombre de motifs romanesques bien connus. D'une façon générale, les exemples de romans pseudo-historiques sont très nombreux : *Livre de Baudouin de Flandres* du clerc Gilet, *Histoire d'Olivier*

de Castille et d'Arthus d'Algarbe, *Livre du roy Rambeaux de Frise et du roy Bruno de Dampnemarche*, etc.

Les ouvrages de ce type sont d'autant plus nombreux que les princes font volontiers écrire par les clercs de leur maison des romans de fondation destinés à retracer et à exalter les origines de leur famille, la présentation sous forme historique d'une fiction à caractère souvent surnaturel étant destinée à rehausser ce prestige. C'est à ce genre qu'appartient le célèbre *Roman de Mélusine* dans sa version en prose due à Jean d'Arras, imitée en son début du *Roman du roi Florimont* d'Aimon de Varennes, qui devait lui-même être mis en prose, et elle-même médiocrement imitée en vers un peu plus tard par Couldrette. Les amours de Raimondin de Lusignan et de la fée Mélusine, qui intéressent tant aujourd'hui les folkloristes, occupent une place, certes fondamentale, mais assez réduite dans ce roman, dont l'essentiel est consacré aux aventures et aux conquêtes des enfants du couple. En racontant longuement comment deux d'entre eux s'emparent de Chypre, le roman affirme la légitimité des Lusignans historiques comme rois bien réels de cette île. Le déroulement, le ton, le style, le contenu du récit de ces conquêtes, sa division en chapitres en fonction des séquences événementielles, les titres de ces chapitres, rien de tout cela ne diffère de ce que l'on trouve dans les chroniques en prose, par exemple, pour rester dans le cadre de l'histoire d'outre-mer et de Jérusalem, dans l'ensemble formé par les œuvres de Guillaume de Tyr, d'Ernoul et de Bernard le Trésorier, que son titre français de *Livre d'Eracles* pourrait de son côté faire prendre pour un roman. D'autres romanciers font leur cour au prince en prêtant ses traits au héros ancien — et lui-même prétendument historique — dont ils relatent les exploits; c'est ce que fait à l'égard du duc de Bourgogne Philippe le Bon, l'auteur du *Roman du comte d'Artois*.

Au XIIe siècle, le roman breton s'était dégagé du cadre historique qui était celui des œuvres de Geoffroy de Monmouth et de Wace. Le roman de la fin du Moyen Age retrouve en un mouvement inverse l'apparence de l'Histoire pour les mêmes raisons sans doute qui le rendent romanesque : une sorte de positivisme qui limite le sens à l'événement et voit une raison suffisante à son récit dans sa seule existence et dans le désir d'en garder la mémoire.

IV / LE ROMAN EN VERS

Si l'universalité et l'uniformité de la forme prose mettent particulièrement en lumière ces tendances, les exemples cités jusqu'ici montrent assez que le roman en vers n'a pas disparu. Il faut, certes, répéter qu'il

se fait de plus en plus rare et que, bien représenté encore au XIVe siècle, il n'apparaît plus au XVe siècle qu'à l'état de survivance. Pourquoi, cependant, ne s'efface-t-il pas complètement, alors que les dérimages témoignent de la préférence des lecteurs pour la narration en prose, préférence que les prologues justifient en invoquant tantôt la difficulté de la poésie, tantôt le délayage inévitable du récit en vers et dont on a proposé plus haut d'autres raisons ? On peut expliquer cette survie en invoquant simplement l'esprit conservateur de certains auteurs. Il est certain, par exemple, qu'en écrivant à la fin du XIVe siècle un roman arthurien en vers, ce qui ne s'était pas fait depuis cent ans, Froissart trahit sa nostalgie d'un monde littéraire, et d'un monde tout court, en train de disparaître, confirmant ainsi ce rapport fondamental et complexe au passé de la littérature, dont on a déjà souligné l'importance. Si d'autre part Couldrette plagie en vers le roman en prose de Jean d'Arras, démarche qui est curieusement à l'inverse du dérimage, c'est probablement que, en face de l'intellectuel de cour qu'est Jean d'Arras, Couldrette est un vulgarisateur utilisant les formes qui se prêtent à une diffusion populaire, la littérature dite populaire imitant avec retard et prolongeant, parfois pendant des siècles, les modes de la littérature savante, ce qui montre d'ailleurs que la prétendue difficulté du vers par rapport à la prose est une illusion. C'est aussi ce conservatisme popularisant, ou plutôt vulgarisant, qui explique sans doute que l'on continue à composer des chansons de geste. C'est lui, par exemple, joint à celui qui est le corollaire de l'esprit d'imitation propre à la littérature italienne de langue française, qui rend compte d'une œuvre aussi considérable par ses dimensions et aussi bizarre que *La Guerre d'Attila* de Niccolo da Casola.

Mais une raison d'être plus profonde et une redéfinition du roman en vers doivent être cherchées dans le succès même du roman en prose, qui, en accaparant la notion de narration, le rejette du côté de la poésie subjective. Celle-ci, de son côté, avec l'extension du *dit* à partir de la seconde moitié du XIIIe siècle, déborde le cadre du lyrisme et prend elle-même un tour de plus en plus volontiers narratif, puisque, en brodant sur de fausses confidences, elle se plaît à développer une sorte de roman du moi. Roman du moi également que le roman allégorique, à qui le succès du *Roman de la Rose* a donné un essor considérable, puisqu'il extériorise les mouvements, les débats et les combats de l'âme. Quoi d'étonnant si le *vrai* roman en vers, le roman d'aventures, est parfois aussi attiré par ces modèles vivants que par celui que lui offrent ses prédécesseurs des XIIe et XIIIe siècles et qui est en train de se résoudre dans le roman en prose ? Cette confusion entre deux genres théoriquement bien distincts apparaît par exemple dans le *Roman de la Dame à la Licorne et du Beau Chevalier au Lion*, dont le titre, derrière l'apparente symétrie des deux héros dotés chacun d'un animal emblématique, associe un personnage de roman d'aventures à un person-

nage à demi allégorique. En effet, le Beau Chevalier au Lion évoque, bien entendu, l'Yvain de Chrétien de Troyes, tandis que les mœurs prêtées à la licorne par les bestiaires font d'elle le symbole de la domination amoureuse exercée par la dame. Certains éléments du roman confirment cette hésitation : les aventures qu'il relate, bien qu'exemplaires de celles vécues par les parfaits amants, n'ont en elles-mêmes rien d'allégorique et les personnages ne sont rien d'autre que des individus particuliers. Pourtant, quelques-uns d'entre eux ont pour nom un trait de caractère ou de comportement amoureux : c'est ainsi que le mari de la Dame à la Licorne s'appelle Privé Dangier. L'insertion de pièces lyriques, très fréquente, il faut le dire, à cette époque, renforce en l'occurrence l'impression que ce roman éperdument courtois est intimement lié dans son élaboration, dans ses procédés, dans son univers mental, à la poésie subjective.

V / LA RÉFLEXION SUR LE PRÉSENT

Il ne faudrait pas en conclure que le roman allégorique est nécessairement en vers. Le Livre du *Cueur d'Amour espris* du roi René d'Anjou en est la preuve. Mais un tel roman, subjectif par sa nature même, se situe par la force des choses dans le présent, et l'éventuel recours à la prose ne l'empêche pas d'occuper une place très à part dans le système romanesque, puisque la profondeur créée par le déplacement allégorique remplace chez lui celle de la projection du présent dans le passé.

Celle-ci, on l'a dit plusieurs fois déjà, est un trait constant du roman d'aventures, qui, à travers un passé illusoire, décrit et exalte en réalité le présent. C'est ainsi qu'un roman arthurien, et même pré-arthurien, comme l'immense *Perceforest* témoigne d'un goût prononcé pour les *realia* de la vie chevaleresque contemporaine. Il en va de même pour *Gilion de Trasignies*, dont le sujet est toutefois plus récent et plus enraciné dans l'Histoire, et, à des degrés divers, pour presque tous les autres. Les fastes princiers, l'apparat et l'étiquette, les joutes et les fêtes sont décrits avec minutie dans les romans, tandis que les tournois réels s'entourent d'une mise en scène arthurienne. La vie et la littérature s'entendent pour faire concourir le passé à la jouissance artificiellement nostalgique du présent, et Antoine de La Sale écrit pour Jean de Luxembourg *Des anciens tournois et faits d'armes*.

Mais la nouvelle vient rompre cette complaisance. Comme le roman allégorique, quoique bien différente, elle se situe tout entière dans le présent. Elle met en cause ses valeurs, que le roman célèbre en les prétendant fondées sur le passé, car elle regarde le monde contemporain directement

et non dans le miroir déformant d'un passé illusoire. Elle est critique, alors que le roman est emphatique. Or, son essor est considérable au xve siècle. Des recueils apparaissent sur le chemin qui va du *Decaméron* de Boccace à l'*Heptaméron* de Marguerite de Navarre, tel celui des *Cent nouvelles nouvelles*. L'influence italienne s'y fait tôt sentir, précédant celle qui s'exercera plus tard sur d'autres genres littéraires. La tradition du fabliau qui s'y perpétue donne à la nouvelle un ton volontiers grivois, en même temps que s'y introduit une réflexion polémique sur l'amour et sur la place des femmes dans la société, réflexion liée à la querelle du féminisme, comme en témoigne la charge misogyne des *Quinze joies du mariage*, ou poursuivant les débats de casuistique amoureuse de la courtoisie comme dans les *Arrêts d'Amour* de Martial d'Auvergne, où l'exposé de chaque « cause » est prétexte à conter une anecdote. Les rapports qu'entretiennent la nouvelle et le roman apparaissent de façon particulièrement claire dans le *Jehan de Saintré* d'Antoine de La Sale : la duplicité de la dame des Belles Cousines, la vulgarité triomphante de l'abbé, son amant, l'humiliation de Jehan de Saintré, la cruauté de sa vengeance, tout cela dément l'élégante perfection traditionnellement attribuée aux amours courtoises et à l'univers chevaleresque, et dont l'œuvre conserve ironiquement l'apparence. Dès que le recours au passé romanesque n'est plus là pour les embellir, les mœurs contemporaines apparaissent telles qu'elles sont, basses. Et c'est parce qu'il refuse l'illusion du passé que le nouvelliste du xve siècle, par opposition au romancier, apparaît toujours peu ou prou comme un moraliste.

Plus tard, cette distinction perdra de sa pertinence, car le regard critique sur le monde présent deviendra le regard même du roman. Le roman moderne est en ce sens fils de la nouvelle. Le *Quichotte* est exemplaire de cette évolution, puisque le romancier y décrit les malheurs d'un contemporain perdu dans le réel parce qu'il est aveuglé par le romanesque du passé. L'héritier du roman de la fin du Moyen Age, flatteur pour le présent parce qu'il est tourné vers le passé, sera ce qu'on pourrait précisément appeler le roman romanesque, souvent considéré comme de l'infra-littérature. Aussi bien, les romans du xve siècle eux-mêmes seront encore diffusés bien longtemps par les livres de colportage.

CHAPITRE XI

Le jeu dramatique (XIVe-XVe siècle)

A l'exception de quelques scènes des grandes Passions et d'une farce comme *Maître Pathelin*, aisément réductibles aux catégories de « tragique » et de « comique », le théâtre antérieur au XVIe siècle déroute les modernes. Au premier regard on juge grossière la farce, obscure la sottie, le mystère démesuré, la moralité pédante. Condamnation esthétique et désaffection se sont nourries l'une l'autre assez longtemps pour que nos connaissances demeurent incertaines et fragmentaires. Aujourd'hui, les renouvellements du théâtre contemporain provoquent un regain d'intérêt pour les systèmes étrangers à la tradition classique et le théâtre médiéval retient de plus en plus l'attention des metteurs en scène et des historiens. On ne peut, dans ces conditions, qu'ébaucher un tableau provisoire et incomplet de la vie théâtrale en France avant le rétablissement de la scène classique.

I / ENTRE LE « *DIT* » ET LE THÉATRE : L'ART DU MONOLOGUE ET DU DIALOGUE

Le plus simple et le plus fréquent des spectacles médiévaux, c'est encore celui que donne, en toutes occasions et à tous les publics, le jongleur. Cet amuseur professionnel sait aussi bien exécuter des tours de bateleur que réciter et mimer un texte : la littérature n'est pour lui qu'une ressource parmi d'autres. Dans son répertoire figurent des textes dont l'exécutant doit revêtir un rôle, s'identifier à un personnage fictif. Parfois, un comparse lui donne la réplique. Une série de gradations légères, non chronologiques, mais techniques, permet de passer sans solution de continuité du simple *dit* de jongleur au monologue dramatique, puis au dialogue.

A l'opposé de la satire, les travaux et les jours de la ville inspirent divers poèmes à la gloire d'un métier (marchands, changeurs, cordonniers, tisserands, boulangers, forgerons...), que les jongleurs récitaient probablement devant des assemblées professionnelles. D'humbles *dits* rimés célèbrent le commerce de Paris en décrivant sa foire *(Dit du Lendit)* ou en énumérant ses rues *(Dit des rues de Paris)* : le bonheur de la ville naît de la quantité des noms cités, des marchandises et des richesses, exotiques ou banales, que le poète peut évoquer. La poésie de l'accumulation préside aussi aux *cris* par lesquels artisans et marchands se font reconnaître du chaland, l'attirent et le séduisent. Chaque métier a le sien, que Guillaume de La Villeneuve consigne dans le *Dit des crieries de Paris.* Rien d'étonnant si les jongleurs, qui doivent eux aussi, sur la place et dans la rue, attirer les auditeurs, imitent ces compagnons et concurrents. Dans plusieurs monologues qui remontent au XIIIe siècle, le récitant prend le rôle d'un marchand. Dans le *Dit du Mercier*, il énumère, pour l'ébahissement du badaud, les mille petits riens désirables que recèle sa hotte de colporteur; mais entre tous les marchands, il en est un qui apporte à la poésie les prestiges de l'exotisme et de la science; ce qu'il propose, ce sont des herbes, des onguents, des recettes de remèdes qui guérissent les maux les plus comiques comme les plus inquiétants. Son boniment inspire un cri en prose du milieu du XIIIe siècle ainsi que le *Dit de l'Erberie* de Rutebeuf, où vers, puis prose déploient, du scabreux au merveilleux, toutes les astuces du marchand, ses vantardises, ses clins d'œil au public; ce charlatan a étudié à Salerne, c'est un médecin, qui apporte sur la foire des produits collectés par lui dans le monde entier. Exagération, recettes cocasses, évocation joyeuse des misères, surtout sexuelles, du corps humain : le type comique du marchand de thériaque, du *triacleur*, est né. On le retrouve bientôt sur la scène : vers 1300, l'*espiciers* de la *Passion du Palatinus* remplace le *mercator* des drames liturgiques latins pour chanter, prélude plaisant à la Résurrection, la victoire de la vie sur la mort, sur la vieillesse et l'impuissance que remportent régulièrement ses remèdes.

Le jongleur, on l'a vu, se donne volontiers le rôle d'un pauvre hère : c'est le cas dans le *Dit de la Maille*, où il fait l'éloge de cette petite pièce de monnaie en énumérant tout ce qu'elle permet d'acquérir — et en invitant les auditeurs à débourser sans hésiter ! C'est aussi le cas quand il parodie son propre métier. Dans les « concours de bourdes » (de mensonges), comme le *Dit des deux bordeors ribauds* ou la *Contregangle*, deux jongleurs rivalisent de vantardises; Rutebeuf rapporte la dispute comique des deux ménestrels dans la *Desputoison de Charlot et du barbier*; Jean Renart fait appel aux commandes de mécènes dans le *Plait Renart de Dant Martin contre Vairon son roncin* : le jongleur et sa monture se reprochent plaisamment la décrépitude de la vieillesse. Toutes ces pièces donnent à l'exécutant l'occa-

sion de mimer, de varier l'expression, éventuellement de changer de voix. Que le cadre narratif disparaisse entièrement, ne laissant que les discours directs, et la convention change, le récitant s'efface et seul demeure l'acteur, interprète d'un personnage fictif.

Les exemples les plus nombreux de monologues dramatiques datent du XVe et du début du XVIe siècle. Quelques-uns reposent sur la parodie. Un bon vivant arrivé à l'article de la mort dicte un testament dans l'esprit du Villon de la légende; dans une noce, un prétendu curé refait le sermon pour énumérer les inconvénients du mariage et blâmer le marié; un prédicateur populaire raconte dans le style d'un Olivier Maillart la vie, le martyre (à la cuisine) et les miracles (gastronomiques) de saint Hareng, saint Oignon ou sainte Andouille. « Pronostications » et « mandements » joyeux appliquent pareillement le procédé du sérieux dégradé : la rhétorique officielle est détournée au profit de tautologies pompeuses, d'affirmations impossibles ou d'encouragements relatifs aux choses du ventre et du sexe. Dans la *Goutte en l'aine* ou le *Monologue de la fille basteliere* le marchand d'orviétan réapparaît dépouillé de son sérieux et tourné exclusivement vers les maladies érotiques. Son art de guérir entre par ailleurs dans les compétences universelles dont l'homme à tout faire, qu'il s'appelle *Watelet de tous métiers*, *Maistre Hamberlin* ou *Maistre Aliboron*, dresse la liste interminable dans l'espoir de trouver un emploi. La farce et la sottie lui font souvent une place importante. L'amoureux vantard et le franc archer viennent compléter, par leurs récits adressés au public, le répertoire des monologues. Ils racontent des exploits imaginaires de manière que le contenu de leurs aventures, leurs attitudes et leurs questions aux spectateurs dégonflent leurs vantardises et déclenchent le rire à leurs dépens. L'amoureux a beau trancher du *gorrier*, du jeune gentilhomme à la mode, il n'est qu'un bourgeois lourdaud, et ses amours s'achèvent sur des déconvenues grotesques et malodorantes, comme dans les farces ou les fabliaux d'inspiration voisine (*Monologue de la botte de foin* et *Monologue du puits*, de Guillaume Coquillard, *Monologue du bain* anonyme). L'intention satirique est évidente dans les monologues de francs archers : ces soldats auxiliaires recrutés dans les campagnes faisaient de piètres combattants, mais des maraudeurs redoutés; seule leur couardise protège les poulaillers contre leurs entreprises (*Franc Archer de Bagnollet*, *Franc Archer de Cherré*, *Pionnier de Seurdre*). Le Franc Archer de Bagnollet fait avancer le monologue dans le sens de l'illusion théâtrale lorsqu'il oublie momentanément le public, s'adresse à un ennemi supposé et joue comme s'il était en scène une action imaginaire. Du contraste entre les vantardises adressées au public — malgré les rectifications involontaires et significatives — et les supplications destinées à... un épouvantail, naît un comique proprement théâtral.

Le dialogue fait parler les mêmes personnages que le monologue.

Les variations tiennent au poids du second acteur. Il peut sortir du public et le représenter, comme le cuisinier qui interpelle le joyeux prêcheur de vin, l'interrompt et le chasse *(Le preescheur et le cuisinier)* ou comme le *sot* qui donne au charlatan la réplique du client *(Sottie de Maistre Pierre Doribus et du Sot)*. Le dialogue évite aux personnages de s'adresser directement à l'assistance, dont les questions ou les réactions sont déléguées au second acteur : le sot perce de coups d'épingle les vantardises du soldat fanfaron *(Farce du Gaudisseur et du Sot)* ; dans le *Dialogue de Beaucoup Veoir et Joyeux Soudain*, le premier, qui incarne l'expérience et la désillusion en amour, est interrompu et questionné par le second, novice enthousiaste qui refuse de se résigner comme l'y invite son aîné. Si ces deux rôles sont de même poids, le monologue se trouve partagé entre deux acteurs symétriques, comme les gendarmes cassés de gages de Roger de Collerye, *Monsieur de Deça et Monsieur de Delà*, et *Messieurs de Mallepaye et de Baillevent*, où le fractionnement en duo est poussé jusqu'à répartir des octosyllabes en huit répliques d'une syllabe chacune ! Au lieu d'un duo, on a une dispute dans les *Deux Archers qui vont à Naples* : les acteurs parlent d'abord sans se voir, puis se découvrent et s'affrontent. Le partage d'un monologue de franc archer typique entre deux personnages aboutit à un commencement d'action. Les personnages peuvent aussi être différents, le *Pardonneur* et le *Triacleur* (marchand d'indulgences et charlatan) se disputent la même clientèle, le tavernier et le client le prix d'une consommation *(Dialogue d'un tavernier et d'un pyon en françois et en latin)* ; dans *Les Abusez du temps passé*, Roger de Collerye oppose un amoureux vantard à un franc archer.

Si certains dialogues s'intitulent « farces » ou « sotties » dans les recueils anciens, ce n'est pas seulement parce que les titres des œuvres sont moins soucieux que les textes eux-mêmes des distinctions entre les genres, c'est aussi que la frontière est parfois peu nette. L'opposition entre deux acteurs peut entraîner une action embryonnaire, qui évoque la farce; beaucoup de farces n'ajoutent d'ailleurs au schéma du dialogue qu'un arbitrage final par un tiers ou une réconciliation sur son dos. La technique verbale du cri et du dialogue est souvent utilisée dans la farce et dans la sottie. Les auteurs dramatiques prennent leur bien où ils le trouvent, et excellent à faire du neuf avec ce que leur public connaît déjà bien.

II / LES SPECTACLES DRAMATIQUES ET LEUR ORGANISATION

Lieu séparé des autres lieux de la ville, le théâtre moderne soustrait son public au monde réel pour lui en offrir, le temps d'une soirée, une imi-

tation illusoire; il se réserve pour ce faire, parmi les habitants de la cité, des « gens de théâtre » auxquels il donne pour métier d'exercer cette illusion : double séparation, des hommes et du lieu, que les villes médiévales n'ont pas connue.

Pour ceux qui, du XIVe au XVIe siècle, font métier de se donner en spectacle, le théâtre n'est le plus souvent qu'une ressource accessoire. Successeurs des jongleurs, ils savaient exercer leurs talents chacun de son côté aussi bien que s'associer pour monter une farce. Ont-ils constitué des troupes de quelque durée ? Elles n'auraient laissé d'autres traces que des allusions fugitives et ambiguës, au XVe surtout. L'organisation stricte et limitative des métiers les ignorait. Ces amuseurs professionnels vont au-devant du public, recherchent les rassemblements, foires et fêtes, auxquels parfois des villes achètent leur participation « pour la récréation du peuple ». Ils s'installent sur les lieux mêmes des échanges et des réjouissances, dans les carrefours, sur les places, à moins qu'un riche amateur ne les invite à jouer dans son « ostel »; les religieux figurent parmi ces clients privilégiés, et dès le XIIIe siècle l'archevêque de Rouen Odon Rigaud atteste que des ménestrels étaient appelés à jouer dans des couvents pour les fêtes, et une lettre de rémission mentionne en 1460, dans le même cadre, des « joueurs de farces »; en 1525 encore, l'abbé de Saint-Bertin, à Saint-Omer, fait jouer devant lui des moralités et des farces. C'est peut-être au répertoire de ces professionnels du spectacle et à leur expérience que le théâtre doit les rôles traditionnels du *triacleur* (vendeur de thériaque, charlatan), du soldat fanfaron, gendarme ou franc archer, et les *cris* des métiers, capables de mettre en valeur une technique verbale et gestuelle éprouvée.

Beaucoup plus nombreux sont les acteurs et les organisateurs qui ne s'adonnent au théâtre que dans le cadre d'une autre activité sociale. Pour ceux-là, la représentation dramatique figure au programme d'une fête. Citons pour mémoire les communautés religieuses : les moralités liégeoises éditées par Gustave Cohen ont été composées et probablement jouées dans le courant du XIVe siècle, dans la maison des Dames Blanches de Huy. Il en va de même pour les confréries. Partiellement liées aux corporations, qui régissent l'exercice de chaque métier, et aux paroisses, qui quadrillent désormais la vie religieuse, ces organisations pieuses, connues dès le XIIIe siècle, se multiplient au XIVe. Vouées à l'entraide spirituelle, elles assurent à leurs membres, en échange d'une cotisation, des funérailles et des prières : quand l'individu comparaît devant son Juge, la confrérie (qu'on appelle aussi une charité) fait jouer la solidarité des vivants, dans l'esprit du dogme de la Communion des Saints. Mises en tutelle par le pouvoir laïc, inquiet de leur rôle possible dans des soulèvements, aussi bien que par l'autorité religieuse, les confréries n'ont le droit de tenir qu'une réunion générale par an, dans les quelques jours qui avoisinent la fête de

leur saint patron. Lors de ce *siège* ou *puy*, elles élisent leurs officiers et partagent un banquet fraternel où s'abolissent toutes distinctions de fortune. A cette occasion certaines d'entre elles organisent un concours de poésie ou la représentation d'une œuvre dramatique, miracle ou mystère. Le succès de ces entreprises peut déborder le cadre d'une confrérie, s'étendre à toute une ville et amener des organisations à se spécialiser dans le théâtre : ainsi les Confrères de la Passion de Rouen et ceux de Paris, qui reçoivent de Charles VI en 1402 le privilège de jouer les mystères dans la capitale et ses environs et qui s'acquittent de cette fonction jusqu'à l'interdiction des jeux sacrés en 1548.

Une part importante de la production théâtrale revient aux associations de jeunes. Au XIVe siècle, les futurs juristes réunis autour des Parlements pour s'initier à la procédure et à l'administration s'organisent en *basoches* : celle de Paris est autorisée par Philippe le Bel dès 1303. Eux aussi pratiquent le théâtre à l'occasion de leurs fêtes; ils se donnent même, dans la sottie, une forme d'expression dramatique originale, dont les structures principales reflètent l'organisation et l'esprit basochiens. Les collèges servent de cadre, eux aussi, les jours de fête patronale, à des jeux, farces, moralités ou sotties. Si les confréries recouraient à l'occasion à des poètes extérieurs, les jeunes clercs trouvaient parmi eux les talents nécessaires : André de La Vigne et Pierre Gringore, pour ne citer que les plus grands, étaient basochiens. Dans tous les cas, l'association fournissait acteurs et public, sans qu'on puisse savoir si le spectacle s'ouvrait habituellement vers l'extérieur et se donnait plus qu'exceptionnellement sur la place publique. Quand les maîtres et étudiants de l'Université de Caen montent, en 1492, les *Pattes Ointes*, pour protester contre un impôt qui ignore leurs privilèges, ils vont le jouer sur le Pré-aux-Esbats, hors de l'enceinte universitaire, mais l'événement est donné comme extraordinaire. Il n'est pas exclu que la hardiesse des acteurs à sortir de leur cadre habituel de travail ait varié avec la sévérité de la censure, avant que celle-ci n'interdise les jeux à l'intérieur même des Parlements et des collèges.

Nous sommes mal renseignés aussi sur les rapports qu'entretiennent basoches et troupes de collégiens avec les « confréries joyeuses », dont le nombre et l'activité vont croissant pendant toute la période. Organisatrices de réjouissances populaires, donc de théâtre, elles président aux fêtes d'entre Noël et Epiphanie ainsi qu'au Carnaval. Les noms qu'elles se donnent (*Connards*, *Enfants sans Soucy*, etc.) évoquent l'esprit de la fête, et son inspiration parodique transparaît dans le nom d'*abbayes de jeunesse* sous lequel les documents les mentionnent souvent. Attestées surtout dans le Nord, en Normandie et en Bourgogne, elles ont dû compter dans leurs rangs nombre de basochiens. L'*Infanterie dijonnaise*, approuvée par Philippe le Bon en 1454, mais connue dès le XIIIe siècle, prend une devise qui rappelle

la sottie : « Stultorum numerus est infinitus. » Leur chef s'intitule souvent *abbé* ou *prince des Sots*. Quoi qu'il en soit, le rôle social des compagnies de jeunesse déborde le temps de la fête et la société des clercs. Le 28 mai 1455, l'échevinage d'Amiens accorde au Prince des Sots le droit de percevoir une taxe sur tout veuf qui se remarie, les « barboires ». Les archives bourguignonnes attestent des pratiques analogues dans les villes du Sud-Est au XVe siècle : l'*abbaye* veille sur l'ordre matrimonial et sexuel de la cité, elle intervient dans la concurrence qui oppose aux jeunes les veufs auprès des filles à marier. Le théâtre joyeux ne fait-il pas écho aux soucis de ces milieux quand il ridiculise les barbons et condamne les couples déséquilibrés ? Qu'on songe, par contraste, à la Sainte Famille des Mystères, et à l'image d'un saint Joseph âgé qui se répand précisément au XVe siècle. Le théâtre joyeux de la fin du Moyen Age exprime la mentalité d'une catégorie sociale, la couche active et lettrée du tiers-état urbain, et d'une classe d'âge, la jeunesse, indiscernables dans une société instable où la vie est courte.

A la différence de l'activité théâtrale régulière, rythmée de près ou de loin par le calendrier liturgique, les spectacles exceptionnels sont dus à l'initiative de quelques organisateurs, individus ou cités, qui n'envisagent qu'une seule représentation. Bénéficiant de ressources publiques (impôt ou subvention) ou bien avançant leurs fonds propres, ils font construire et aménager le théâtre, répartissent les rôles et se partagent les bénéfices, s'il y en a (les grands spectacles sont généralement payants, du moins à partir de la fin du XVe siècle). En 1509, la cité dauphinoise de Romans monte le *Mystère des Trois Doms* (« des trois saints ») pour remercier ses protecteurs célestes pour la fin d'une sécheresse, puis d'une épidémie; les intentions propitiatoires (qui ne sont pas réservées à cette région) présideront encore à des représentations de mystères en Dauphiné au XVIIe siècle. D'autres fois, il s'agit de rivaliser en prestige avec une cité voisine, ou bien de réaliser une bonne opération financière en attirant de nombreux spectateurs : tous ces motifs peuvent agir ensemble car, pas plus que les chantiers de cathédrales par exemple, les grands mystères ne répondent à un seul type de préoccupation.

Pour recevoir quelques milliers de spectateurs, on édifie un théâtre en bois sur la place du marché ou dans la cour d'un couvent de Mendiants, voire dans un cimetière — là où l'espace est suffisant — à moins qu'on ne dispose, comme à Bourges, d'un ancien amphithéâtre romain, ou à Doué (Anjou), d'une carrière désaffectée. Le jeu s'installe, sauf exception, dans les lieux de l'activité sociale ordinaire et s'adapte à eux. Selon les cas, les spectateurs entourent l'aire de jeu de toutes parts (comme le montre la miniature de Jean Fouquet sur le *Martyre de sainte Apolline*), se répartissent sur les deux grands côtés d'un rectangle, ou font face à une scène frontale fermée

d'un mur de fond (Passions de Mons, 1501, et de Valenciennes, 1548). Ces spectacles exceptionnels sont parfois des moralités, presque toujours des mystères.

L'organisation scénique du théâtre médiéval varie beaucoup selon le genre et les proportions des œuvres. Il est toutefois possible de relever des constantes. Aucun rideau ne sépare la scène du public : on ne change pas de décor en cours de séance. Si l'action demande plusieurs lieux, ils sont figurés côte à côte sur la scène d'un bout à l'autre de la représentation. S'il en est besoin, un prologue explique au public la destination de chacune de ces « mansions », et une pancarte peut encore le rappeler à qui sait lire. S'ils se déplacent, les acteurs omettent rarement de dire en quel lieu ils se rendent, et, lorsqu'ils se rencontrent, de s'appeler par leur nom. L'expression « décor simultané » dont on désigne usuellement cette disposition scénique ne doit pas faire illusion : le décor peut être des plus sommaires. On ne représente pas le lieu de l'action, on l'évoque par un objet conventionnel. Dans la farce, un lit, une chaise suffisent à signifier l'intérieur de la maison. A côté il n'y a rien : c'est l'extérieur. Même dans les grands spectacles, un siège signifie un trône, un palais, ou une ville. Le Paradis et l'Enfer, aux extrémités, sont plus soignés, mais dans bien des cas de grands décors auraient masqué le jeu aux spectateurs placés derrière eux. Dans le théâtre en rond, les lieux sont disséminés dans les gradins, au milieu des spectateurs. Pour descendre sur l'aire de jeu et pour retourner à leur lieu les acteurs empruntent un praticable. Sur scène, les déplacements mettent en évidence la hiérarchie des personnages : les grands se déplacent peu, ils convoquent les autres. L'auteur de la *Passion du Palatinus* exploite cet usage : depuis son arrestation jusqu'à sa mort, Jésus est promené de lieu en lieu, Pilate seul restant immobile; mais quand Jésus a reçu, sur la croix, la couronne de sa royauté universelle, tous, y compris Pilate, défilent à ses pieds.

Un spectacle ordinaire comportait, semble-t-il, une moralité ou un mystère, puis une farce. C'est peut-être pour cette raison que le manuscrit La Vallière, qui nous a conservé un grand nombre de textes dramatiques des décennies proches de 1500, fait alterner plusieurs fois une moralité et une farce. Un divertissement comme la *Sottie de Trotte-Menu et de Mire-Loret* précédait un mystère; d'autres fois, la farce servait d'entracte, comme au milieu du *Mystère de saint Fiacre*, entre le martyre et les miracles du saint. Pour le spectacle de Seurre, en 1496, André de La Vigne avait prévu la *Farce du Munyer de qui le diable emporte l'ame en enffer* entre l'instant où saint Martin, à qui est consacré le mystère, se recommande à Dieu et celui de sa mort; la *Moralité de l'Aveugle et du Boiteux*, guéris malgré eux par un miracle qui les prive de leur gagne-pain, devait prendre place parmi les miracles de saint Martin. Le spectacle organisé par Pierre Gringore aux Halles de

Paris le mardi-gras 1511 (1512 nouveau style) comportait exceptionnellement un *cri*, proclamé par les rues deux jours avant la représentation, une sottie, une moralité puis une farce.

Les sociétés d'acteurs ne comprennent que des hommes. Ce n'est que dans quelques grands mystères que les rôles féminins sont attribués à des dames de la bonne société. A Romans en 1509 tous les rôles féminins, sauf celui de Proserpine (à cause du halo inquiétant dont s'entourent les interprètes des rôles diaboliques ?) sont joués par des femmes : le fait est rare. Il faut attendre les troupes professionnelles pour que des jeunes filles montent régulièrement sur les planches, moyennant salaire.

Les organisateurs redoutent toujours la turbulence du public : les prologues demandent avec insistance le calme et le silence. Musique et chansons permettent d'attendre que le brouhaha s'apaise. Les documents mentionnent souvent une barrière destinée à protéger l'aire de jeu. D'autre part, les grands spectacles sérieux comportent toujours des personnages et des scènes joyeux : paysans, prostituées, diables et bourreaux surtout, capables de procurer détente et émotions fortes. Plus subtilement, l'action et les dialogues sont parfois commentés par un personnage intermédiaire, spectateur dans le spectacle, qui s'adresse directement au public et guide ses réactions. Dans la *Moralité des Enfants de Maintenant*, il s'agit d'un fou qui participe à l'action et parle aux autres personnages d'une part, et de l'autre s'adresse aux spectateurs pour des commentaires bouffons. Dans la *Farce du Pauvre Jouhan*, il s'agit d'un *sot* qui n'entre pas dans l'action, est ignoré des autres acteurs et n'est vu et entendu que du public. Dans les deux cas — et on pourrait en citer de nombreux autres —, ses propos joyeux et rabaissants rappellent constamment la distance entre la fiction et le réel, et préviennent une participation trop intense des spectateurs : tout cela n'est que théâtre...

III / LE MIRACLE ET LE MYSTÈRE

1. *Le miracle*

A travers les « miracles par personnages », la vie théâtrale du XIVe siècle est liée à l'activité des confréries. Ces fraternités se mettaient sous la protection d'un saint pour trouver en lui un intercesseur auprès de Dieu et bénéficier de ses mérites, principalement à l'instant critique du jugement particulier. Beaucoup de confréries honoraient leur patron céleste en représentant, le jour de leur *siège*, un de ses miracles. La pièce, assez courte (de deux à trois mille vers habituellement), raconte le secours et le

salut apportés par le saint à un de ses fidèles en péril. On connaît deux miracles du XIIIe siècle, le *Jeu de saint Nicolas* de Jean Bodel et le *Miracle de Théophile* de Rutebeuf; nous ignorons pour qui ces œuvres ont été écrites, mais elles prouvent que les confréries du XIVe siècle pouvaient s'appuyer sur une tradition bien établie.

Quel péril est plus grave, à l'heure de la mort, que celui du péché ? Le souci de la mort, qui préside à la vie des charités, explique en partie la place privilégiée de Notre-Dame parmi tous les saints. Aucune intercession n'a plus de poids auprès de Dieu que celle de sa Mère, qui ne reste sourde à aucune prière humaine, vînt-elle du plus grand pécheur : l'exemple de Théophile vient sans cesse le rappeler dans les prières mariales, jusqu'à la ballade de Villon. De cette foi témoigne la collection des *Miracles de Notre-Dame par personnages*, qui se jouaient à Paris entre 1339 et 1382, à l'initiative de la Confrérie Saint-Eloi, liée à la corporation des orfèvres, l'une des plus puissantes de la ville. Parmi les quarante pièces du recueil, les premières obéissent au même schéma, celui du *Théophile* : exposition du péril ou du péché, prière, miracle et salut. A mesure que les années passent s'affirment certaines « règles » : on reconnaît des « scènes à faire », accouchements, emprisonnements, exécutions, et des morceaux obligés, dont la prière à Notre-Dame. Les personnages sont souvent des bourgeois de Paris dans le cadre de leur vie quotidienne. Inversement, l'articulation des scènes de vie quotidienne et des passages d'inspiration religieuse se relâche, le miracle tend à perdre sa place de sommet narratif et les prières à s'allonger.

Genre historique, le miracle doit offrir des gages d'authenticité : la question des sources est liée au dessein de l'œuvre. Sur les quarante pièces du recueil des Orfèvres, dix sont empruntées aux *Miracles de Notre-Dame* de Gautier de Coincy. D'une manière générale, la tradition hagiographique fournit les autorités nécessaires. Au XIIIe et au XIVe siècle, les Prêcheurs remanient, diffusent et traduisent en grand nombre les recueils de vies des saints (qu'on pense à la *Légende Dorée* du dominicain Jacques de Voragine, mort évêque de Gênes en 1296). Or une légende hagiographique fait place à la survie du saint après sa mort terrestre, à l'histoire de ses reliques (inventions, translations...) et à ses miracles. Avec le temps la liste des miracles reçus s'allongeait, car de nouveaux faits venaient sans cesse s'ajouter aux anciens dans la mémoire collective et dans la prédication d'abord, puis dans l'écrit qui leur donnait autorité. En 1353, les Orfèvres font jouer un miracle de Notre-Dame de Liesse, sanctuaire proche de Laon et célèbre à partir du XIIe siècle par ses miracles et ses pèlerinages. Leur choix révèle en outre un souci contemporain : en pleine peste, le *Miracle de l'Enfant Ressuscité* montre quel prix on attache à une seule vie quand à la hantise séculaire de la stérilité s'ajoute la crainte nouvelle de voir la « mortalité » éteindre toute descendance.

Quand les auteurs de miracles puisent, hors de toute tradition hagiographique, dans la chanson de geste ou le roman, ils n'en gardent guère plus qu'une trame narrative. A partir de la fin du XIVe siècle le miracle recule devant le mystère : le *Saint Valentin* de la collection des Orfèvres a déjà tous les caractères du genre qui triomphera au XVe siècle. A côté des miracles de sainte Geneviève, le manuscrit qui conserve le répertoire de la confrérie attachée à la grande abbaye parisienne contient une riche collection de mystères.

2. *Le mystère*

A la différence du miracle par personnages, le mystère n'est pas limité à un épisode *post mortem* de l'histoire d'un saint, mais il représente sa vie tout entière. Son héros n'est pas l'homme quelconque, c'est le saint, en particulier le saint par excellence, Jésus, dans les *Mystères de la Passion.* L'événement figuré n'est pas un exemple représentatif, mais limité, du pouvoir d'un intercesseur, c'est une histoire importante en elle-même dont les conséquences retentissent encore sur la vie des spectateurs.

Le répertoire des mystères se partage en deux grandes catégories : les pièces courtes, qui sont presque toujours des mystères de saints, et les grandes œuvres des XVe et XVIe siècles, consacrées sauf exception à l'Histoire sainte.

Les mystères de saints prennent la succession des miracles dans les fêtes des confréries : le *Mystère de saint Crespin et saint Crespinien* joué en 1443 pour la confrérie des cordonniers atteste au milieu du XVe siècle la permanence de la formule traditionnelle. Même quand ils ne sont pas liés à une confrérie les mystères de saints peuvent intéresser particulièrement un groupe social : il est beaucoup question des chevaliers dans le *Mystère de saint Sébastien.*

Le plus ancien des *Mystères de la Passion* connus est conservé, à la suite des *Miracles* de Gautier de Coincy, dans un manuscrit du Vatican, d'où son nom de *Passion du Palatinus.* De proportions modestes (deux mille vers), il commence à l'entrée messianique à Jérusalem et s'achève quand Marie-Madeleine annonce aux Apôtres que Jésus est ressuscité. Après cette œuvre du début du XIVe siècle, la *Passion* du manuscrit de Sainte-Geneviève indique, au milieu du siècle, les ambitions du genre : sans déborder le cadre chronologique de la Semaine sainte, elle amplifie la matière en quatre mille cinq cents vers, puisant davantage dans les apocryphes. Au XVe siècle le mystère connaît un développement quantitatif sans équivalent : les *Passions* d'Eustache Mercadé (Arras, vers 1420), d'Arnoul Gréban (1458) et de Jean Michel (Angers, 1486), divisées en quatre « journées », exigent pour

être jouées entièrement au moins autant de séances. En 1541, les Confrères de la Passion donnent à Paris le *Mystère des Actes des Apôtres* en trente-cinq journées, du 8 mai au 25 septembre. Une telle croissance témoigne de la puissance et de l'orgueil toujours plus grands des dirigeants urbains, capables de mener à bien, artistiquement et financièrement, des entreprises qui exigeaient au moins plusieurs mois de préparation. Elle signale aussi à nos yeux une nouvelle conception du jeu dramatique.

Nous ignorons dans quelles circonstances étaient joués les premiers mystères. Les manuscrits, qui intercalent parfois de brefs passages narratifs entre les répliques, sont destinés à la lecture ou à la conservation des textes. Quand on décide de jouer un grand mystère, on commande un texte à un ecclésiastique local; il est rare qu'on ait recours à un grand poète connu par ailleurs, comme Jean du Prier pour le *Mystère du Roy Advenir*, commandé par le roi René d'Anjou, ou André de La Vigne, qui rédige un *Mystère de saint Martin* pour la ville de Seurre en 1496. Le plus souvent on se contente de reprendre, en les adaptant aux circonstances locales, les textes très vite reconnus comme canoniques : Gréban et Michel. Il ne s'agit pas de plagiat, car le texte est le bien de tous; l'étude comparative des livrets, qui pourrait nous renseigner sur les intentions des auteurs, reste à faire.

Le public attend d'abord un spectacle pour les yeux. Avant le jeu, les acteurs défilent dans la ville (c'est la *monstre*) et font admirer les riches costumes qu'ils ont généralement fournis. Parfois on promène pareillement des décors, qu'on installe au dernier moment sur le plateau : s'ils ont existé, les décors fixes ont été l'exception, les décors à étages relèvent de la légende. On recourt à des machines de plus en plus complexes et nombreuses : « voleries » pour faire monter et descendre les anges, trappes où disparaissent personnages et décors, d'où sortent les « corps feints » des martyrs qu'on torture, canons et autres engins à feu et à bruit pour l'enfer, instruments de musique, etc. Plus on avance dans le XVIe siècle, plus les documents insistent sur ces aspects du spectacle. A Mons, en 1501, on dispose une machine pour imiter le déluge; à Bourges, en 1536, on peut inonder une partie du théâtre pour le naufrage de saint Paul. L'ingéniosité technique jointe à la bonne préparation des acteurs cherche à provoquer une illusion dont les contemporains enthousiasmés font l'éloge : pour le chroniqueur berrichon Jean Chaumeau, les spectateurs « jugeaient la chose estre vraie et non feinte ».

Etrange illusion que font naître, dans les lieux de l'activité quotidienne, des citoyens projetés pour quelques jours dans les rôles du passé. A peu de détails près, les costumes sont ceux du XVe, du XVIe siècle. On s'est étonné que Nabuchodonosor, dans le *Mystère du Vieil Testament*, dispose d'une artillerie : c'est qu'acteurs et spectateurs contemplent moins le mystère qu'ils ne le revivent. Dans les événements que lui restitue le jeu, la commu-

nauté reconnaît ce qui la fonde et la fait exister. Ce n'est pas parce qu'elle voit jouer le drame qu'elle y croit, c'est parce qu'elle y croit qu'elle le joue.

Cérémonie rituelle, le mystère rejoint la récitation du mythe en ce qu'il ressuscite un passé où le présent a pris naissance. Au moment de mourir, saint Sébastien prie Jésus de « garder les habitants de ceste ville... d'empidemies, de guere et de pestilence » : la représentation tout entière était cette prière même. D'où le souci de ne rien omettre : il ne s'agit pas d'illustrer un personnage, mais de saisir l'histoire en son origine. Les mystères de saints commencent volontiers, avant même la naissance du héros, par les circonstances miraculeuses de sa conception : prière de parents stériles, prophéties, miracle... La translation des reliques d'un saint dans une ville inaugure un culte local dont le mystère fait partie. Dans le cycle des *Mystères des premiers Martyrs*, l'histoire de saint Denis rattache Paris aux origines de toute l'Eglise.

Même en l'absence de préoccupations locales, le spectateur se sent toujours impliqué dans le drame. Les *Actes des Apôtres* retracent la naissance de l'Eglise. Il en va de même lorsque le sujet du mystère ne vient pas du christianisme : la *Destruction de Troye la Grant* de Jacques Milet rappelle la ténacité des clercs à relier le royaume de France au lignage d'Enée; le *Mystère du siège d'Orléans* célèbre, pour le plus grand honneur des familles de Jeanne d'Arc et de ses compagnons, la sainte origine de la paix et de la prospérité retrouvées par le royaume.

Mais c'est l'histoire du salut qui constitue, on le sait, le sujet de prédilection des mystères. Les jeux de la Nativité, des Trois Rois, de la Passion proprement dite s'en tiennent à une période du cycle liturgique. Ils intègrent pourtant les Prophéties, et l'Ancien Testament lui-même prend son origine dans la Création et la Chute : le mystère tend à remonter toujours plus haut vers l'origine de toutes choses. Les évangiles apocryphes, bien connus par la tradition et exploités par l'iconographie, fournissent de quoi combler le silence des Ecrits canoniques sur le mariage, l'enfance, la conception de Marie, et sur le mariage de ses parents. A la conception miraculeuse de Jean-Baptiste et à celle de Jésus s'ajoute une histoire de Judas, nouvel Œdipe. Fascination des origines : Arnoul Gréban fait remonter le drame à la révolte de Lucifer et à sa jalousie contre l'homme, son cadet dans la Création; la révolte, imitée par Adam, la jalousie, partagée par Caïn contre Abel, assurent la généalogie du péché, qui aboutit à Judas et aux Juifs. A cette genèse mythique du Mal répond, au Paradis, le procès de Justice contre Miséricorde, d'où résulte l'Incarnation, et par elle le Salut : mythe et allégorie cherchent à embrasser la destinée humaine et à l'interpréter en termes rationnels.

Dans le mystère, la culture urbaine s'approprie le message chrétien et

y glisse ses propres figures : le marchand d'aromates crie ses herbes comme un triacleur de foire; Véronique est marchande de drap, les gardiens du tombeau sont des soldats fanfarons. Les scènes de torture, pleines des sarcasmes des bourreaux, de leurs danses et de leurs mimiques dans l'horreur des corps déchiquetés, les épisodes grotesques, les diableries tumultueuses où se joue l'inversion du monde ne cherchent pas seulement à satisfaire un public turbulent avide d'émotions sommaires, ils intègrent les figures, les motifs et le langage de la fête urbaine dans le drame sacré. La frontière du passé et du présent s'efface : à travers chaque aménagement nouveau de la matière commune, c'est toujours le camp du Christ qui affronte le camp du diable dans un combat qui recommence pour l'âme de chaque spectateur. L'alternance du grave et du grotesque, si choquante pour le goût classique, est un des aspects de ce combat. Le langage et les gestes rabaissants sont des attributs du diable et de ses suppôts. Le dernier mot du mystère est la soumission forcée du langage de la révolte et du désordre à l'ordre voulu par Dieu. Le Trompeur, définitivement trompé, est contraint de servir pour l'éternité la Justice divine. Ce que la Chute a fait double, la Rédemption le rétablit un : la Synagogue s'efface devant l'Eglise. Le retournement dramatique de l'Histoire universelle a lieu quand Jésus, vrai roi dissimulé du monde, descend aux Enfers et détrône le Prince usurpateur.

Le monde du mystère ne peut qu'ignorer la séparation du sacré et du profane; il illustre au contraire le désir, caractéristique des Occidentaux depuis le XIIIe siècle au moins, d'asseoir le christianisme sur la culture laïque, la tendance au syncrétisme. Sauf exceptions locales, le mystère disparaît vers le milieu du XVIe siècle. Quand la pensée causale s'impose et relègue la mythologie au rang d'ornement poétique, quand les Réformés, aussi bien que les Catholiques, dissocient le sacré du profane, condamnent le syncrétisme et imposent à qui veut faire son salut la pureté doctrinale et morale, alors on ne peut plus se reconnaître dans le mystère, on ne croit plus à ses images et le spectacle meurt.

IV / LA MORALITÉ

Si le mystère a rencontré auprès de la critique romantique un certain intérêt, la moralité n'est jamais sortie d'un discrédit tel que la plupart des textes demeurent inédits ou peu accessibles. Force est donc de se résigner à n'en présenter qu'une description provisoire et approximative.

Le nom de « moralité » (on disait aussi un « moral ») n'apparaît qu'en 1427, dans le titre de la *Moralité faite en foulois pour le chastiement du Monde*, où la critique moderne reconnaît d'ailleurs la première des sotties,

avant le nom. Mais la littérature connaissait depuis longtemps la moralisation, qui consiste à attribuer à un système de signes quelconque un sens moral tout différent du sens littéral, en établissant une correspondance terme à terme, par exemple entre les personnages et les épisodes d'une fiction mythologique, d'une part, et les facultés de l'âme et les comportements humains, d'autre part. Le procédé permettait d'intégrer à la culture des éléments aussi hétérogènes que les récits d'Ovide (l'*Ovide moralisé* connut un succès remarquable), le jeu d'échecs (les *Echecs moralisés* d'Engréban d'Arras, le *Liber de moribus hominum ac officiis nobilium super ludum scaccorum* de Jacques de Cessoles, dominicain, se sont lus en français et en latin), voire l'aventure arthurienne, « moralisée » par les *preudommes* de la *Queste del saint Graal.* Quel que soit le point de départ, on arrive, par des procédés d'autant plus subtils qu'ils sont plus arbitraires, à effacer la singularité des signifiants initiaux pour les rapporter, sur la foi d'une correspondance universelle entre choses et signes, à des généralités presque toujours relatives au Salut de l'homme : moraliser revient à donner à comprendre, derrière des apparences quelconques, le système de forces et de signes où se joue la destinée humaine.

C'est à une ambition semblable que la moralité doit son nom, à cette différence près que la distance qui sépare le sens littéral du sens ultime doit être, au théâtre, réduite au minimum. On n'imagine pas que le public ait à tirer enseignement d'une matière conçue dans un dessein tout différent et qu'il doive se livrer aux jeux de clercs que l'Eglise réprouvait et dont les esprits modernes se gaussaient : on se souvient du « Frere Lubin, vray croque-lardon », qui, selon le Prologue du *Gargantua,* s'est efforcé de démontrer les sacrements de l'Evangile dans les *Métamorphoses* d'Ovide. La verve de Rabelais aurait pourtant pu s'exercer aux dépens de la *Moralité de Piramus et Tisbé,* peut-être due à la plume de l'Angevin Jean Daniel (1535) : l'argument ovidien, qui ne paraît appeler aucune interprétation, car son sens littéral se suffit à lui-même, est expliqué par un berger et une bergère comme une allégorie des rapports entre l'Homme et le Christ. Inversement, on est étonné de lire, dans l'*Histoire de l'Enfant Prodigue* (Laval, 1540), un « advertissement au lecteur » — probablement exclu de la représentation, il est vrai — dans lequel l'auteur se croit obligé d'expliquer que le Père est Dieu, les deux fils, le juste et le pécheur, etc., lecture allégorique fort banale et connue de tous. Il reste que la moralité recourt le plus souvent à des arguments qui appellent l'interprétation et à des signaux capables de la guider.

La littérature narrative lui offrait des procédés d'écriture, des motifs et des thèmes déjà élaborés. Dès la fin du XIVe siècle, le *Jeu des VII Pechié Morteil et des VII Vertus* du manuscrit de Chantilly portait à la scène une série de débats dont la fortune est constante depuis la *Psychomachie* de Prudence. Une moralité de même titre jouée à Tours en 1390 nécessitait

le recrutement de gardes pour assurer la sécurité de la ville, ce qui atteste un spectacle de proportions déjà considérables. Le *Pèlerinage de Vie Humaine* conservé lui aussi dans le manuscrit de Chantilly démarque des fragments du poème de Guillaume de Digulleville.

Bien sûr, les auteurs de pièces ne se sont pas limités à adapter le répertoire narratif : ils ont élaboré des textes *de novo*, mais en puisant dans la tradition des procédés éprouvés. Le plus important est la représentation anthropomorphique de l'inanimé. Les personnifications permettent de figurer par des images intelligibles des êtres sensibles aussi bien que les entités abstraites, et de représenter leurs rapports sous l'aspect d'une action.

La moralité peut réunir des personnifications diverses : qualités concrètes (Richesse, Pauvreté, Maladie...) ou abstraites (Vertus, Vices...) de l'existence humaine, facultés (Raison, Mémoire...), grandes entités dépositaires des lois de l'univers (Nature, Temps, Fortune...). L'homme ne figure pas comme personne unique, mais comme espèce (Humanité, Monde...) comme individu indifférencié (Chacun), sous l'aspect d'une métonymie (le Pèlerin, c'est l'Homme en tant que *viator*) ou sous la double apparence des bons et des méchants (Homme Juste et Homme Pécheur, Bien Avisé et Mal Avisé, Homme Mondain...). Dieu, Notre-Dame, les Anges, le Diable et les Démons cohabitent sans difficulté avec les personnifications grâce à leur statut surnaturel, parce qu'ils transcendent les individus et jouent un rôle dans la vie de chacun. Les attributs majeurs de Dieu, Justice, Miséricorde, Grâce, personnifient l'action qu'Il exerce dans la destinée humaine. Dans le *Pèlerinage de Vie Humaine*, Aristote, champion de Raison, vient disputer contre Grâce. L'homme s'oppose aux autres personnifications : elles sont éternelles, immuables, leur âge est celui du monde lui-même, ou de Dieu, leur comportement est tout entier prévisible, puisqu'il ne fait que développer leur nom; en l'homme réside l'incertitude, car son libre arbitre lui permet et lui impose de choisir entre deux séries de personnifications opposées, entre le camp du Bien et celui du Mal.

Les dialogues empruntent largement, on le devine, à la forme du débat. Les tirades se répondent point par point, comme dans les disputes de l'Ecole, ménageant répétitions, symétries et antithèses. Le conflit peut se limiter à l'altercation ou se développer sous la forme du procès, si populaire au XVe siècle qu'on y recourt à tout propos, en matière de casuistique amoureuse par exemple. Le cadre judiciaire permet d'organiser les discours dans le dynamisme d'une action immédiatement compréhensible. A défaut d'instance de jugement, la bataille donne au débat une conclusion spectaculaire. Le schème du voyage allégorique, emprunté lui aussi à la littérature édifiante, figure sous la forme d'une série d'étapes la biographie spirituelle et morale typique de l'homme; chaque lieu où passe le voyageur, chaque personnification qu'il rencontre, permet d'illustrer l'idée du choix entre la

voie de salut et celle de perdition. Dans la *Moralité de Bien Avisé et Mal Avisé*, c'est la roue de Fortune qui représente le cours de la vie.

A la différence du mystère et de la farce, la moralité exige une mise en scène non mimétique, mais significative : le détail matériel se donne à traduire en termes de sens moral. Les costumes comportent souvent un attribut traditionnel auquel le public et les autres personnages reconnaissent une personnification : bandeau et roue de Fortune, bourse d'Avarice... S'il n'est pas assez connu, il reçoit une explication : Envie porte une fleur surmontée d'un serpent, symboles des manières avenantes et des pensées hostiles de l'envieux. Donner à un vice le costume d'une catégorie sociale revient à dénoncer le comportement de cette dernière, dans la tradition des « états du monde » : Orgueil est vêtu en chevalier. Les gestes et les attitudes obéissent aux mêmes règles : Mémoire marche toujours derrière le pèlerin, car elle ne voit pas où il va mais peut seulement regarder son passé. Il ne faut pas chercher de vraisemblance interne, mais interpréter les mimiques : si un personnage ne reconnaît pas celui à qui il parlait un instant auparavant, cela signifie qu'il lui est devenu hostile.

Ce que les signes matériels ne permettent pas de comprendre assez facilement est explicité par le dialogue : relations de parenté, de service, d'amour ou de haine entre personnages, connaissance, oubli et ignorance, remise d'attributs, etc. Le texte joue constamment sur les deux sens, littéral et figuré : « par charité » signifie aussi bien « sur l'intervention de Charité » que « par amour du prochain ». Comme les poètes dont ils s'inspirent, les auteurs de théâtre tombent parfois dans les difficultés des conventions : Orgueil parle avec insolence, Maladie souffre... mais si les vices se convertissent, ils cessent de correspondre à leur nom; guérie, Maladie fait mine de bien se porter. Il est difficile de figurer sur le théâtre la distinction entre la qualité en général et le sujet concret qu'elle qualifie.

Au service de ses hautes ambitions la moralité élabore une utilisation originale de la scène, qui explique en grande partie le discrédit dans lequel le genre est tombé à l'époque suivante. Le public reçoit un enseignement et une exhortation, il doit se reconnaître dans la personnification de l'homme et comprendre que les figures du théâtre représentent les forces au milieu desquelles se meut toute vie humaine. A lui de choisir la voie du Bien et d'éviter celle du Mal. Le sens de ce message est optimiste : en dernier recours l'homme est libre; le moment critique de l'action est souvent la prière qui permet à la Grâce d'intervenir. Le pécheur le plus endurci peut trouver le salut dans le repentir.

Cette portée idéologique dessine l'horizon du genre plus rigoureusement que le système allégorique ou l'inspiration religieuse, qui ne sont pas le fait de toutes les moralités. Les pièces d'inspiration toute laïque, ou dépourvues de personnifications abstraites, dégagent la même leçon de confiance.

Dans la *Moralité des Enfants de Maintenant*, l'allégorie fait place au calembour : Maintenant est un boulanger soucieux, avec sa femme Mignotte, de l'éducation de ses deux fils, Finet et Malduict; ce pourraient être des personnages de farce, si le nom du père ne laissait entendre que les enfants de maintenant sont éduqués trop libéralement. La moralité peut abandonner le monde des généralités pour celui de l'actualité, pour célébrer un événement heureux. C'est ainsi que Michault Taillevent compose, pour la paix d'Arras (1435), la *Moralité de Pauvre Commun* : Pauvre Commun c'est le peuple accablé par Guerre, qui trouve appui auprès de Pouvoir Papal et d'Envoi du Consille, lesquels persuadent Parens, Amis et Affins (Angleterre, France, Bourgogne) d'aller trouver Paix. La *Moralité de la Paix de Péronne* de Georges Chastellain célèbre l'accord de Louis XI et de Charles le Téméraire : le Roi et le Duc obéissent à Sens et à Avis pour la plus grande joie de Cœur et de Bouche. Dans ces pièces, le choix est fait d'avance en faveur de la paix, objet des appels constants des écrivains du siècle.

D'autres moralités ne se limitent pas à entériner une situation, mais expriment les espoirs de leurs auteurs. La *Moralité du Concile de Bâle* (1434) ouvre la voie à la moralité politique. Elle permet aux clercs du parti conciliariste d'en appeler à l'opinion publique contre le Pape; Eglise est moribonde; pour lui ramener Paix, France appelle Concile et ses deux lieutenants, Réformation et Justice. Désormais le théâtre intervient dans la vie publique non seulement en reprenant les thèmes traditionnels de la satire, lamentations sur la corruption universelle et *laudatio temporis acti*, mais de façon précise et positive, en décrivant une situation concrète et les remèdes à apporter. L'allégorie se fait à la fois instrument d'analyse rationnelle et procédé de mise en scène concrète; bien éloignée de l'abstraction et de la froideur qu'on lui reproche, elle donne au théâtre un pouvoir de dénonciation et de polémique qui a fait son succès pendant plus d'un siècle. La *Moralité du Nouveau Monde* d'André de La Vigne (1508) illustre toutes les possibilités du code : Pragmatique marie Bénéfice Grand à Election et Bénéfice Petit à Nomination (entendons : les bénéfices ecclésiastiques sont dévolus selon les termes de la Pragmatique Sanction); les intrigues d'Ambitieux provoquent combats et mariages forcés; le jugement final d'Université rétablit l'ordre. Au XVIe siècle la controverse religieuse trouve dans la moralité un moyen de propagande dont les deux camps usent largement.

Pour sérieux que soit son message, la moralité ne dédaigne pas le rire, soit sous la forme d'un personnage attitré (le fou de la *Moralité de Charité* prononce quelques vers salaces, chante deux refrains et s'en va; celui des *Enfants de Maintenant* ponctue toute la pièce de propos rabaissants), soit en choisissant des thèmes plaisants. Son titre la désignera alors souvent comme *moral joyeux*, ou *farce moralisée* : par exemple la *Farce nouvelle des cinq Sens de l'Homme moralisée et fort joyeuse... l'Homme, la Bouche, les Mains, les Yeulx, les*

Pieds, l'Ouÿe et le Cul. Les abstractions se déguisent en bergers dans les pastorales politiques où les plaintes du peuple se font entendre au milieu des badinages des bergeries. La majorité des pièces s'achève sur une note d'espoir et un appel à Patience.

On voit quel instrument ductile la moralité offrait aux mains des auteurs de théâtre : la représentation anthropomorphique des notions les plus variées permettait d'aborder n'importe quelle question ; l'écueil principal n'a pas toujours été évité : l'action peut se réduire à des épisodes stéréotypés et le dialogue à la juxtaposition de tirades sans surprise, le sens littéral fléchit sous le poids de la moralisation. Mais lorsque l'action est fermement nouée et que le lien ne se distend pas entre le jeu scénique et le sens figuré, d'éclatantes réussites sont possibles. La preuve en est fournie par la *Condamnation de Banquet* de Nicole de La Chesnaye, preuve paradoxale puisque la pièce est parodique — mais la parodie est un hommage que la virtuosité rend au génie. La progression dramatique fait penser aux meilleures farces, la langue, aux sotties. C'est d'ailleurs de ce dernier genre que la moralité se rapproche le plus, puisqu'elle partage avec lui la représentation anthropomorphique de l'inanimé, la mise en scène symbolique, le double sens et souvent aussi le didactisme « engagé » ; elle s'en écarte par la dominante grave du ton et la confiance optimiste en l'homme. Solidaires dans le succès (les premières sotties pourraient passer pour des moralités parodiques) les deux genres l'ont été dans le discrédit. Par leur principe ils tournent le dos à l' « imitation » et les excès ultimes de renouvellement de la moralité ne l'ont pas empêchée d'être submergée dans le courant du XVIe siècle par le triomphe du théâtre inspiré, ou justifié, par les prescriptions d'Aristote.

V / LA SOTTIE

Rejetées plus ou moins radicalement par la plupart des critiques pendant un siècle, la distinction de la farce et de la sottie comme deux genres dramatiques différents et la définition autonome de la sottie sont admises depuis les travaux de Jean-Claude Aubailly. Il s'en faut de beaucoup que la sottie ne soit, comme on l'a souvent écrit, « qu'une farce jouée par des sots » : le personnage du sot apparaît aussi dans la farce, dans la moralité, dans le mystère, mais il joue dans la sottie un rôle spécifique, lié à la fois aux institutions sociales qu'il représente, au langage et à la structure des pièces, aux procédés comiques mis en œuvre, au type de relations entre les spectateurs et le spectacle, au message caractéristique du genre enfin. Même si tel ou tel de ses traits se retrouve ailleurs, la sottie offre un visage propre que reconnaissaient les créateurs, le public et les autorités.

A l'origine de la sottie se trouvent les milieux intellectuels urbains, et plus particulièrement les institutions scolaires, collèges et basoches. Ces dernières sont pourvues, dans un esprit parodique propre de l'inspiration de la Fête des Fous, d'institutions calquées sur celles du royaume : un Prince des Sots élu correspond au Roi; il est assisté de Mère Sotte et d'un grand nombre de conseillers et hauts dignitaires. Des tribunaux internes, calqués sur ceux du royaume, jugeaient les conflits entre étudiants et, si les causes réelles venaient à manquer, on pouvait y plaider des procès parodiques, les « causes grasses », où la trivialité de la matière rendait plus difficile et plus plaisante l'éloquence des parties.

La sottie manifeste l'esprit même qui constitue les associations de clercs. Le premier texte qui s'apparente à la sottie (mais n'en porte pas le nom, qui n'apparaît que plus tard) se joue dans une salle de cours du Collège de Navarre *(Moralité faite en foulois pour le chastiement du Monde)*, en 1427. Le Docteur donne sa leçon devant quatre étudiants costumés en fous et le Monde, qui doit s'habiller en fou lui aussi s'il veut entendre la leçon et s'amender : espace scénique et action représentent le lieu de travail et l'activité typique des acteurs : le cours magistral. Plusieurs sotties de basochiens parodient, plus ou moins complètement, des séances de tribunal : si on ne jouait pas dans le prétoire lui-même, la scène en était toutefois la réplique. Mère Sotte convoque, dans un *cri* dans le goût des Grands Rhétoriqueurs, ses sujets, les *sots*, qui se plaignent des malheurs des temps, au milieu des cabrioles et des propos décousus. Les accusés comparaissent, qui se nomment Chacun, Temps-qui-court, les Gens... Après le réquisitoire et la plaidoirie, le juge rend son verdict et confie aux sots la mission de réformer le royaume (*Sottie des Sots triumphans qui trompent Chacun*, *Sottie des sots fourrés de malice*, *Sottie pour le cry de la Basoche*, etc.).

Les sots, reconnaissables à leur costume, la robe grise, le bonnet à oreilles et peut-être la fameuse marotte, tels qu'on peut les voir dans *La Fête des Fous* de Pierre Brueghel, jouissent du privilège de parler contre le sens commun et d'avoir raison contre lui. Ils incarnent le vieux paradoxe, d'origine néo-testamentaire, selon lequel la sagesse du monde est prise en défaut par la folie supérieure de la Croix; il faut se faire semblable aux petits enfants pour entrer dans le Royaume des Cieux : dans la *Sottie des Sotz qui remettent en poinct Bon Temps*, le Général d'Enfance, substitut du Prince des Sots, entre en scène monté sur un cheval de bois. Les sots héritent l'impunité mêlée de crainte due au fou par le roi assez imprudent pour l'interroger : « N'a fol baer, n'a fol tencer », disaient les courtisans du roi Marc quand Tristan déguisait son histoire trop vraie sous l'apparence de la folie (*Folie Tristan* de Berne, v. 195). En signe de bon sens supérieur et de franc-parler absolu, le fou prend le nom de *sot*. Le badin de la farce est un nigaud que trompent les mots ou qui prend les rusés au piège de leur langage; le sot

jouit de la clairvoyance du véritable sage, reconnaissable derrière ses propos décousus et absurdes, comme on voit quand les Sots Rapporteurs décrivent à leur Prince ce qu'ils ont vu dans le monde :

Le Premier
Premier, nous avons vu chevreaulx
Qui voulloient mener paistre chièvres.

Le Second
Nous avons vu chiens a monceaulx
Qui s'enfuyoient devant les lièvres.

Le Tiers
Sergens ne sont plus larronceaulx
Ils sont doulx comme jouvenceaulx
Et ne boyvent plus mais que bieres (...)

Le Second
Carmes n'ont plus de chamberières
Aussi n'ont plus les cordeliers
Et dit on que les usuriers
Sont marris qu'il n'est assez vins.

(*Sottie des Sots Rapporteurs*, v. 130-136, 158-161.)

Les sots exercent toujours la critique collectivement, qu'ils soient anonymes (Le Premier, le Second...) ou qu'ils portent des noms significatifs de leur folie : Teste-Creuse, Trotte-Menu (« l'agité »), Ne-te-bouge (« l'hébété »), etc. Ils représentent un groupe et exercent sur les affaires du monde le regard lucide et caustique de la jeuneses. Porte-parole du public, c'est souvent de ses rangs qu'ils sortent si leur chef les appelle.

Dans un autre type de sotties, qu'on pense issues des collèges, le sot incarne un type social décrié dont il révèle le comportement par son jeu, gestes significatifs et propos outrés. La *Sottie des Sotz ecclesiastiques qui jouent leurs benefices au contant* montre trois sots, un braconnier, un maquereau et le fils d'un savetier, à qui Haulte Folie distribue des cartes représentant chacune un bénéfice; chaque joueur cherche à échanger ses cartes — cure, abbaye, évêché — pour gagner la Papauté et même la Divinité. C'est ainsi que le pouvoir distribue les charges de l'Eglise à des gens de rien, ambitieux et corrompus. Le public n'est pas invité à s'identifier aux sots, mais à reconnaître sur la scène l'image d'un comportement social.

La sottie donne un message à déchiffrer à qui connaît la clé de son langage. Les acteurs s'expriment en « foulois » (langue des fous) ou en « lourdois », c'est-à-dire dans le langage conventionnel de la fête. La sottie des *Vigiles de Triboulet*, exemple éminent et célébration joyeuse de ce langage, parodie la veillée funèbre du plus grand des sots. Ses jeunes successeurs entourent Mère Sotte en deuil et font l'éloge du défunt, dont tous les exploits

ont rapport au sexe, au ventre ou au vin. Les sots échangent souvent des « menus propos » (c'est le titre d'une sottie qui en est entièrement constituée) qui consistent en une accumulation de répliques sans lien entre elles, dans le style du *fatras* :

Estourdi
Dea, quant on la veulx sangler
« C'est autre chose », dit la vache.

Desgoutté
Qui (...) bat ung sergent a mace
Il gaingne cent jours de pardon.

Coquillart
Je fus sept ans tirelardon
En ung quaresme qui passa.

(*Sottie de Estourdi, Coquillart et Desgoutté*, v. 14-19.)

Fête du langage, la sottie laisse libre cours au flux verbal des *crys* :

Sotz triumphans, sotz bruyants, sotz parfaitz,
Sotz glorieux, sotz sur sotz autentiques,
Sotz assotez, sotz par ditz et par faitz,
Sotz enforcez, sotz nouveaulx et antiques,
Sotz clers, sotz laiz, sotz ecclesiastiques,
Sotz avenans, sotz mignons, sotz pompars,
Sotz enragez, hors du sens, fantastiques,
Venez avant, saillez de toutes pars...
Sotz de bemol, becarre et nature
Que faictes vous ? venez vous, sotz espars ?

(*Sottie des Sotz triumphans*, v. 1-8, 10-11.)

aux jeux infinis sur les mots :

Nyvelet
Lardez lardons de lard lardé,
Je larde lard en relardé
Je larde
Lard lardoux ainsi lardatif
De lardoueres je suis lardé.
Le lourd lardant en est lardé
Raffardé
De telz lardons suis lardatif.

(*Sottie des Coppieurs et lardeurs*, v. 66-73.)

Absurde en apparence, le langage de la folie jouit d'une liberté plus simulée que réelle, car il ne s'affranchit de la logique et de l'ordre discursif que pour

mieux se plier aux virtuosités conventionnelles de la poésie contemporaine : formes fixes, rimes équivoquées, ou ces « queues rimées » de la *Farce moralisée des Gens nouveaulx* :

> O pauvre monde infortuné !
> Fortune, tu m'es bien contraire.
> Contraire, des que je fuz né
> Ne fuz qu'en peine et en misère.
>
> (V. 248-251.)

Le langage artificiel des sots participe de la fête en ce qu'il permet de tout dire : la gratuité verbale donne au message qu'elle dissimule la saveur du mystère et au public initié le plaisir subtil de la complicité : esthétique rabelaisienne de la « substantificque moelle ».

En ce sens, la « lourdois » s'accommode d'une conception abstraite et intellectualiste de la scène. La sottie ne montre pas des choses, mais des signes : décors, costumes, accessoires, geste et jeu des acteurs, au lieu de représenter, signifient, et se donnent à déchiffrer comme des cryptogrammes. La salle de cours est celle où le Monde peut s'instruire, le tribunal, celui où le peuple peut juger les responsables de ses maux. La sottie recourt au système de l'allégorie, mis au point par la moralité. Une femme vêtue de haillons entre en boitant : pour l'expliquer elle se nomme :

> Vela comment mauvais gouvernement
> A fait et faict de la Chose Publique.

André de La Vigne porte le procédé à sa perfection dans la *Sottie a VIII personnages* de 1507. Des arbres qu'il a plantés dans le jardin du Monde, Abuz recueille les fruits nommés Sot-Glorieux (gendarme), Sot-corrompu (magistrat), Sot-trompeur (marchand), Sot-ignorant (le peuple) et Sotte-Folle (la femme). Ils jettent dehors le Monde pour faire un monde nouveau; chacun des Sots écarte les pierres qui représentent les vertus de son état et choisit celles qui représentent les vices contraires. Ils se disputent les faveurs de Sotte-Folle et dans le tumulte leur monde s'écroule... Allégorie centrale de ces pièces, le Monde doit subir en victime les mauvais coups des sots, et Folie règne en maîtresse sur ses suppôts, qui la courtisent. Il en va de même dans les pièces où les sots sont remplacés par les *gallans*, jeunes bohèmes insouciants et désabusés, joués peut-être par les membres des associations joyeuses, Enfants-sans-Soucy ou Gallans-sans-Soucy, qui fusionnent avec les basoches ou les remplacent dans le courant du XVe siècle. Ceux-là substituent à la causticité des sots le goût plus superficiel de suivre la mode et de vivre facilement. L'obsession médiévale du semblant dissimulateur de l'*estre* s'exprime dans la sottie par un jeu de scène fréquent : un personnage est dépouillé d'un costume sous lequel il dissimulait la livrée des sots. Le prin-

cipal découvre ainsi que l'ermite, le mendiant et le pèlerin appartiennent à sa troupe *(Sots Gardonnez)* ; chacun révèle sa sottise, c'est-à-dire celle de tout le monde *(Sots Triomphans)*. Le déguisement, ce n'est pas la robe grise, l'uniforme joyeux, c'est le costume ordinaire, l'insigne des divers *états*. Une pièce de propagande comme celle de Pierre Gringore contre Jules II exploite cette mimique dans le sens de la polémique : *Sotte Commune* (le peuple français) et les *Sots* (les agents de Louis XII) dépouillent Mère Eglise de son accoutrement religieux :

> Affin que chascun le cas notte
> Ce n'est pas Mere saincte Eglise
> Qui nous fait guerre, sans fainctise :
> Ce n'est que nostre Mere Sotte
>
> (*Sottie du Prince des Sots*, v. 642-645.)

Il faut distinguer l'Eglise véritable d'un pape qui dissimule sous les attributs de sa charge des ambitions temporelles inavouables.

Les sots parlent d'or à qui sait les entendre : la portée satirique de la sottie se limite rarement aux potins scandaleux du quartier et aux ridicules de la mode vestimentaire. Elle cherche les vrais responsables des malheurs du temps et fait appel contre eux à l'opinion publique. Elle développe sans détour les thèmes satiriques traditionnels, en particulier contre les dignitaires ecclésiastiques cupides, corrompus et indifférents à la foi : « Religion est dessoubz moi commise », déclare Eglise *(Eglise, Noblesse et Pauvreté qui font la lessive)*. L'excès des impôts, les fraudes des marchands, les exactions des gens d'armes, le renchérissement des denrées, les fortunes accumulées sur la faim du peuple, toutes ces doléances abondent dans la littérature de ces temps troublés par la guerre. La sottie porte le fer dans la plaie en dénonçant, sous le couvert de l'allégorie, les vrais coupables. Les pièces rouennaises des années 1520 (*La Mère de Ville*, *La Farce des Veaulx*, etc.) parodient la revue des collecteurs d'impôts par les émissaires de François Ier : seuls sont condamnés les innocents et les petits fraudeurs, les coupables sont acquittés. Si le roi vivant est généralement épargné, les conseillers, les favoris, les hauts dignitaires et les femmes proches du pouvoir, régentes et favorites, sont visés, parfois explicitement. Le nouveau personnel politique impatient de remplacer le gouvernement du règne précédent n'inspire aucune confiance. Les *Gens nouveaulx*, décidés à

> Gouverner, tenir termes haulx
> Regenter a nostre appetit
> Par quelques moyens bons et faulx

forts d'un programme ambitieux

> Faysons oyseaulx voller sans elles
> Faysons gens d'armes sans chevaulx

commencent par extorquer au Monde de l'argent, puis le logent en un lieu appelé Mal, et, comme il se plaint, en un autre nommé Pire (*Les Gens nouveaulx*, v. 25-27, 41-42). Le seul espoir est de faire revenir Bon Temps, c'est que chacun retrouve la science et les vertus de son état, que la justice soit exercée et que disparaissent les mauvais conseillers.

Les détours de la convention littéraire et la science traditionnelle de la fête ne protégaient pas les troupes contre la vindicte des autorités. La censure et la répression montrent quelles craintes inspirait le théâtre devenu moyen de propagande. Dès 1442 le Parlement prend un arrêt contre la Basoche, et les interdictions de jouer se succèdent pendant tout le siècle, avec des répits et des recrudescences selon les règnes et les circonstances politiques. Les textes font allusion à la liberté surveillée dont disposent les acteurs. Pour échapper aux pousuites, trois sots se sont déguisés, l'un en ermite, l'autre en mendiant, le troisième en pèlerin. Le Principal demande au premier :

> Pourquoy t'es tu fait tant querir ?
> Que ne vins tu des l'an passay ?

et l'autre lui répond :

> Venir n'estoit pas tout aisay,
> Les festes estoient deffendus.
>
> (*Sottie des Sots gardonnez*, v. 74-77.)

Dans la *Sottie du Roy des Sotz*, Guillepin est muselé par le fait de « Mal vestu », « Faulte d'argent » et « Crainte juvenale ». Les sots se chuchotent des conseils de silence; celui qui les enfreint risque la prison, la torture, la mort. C'est peut-être pour échapper à la répression que la sottie se déguise elle-même, en adoptant par exemple une intrigue de farce. En tout cas le règne très rigoureux de François Ier porte un coup définitif à la sottie en l'interdisant jusque dans les collèges; nous ne connaissons pas de texte postérieur au dernier arrêt, de 1540.

Puisant son inspiration comique dans l'atmosphère de la fête, la sottie repose sur le paradoxe du monde renversé, soumis à la déraison, dans lequel elle serait le seul élément de sagesse. Bien éloignée de la farce par ses conventions poétiques et par l'utilisation allégorique des signes du théâtre, elle se distingue aussi de la moralité par son mouvement le plus fondamental : jeu de collectivités, elle ignore le libre choix de l'individu entre forces antagonistes. Folie règne sans partage et ne laisse entrevoir aux sots et aux galants d'autre espérance qu'une lucidité impuissante, d'autre choix qu'entre la mort et le silence.

VI / LA FARCE

Quelques planches disposées sur une rangée de tonneaux fournissent une aire de jeu exiguë, peu profonde, ouverte sur trois côtés aux regards du public, fermée vers le fond par un rideau au-dessus duquel peut apparaître un acteur; table, chaises, objets familiers suffisent aux décors et aux accessoires. Si nous en croyons la *Kermesse flamande* de Pieter Balten, les tableaux de Brueghel et d'autres images du temps, il n'en faut pas plus pour jouer une farce. Ouvert à tous, le théâtre s'établit là où vit le public, dans la rue; il trouve occasionnellement un abri dans une taverne ou un jeu de paume.

Les plus anciennes farces conservées sous ce nom (dont *Pathelin*) datent des décennies 1450-1470, et les textes sont imprimés en grand nombre jusqu'au milieu du XVIe siècle. Le théâtre comique était-il mort depuis Adam de La Halle ? Il est d'autant plus difficile de l'imaginer qu'on possède une pièce du XIIIe siècle, *Le Garçon et l'Aveugle*, qui répond en tout point au portrait type de la farce — il ne lui en manque que le nom. On a même pu retrouver dans un fabliau, *Dame Jouenne*, un texte dramatique légèrement modifié pour servir à la déclamation par un jongleur. Nous n'hésiterons donc pas à faire remonter la farce au milieu du XIIIe siècle. L'humilité des auteurs, la simplicité des représentations s'opposèrent longtemps à la conservation des textes; les malheurs des villes du XIVe siècle (épidémies, troubles sociaux et guerres) affaiblirent suffisamment la population pour contracter l'activité théâtrale strictement profane ; il fallut attendre le redressement du milieu du XVe siècle pour retrouver une demande à laquelle l'imprimerie allait vite donner satisfaction. Mais la tradition ne s'était pas interrompue, qui permit un chef-d'œuvre comme *Pathelin*.

Deux acteurs au moins (mais dans ce cas on parlera plutôt de dialogue, car l'action, constitutive de la farce, peut manquer), six au plus participent au jeu. Les personnages appartiennent presque tous au menu peuple; ils portent le nom de leur métier : le pâtissier, le savetier, le meunier, le chaudronnier, le ramoneur, le vilain, la laitière, le sergent... Beaucoup exercent les professions haïes des petites gens à qui ils font payer cher les produits indispensables. On trouve parfois des nobles, peu brillants, un prêtre ou un moine dans le rôle de l'amant, et des mendiants. Les personnages principaux peuvent recevoir un nom propre, souvent significatif : Mimin et Macé sont synonymes de « niais », Jean, et ses dérivés (Jenin, Janot...), est le prénom d'un sot ignorant ou d'un mari berné; une Jeannette est une épouse habile à tromper son Janot, frère Frappart un moine débauché, Fessue une nonne légère. Moins souvent le nom évoque explicitement le rôle : Glorieux est un fanfaron et Affriquée une coquette

(Farce du Pauvre Jouhan), Cauteleux et Barat (nom qui signifie « tricherie »), des joueurs de mauvais tours *(Cauteleux, Barat et le vilain)*, M. de La Hannetonnière et M. de La Papillionnière des nobliaux coureurs *(Farce du Poulier)*. Les farces recourent volontiers à des emplois popularisés par le monologue et le dialogue : les *triacleurs* sont des charlatans, vendeurs de thériaques aux vertus imaginaires et guérisseurs attitrés des maladies amoureuses; le maître d'école, pédant ignorant, n'enseigne qu'un latin de cuisine; l'homme à tout faire, le *factotum*, propose ses services à qui veut bien y recourir en énumérant tous les métiers imaginables. Le public les connaît d'avance et il leur suffit de s'annoncer par un *cri* distinctif de leur état, quitte à redresser plaisamment leurs vantardises en aparté, comme Maître Aliboron, le charlatan, qui peut rendre ses clientes « guaries, Saines comme pommes pourries ! ».

Quelques dizaines de farces possèdent un personnage plus complexe et plus inquiétant, le *badin*, qui pouvait se reconnaître à un costume particulier dont un bonnet caractéristique, le *béguin*. Le plus souvent il s'agit d'un jeune paysan qui cherche à se placer et prend un emploi de valet, ou bien c'est un homme marié, un paysan. Outre un appétit et une soif permanents, un penchant prononcé pour le beau sexe et une vantardise comique, il présente un mélange étonnant de sottise et d'astuce qui jette la confusion sur son passage. Il ignore les conventions du langage, prend au sens propre les expressions figurées et divulgue les secrets d'autrui — de préférence les adultères dont il est le témoin. S'il est victime de sa sottise, il est rare qu'il n'entraîne personne dans ses mésaventures, mais on se demande si sa naïveté n'est pas plus feinte que réelle, tant il est expert à tirer son épingle du jeu. Comme le décepteur bien connu des traditions orales, il brouille les distinctions bien établies entre intelligence et sottise, innocence et méchanceté, dans une ambivalence mystérieuse. Certaines farces cherchent d'ailleurs à le simplifier, soit en le réduisant à un imbécile pur et simple, soit à un faux naïf particulièrement retors : son nom a fini par désigner toute espèce d'amuseur public ou d'acteur.

Les personnages de la farce ne sont jamais décrits pour eux-mêmes; on les connaît ou on les reconnaît dès leur entrée en scène et l'action aussitôt les emporte. Il arrive qu'on retrouve dans telle ou telle farce un motif connu par un fabliau, une anecdote d'Erasme ou de Rabelais, une facétie du Pogge, etc., mais il est très difficile d'établir des filiations. Les auteurs puisent dans le trésor des « histoires drôles » et les exploitent en techniciens du théâtre. Le schéma le plus simple est celui de la dispute née d'un marchandage, ou d'un « bon tour » (en fait, plutôt cruel) joué par un ou deux rusés compères à un tiers innocent; insultes et coups déclenchent le rire, qui redouble lorsque le bon tour se retourne contre son initiateur, trompé par plus trompeur que lui. La même situation de départ peut donner lieu

à plusieurs développements, ainsi « l'enfant mis aux écoles » : des parents, humbles paysans, destinent leur fils au clergé et le confient à un pédant qui devra lui apprendre le latin. Las ! l'ignorance du maître et la sottise du benêt contraignent les parents à modérer leurs ambitions. L'action illustre parfois un proverbe, entendu au sens littéral; le titre suffit à les résumer : *Farce des femmes qui font accroire a leurs marys de vecies que ce sont lanternes*, *Farce des femmes qui font baster leurs marys aux corneilles*... Des schémas simples sont compliqués par l'adjonction d'un nouveau personnage, par la duplication des premiers acteurs ou par le retournement inattendu de la situation.

Le sujet privilégié de la farce est la vie du couple. Mari et femme se disputent l'autorité dans le ménage, et le mari, s'il ne peut satisfaire les ardeurs de son épouse et s'il ne sait pas faire parler le bâton, doit s'incliner — à moins qu'un incident heureux ne lui permette de redresser une situation compromise, comme dans la *Farce du Cuvier*. L'infidélité de la femme fournit une mine de sujets. L'épouse volage cherche à éloigner le jaloux pour prendre du bon temps avec son amant, généralement un prêtre ou un moine. Sa ruse peut réussir aux dépens du mari, mais ce dernier peut revenir et faire payer à l'infidèle son audace, à moins qu'elle ne se tire d'affaire par une ruse improvisée; dans ce cas les conséquences peuvent être déplorables pour l'amant contraint de se cacher dans les lieux les plus incommodes (le cabinet d'aisances dans *Le Retraict*).

Pas plus que les genres dramatiques contemporains la farce ne peint de caractères. Le portrait du personnage dépend de sa situation professionnelle ou conjugale, et l'on retrouve de farce en farce les mêmes maris jaloux, lourdauds et soumis, les mêmes épouses tyranniques ou volages... Le *Poulier* où le meunier et sa femme sont complices pour confondre les amants fait figure d'exception : il est vrai que la tradition populaire prête volontiers au meunier une sagesse particulière. Dans *Pathelin*, la querelle des époux n'est qu'esquissée pour donner le branle à une série de ruses « professionnelles ».

L'action compte plus que les acteurs : c'est elle qui doit faire rire. Les procédés du comique verbal (rhétorique de l'exagération, dans les *cris* des charlatans, sous-entendus grivois, scatologie, malentendus entre acteurs, apartés et « Que dis-tu ? », etc.) accompagnent le geste et contribuent à l'action. Le dynamisme de la farce ne souffre pas de retard : la plupart des pièces ont de 3 à 500 vers seulement. Avec ses 1 600 vers, la célèbre *Farce de Maistre Pierre Pathelin* n'est atypique qu'en apparence, car elle combine, par chevauchement et par enchaînement, la matière de plusieurs farces : Pathelin obtient du drap sans payer; il réussit à repousser par deux fois les assauts du drapier, grâce à une nouvelle ruse (la répétition est un procédé classique du *crescendo* comique); au tribunal se nouent

plusieurs motifs : Thibaut Agnelet et Pathelin se jouent des plaintes du drapier et le berger retourne contre son avocat ses propres conseils : à trompeur, trompeur et demi.

Les effets comiques les plus sûrs d'une farce tiennent à un dosage de répétition et de surprise : c'est la variété des trois tours successifs joués à la même victime *(Cauteleux, Barat et le Vilain)*, les résultats contraires de deux ruses semblables *(Le Pâté et la Tarte)*, le retournement inespéré de la situation *(Cuvier)* qui font rire. On a plaisir à voir l'astuce l'emporter sur la force, ou le faux niais prendre le dessus sur le demi-malin. Quant aux thèmes, ce sont ceux de tous les textes satiriques, et le public les attend : « mauvaistié des femmes », sottise des vilains, concupiscence des clercs et des nonnes. Les titres comme *Farce nouvelle et fort joyeuse de...* » suggèrent que le rire ne comporte pas d'arrière-pensée. Peu tournée vers l'actualité, la farce n'a pas eu à souffrir de la censure au même titre que la sottie : elle a d'ailleurs survécu jusqu'à la fin du XVIe siècle. Au théâtre, l'histoire de sœur Fessue ne tire pas à conséquence; racontée par Rabelais, elle devient agressive par le commentaire qu'en tire Pantagruel (*Tiers-Livre*, chap. XX).

Cela doit nous mettre en garde contre la tentation de prêter au genre une portée idéologique trop précise ou un réalisme trop ambitieux. Quand elle est exprimée *ex abrupto* par un acteur qui salue avant de sortir, la morale ne dépasse pas la sagesse des proverbes : « Qui femme a, noise a » *(Pauvre Jouhan)*. Il n'y a pas de réalisme au sens où la farce offrirait une « tranche de vie » : la présence du petit peuple, ses activités et ses soucis quotidiens relèvent moins de la volonté d'imiter le réel que d'un parti pris pour un registre d'expression littéraire humble et familier. Le langage de la farce est peut-être moins populaire que fabriqué pour paraître tel. Si réalisme il y a, il tient, comme dans le *Roman de Renart* ou les fabliaux, à la mise entre parenthèses de tout idéal : la religion est ramenée à des jurons ou à des gestes automatiques, l'éthique est purement et simplement suspendue, l'homme réduit sans nuances à un égoïsme radical. Dépourvu de bons sentiments, et même de sentiments tout court, incapable de bonnes actions, sinon par sottise, il ne répond qu'aux instincts les plus élémentaires de sa nature : la faim, la peur, l'appétit sexuel et le désir de régenter son petit monde. Qu'il soit défini par son métier, sa situation familiale ou son rang social, il revendique les avantages de son statut mais refuse de remplir le rôle qu'on attend de lui. Par définition le marchand est malhonnête, la femme infidèle, le prêtre paillard... La farce ne peint pas les hommes (ni les femmes) comme ils sont, mais comme on ne veut pas qu'ils soient. Elle ne laisse deviner que par contraste un point de vue citadin, laïc, et conservateur. Dans le mariage, pour éviter les désordres, le mari doit dominer, mais la femme être satisfaite. Il n'est pas question de suivre les

prédicateurs radicaux dans leur condamnation du plaisir. Dans les rapports sociaux, le ridicule frappe les ambitions déplacées des vilains, des femmes qui veulent passer leurs grades universitaires, mais aussi la suffisance des riches. Les gueux sur qui pèse la force recourent à la ruse pour conquérir l'humble nécessaire et s'ils n'en retirent bien souvent que des coups, du moins prennent-ils sur le terrain de l'intelligence une revanche symbolique. Le rire affranchit un moment le public de la crainte que peuvent inspirer ces déclassés et de celle, plus grande encore, de les rejoindre. Somme toute, la malignité du marchand permet d'applaudir sans réticence à la fourbe de Pathelin, et celle-ci au cynisme du berger. Le péril donne à chacun des ailes selon sa nature : à l'avocat, au gibier de pilori, une langue intarissable; au berger des champs que menace la corde, un cri animal qui impose silence à tous. Le dernier mot de la farce, avant le « Prenez en gré l'esbatement » des acteurs qui sortent, c'est « Bee ! ».

CHAPITRE XII

L'homme en représentation

Dans l'expression et la perpétuation de l'image humaine de la réalité, l'écrit en général, et la littérature en particulier occupent une place privilégiée; mais ils ne prennent leur pleine signification que si on les replace parmi les différents types de représentations qui existaient alors, que si on les interprète à la lumière des diverses modalités au travers desquelles se jouait le jeu social. Leurs finalités ne sont pas identiques, leur public n'est pas le même.

Il est toute une série de représentations que l'on peut qualifier d'*immédiates*, en ce sens qu'elles sont spectacle, immédiatement perceptible et interprétable. Le corps social se donne à voir à lui-même et aux autres en une sorte de parade narcissique; il donne à voir ce qu'il est, ou plutôt ce qu'il croit qu'il est, ou ce qu'il voudrait croire ou faire croire qu'il est. Bon nombre de ces cérémonies — fêtes de la noblesse, tournois, pas d'armes, banquets et cavalcades — ne concernent que la partie la plus restreinte de la société, l'élite des cours, il faut le rappeler; le corps social tout entier en résonnait cependant, et la petite minorité qui se livrait à ces jeux — rien moins que futiles, en affirmant une différence, confirmait, réinstituait un ordre dans cette collectivité. Pour les représentations de ce type, l'écrit, lorsqu'il existe et nous est parvenu, précède bien souvent : les règles des pas d'armes et des tournois sont soigneusement détaillées d'avance ; le texte, et parfois la mise en scène des *bergeries* et des *entrées royales* de même, ainsi que la description minutieuse des *hystoires* ou *fictions*, ces tableaux vivants qui ornaient les principaux carrefours des villes en fête.

A l'inverse, ces représentations au sens premier du terme que sont les *chroniques*, les *mémoires* et les *journaux* peuvent apparaître comme médiatisées, et doublement : par l'écrit d'abord, qui en est l'indispensable support; par le filtre d'une mémoire ensuite, dont la finalité est de se faire prendre pour la vérité de l'événement passé.

I / L'HOMME DANS LA CITÉ ET LA SOCIÉTÉ

Gestes et vêtements de la vie quotidienne, dans leur banalité, étaient certes l'équivalent d'un discours sur les structures sociales, sur la façon dont l'individu se percevait et, le plus souvent implicitement et sans doute même inconsciemment, se situait dans la collectivité — ou hors de cette collectivité, sur ses marges. Mais ce que nous retiendrons surtout ici, ce sont les vêtements, les gestes et attitudes qui, pour les hommes du Moyen Age eux-mêmes, apparaissaient comme marqués, porteurs d'une signification explicite et volontairement singulière résultant d'un choix concerté : éléments de cette théâtralisation de la vie dont on peut dire avec J. Huizinga et J. Habernas qu'elle caractérisait, plus que toute autre époque, les XIVe et XVe siècles français.

Comme le souligne Georges Duby, « l'art chevaleresque proposait d'abord une poétique du vêtement ». Les traités des tournois, les romans, les chroniques et les journaux du temps offrent des milliers d'exemples de ces occasions où un groupe social, où la cité tout entière parfois, s'ordonne comme un tableau dans lequel chaque individu *signifierait*, par sa place, par son vêtement, par son attitude. C'est parmi la noblesse des cours que se pratiquaient surtout ces jeux de tissus, de couleurs, de broderies et de pierreries, ces déguisements aussi, qui participent d'une esthétique de l'apparence. Françoise Piponnier, étudiant les rapports du costume et de la vie sociale dans l'une des cours les plus somptueuses de l'époque, celle des princes d'Anjou, a montré de quelle recherche les habits de fête étaient le résultat, chaque détail étant choisi tout à la fois pour sa signification particulière et pour le sens qu'il prenait dans l'ensemble. Ainsi, aux fêtes de Saint-Denis de mai 1389 — la première grande fête du règne de Charles VI —, c'est la couleur verte qui domine, dans les « courtes houppelandes de vert brun doublées par dedens de vert claret » que portent le roi, son frère et 17 de leurs compagnons et qui sont ornées d' « une branche de geneste de broderie d'or cousue de rouge », dans les vêtements de velours vert brodé d'arbres d'or et d'argent que portent le duc de Bourgogne et son fils le comte de Nevers : cette couleur qui marque la joie, l'amour, la jeunesse, convient parfaitement, les témoins s'accordent à le dire, à cette fête de la noblesse et du printemps. En revanche, les fêtes de la maturité de René d'Anjou joueront sur le contraste du rouge tranchant sur le camaïeu des noirs, des gris, des blancs.

Dans *Jehan de Saintré* d'Antoine de la Sale (1456), La Dame des Belles Cousines, ayant décidé de faire l'éducation et la fortune d'un jeune page de treize ans, lui inculque les règles de la conduite courtoise et l'art des

attitudes de l'élite chevaleresque : parallèlement, lui procure l'argent nécessaire à son équipement; savoir choisir ses vêtements fait partie ici des épreuves initiatiques : la dame, lui remettant les écus, ajoute chaque fois : « ... et verray comment vous vous gouvernerez ». A ses premières joutes, le jeune Saintré exhibe de somptueux habits, marqués aux couleurs et à la devise de la dame :

« Lors vint Saintré sur son destrier, houssez d'un damas blanc tout brodé a fleurs de ne m'obliez mie, et lors commença la jouste... Le jour ensuivant encores vint il sur les joustes, houssé, lui et son destrier, d'un autre nouvel parement tout de satin vert a fleurs de pensees. »

Et lorsque la dame lui demande de quels « parements » il dispose encore, voici sa réponse :

« Ma dame, j'an ay trois qui sont assez riches, dont l'un est de damas cramoisy tres richement brochié d'argent, qui est bordé de martres sobelines, et en ay un autre de sactin bleu losangié de orfeverrie a nos lectres branlans, qui sera bordé de letisses, et si en ay un autre de damas noir, dont l'ouvraige est tout pourfillé de fil d'argent, et le champ tout emply de houppectes couchees de plumes d'octrisse verdes, violectes et grises a voz coleurs, bordé de houppectes blanches d'octrisse, mouchectees de houppectes noires, ainsin que ermines... »

Dans le roman de *Jehan de Paris* (1494-1495), la rivalité entre le jeune héritier du royaume de France, qui se fait passer pour un riche bourgeois parisien, et le roi d'Angleterre se joue dans les champs symboliques du vêtement et de l'apparat d'une part, et du langage d'autre part (les énigmes). Tous deux convoitent la fille du roi d'Espagne. Lorsqu'ils arrivent à Burgos, Jehan se fait annoncer au roi par deux hérauts, « tous deux vestus d'un riche drap d'or, montez sur deux acquenees blanches », et chacun est accompagné d'un page vêtu « d'un fin velours violet, et les arnechemens de leurs chevaulx de mesmes ». Lui-même se fait précéder d'un fabuleux cortège dont la description occupe une bonne partie du roman; lorsqu'il arrive, on ne remarque que l'or de sa chevelure et le bâton blanc qu'il tient dans sa main; mais lorsqu'il révélera sa royale identité, il en exhibera les signes : une tapisserie splendide représentant la chute de Troie (on croit toujours aux grands ancêtres troyens), et les lis d'or : il « rebrassa sa robe, que dedans estoit d'ung velours bleu semé de fleurs de lis d'or ».

Mais ce déploiement de splendeur n'est pas réservé aux fêtes : lors de l'affaire du bâtard de Rubempré, le comte de Charolais est appelé à se disculper devant son père Philippe le Bon et les ambassadeurs de Louis XI; Chastellain (mais non Commynes !) décrit la mise en scène :

« Donc, pour soi monstrer et tant plus estre voiable, se vesti d'une longue robe de drap tissu d'or, et atout cent ou six vingts chevaliers et escuyers vint a l'Hostel de son pere... »

Se montrer, dans toute la splendeur de son rang, c'est affirmer que l'on est sa fonction, que l'on en assume le poids et que l'on en possède les vertus.

Pour la petite noblesse et la bourgeoisie citadine, l'habit, le geste ont une signification différente, ou tout au moins complémentaire. Dans la cité, porter telle ou telle couleur, tel insigne sur ses vêtements, tel type de coiffure, c'est affirmer son appartenance à un parti, ou à une confrérie. Le *Journal d'un bourgeois de Paris*, qui couvre la première moitié du XVe siècle, offre nombre d'exemples de l'importance que revêtent ces signes tout au long de ces années où Armagnacs et Bourguignons se disputent Paris et le pouvoir; insignes de confréries, tels ces chapeaux de roses vermeilles de la confrérie Saint-Andry qui, le jeudi 9 juin 1418, embaumaient l'église Saint-Eustache, « et sentoit tant bon au moustier comme s'il fust lavé d'eau rose »; insignes des factions aussi : après la condamnation des Armagnacs par Charles VI en 1411, sur l'ordre du prévôt « prindrent ceulx de Paris chapperons de drap pers et la croix Saint Andrieu, ou millieu ung escu a la fleur de lis, et en maint de quinze jours avoit a Paris cent milliers, que hommes que enfens, signez devant et derriere de ladicte croix, car nul n'yssoit de Paris qui ne l'avoit »; mais en 1413 les Armagnacs reprennent l'avantage :

« ... la IIIe sepmaine d'aout ou environ, furent commencez hucquez [*casaques*] par ceulx qui gouvernoient, ou il avoit foison feulles d'argent, et en escript d'argent : 'le droit chemin', et estoyent de drap vyollet, et avant que la fin d'aoust fust, tant en avoit a Paris que sans nombre, et especialment ceulx de la bande, qui estoient revenus, a cens et a milliers la portoient. »

Et en 1436, quand les Français reprennent Paris, « le peuple en sceut parmy Paris la nouvelle, si prindrent tantost la croix blanche droicte, ou la croix Sainct Andry ». En mai 1422, quand la reine d'Angleterre était entrée dans Paris, elle s'était fait précéder d'un signe au premier abord énigmatique :

« ... et portoit on devant sa litiere deux manteaulx d'armines, dont le peuple ne savoit que penser sur ce, se non que ce estoit signe qu'elle estoit royne de France et d'Angleterre. »

Mais en 1436, c'est d'un signe inverse que s'orne chacune des quatre portes de la ville :

« ... on attacha III pieces de toile tres bien peintes de tres laides histoires; car en chascune avoit painct ung chevalier des grans signeurs d'Angleterre, icelluy chevallier estoit pendu par les piez a un gibet, les esperons chaussés, tout armé senon la teste, et a chascun costé un diable qui l'enchainoit, et II corbeaux laidz et hideux qui estoient en bas en son visage, qui luy arrachoient les yeux de la teste par semblant... »

Commynes, près d'un siècle et demi plus tard, assiste à Calais à un événement comparable : le retournement de la noblesse de la région, qui prend d'emblée parti pour le comte de Warvick et le nouveau souverain anglais :

« Ledict de Vaneloc me manda a disner, qui estoit bien accompaigné, et avoit le ravestre d'or *(bâton noueux)* sur le bonnet, qui estoit la livree dudict conte, qui est un baston noué, et tous les autres semblablement, et qui ne l'y povoit avoir d'or l'avoit de drap. Et me fut dit a ce disner que dès ce que le passaigier fut arrivé d'Angleterre, qui leur avoit porté ceste nouvelle, que en moins d'ung quart d'heure chascun portoit ladicte livree, tant fust ceste mutation hastifve et soudaine : c'est la premiere foiz que j'euz jamais congnoissance que les choses de ce monde sont peu estables. »

Il est une cérémonie qui, mieux que toute autre sans doute, est l'expression des structures sociales, de la hiérarchie terrestre — figure, pour le Moyen Age, de la hiérarchie céleste fixée par le Pseudo-Denys : l'*entrée royale*, c'est-à-dire la première entrée solennelle d'un souverain dans l'une de ses villes. Plus que les mariages royaux, plus que les enterrements princiers, elle est, aux XIVe et XVe siècles, l'occasion pour le pouvoir de se donner à voir dans sa splendeur, et pour la population de la cité celle d'offrir à son seigneur le spectacle symétrique de sa loyauté, de sa soumission, de son amour. Chroniques et journaux dépeignent à l'envi ces cérémonies, ces sortes d'unions, de mariages contractés entre un souverain et ses sujets, parfois symbolisés explicitement par l'union sexuelle entre le roi et sa ville personnifiée par une jeune vierge; lorsque Louis XI entre pour la première fois à Tournai le 6 février 1464, 400 notables, vêtus d'une robe blanche brodée devant et derrière d'une tige de lis, viennent à sa rencontre :

« Et a l'entree de la porte y avoit moult gentement fait ung chastel de papier, ou la fourme, l'enclos, les tours, les portes et toute la closture de la ville estoient tres bien faites pareilles a la ville; lequel chastel on presenta au roy avecq toutes les clefs de la ville; aprés ce, une tres belle fille, et la plus belle de la ville, par engin qu'on avoit fait, descendit comme des nues et vint saluer le roy, et ouvrit sa robe sur sa poitrine ou y avoit ung cœur bien fait, lequel cœur se fendit, et en issit une moult noble fleur de lys d'or, qui valloit grant avoir; laquelle elle donna au roy de par la ville, et lui dit que comme elle estoit puchelle, qu'aussi estoit la ville puchelle, et qu'oncques n'avoit esté prinse, ni estee ni tournee contre les roys de Franche mais avoient ceulx de la ville chacun en leur cœur une fleur de lys. »

Froissart, au début du Livre IV de ses *Chroniques*, dans la description qu'il donne de l'entrée d'Isabeau de Bavière à Paris, rend bien évidente la réciprocité du spectacle que se donnent les différents éléments de la société : il suit d'abord longuement le cortège royal qui se fraye la voie au milieu d'une foule considérable; puis il décrit les spectacles qui se déroulent successivement sur le passage de la reine, qui les « regarda

moult volentiers et se rejouit de l'ordonnance » : fontaine versant généreusement des vins divers, rues ornées de ciels et de tentures, mise en scène d'un combat entre Richard Cœur de Lion et Saladin, château où siégeait Dieu « seant en majesté », lit de justice, grand cerf blanc, funambule enfin, qui, à la tombée de la nuit, alla sur son fil de la plus haute tour de Notre-Dame à la plus haute maison du pont Saint-Michel en portant deux flambeaux allumés.

L'ordonnance du cortège des *entrées* et le système des insignes royaux se sont assez rapidement mis en place : procession, dais richement orné de lis (d'or le plus souvent) sur fond bleu, toute cette symbolique est mise au point dans le cours du XIVe siècle, transformant l'entrée royale en une cérémonie quasi religieuse, en ce que Bernard Guenée nomme fort justement *une Fête-Roi*. Mais ce n'est pas seulement à la religion qu'empruntent, consciemment ou non, les ordonnateurs de ces fêtes; c'est aussi au folklore, aux traditions mythiques dont certaines, transmises par les contes populaires, nous sont parvenues, et que la littérature en langue vulgaire avait bien souvent reprises en les traitant à sa façon; *les animaux blancs*, créatures de l'autre monde dans la mythologie celtique, sont désormais considérés comme des symboles de la souveraineté; Henri VI d'Angleterre, entrant dans Paris en 1431, est monté sur une blanche hacquenée; lors de l'entrée de Charles VII à Rouen en 1449, le sceau royal est également porté par une hacquenée blanche, et devant la cathédrale Notre-Dame, une estrade est dressée, sur laquelle se trouve un cerf blanc que deux jeunes filles présentent au roi. Un autre élément constant du décor des entrées est sans doute également issu de la même tradition mythique : *les fontaines*; fontaines versant largement différentes sortes de vin, ou bien de l'eau, ou encore du lait, comme en 1380 pour l'entrée de Charles VI à Paris, en 1389 à Lyon pour Charles VI également, à Paris à nouveau en 1431 pour Henri VI et en 1437 pour Charles VII, en 1476 à Lyon, en 1490 à Vienne, etc.; à Troyes en 1486, pour l'entrée de Charles VIII, la fontaine figure trois jeunes femmes jetant du vin par leur mamelle; l'année précédente, à Rouen, le même roi s'était vu offrir, parmi d'autres spectacles, celui d'une fontaine de « nouvelle eaue celique » arrosant un peuplier (*peuple* en ancien français) :

> « Par ceste arbre, le peuple est entendu,
> La fontaine, c'est le roy nostre sire »,

précise Raoul Pinel, l'auteur des *histoires* qui furent représentées ce jour-là. Des *hommes sauvages* enfin participent assez fréquemment à ces spectacles : à Paris en 1431, à Lyon en 1476, à Troyes en 1486; et l'on sait que c'est à cause d'un déguisement de cette sorte — revêtu à l'occasion d'un charivari — que Charles VI faillit périr dans son habit recouvert de poix et de

longs fils imitant les poils, en janvier 1393, aux noces d'une suivante de la reine; traditions populaires encore, sans aucun doute. En revanche, les arbres généalogiques, les arbres de Jessé, les cortèges des neuf Preux et des neuf Preuses, de même que les scènes tirées de la Bible et des Evangiles appartiennent à une tradition livresque et savante, littéraire même : car, on y reviendra, il y a alors une incessante circulation entre la littérature et l'histoire.

Ces fêtes solennelles, où le pouvoir se donne à voir avec éclat, où le peuple des villes tient un rôle fondamental, où tous deux s'offrent réciproquement en spectacle pour célébrer l'*universitas*, peuvent être considérées comme l'exhibition, comme le renforcement même de ce que Pierre Bourdieu nomme *le capital symbolique* : d'énormes richesses, dédiées de droit à la fonction royale et seigneuriale, sont consumées en quelques heures, mais pour que la trace en demeure dans la mémoire collective.

II / L'HOMME DANS LA MÉMOIRE

Blasons familiaux, devises personnelles, épitaphes sont, eux, du domaine du *médiat*, de l'*écrit*, de l'*inscrit* même; peints, brodés, gravés dans la pierre, ils participent des cérémonies que l'on vient d'évoquer, mais leur portée est différente : ces brèves formules ont pour ambition d'exprimer et de célébrer la totalité d'une existence singulière, d'en définir la signification ultime en quelques mots, en quelques signes.

Comme l'a écrit J. Huizinga, « avoir adopté une devise, c'est pour ainsi dire avoir choisi un texte pour le sermon de sa vie », de la même façon que l'officiant choisit un passage des Evangiles pour fonder son homélie. Devises politiques de Louis d'Orléans et de Jean sans Peur (au *Je l'envie*, « je le défie » du premier répond le *Hic houde*, « je le tiens », du second : dans ce cas extrême, la devise prit figure d'une destinée...), devises personnelles de Valentine Visconti (*Rien ne m'est plus*, à la mort de Louis d'Orléans son époux) et de Marie de Clèves; de Charles d'Orléans, qui alla jusqu'à faire broder une chanson sur ses manches, et des seigneurs de son entourage; il semble que c'est surtout à l'extrême fin du XIVe siècle et dans la première moitié du XVe que fleurit cette pratique qui consiste, pour reprendre l'image de Daniel Poirion, à mettre sa vie « en proverbe ».

Ces devises sont souvent accompagnées de figures emblématiques qui, au long de ces deux siècles, finirent par composer un véritable code hiéroglyphique : *porc-épic* pour Louis d'Orléans, *larmes d'argent* pour Valentine Visconti, et, plus tard, pour René d'Anjou, *cerf-volant* à l'origine quelque peu surnaturelle pour Charles VI, *loup* illustrant et désambiguisant

l'énigmatique *Il est lou il est* de Louis d'Orléans, les exemples ne manquent pas, et ont été fort bien analysés. Cependant, les descriptions des blasons et des cimiers auxquelles René d'Anjou paraît se délecter dans le *Livre des tournois*, tout comme le long exposé des armoiries des chevaliers qui prennent part au pas d'armes dans *Jehan de Saintré*, tout ceci, dans son extrême précision, nous reste opaque : certes, bien souvent, le sens originel de ces blasons s'est effacé et nous est aussi obscur que la signification de ces rébus que formaient parfois les éléments composant le cimier; mais qu'en était-il pour les hommes de cette époque? Pour nous, il en subsiste en tout cas l'impression d'un extraordinaire souci de distinction dont la signification doit être élucidée.

L'épitaphe est en quelque sorte une devise *post mortem*; on se rappelle ces héros des romans arthuriens découvrant, gravé dans la pierre ou le bois, parfois même sur la plaque tombale qui un jour les recouvrira, l'énoncé de leur destin. Historiquement, c'est au XIVe siècle, parallèlement à l'apparition sur les tombeaux du portrait ressemblant, que se développe l'usage de l'épitaphe « individualisée » pourrait-on dire, plus longue, plus explicite, donnant l'âge du défunt (et non plus seulement la date de sa mort), résumant son existence et interpellant le passant : Philippe Ariès a très bien montré ce phénomène, dont le tombeau de Philippe de Mézières offre un fort bel exemple. Dès le siècle suivant, l'épitaphe devient, comme la devise, une sorte de genre littéraire; dans le *Livre du Cuer d'amour espris*, de René d'Anjou, Dame Courtoisie fait visiter au Cœur et à Désir un grand cimetière où reposent — au moins symboliquement — des héros qui eurent tous en commun d'avoir été amoureux : héros de l'Antiquité (Jules César, Auguste, Néron même...), de la Bible (David), de la mythologie grecque (Thésée, Enée, Achille, etc.), de la littérature médiévale (Tristan bien entendu, et aussi Artu de Bretagne...); mais s'y trouvent aussi les sépultures de poètes défunts (Ovide, Machaut, Boccace, Jean de Meung, Pétrarque), ou les blasons de grands seigneurs contemporains, parfois encore vivants, tels Louis d'Orléans, Jean de Berry, Louis de Bourbon, Charles V, mais également de Philippe de Bourgogne, du dauphin Louis, de Charles d'Anjou... et du roi René lui-même; sur les tombes, ou sous les blasons, « escript comme en epitaphe », quelques vers, censés résumer leur vie. Le héraut Chandos, de même, termine son récit de la vie du *Prince Noir* par une épitaphe versifiée, comme le fera l'auteur du *Livre des faits de Jacques de Lalaing*. L'épitaphe est désormais « tombeau »; mais, paradoxalement, elle peut se trouver du même coup à l'origine d'une nouvelle composition littéraire, et ce fut le cas pour l'*Histoire de Gilion de Trasignyes et de Dame Marie sa femme*. Tout cela montre bien le lien qui existe entre ces deux phénomènes, les épitaphes individualisées et les biographies romancées de héros historiques; ils participent, plus généralement, d'une écono-

mie du temps et de la mémoire qui, à notre avis, peut servir à caractériser le XIVe et le XVe siècle français.

La vie romancée de Gilles de Trazegnies commence en effet par une épitaphe dont elle est en quelque sorte le développement, l'élucidation ; l'auteur (inconnu), traversant le Hainaut, s'arrête à l'abbaye de l'Olive : il y aperçoit « trois tombes haules eslevees » qui l'intriguent, et s'approche :

« Quant je euz veu et leu leppitaffe diceulz trespassez, je sceu que le tres vaillant chevalier gilion de trazignyes y estoit en sepulture ou milieu de deuz nobles et vertueuses dames en son vivant ses compaignes et espouses, dont lune avoit esté fille au soudan de Babillonne. »

L'abbé du lieu lui fait apporter « ung petit livre en parchemin escript dune tres ancienne lettre moult obscure en langue ytalienne », dont il décide de « transmuer le contenu... en langue franchoise »; et c'est à Philippe le Bon qu'il dédie son œuvre, que l'on date de 1450 environ.

Les biographies plus ou moins romancées de grands seigneurs morts depuis peu se multiplient en effet au XVe siècle. Mais ce type de composition semble né au XIIIe siècle, avec l'*Histoire de Gille de Chyn*, long récit de Gautier de Tournai narrant en octosyllabes la vie très romancée d'un chevalier qui avait vécu au début du XIIe siècle : ce texte sera mis en prose au XVe siècle à la cour de Bourgogne. Les vies de Louis de Gavre, de Du Guesclin, de Jacques de Lalaing, de Bayard, de Boucicaut (qui vit encore au moment où l'on commença d'écrire sa biographie), écrites au XVe siècle également, veulent divertir en satisfaisant le goût pour les exploits guerriers, et certains titres le montrent à l'évidence : *La tresjoyeuse, plaisante et recreative histoire du gentil seigneur de Bayart*. Mais, il faut le souligner, c'est surtout à la cour de Bourgogne que l'on semble apprécier les œuvres de ce type : Gilles de Trazegnies, son filleul Gilles de Chin, Jacques de Lalaing, Louis de Gavre appartenaient à la noblesse du Hainaut, et c'est pour les ducs de Bourgogne que furent écrites ou mises en prose plusieurs de ces « vies ». C'est dans le même milieu que naissent des ouvrages qui, tels le *Livre du tres chevalereux conte d'Artois et de sa femme fille du conte de Boulongne* (terminé vers 1467), ou le dérimage du *Roman du châtelain de Coucy et de la dame du Fayel*, ou encore le *Jehan de Saintré* d'Antoine de La Sale (achevé en 1456), sont plus explicitement du côté de la fiction : les héros qui donnent leur nom à l'œuvre ont certes existé, mais on leur attribue des aventures nettement romanesques, dont on n'affirme pas avec la même force qu'elles ont réellement eu lieu; ainsi, les trois conditions impossibles qu'impose le comte d'Artois à son épouse, l'épisode du cœur mangé dont fait les frais le seigneur de Coucy appartiennent au domaine du folklore indo-européen, et pas le moins du monde à l'histoire du XIIIe siècle.

Biographies, mais aussi *autobiographies chevaleresques*; au XVe siècle en effet apparaît un type d'ouvrages curieux, en grande partie autobiographiques, où se mêlent épisodes réels et aventures fictives à la signification symbolique, et où le nom réel du personnage central, et des autres également parfois, est caché; c'est le cas du *Chevalier errant* de Thomas III, marquis de Saluces, et du *Jouvencel* de Jean de Bueil. Dans l'un des manuscrits qui nous en sont parvenus, le *Jouvencel* est d'ailleurs encadré par une *Exposition* initiale et un *Commentaire* final, dus à Guillaume Tringant, qui donnent les clefs de l'œuvre et explicitent les procédés de travestissement : déguisement des noms (« Premierement par le Jouvencel s'entend monseigneur de Bueil. II, Le duc Baudoyn est le duc de Bethfort. III, Le grant cappitaine est Lahire... »; condensation (un seul nom recouvre en fait plusieurs personnages ou plusieurs villes, ou inversement) : « Crator s'entend Orleans, Lagny-sur-Marne et Sablé », « Tous contes s'entendent pour le conte de Parvencheres »; *fiction* enfin (« La fiction du mariage de la fille du roy Amydas et de seigneur de Beueil s'entend qu'il fut admyral de France et lieutenant general du roy deça la Gironde par mer et par terre devant Bourdeaux »).

Toutes ces œuvres, qu'il s'agisse des biographies romancées, des romans biographiques fictifs ou des biographies distanciées que nous venons d'évoquer, n'ont pas pour fin de dire exactement ce qui s'est réellement passé : elles se nomment *livre des faits de...*, *histoire de...*, *roman* même, et non *chronique*, ou *mémoires*. Elles se veulent divertissantes, mais aussi exemplaires (une vie traitée à la manière d'un *exemplum*, d'un modèle abstrait presque), et parfois même théoriques (Jean de Bueil distingue trois époques dans la vie de son héros, qui coïncident avec les trois distinctions aristotéliciennes : morale — qu'il nomme *monostique* —, économique, politique), mais jamais vraiment historiques : comme l'écrit l'auteur du *Jouvencel*, « je delesse le surplus a ceulx qui font les Cronicques de France ». Il s'agit de conserver une mémoire, mais bien plus celle d'un nom, d'une légende, que celle d'un moment de l'histoire.

Chroniques, *Mémoires*, *Vies* et *Journaux* participent, eux aussi, à la constitution d'une mémoire. Mais, sur deux points essentiels, ils se distinguent radicalement des œuvres dont nous parlions plus haut : d'une part, on se place d'emblée au plan du politique, ou tout au moins du collectif; et, d'autre part, il s'agit de dire ce qui s'est réellement passé, d' « écrire l'histoire », selon des modalités qui peuvent être fort différentes, comme l'a révélé B. Guenée.

Par le champ spatio-temporel embrassé, par la façon dont l'auteur centre sa démarche, les *journaux* se distinguent clairement des *vies*, *mémoires* ou *chroniques*. Pour les premiers, les limites temporelles sont fixées par des événements de la vie personnelle de leur auteur : Nicolas de Baye ouvre

son *Journal*, cette succession de notes qu'il prend au jour le jour, ou presque, sur son élection comme greffier au Parlement de Paris :

« 1400 Vendredi XVIIIe jour de novembre. Ce jour a esté faicte eleccion de graphier et est venu le sort sur moy Nicolas de Baye, indigne... »,

et il le clôt sur celle de son successeur Clément de Fauquemberge qui, comme lui, tiendra un journal qu'il commencera à son élection :

« Mercredi XXVIIe jour de janvier 1417. Ce dit jour est venu en la Chambre monseigneur le Chancellier pour eslire graphier... et... a esté esleu... maistre Clemens de Fauquenbergue... »

Mémoires et *Vies*, centrées sur un individu, mais de fonction souveraine, tiennent leurs limites de l'existence publique de leur héros. Joinville ayant accepté, à la requête de la reine mère, de composer « un livre des saintes paroles et des bons faiz nostre roi » ne consacre que quelques lignes à son enfance, et traite essentiellement du *roi*; Commynes écrivit lui aussi à la demande d'Angelo Cato, archevêque de Vienne, d' « escrire et mettre par memoire » ce qu'il a « sceu et cogneu des faictz du roy Loys unziesme », et ses *Mémoires* auraient pu se clore sur la mort du roi; s'il commence le Livre I par ces mots : « Au saillir de mon enfance... », c'est simplement pour dater son entrée au service de Charles, comte de Charolais : il s'en explique à la fin du Prologue : c'est auprès de lui qu'il apprit tout d'abord à connaître Louis XI.

Les *chroniques* sont centrées non pas sur un individu, même roi, mais sur une durée historique : un ou plusieurs règnes, une dynastie (Capétiens, quatre premiers Valois, maison de Bourgogne), une croisade, une guerre (la guerre de Cent ans). Quelques chroniqueurs font retour sur les débuts de l'humanité : « Au commencement... »; mais c'est rarement très long, et Chastellain résume ainsi les quelques pages de son Prologue qui vont de l'origine des temps à l'époque où il vit :

« Clerement appert que ce monde en soi n'a eu jamais que toutes miseres, toutes tribulations et chetivetés... »

Froissart consacre une partie de son Prologue à une rapide généalogie de Prouesse, qui régna successivement en Chaldée, en Judée, en Perse, avant de passer en Grèce, à Troie, à Rome, en France ensuite, en Angleterre enfin. Dans ces rapides survols de l'histoire de l'humanité, les chroniqueurs posent en fait leur problématique : succession de prouesses et de hauts faits, ou suites de malheurs, l'histoire qu'ils vont raconter se placera sous ce signe initial.

Un second caractère permet de distinguer les *journaux* des *mémoires* et des *chroniques* : la *position du sujet de l'énonciation*, de celui qui se donne non

seulement comme l'auteur, mais aussi et surtout comme le *garant* de la vérité du récit qui va suivre. Dans les journaux, *je* n'apparaît pas toujours, ou discrètement; dans les mémoires et les chroniques, au contraire, *je* s'énonce solennellement, comme porteur d'une parole vraie. Peu de prologues, aux XIVe et XVe siècles, où ne soit entonné le cérémoniel « ... je, Jehan sire de Joyngville, seneschal de Champaigne... », « ... je, Jehans Froissars, tresoriers et chanonnes de Chimay... », « ... Je, Guillaume Guiart, D'Orliens né, de la Guillerie », « Je, Enguerran de Monstrelet, yssu de noble generacion », « ... moy, Cristine de Pizan, femme soubz les tenebres d'ignorance... », « ... je doncques, George Chastellain, panetier du tres haut, tres puissant et tres fameux prince... » ... Au début du XIIIe siècle, les premières chroniques en langue française commençaient de façon moins solennelle; si Robert de Clari affirme que son récit est entièrement fidèle à la vérité, c'est à la troisième personne qu'il le fait, et à la fin : signature, et non incipit :

> « Ore avés oï le verité..., que chis qui i fu et qui le vit et qui l'oï le tesmongne, ROBERS DE CLARI, li chevaliers... »

Villehardouin, tout au long de sa chronique, se désigne par son nom, son titre, *il*; il ne promet ni ne garantit la vérité, mais, d'entrée, il prend soin d'instituer un dialogue qui se poursuit tout au long du récit : *je* n'apparaît qu'alors, comme énonciateur non davantage spécifié : « Sachiez que... Et cil Folques dont je vos di... » Il semble bien en effet que la formule : JE, suivi du nom et des titres, fut mise en place par Guillaume Guiart ou Joinville, reprise beaucoup plus tard par Froissart dans la version ultime du Premier Livre de ses *Chroniques*, puis par presque tous les chroniqueurs qui suivirent. Formule juridique, quasi performative : s'énoncer d'entrée comme l'énonciateur, et se spécifier aussitôt par une position sociale qui signifie « JE est digne de foi », c'est s'énoncer comme celui qui dit vrai, ce qui est infiniment plus efficace que toutes les protestations de sincérité et d'impartialité.

Assez vite, cette position d'énonciateur de la vérité historique va s'institutionnaliser. Dans la seconde moitié du XVe siècle, Jean de Roye écrit dans son prologue :

> «... je ne vueil ne n'entens point les choses cy aprés escriptes estre appellees, dictes ou nommees croniques, pour ce que a moy n'appartient et que pour ce faire n'ay pas esté ordonné et ne m'a pas esté permys... »

Il est en effet établi au XIVe siècle que la plupart des chroniqueurs écrivent à la demande de tel ou tel grand seigneur auprès duquel ils occupent parfois une fonction officielle; en 1437, Charles VII crée l'office d'historiographe royal, que Jean Chartier est le premier à occuper, et à la cour de Bourgogne,

Georges Chastellain (que les comptes de la maison de Bourgogne désignent comme « chroniqueur de Monseigneur » dès 1455, et qui sera nommé indiciaire de l'ordre de la Toison d'Or en 1473) et son successeur Jean Molinet sont chargés d'une fonction tout aussi officielle.

Corrélativement, les prologues des chroniques comportent très fréquemment un rappel de la hiérarchie qui ordonne le monde de la noblesse, celui qui est à la fois le public et l'objet dont va traiter le chroniqueur. Jean Lefèvre, après avoir invoqué la Trinité, la Vierge et tous les saints, s'adresse

« a tous empereurs, rois, ducz, contes, barons et aultres donnés chascun selon sa vocation a la tresnoble militant ordre de chevalerie... »

Froissart situe son œuvre dans une sorte de division du travail social idéale, tout entière centrée sur la Prouesse :

« Li vaillant homme traveillent leurs membres en armes, pour avancier leurs corps et acroistre leur honneur. Li peuples devise de leurs estas et de leur fortunes. Li aucun clerch escrisent et registrent leurs avenues et baceleries »,

le rôle du chroniqueur étant de proposer aux jeunes nobles des récits qui les incitent à la prouesse.

Ce dispositif liminaire prend son sens si on l'oppose d'une part à la démarche des historiographes non officiellement investis, et d'autre part aux pratiques romanesques de l'époque. Ainsi Jean de Roye, ne visant qu'à procurer le plaisir de belles histoires, vise un vaste public :

« ... pour ce aussy que plusieurs roys, princes, contes, barons, prelatz, nobles hommes, gens d'eglise et aultre populaire se sont souvent delictez et delictent a ouyr et escouter des hystoires merveilleuses et choses advenues en divers lieux... »

De même l'auteur, résolument anonyme, de la *Tresjoyeuse, plaisante et recreative histoire de Bayart* :

« Pour ce qu'il est moult difficile... de complaire a tout le monde... je, qui sans autrement me nommer ay empris de mettre en avant les faicts et gestes du bon chevalier sans peour et sans reprouche..., me suisadvisé... attribuer [« dédier »] ceste mienne rudde hystoire aux trois estatz du tresexcellent, trespuissant et tres renommé royaulme de France... »

De même encore Cuvelier, mais sur le ton épique :

« Or me veilliez oïr, chevalier et meschin,
Bourjoises et bourjois, prestres, clers, jacobin,
Et je vous chanterai commencement et fin
De la vie vaillant Bertran du Guesclin,
Connestable de France, le vaillant palazin. »

Dans les compositions littéraires, l'identité du locuteur se dissout dans l'universalité du *je* lyrique, se cache sous les jeux de mots énigmatiques qui closent les romans en vers, ou s'efface derrière l'*acteur*, et même derrière le conte lui-même dans les romans en prose. On le voit : en comparant la pratique des chroniqueurs aux usages en vigueur dans les autres champs de l'écriture, on comprend la signification de cette exhibition initiale de l'énonciateur.

C'est bien sûr dans la même stratégie que prennent place les affirmations de véracité et d'impartialité qui parsèment les prologues, et les précisions que donnent les chroniqueurs sur les sources qu'ils utilisent. Tous, depuis Robert de Clari, jugent nécessaire de préciser qu'ils ont été, au moins partiellement, témoins ou acteurs des événements qu'ils rapportent; que le reste, ils l'ont entendu raconter par des témoins dignes de foi; qu'enfin, ajoutent certains, ils ont eu recours aux chroniques officielles; « J'ai vu, j'ai entendu dire, j'ai lu », c'est donc vrai. Jean le Bel se propose ceci :

« escrire par prose ce que je ay veu, et ouy recorder par ceulx qui ont esté la ou je n'ay pas esté, au plus prez de la verité que je pourray ».

Froissart se fonde sur « la vraie information » qu'il a eue « des vaillans hommes, chevaliers et escuiers... et ossi de aucuns rois d'armes et leurs mareschaus, qui par droit sont et doient estre juste inquisiteur et raporteur de tels besongnes ». Ses continuateurs, Enguerrand de Monstrelet et Mathieu d'Escouchy, ont fait, eux aussi, appel aux hérauts d'armes. Pour beaucoup, la pierre de touche en fait de vérité, c'est la *Chronique de Saint-Denis*, histoire officielle du royaume de France : Guillaume Guiart, Christine de Pizan, Chastellain affirment y avoir eu recours, et le traducteur des *Grandes chroniques de France* invite ses lecteurs à se reporter au texte original s'ils le soupçonnaient de mensonge.

En outre, bien des chroniqueurs prennent soin d'affirmer qu'ils exposeront les faits impartialement, sans prendre l'un ou l'autre parti. Froissart s'efforcera d'écrire « sans faire fait, ne porter partie, ne coulourer plus l'un que l'autre »; Olivier de La Marche précise qu'il a « poursievy [sa] matiere sans partialité ny faveur aucune a l'une des parties plus que a l'aultre ». Chastellain s'explique longuement : il écrit « au plaisir de [son] souverain seigneur, non querant sa privee gloire, mais celle de la sacree maison françoise », et il s'adresse ainsi à ses lecteurs :

« Sy requiers et supplie aux lisans, de quelque party qu'ils soient, François, Bourgongnons ou Anglais, que sur moy leur plaise oster toutes partialités, suspicions et faveurs, et me juger tel que me proteste : leal François avec mon prince, osant prononcer verité contre mon maistre ou besoin sera, et non me feingnant de mesme contre François, ny Anglois... »

L'écriture même de l'histoire porte trace de cette exigence : aux « Or dist li contes » des débuts de chapitre et de paragraphe des romans s'opposent les « Vray est que » ou « Verité est que » par lesquels Jean Lefèvre et Pierre de Fénin ouvrent leur chronique, les « Il est vray que » ou « Or est vray que » qui marquent les débuts de chapitres chez Chastellain et qui font écho au « Il a esté scu par l'univers monde comment... » du début du Premier Livre.

En fait, on le sait bien, ces protestations sont en partie rhétoriques, et entrent dans le dispositif de discours initial. Tous les chroniqueurs *servent*, d'une certaine façon, celui au service de qui ils sont. Déjà Villehardouin, au début du XIIIe siècle, plaidait et se justifiait par sa *Chronique*. Froissart écrivit tour à tour pour la reine d'Angleterre Philippa de Hainaut, pour Wenceslas de Brabant (lié à la maison de Bourgogne), pour Gui de Blois : l'on sait que les versions successives de ses *Chroniques* reflètent ces changements; son successeur déclaré, Monstrelet, occupe de hautes fonctions auprès de la maison de Bourgogne, de même que Mathieu d'Escouchy, qui se déclare son continuateur; et c'est à la demande de Philippe le Hardi que Christine de Pizan écrit le *Livre des faits... de Charles V*. Un second groupe est plus nettement encore lié aux ducs de Bourgogne : les indiciaires Chastellain et Molinet, le héraut de la Toison d'Or Lefèvre de Saint-Rémy, le maître d'hôtel et organisateur des fêtes de la cour Olivier de La Marche, le conseiller de Philippe le Bon Jacques du Clercq. Jean de Roye était secrétaire du duc de Bourbon, Jean Juvenal des Ursins, archevêque de Bourges, fut conseiller au Châtelet et prévôt des marchands; Commynes, quittant le service de Charles le Téméraire, entra à celui de Louis XI pour de longues années; Thomas Basin, évêque de Lisieux, avait connu, lui, de sérieux déboires au service de Louis XI; Nicole Gilles enfin fut secrétaire de Louis XII. Peu ou prou, les hommes qui alors écrivent l'histoire — l'histoire contemporaine, la seule dont on s'occupe en langue vulgaire — sont liés aux pouvoirs en place, et occupent souvent de hautes fonctions.

Mais ce qui est sans doute plus important, c'est de voir selon quelles modalités la vérité est parfois altérée, ou occultée. Prenons l'épisode du viol de la comtesse de Salisbury par le roi d'Angleterre Edouard III, en 1442. Jean le Bel, qui pourtant admire ce roi, l'affirme : Edouard III a bien commis ce crime, et il n'omet pas d'en conter les funestes résultats; le comte, déshonoré, quitta sa femme et ses enfants, repartit se battre sur le continent et trouva la mort très vite, comme il l'espérait. Froissart, qui écrit pour l'épouse du roi, fait une seule fois allusion à cette rumeur, mais pour la dénoncer; en revanche, dans deux des versions du Premier Livre, il raconte l'entrevue au cours de laquelle Edouard III s'éprit de la comtesse, et nous pouvons suivre ses hésitations. Dans la première rédaction révisée (version éditée par S. Luce), l'épisode est joliment « encourtoisé »; la comtesse

fête le roi qui vient délivrer son château de ses assaillants : magnifiquement parée, elle s'incline devant le roi et le conduit au château; tout aussitôt, le roi tombe amoureux :

« Et bien lui estoit avis que onques n'avoit veu si noble, si friche, ne nulle si belle de li. Se li feri tantost une estincelle de fine amour ens el coer qui li dura par lonch temps... Si entrerent ens ou chastiel main a main... Et toutdis regardoit li rois le gentilz dame si ardamment que elle en devenoit toute honteuse et abaubie. Quant il l'ot grant piece assés regardé il ala a une fenestre pour apoiier et commença fortement a penser. »

Il est si songeur que la comtesse s'étonne : il lui avoue aussitôt son amour :

« Car certainement li doulz maintiens, li parfais sens, la grant noblece et la fine biauté que jou ay veu et trouvet en vous m'ont si souspris et entrepris qu'il convient que je soie vos amans... »

La dame se récrie : il ne peut songer à déshonorer son vassal le comte de Salisbury, qui est justement prisonnier en France pour s'être battu pour lui. Le roi touche à peine au dîner, et passe la nuit « en grans pensees et a grant mesaise de coer », car il ne savait que faire, déchiré entre son amour et la loyauté qu'il doit à son vassal. Il quitte le château le lendemain, sans avoir rien obtenu de la comtesse. La seconde rédaction du Livre Premier, dans le manuscrit d'Amiens, donne une version bien plus longue, et plus courtoise encore : le soir, le roi demande à la comtesse de jouer aux échecs avec lui; il met en gage une bague précieuse ornée d'un rubis, et elle, un anneau d'or tout simple; le roi veut laisser gagner la dame; mais celle-ci, troublée et honteuse, commet des erreurs, et le roi s'efforce d'en commettre de plus graves encore... si bien que la comtesse finit par gagner; le roi peut alors l'obliger à conserver sa bague, mais elle la lui retournera. Jusqu'au moment de son départ, le roi attend un signe, mais en vain; il retourne à ses expéditions guerrières, s'efforçant de cacher son amour à son entourage, mais « quant il estoit assis a table, il mangoit mout petit et n'y faisoit que penser ». Ne pouvant oublier la comtesse, tantôt il décidait qu'il allait la retrouver, tantôt il se ravisait, et finalement il prit la décision de faire le nécessaire pour que le comte de Salisbury fût libéré et pût retrouver son épouse. Toute la panoplie du discours amoureux courtois est là présente : métaphores, gestes, attitudes, objets symboliques, conflit moral. C'est l'unique cas à notre connaissance où l'on trouve un homme amoureux dépeint de la sorte — dans les *Chroniques* du moins : ils sont légion dans les œuvres romanesques de Froissart... Quant à la troisième rédaction du même Livre (manuscrit de Rome), elle n'a conservé aucune trace de cet épisode : déguisé, amplifié grâce à l'utilisation des *topoi* romanesques de l'époque, il a fini par être résolument occulté.

Ce qu'il était intéressant de voir, à travers l'analyse de cet exemple peut-être privilégié, c'est par quels jeux d'écriture le mensonge, ou du moins l'occultation partielle de la réalité sont rendus possibles : ici, l'utilisation des schèmes littéraires permet de faire d'Edouard III un parfait, un délicat amoureux courtois, incapable donc de commettre le crime dont la rumeur l'accuse. Le *je* initial se révèle alors être bien plus un ordonnateur du récit qu'un garant de la vérité.

S'il est, en effet, des chroniques qui, à la manière des *journaux*, se présentent comme des notes prises au jour le jour, ou bien année après année, et où l'histoire apparaît comme éclatée et dispersée, la plupart d'entre elles au contraire sont organisées comme des récits, même si souvent les chapitres et les paragraphes commencent par une notation de date ou par une locution telle que *en cel tems*, *oudit temps*, comme c'est le cas par exemple dans les *Grandes Chroniques de France*. Certaines ont plus nettement encore l'allure d'un récit : les datations y sont rares, la narration s'organise en séquences d'épisodes reliés par des articulations en *quant*..., *si*, très courantes chez Froissart, ou des reprises anaphoriques en *ce*..., *pendant ce temps*, ou bien encore par des jonctions en *or* ou *doncques*, extrêmement fréquentes chez Chastellain. Ce n'est plus tant la chronologie, élément extérieur en quelque sorte, qui organise le récit, que la succession et le déroulement des événements eux-mêmes, leur enchaînement : exactement comme dans le roman. L'histoire morcelée, la somme de ce qui s'est réellement passé est organisée par une volonté de comprendre et de rendre intelligible, par le désir peut-être de parvenir à un certain savoir : certains prologues disent ce désir.

III / L'HOMME ET L'INTELLIGENCE DU POLITIQUE

Ainsi Froissart, avouant sa fascination pour la *prouesse*, a tenté d'en suivre et d'en décrire le cours capricieux tout au long de l'histoire humaine :

> « Or ai eu pluisseurs fois grant imagination sur l'estat et afaire de Proesce, et penset et imaginet comment et ou elle a tenu ses termes... Et pour venir a la verité et apaisier ma imagination je ai lu tant ens es livres anciiens que je en quide savoir auqune chose. »

Chastellain, obsédé par les débuts catastrophiques de l'humanité, met tout son soin à examiner comment un crime en entraîne un autre, un malheur, un autre; à propos du meurtre de Jean sans Peur il écrit : « La cause toutesvoies procedoit d'une autre douloureuse mort. » Comme Froissart, mais

beaucoup plus que lui, il essaie d'analyser ces causes secondaires que sont les sentiments des hommes, les accès de colère ou de dépit, l'envie ou la cupidité des princes qui font l'histoire.

Pour tous, de toute façon, la cause en dernière instance, la cause générale, reste Dieu, le Dieu qui punit ou qui récompense selon la justice, mais aussi ce Dieu quelque peu pervers qui pour éprouver les siens peut aller contre la justice des hommes. L'auteur-traducteur des *Grandes chroniques de France* ajoute à la suite du récit de la mort de tous les fils de Chilpéric et Frédégonde :

« Lors s'aperçut bien li rois que ce estoit venjance de Dieu et que Nostre Sires le pugnissoit en sa lignie. »

On pourrait multiplier à l'infini les exemples de cette sorte. Et quand le malheur frappe injustement les bons, « comme si Dieu eust dormy ou les eust mescognu », dit Chastellain,

« ne se doit imputer, ny a courroux, ny a fureur, ny a vengeance divine, mais a tresmerveillable jugement de Dieu, qui ne donne pas seulement salut et victoire, mais en corporelle batture donne gloire a l'ame ».

Chez Commynes aussi Dieu est cause en dernière instance, mais chez lui il semble que le principal, et peut-être l'unique souci de Dieu soit d'affirmer sa toute-puissance, que ses interventions n'aient jamais d'autre fin :

« Mais Dieu veult tousjours que l'on congnoisse que les jugemens ny les sens des hommes ne servent de riens la ou il luy plaist mectre la main. »

Contrairement à la majorité des chroniqueurs précédents, Commynes ne cherche plus s'il faut interpréter telle ou telle intervention divine comme une punition ou comme une épreuve, et donc s'il faut infléchir sa conduite dans un sens ou dans l'autre; chez lui, il semble que Dieu ait cessé d'être détenteur d'un sens, d'une vérité qu'il laisserait entr'apercevoir aux hommes à travers ces signes que sont bonheurs et malheurs, et qu'il soit désormais fort proche de la Fortune, du hasard; peut-être faut-il voir dans ce changement une influence de la réflexion historique de la Renaissance italienne ?

Ecrire une chronique, des mémoires, c'est donc, de façon très générale, montrer Dieu dans ses œuvres. Mais c'est aussi, et cela peut sembler paradoxal, rechercher des règles de conduite pour les générations et les temps à venir, proposer des modèles, et ce désir d'informer le futur peut se dire de différentes façons. Pour les auteurs de vies exemplaires, il s'agit d' « edefier ceulz qui les orront », comme l'écrit Joinville. Pour Froissart, les chroniques doivent faire « que tout baceler qui ainment les armes s'i puissent exempliier ». Le traducteur des *Grandes chroniques de France* pense que dans son

ouvrage « pourra chascuns trover bien et mal, bel et lait, sens et folie, et fere son preu de tout par les examples de l'estoire »; mais aussi et peut-être surtout, l'histoire « est examples de bone vie mener, meismement aus rois et aus princes qui ont terres a governer ». Cela est important : ces ouvrages, nous l'avons vu, étaient commandés par des princes; or un mot revient fréquemment dans les Prologues : *exemple*, *exemplier*; leurs auteurs laissent parfois percevoir que ce qu'ils composent est aussi, dans une certaine mesure, un manuel de bon gouvernement :

> « Il est grant advantaige aux princes d'avoir veu des hystoires en leur jeunesse »,

écrit Commynes : car « l'exemple d'ung en est assez pour en faire sage plusieurs ». Le texte qui, de ce point de vue, est peut-être le plus intéressant se trouve au premier chapitre du *Rozier des guerres*, ouvrage inspiré, sinon composé par Louis XI comme on le crut longtemps, pour l'enseignement du dauphin; le roi annonce qu'il a voulu faire rédiger en un volume « bons et notables enseignements servants a la garde et defense et gouvernement de un Royaume », et qu'il a le projet d'y faire adjoindre un abrégé des chroniques,

> « pour ce que nous avons trouvé que de nostre vivant et cognoissance ne soit rien advenu que presque semblable autre fois n'au eté, et que la recordacion des choses passees est moult profitable tant pour soy consoler, conseiller et conforter contre les adversitéz que pour esquiver les inconveniens esquels autres sont trebuchiés, et soy animer et efforcer a bien faire comme les meilleurs ».

De ce point de vue, politique, les écrits historiques sont complémentaires d'un genre littéraire qui a connu aux XIVe et XVe siècles un développement extraordinaire, le *songe*. Dans la littérature romanesque, le songe est, depuis le XIIIe siècle, l'un des cadres privilégiés dans lesquels peut s'organiser et prendre sens la fiction : Froissart lui-même l'utilisa. Métaphore de l'invention poétique, lieu fictif où peut se déployer l'allégorie, et peut-être conscience profonde que la fable est porteuse de vérité, de la même manière qu'un songe peut être vrai : non d'une vérité rationnelle, mais d'une vérité révélée, et il n'y a là rien qui doive surprendre, puisque cela est le fondement même de la religion chrétienne. Aussi l'importance du songe dans la littérature polémique et politique du XIVe et du XVe siècle peut-elle paraître paradoxale; Alain de Lille, et Jean de Limoges dans le *Somnium Pharaonis* avaient déjà utilisé ce cadre; mais au XIVe siècle les songes se multiplient : le *Livre de Mandevie* de Jean Dupin (1336-1340), le *Songe de Pestilence* d'Henri de Ferrières (troisième tiers du XIVe siècle), l'*Apparicion maistre Jehan de Meun* et le *Somnium super materia scismatis* d'Honoré Bouvet (1398 et 1394), le *Songe du vieil pèlerin* de Philippe de Mézières (1389), le *Somnium viridarii* (1368) et son adaptation en langue française le *Songe du vergier* (1378), le *Songe véritable* également anonyme (1406), le *Quadrilogue invectif* d'Alain

Chartier (1422), puis, bien plus tard, le *Lyon coroné* (1467)... : ce ne sont là que les plus importantes des mises en œuvre de cette forme du discours politique. Il est révélateur d'en déterminer les constantes, car elles s'articulent à celles dont nous avons vu qu'elles caractérisent les écrits historiques, la chronique en particulier.

Tout d'abord, le songe lui-même est toujours précédé d'un prologue, et parfois suivi d'une conclusion qui est une élucidation; comme dans la chronique, l'auteur précise sa position de « songeur », ajoutant parfois, ce qui embarrassa bien des commentateurs, qu'en songeant il est tout à la fois endormi et éveillé — éveillé, mais en un autre lieu, ailleurs :

« ... ouyés donc ... mon songe & la vision laquelle m'est apparüe en mon dormant tout esveillé... »,

écrit l'auteur du *Songe du vergier*; René d'Anjou disait aussi : « moitié dormant en resverie ». Il faut distinguer le *songe*, qui est en quelque sorte le processus mystérieux par lequel on accède à l'ailleurs allégorique, de la *vision*, qui est l'apparition elle-même; comme le précise Philippe de Mézières, le songe « puet estre dit en esperit, parlant moralment, vision, consideracion ou ymaginacion ».

La vision est toujours allégorique, et chaque élément de l'aventure rêvée est signe à décrypter : car dans le songe, rien n'est aléatoire ni superfétatoire; contrairement à l'histoire, l'esprit peut en dominer l'ensemble, donner au tout un sens cohérent, car tout y fait système. Et si besoin est, le songe peut être suivi, comme dans la plus ancienne tradition épique et romanesque, de son élucidation : le rêveur du *Songe de Pestilence* va trouver un extraordinaire savant qui, interprétant ce qu'il a « vu », formulera à son tour des prophéties; dans ce cas, un premier discours énigmatique en engendre un tout aussi métaphorique, que le rêveur traduira en partie.

Le lieu du songe — lieu où se trouve le dormeur, lieu où il est transporté en songe, ou bien les deux à la fois — présente également des constantes : le Vieil Pèlerin se trouve dans la chapelle de la Vierge que, « moitié dormant, moitié veillant », il invoque :

« ... soudainement entra en ladicte chapelle non par la porte mais invisiblement une dame veritable et toute espirituelle »,

il faut noter le double paradoxe : le songeur est « veillant » *et* « dormant », la vision est « veritable » *et* « espirituelle ». Mais un cadre verdoyant — forêt dans le *Songe de pestilence*, jardin dans le *Songe du vergier* et l'*Apparicion maistre Jehan de Meun* — semble propice au songe. Le jardin, une chapelle; de préférence des lieux clos, composés par l'homme et parfois de façon totalement concertée : cela est évident pour la chapelle, dont on sait que l'architecture est porteuse de signification, mais il a existé, à la fin du Moyen Age,

des jardins symboliquement structurés, des jardins reproduisant par exemple, à une échelle réduite, le plan d'une cité.

Quant au « songeur », comme dans la chronique ou les mémoires, il est toujours *je* (sauf dans le cas du *Vieil pèlerin*); mais sans plus : il se donne simplement comme le sujet de l'énonciation, garantissant que c'est *le même* qui veillait, puis qui dormait et songeait, et qui enfin témoigne de ce qui s'est passé; bien mieux que l'emploi de la troisième personne, qui implique toujours distanciation, le *je* du sujet de l'énoncé *et* de celui de l'énonciation garantis de ce fait identiques permet d'asseoir le paradoxe du dormeur éveillé. Presque toujours, le locuteur est en situation de conflit, d'insatisfaction ou de crainte, et le songe est une expression figurée du désir inassouvi — désir amoureux comme dans le *Cuer d'amour espris*, mais aussi agressivité qui ne peut s'exercer directement; ainsi, le rêveur du *Songe véritable* a la vision de Dampnacion décrivant les supplices qu'elle réserve à la reine Isabeau et à ses conseillers; plus réellement politique, l'auteur du *Songe du vergier* rédige, en cette période de conflit entre le roi de France et le pouvoir de la papauté, « le manifeste le plus complet du gouvernement royal » et l'exposition la plus claire de la théorie gallicane, mais il l'encadre d'avertissements rhétoriques : il ne faut voir dans son œuvre que « recreacion et esbatement », « c'est un songe, & pour songe [il a] tout raconté & non autrement, mesmement quant a ce qui touche la puissance des clefs et du saint siege de Romme... »

On voit comment s'articulent les écrits historiques et ces écrits de fiction politique que sont les songes : les chroniqueurs, investis d'un rôle de garants d'une vérité historique, ne peuvent offrir que des modèles du passé; les « songeurs », eux, peuvent être violents et polémiques, déléguant à des figures allégoriques le soin d'interpréter et de juger le présent, et de proposer des modèles pour l'avenir. Le songe est donc bien, d'une certaine façon, lié à l'histoire, investi par elle. Et la chronique, à son tour, peut être traversée de songes : que l'on pense à celui qui clôt la *Vie de saint Louis* de Joinville — rêve impératif —, ou à celui que narre les *Tres elegantes, tres veridiques... annales* de Nicole Gilles — encore un rêve de Charlemagne, à qui saint Jacques apparaît et demande de conquérir l'Espagne. Mais que l'on pense surtout à celui par lequel Georges Chastellain peut, interrompant le récit de la querelle qui oppose Louis XI à Charles de Bourgogne dans l'affaire du Bâtard de Rubempré, faire exprimer par « une dame noblement habituee et en grave atour » les griefs que lui inspirent l'ingratitude, les ruses, l'absence de scupules du roi de France; à la fin du discours de la dame, il se réveille :

« comme je sentoie... que de la part du roi [ces paroles] luy estoient justement imputees et a verité, deliberay aussi de les reciter et mettre par escript, afin de faire plus claire histoire ».

Le dernier syntagme est important : par cette *vision*, Chastellain entend véritablement donner — et se donne — les moyens de trancher dans cette querelle confuse; comme le rappelle la « dame », le roi s'est mal comporté envers tous ses parents, tous ses vassaux : il ne peut donc qu'avoir tort, et le comte de Charolais raison. Le songe est bien utilisé ici comme une vérité révélée.

Chroniques, mémoires, journaux apportent plus cependant que le plaisir de belles histoires ou la leçon des événements du passé. Ils sont à notre avis *d'abord* une manière de faire vivre d'une vie supplémentaire, mémorielle, non seulement les princes de ce monde, mais également ceux par qui cette nouvelle vie advient : là est peut-être une raison de cette si solennelle affirmation de leur identité qui ouvre les chroniques, et qui est tout à fait unique dans la production littéraire de l'époque. Au nivellement par la mort qu'exprime si bien le *Rozier des guerres*, de Choisnet :

> « Les estaz de ce monde et la fin sont représentés par un jeu deschecs, chascun personnage est en lieu et degré qui convient en son estat tant que le jeu dure; mais quand il est fini, tout est mis au sac sans ordre ne quelque difference »,

s'oppose l'œuvre de l'historien, grâce auquel les prouesses sont « mises et couchies en memores perpetuels », comme l'écrit Froissart; car, dit Molinet,

> « les armes des conquerants sont ternies, leurs heaumes sont cassés et leurs lances brisees, mais leurs noms, ensemble leurs glorieux faicts, sont escripts en lettres d'or et demeurent a perpetuité ».

IV / L'HOMME DANS L'HISTOIRE ET LE TEMPS

Cette recherche d'une survie personnelle, grâce à l'écrit, est liée au développement de la notion d'individu, et, corrélativement, au renforcement de la notion de collectivité : car la mémoire collective, et elle seule, peut prendre en charge la survie de l'individu. Il faut en effet renoncer à la thèse traditionnelle et simpliste de Gierke, selon lequel à la notion de collectivité, qui aurait caractérisé le Moyen Age « classique », aurait succédé, à la fin du Moyen Age, la notion d'individu. Jean Batany a proposé une thèse plus complexe, mais qui rend mieux compte, en particulier, des phénomènes que nous avons analysés; selon lui, « la personnalité individuelle ne s'est pas bâtie contre [la personnalité collective], mais en même temps qu'elle », et c'est ensemble que, corrélativement, ces deux notions se sont affirmées.

Or la prise de conscience par l'individu de sa singularité s'accompagne nécessairement du sentiment de son éphémérité, sentiment accentué par les catastrophes qui ont jalonné le XIVe siècle; comme l'écrit fort bien Daniel

Poirion, « l'homme se découvre vulnérable sur les ruines de son pays ». C'est à cette époque, et ce n'est pas un hasard, que s'exacerbe cette obsession de la mort qu'a décrite avec tant d'acuité J. Huizinga, et de la mort perçue désormais comme un événement singulier, personnel; *memento mori*, *Miroirs de la mort*, usage des « vanités » dès le XVe siècle, représentations de la Danse Macabre dans la peinture et la littérature à partir du dernier quart du XIVe siècle; et, sur les tombeaux, dans la poésie, l'on figure l'homme mourant en proie aux souffrances de l'agonie, et, surtout, le mort, *le cadavre*, dans toute sa réalité; les *Vigiles des morts* de Pierre de Nesson, certains poèmes de Villon ou de Deschamps font écho à l'apparition, sur les tombes, de l'image du corps décomposé (le *transi*), qui apparaît à côté de l'image du gisant (comme, à Notre-Dame de Paris, sur le tombeau du chanoine Yver), ou le supplante : le Musée de l'ancienne abbaye de Saint-Vaast conserve le monument funéraire d'un chanoine de Béthune et docteur en médecine, Guille Lefranchois, qui s'est fait représenter décomposé, décharné, la langue (ou l'âme) pendante et étalée, le corps recouvert de vermine.

Le temps qui passe conduit à la mort, et, une fois passé, il l'est irrémédiablement : le lyrisme, aux XIVe et XVe siècles, est souvent lié à ce thème. Cette acuité nouvelle dans la perception du temps qui passe est à mettre en relation avec quelques événements qui à cette époque ont d'une certaine façon profondément modifié certains pans des mentalités : l'apparition des horloges mécaniques, qui se répandirent en Europe dès le XIVe siècle, permit de percevoir le temps désormais dans sa continuité, et introduisit une mesure du temps plus contraignante, car tout ensemble précise, immuable, objective. Et, dans un tout autre domaine, l' « invention » du purgatoire introduisit, comme l'a fort bien vu Jacques Le Goff, la notion d'un temps de l'au-delà désormais mesurable, temps pendant lequel le mort souffrait pour racheter ses fautes, et dont la durée dépendait de la capacité des parents et amis du défunt à prier, faire dire des messes ou effectuer des pèlerinages : temps dépendant étroitement de la collectivité donc, sur lequel on ne peut non plus avoir de prise.

De ce changement dans la perception du temps, l'abondance et le nombre des écrits historiques sont des signes. Par le quadrillage du temps et des événements qui y sont opérés, on tente d'avoir prise sur la durée, sur le passé, d'y trouver une cohérence, un sens; c'est à la même époque qu'apparaissent les *misteres*, c'est-à-dire des représentations qui, à l'opposé des *passions*, donnent à voir *toute* la vie du Christ (et non plus seulement un événement de son existence), en en faisant une suite cohérente de faits chargés de signification. Paradoxalement — en apparence du moins — s'exprime partout la recherche de moyens pour *passer le temps*, ce temps si précieux pourtant; les chroniqueurs répètent à l'envi dans leurs prologues qu'ils écrivent pour occuper leur temps et procurer à leurs lecteurs un agréable moyen de

(ne pas voir) passer le leur; car il s'agit avant tout de *fuir oiseuse*, mère de tous les vices, mais surtout peut-être, en lisant le récit de beaux exploits ou de catastrophes passés, d'oublier que passe la vie.

C'est peut-être à cette angoisse devant le temps qui s'écoule et la mort qui guette qu'il faut ramener ce goût de l'époque pour la guerre et ses succédanés, joutes, tournois, pas d'armes, où l'on risque parfois sa vie cependant, et dont témoigne le succès des chroniques de Froissart, dont il reste une centaine de manuscrits, ou certaines phrases du *Jouvencel* :

« ... au monde n'est tel plaisir a gens qui ont noble coeur et la vertu de force et de constance ».

La guerre aide à passer la vie, elle la remplit, comme si la menace d'une mort toujours imminente en faisait le prix :

« En leur baillant une bonne grosse guerre bien fondee et a bon tiltre, ilz seront bien et honnourablement pourveuz de leur vie »,

conseille cyniquement le chancelier au roi, dans le *Jouvencel* encore. A partir du milieu du XIVe siècle vont surgir d'innombrables *ordres*, sortes de « clubs » destinés à distinguer les plus valeureux guerriers et à les rassembler autour d'un but commun. Ces ordres sont placés sous le patronage d'un héros de l'histoire légendaire de la France ou du monde antique, sous celui d'un saint, ou bien sous le signe d'un objet symbolique; ainsi, le premier en date, celui de la Jarretière, créé en 1348 par Edouard III d'Angleterre, est explicitement rattaché à la tradition arthurienne :

« En ce temps vint en pourpos et en volenté au roi d'Engleterre de faire redefiier le grant chastiel de Windesore, lequel li rois Artus fist jadis faire et fonder, et la ou premierement la Table Reonde fu commenchie, dont tant de bons et vaillans chevaliers issirent et travillierent en armes et en proeces par le monde; et feroit li dis rois une ordenance de chevaliers de li et de ses enfans et des plus preus et renommés d'Engleterre et d'autres pais aussi, qui estoient en son service, et seroient en sonme jusques a quarante, et seroient nommé li chevalier dou Bleu Gertier, et porteroient tousjours continuelment en lor senestre jambe une ordenance dou Bleu Gertier..., et feroit faire et edefiier en l'onneur de Dieu et de saint Gorge une capelle... »

En réponse, Jean le Bon crée en 1352 l'Ordre de l'Etoile ou des chevaliers de la Noble Maison, et Philippe le Bon, bien plus tard, en 1426, celui de la Toison d'Or; ce dernier ordre suscitera la création de celui du Croissant du roi René, et de celui de saint Michel par Louis XI en 1469. D'autres sont explicitement liés aux chimériques projets de croisade qui se succèdent dans la seconde moitié du XIVe siècle et la première moitié du XVe siècle : Ordre de l'Epée du roi de Chypre Pierre de Lusignan, Ordre de l'Ecu d'Or et du Chardon de Louis de Bourbon, Ordre de l'Annonciade d'Amédée de

Savoie, Ordre de la Hache de Léon IV de Lusignan roi d'Arménie, Ordre de la Passion créé par Philippe de Mézières en 1368. Quelques-uns sont explicitement d'intention courtoise, tel l'Ordre de l'Ecu vert à la Dame blanche créé par Boucicaut en 1400 et célébré par Christine de Pizan. Enfin, des seigneurs de moindre surface se regroupent, s'unissent sous la bannière de leur ordre : c'est ainsi que les seigneurs poitevins fondèrent l'Ordre du Tiercelet (1377), ceux de Hollande-Hainaut l'Ordre de Saint-Antoine, ceux d'Auvergne l'Ordre de la Pomme d'Or (1395), ceux du duché de Bar l'Ordre du Lévrier (1416). Tous ces exemples le montrent, et les statuts sont explicites : il s'agit, d'une certaine manière, d'instituer à nouveau un lien préférentiel entre des hommes, de répéter l'opération de l'hommage lige, et, pour les grands princes rivaux de l'Occident, d'établir leur hégémonie en s'assurant la fidélité de leurs vassaux stratégiquement les plus importants. Nous n'en donnerons qu'un exemple : le grand maître de l'Ordre de l'Epée était le roi de Chypre, et les chevaliers de cet ordre devaient immédiatement accourir à son appel, même s'ils devaient pour cela abandonner une autre guerre.

Car il ne faut pas se laisser leurrer par les apparences : ces seigneurs qui rêvent d'égaler Arthur ou Alexandre, qui jurent de dédier leur vie à une dame, qui font semblant de croire qu'ils veulent partir pour la croisade, qui créent ces ordres fastueux que nous évoquions, qui savent écrire des vers ou paient des écrivains pour le faire, sont aussi des chefs de guerre redoutables et avisés, et des politiques subtils : Edouard III, Charles V et Charles VI, Philippe le Bon et Charles le Téméraire, René d'Anjou ont fait leurs preuves en ces domaines. Leur faste peut être compris comme un moyen de s'assurer une sorte d'hégémonie au plan esthétique et donc symbolique, justifiant aussi de cette façon leur position dans la société; les Ordres qu'ils fondent, comme un moyen de restaurer l'hommage lige sous le couvert d'une rhétorique courtoise ou épique.

Bien d'autres signes en effet concordent : il se produit, dès la seconde moitié du XIVe siècle, un changement dans ce que l'on pourrait nommer *les figures de la perfection humaine*, et ce mouvement ira s'accentuant au siècle suivant. Les héros qu'admirent les chroniqueurs sont des princes qui n'hésitent pas à transgresser les lois les plus fondamentales de la société : Edouard III d'Angleterre, dont Jean le Bel et Froissart louent les hauts faits, viole la femme d'un vassal; Gaston Phébus, le plus parfait des princes qu'ait connus Froissart au cours de sa longue carrière, a égorgé son fils et héritier; Louis XI, dont Commynes fait l'éloge, sait parfaitement manier la ruse, la mauvaise foi, la cruauté, et mépriser les règles chevaleresques. Ce même prince, on le sait, n'accordait qu'un prix tout relatif au faste des apparences; il s'habillait fort mal, au moins au début de sa carrière : en 1463, la modestie de ses vêtements excita les moqueries des Castillans avec les-

quels il avait une entrevue; Charles le Téméraire au contraire, politique de moindre envergure selon Commynes, « estoit fort pompeux en habillemens et en toutes autres choses, et ung peu trop ». Même ce seigneur de la guerre qu'est le Jouvencel exprime un certain recul par rapport aux signes vestimentaires; à ses hommes d'armes qui, venant de le choisir pour chef, interviennent auprès de lui afin qu'il se vête selon son rang, il rétorque que l'habit ne fait pas le moine; il est vrai que l'un de ses premiers exploits avait été la prise d'une *buée* (« une lessive ») qui lui avait permis de se vêtir autrement que de haillons... Et Françoise Piponnier a bien mis en évidence l'apparition à la cour d'Anjou, à partir de 1450, d'une vaste classe moyenne vêtue de gris. Si quelques auteurs chantent encore le plaisir de la guerre, Chastellain la considère comme le pire des fléaux, celui dont découlent tous les maux de l'humanité, le véritable péché originel : pour lui, les grands conquérants furent avant tout de grands criminels. Commynes loue la sagesse de Louis XI qui préfère la lenteur des négociations aux hasards de la guerre. Et dans *Jehan de Saintré*, le roi blâme le jeune chevalier qui, de son propre chef, va gaspiller ses forces dans un nouveau pas d'armes, un simulacre de combat; ceci est à notre avis à mettre en rapport avec un épisode de ce roman sur lequel on a beaucoup écrit, l'humiliation que subira le jeune Saintré de la part du prospère et efficace Damp Abbé.

A partir de 1450 donc, il semble qu'apparaisse une classe de politiques qui, sachant que les apparences peuvent mentir, fondent leur conduite sur l'efficacité, vivent sur une nouvelle économie, tentant peut-être par là de construire un univers où les signes seraient à nouveau bi-univoques, où l'on pourrait les utiliser pour avoir prise sur la réalité. Dans le domaine de la littérature de fiction, un phénomène semblable se produit, qu'a bien mis en évidence Paul Zumthor chez les Rhétoriqueurs : prise de conscience de l'autonomie du signifiant, utilisation constante de l'équivoque ou de l'énoncé contradictoire, tentatives pour maîtriser tous les niveaux de structuration du texte : les clercs qui mettent en œuvre ces procédés, traduisant, dans le champ du langage, une incertitude dans le domaine des significations, sont les mêmes qui écrivent des *lais* pour la paix et dénoncent les malheurs de la guerre. En littérature comme en politique, quelque chose a bougé dans le rapport qu'entretiennent les individus aux signes.

BIBLIOGRAPHIE

Ces indications bibliographiques paraîtront bien « expéditives »; c'est qu'elles se veulent « expéditrices ». Dans leur tri sommaire et leur *despechement (dispatching)* elles renvoient le lecteur aux ouvrages pourvus d'une bibliographie savante, étapes nécessaires vers un approfondissement des connaissances après le parcours de ce *Précis*. Il est vrai que dans bien des livres la bibliographie relève plutôt du cérémonial (de politesse et de prestige) que d'une science pratique. Les meilleures se trouvent dans les grandes thèses.

Le classement ici proposé doit simplement faciliter la transition entre l'esprit propre à notre ouvrage et l'orientation qui caractérise les autres études. *Le Manuel bibliographique de la littérature française au Moyen Age*, par Robert BOSSUAT (Melun, Librairie d'Argences, 1951, suppléments en 1955 et 1961), sans être un modèle du genre, reste un bon point de départ (on attend sa mise à jour). On se réfère naturellement à Otto KLAPP, *Bibliographie der französischen Literaturwissenschaft*, Francfort-sur-le-Main, Klostermann, 1960 et années suivantes). La bibliographie des *Cahiers de Civilisation médiévale* est la plus commode et la plus complète pour les textes antérieurs à 1230. Limite chronologique et spécialisation sont une nécessité pour de telles publications en attendant une « banque des données ».

1 / Pour un premier aperçu, voir Dominique BOUTET et Armand STRUBEL, *La Littérature française du Moyen Age*, Paris, PUF, 1978 (« Que sais-je ? »).

2 / Pour la théorie littéraire :

BADEL (Pierre), *Introduction à la vie littéraire au Moyen Age*, Paris, Bordas, 1969.

BOUTET (Dominique) et STRUBEL (Armand), *Littérature, Politique et Société*, Paris, PUF, 1979.

CERQUIGLINI (Bernard), *La parole médiévale. Discours, syntaxe, texte*, Paris, Minuit, 1981.

DE BRUYNE (Edgar), *Etudes d'Esthétique médiévale* (3 vol.), Bruges, De Tempel, 1946.

DRAGONETTI (Roger), *La vie de la lettre au Moyen Age*, Paris, Seuil, 1980.

GUIETTE (Robert), *Forme et senefiance*, Genève, Droz, 1978.

JAUSS (Hans Robert), *Alterität und Modernität der Mittelalterlichen Literatur*, Munich, Fink, 1977.
VINAVER (Eugène), *A la recherche d'une poétique médiévale*, Paris, Nizet, 1970.
ZUMTHOR (Paul), *Essai de poétique médiévale*, Paris, Seuil, 1972.
— *Langue, texte, énigme*, Paris, Seuil, 1975.
Approaches to medieval Romance, *Yale French Studies*, 51, 1974.
Intertextualités médiévales, *Littérature*, 41, 1981, Paris, Larousse.
Medieval Literature and contemporary theory, *New Literary History*, 10, 1979, University of Virginia, Charlottesville.
Grundriss der Romanischen Literaturen des Mittelalters, vol. I : *Généralités*, Heidelberg, Carl Winter, 1972.

3 / Pour les rapports de la Langue et de la Littérature :

BATANY (Jean), *Français médiéval*, Paris, Bordas, 2e éd., 1972.
CERQUIGLINI (Bernard) *et alii*, Grammaires du texte médiéval, *Langue française*, n° 40, 1978.
MARCHELLO-NIZIA (Christiane), *Histoire de la Langue française aux XIVe et XVe siècles*, Paris, Bordas, 1979.
RYCHNER (Jean), *L'articulation des phrases narratives dans la Mort Artu*, Neuchâtel-Genève, Droz, 1970 (Université de Neuchâtel, recueil de travaux publiés par la faculté des Lettres, 32).
WAGNER (Robert-Léon), *L'ancien français*, Paris, Larousse, 1974.

CHAPITRE PREMIER

Editions de textes latins

CHATILLON (Jean), *Richard de Saint Victor. Liber Exceptionum*, Paris, Vrin, 1958.
LECLERCQ (Jean), *Sancti Bernardi Opera*, 7 vol. parus, Rome, Ed. Cisterciennes, 1957-1972.
MEYERS (Wilhelm), HILKA (Alfons), SCHUMANN (Otto), *Carmina Burana*, 2 vol., Heidelberg, 1930-1961.
ROGUET (A.-M.), *Saint Thomas d'Aquin. Somme théologique, traduction française*, Paris-Tournai-Rome, Le Cerf, 1960.
ROZE (J.-B.-M.), *Jacques de Voragine. La Légende dorée*, trad. rééditée avec une chronologie et une introduction par H. SAVON, 2 vol., Paris, Garnier-Flammarion, 1967.
SMALLEY (Beryl), *The Study of the Bible in the Middle Ages*, University of Notre Dame Press, Notre Dame, Indiana, 1964.
THOUZELLIER (Christiane), *Livre des deux principes. Introduction, texte critique, traduction, notes et index*, Paris, Le Cerf, 1973.

Editions de textes en langue vulgaire

BAYOT (Alphonse), *Le Poème moral, traité de la vie chrétienne écrit dans la région wallonne vers l'an 1200*, Bruxelles-Liège, 1929.
FARAL (Edmond) et BASTIN (Julia), *Œuvres complètes de Rutebeuf*, 2 vol., Paris, Picard, 1959-1960.
FOERSTER (Wendelin), *Li Dialoge Gregoire lo Pape (Les dialogues du pape Grégoire)*, traduits en français du XIIe siècle, accompagnés du texte latin, suivis du sermon sur la Sapience et des fragments de Moralités sur Job, Halle-Paris, 1876.

FRANCIS (E. A.), *Wace. La vie de sainte Marguerite*, Paris, Champion, CFMA, 1932.
KŒNIG (V. Frederic), *Les Miracles de Nostre Dame par Gautier de Coincy*, 4 vol., Genève, Droz, 1966-1970.
LÅNGFORS (Arthur), *Le Mariage des sept Arts par Jehan le Teinturier d'Arras suivi d'une version anonyme. Poèmes français du XIIIe siècle*, Paris, Champion, CFMA, 1923.
LECOY (Félix), *La Bible au seigneur de Berzé, édition critique d'après tous les manuscrits*, Paris, Droz, 1939.
LEGGE (D.), Pierre de Peckham and his « Lumiere as lais », dans *Modern language review*, XXIV, 1929, p. 37-47 et 153-171.
LLINARÈS (Armand), *Raymond Lulle. Le Livre du gentil et des trois sages*, Paris, PUF, 1966.
— *Raymond Lulle. Doctrine d'enfant*, Paris, Klincksieck, 1969.
— *Raymond Lulle. Livre d'Evast et de Blaquerne*, Paris, PUF, 1970.
ORR (John), *Les Œuvres de Guiot de Provins, poète lyrique et satirique*, Manchester, 1915.
PARIS (Gaston), *Les plus anciens monuments de la langue française (IXe-Xe siècle)*, Paris, SATF, 1875.
— *La Vie de saint Alexis, poème du XIe siècle*, Paris, Champion, CFMA, 1911.
PAYEN (Jean-Charles), *Le Livre de philosophie et de moralité d'Alard de Cambrai*, Paris, Klincksieck, 1970.
PFLAUM (H.), *Les poèmes de controverse au moyen âge, avec un débat inédit en vers français du XIIIe siècle (La desputoison du juyf et du crestien)*, Jérusalem, 1931.
THOMAS (Antoine), *La Chanson de Sainte Foi d'Agen. Poème provençal du XIe siècle*, Paris, Champion, CFMA, 1925.
WAGNER (Robert-Léon), *Textes d'étude (ancien et moyen français)* (y figurent la séquence de sainte Eulalie et le sermon sur Jonas), Genève, Droz, 1964.
WALBERG (E.), *Guernes de Pont-Saint-Maxence. La Vie de saint Thomas Becket*, Paris, Champion, 1936.
WOLEDGE (Brian) et CLIVE (H. P.), *Répertoire des plus anciens textes en prose française depuis 842 jusqu'aux premières années du XIIIe siècle*, Genève, Droz, 1964.
WULFF (Fr.) et WALBERG (E.), *Les vers de la Mort, par Hélinant, moine de Froidmont, publiés d'après tous les manuscrits connus*, Paris, SATF, 1905.
ZUMTHOR (Paul), *Abélard et Héloïse. Correspondance*. Texte traduit et présenté par P. Z., Paris, Christian Bourgois, 1979 (« 10/18 »).

Etudes

ARNOULD (E.-J.), *Le Manuel des péchés. Etude de littérature religieuse anglo-normande, XIIIe siècle*, Paris, Droz, 1940.
BELL (Dora), *Etude sur le « Songe du vieil Pèlerin » de Philippe de Mézières, 1327-1405, d'après le ms. fr. BN 22542. Document historique et moral du règne de Charles VI*, Genève, Droz, 1955.
BERGER (Samuel), *La Bible française au Moyen Age. Etude sur les plus anciennes versions de la Bible écrites en prose de langue d'oïl*, Paris, 1884.
BEZZOLA (Reto), *Les origines et la formation de la littérature courtoise en Occident*, 4 vol., Paris, Champion, 1944-1967.
CHENU (M.-D.), *Saint Thomas d'Aquin et la théologie*, Paris, Le Seuil, 1959.
— *La théologie au XIIe siècle*, Paris, Vrin, 1966.
CURTIUS (Ernst, Robert), *La littérature européenne et le Moyen Age latin*, trad. BRÉJOUX, Paris, 1956.

De Ghellinck (J.), *La littérature latine au Moyen Age*, Paris, 1939.
Dronke (Peter), *Medieval Latin and the Rise of European Love Lyric. Poetry and Individuality in the Middle Age*, Oxford, Clarendon, 1970.
Faral (Edmond), *Les Arts poétiques du XIIe et XIIIe siècle. Recherches et documents sur la technique littéraire au Moyen Age*, Paris, Champion, 1923.
Gilson (Etienne), *La théologie mystique de saint Bernard*, Paris, Vrin, 1931.
— *La philosophie au Moyen Age, des origines patristiques à la fin du XIVe siècle*, Paris, Payot, 1944.
Jolivet (Jean), *Arts du langage et théologie chez Abélard*, Paris, Vrin, 1969.
Lecoy de La Marche (Albert), *La Chaire française au Moyen Age, spécialement au XIIIe siècle, d'après les manuscrits contemporains*, Paris, 1886.
Lefèvre (Yves), *L'Elucidarium et les Lucidaires. Contribution, par l'histoire d'un texte, à l'histoire des croyances religieuses en France au moyen âge*, Paris, De Boccard, 1954.
Le Goff (Jacques), *Les Intellectuels au Moyen Age*, Paris, Le Seuil, 1957.
Pacaut (Marcel), *Les Ordres monastiques et religieux au Moyen Age*, Paris, Nathan, 1970.
Raynaud de Lage (Guy), *Alain de Lille, poète du XIIe siècle*, Montréal-Paris, 1951.
Riché (Pierre), *Education et culture dans l'Occident barbare, VIe-VIIIe siècle*, Paris, Le Seuil, 1962.
Zink (Michel), *La Prédication en langue romane avant 1300*, Paris, Champion, 1976.

CHAPITRE II

BIBLIOGRAPHIE

Bulletin bibliographique de la Société Rencesvals, dernier fascicule paru, n° 12 (1979-1980), Paris, Nizet.

ÉDITIONS DE TEXTES

Ed. de Pierre Jonin, *La Chanson de Roland*, Paris, Gallimard, 1979 (coll. « Folio »).
Wathelet-Willem (Jeanne), *Recherches sur la « Chanson de Guillaume »*, études accompagnées d'une édition, Paris, Les Belles-Lettres, 2 vol., 1975.
Gormont et Isembart, Ed. A. Bayot, Paris, Champion, 3e éd., 1931 (cfma, 14).
Le Couronnement de Louis, Ed. E. Langlois, Paris, Champion, 2e éd., 1965 (cfma 22).
Le Charroi de Nîmes, Ed. J.-L. Perrier, Paris, Champion, 1967 (cfma 66).
La Prise d'Orange, Ed. Claude Régnier, Paris, Klincksieck, 1967.
Aliscans, Ed. F. Guessard et A. de Montaiglon, Paris, 1870 (apf 10).
Aymeri de Narbonne, Ed. L. Demaison, 2 vol., Paris, 1887 (satf).
Chanson d'Aspremont, Ed. L. Brandin, 2 vol., Paris, Champion, 1921-1922 (cfma).
Les Enfances Guillaume, Ed. P. Henry, Paris, 1935.
Gaidon, Ed. F. Guessard et S. Luce, Paris, 1862 (apf).
Huon de Bordeaux, Ed. P. Ruelle, Bruxelles-Paris, 1960.
Les Narbonnais, Ed. H. Suchier, 2 vol., Paris, 1898 (satf).
Le Voyage de Charlemagne à Jérusalem et à Constantinople, Ed. P. Aebischer, Paris-Genève, 1965.

Raoul de Cambrai, Ed. P. MEYER et A. LONGNON, Paris, 1882 (SATF).
Renaud de Montauban (ou *Les Quatre fils Aymon*), Ed. F. CASTETS, Montpellier, 1909.

ÉTUDES

ADLER (Alfred), *Rückzug in Epischer Parade. Studien zu « Les Quatre fils Aymon », « La Chevalerie Ogier », « Raoul de Cambrai », « Aliscans », « Huon de Bordeaux »*, Francfort-sur-le-Main, 1963.
AEBISCHER (Paul), *Préhistoire et protohistoire du « Roland » d'Oxford*, Berne, Francke, 1972.
AUERBACH (Erich), *Mimésis, la représentation de la réalité dans la littérature occidentale*, Paris, Gallimard, 1968.
BEDIER (Joseph), *Les Légendes épiques, recherches sur la formation des chansons de geste*, 4 vol., Paris, 1908-1913 (3e éd., 1926-1929).
BENDER (K. H.), *König und Vassal*, Heidelberg, 1967 (« Studia romanica », 13).
BEZZOLA (Reto), De Roland à Raoul de Cambrai, *Mélanges Hoepffner*, Paris, 1949, 195-213.
BRAULT (Gérard), Quelques nouvelles tendances de la critique et de l'interprétation des chansons de geste, *Actes du VIe Congrès international de la Société Rencesvals*, Aix-en-Provence, 1975, 15-26.
CALIN (William), *The old French Epic of Revolt : Raoul de Cambrai, Renaud de Montauban, Gormont et Isembard*, Genève, Droz, 1962.
— *The Epic Quest, Studies in four old French chansons de geste*, Baltimore, The Johns Hopkins Press, 1966.
COMBARIEU DU GRÈS (Micheline de), *L'Idéal humain et l'expérience morale chez les héros des chansons de geste, des origines à 1250*, 2 vol., Paris - Aix-en-Provence, Champion, 1979.
COOK (Robert F.), « *Chanson d'Antioche* », *chanson de geste : le cycle de la croisade est-il épique ?*, Amsterdam, John Benjamin, 1980.
DORFMAN (E.), *The Narreme in the medieval Romance Epic*, Toronto, 1969.
DUGGAN (Joseph), *The Song of Roland : Formulaïc style and Poetic Craft*, Berkeley, Univ. of California, 1973.
FRAPPIER (Jean), *Les Chansons de geste du cycle de Guillaume d'Orange*, 2 vol., Paris, SEDES, 1955-1965.
GRISWARD (Joël), *Archéologie de l'Epopée médiévale*, Paris, Payot, 1981.
HORRENT (Jules), *Le Pèlerinage de Charlemagne, essai d'explication littéraire avec des notes de critique textuelle*, Paris, 1961.
LEJEUNE (Rita) et STIENNON (J.), *La Légende de Roland dans l'art du Moyen Age*, 2 vol., Bruxelles, 1965.
LE GENTIL (Pierre), *La Chanson de Roland*, Paris, Hatier, 1962.
LOUIS (René), *Girart, comte de Vienne dans les chansons de geste : « Girart de Vienne », « Girart de Fraite », « Girart de Roussillon »*, 2 vol., Auxerre, 1947.
LOT (Ferdinand), *Etudes sur les légendes épiques françaises*, Paris, Champion, 1958.
MATARASSO (P.), *Recherches historiques et littéraires sur « Raoul de Cambrai »*, Paris, 1962.
MENENDEZ PIDAL (Ramon), *La « Chanson de Roland » et la tradition épique des Francs*, trad. I. CLUZEL, Paris, Picard, 1960.
PARIS (Gaston), *Histoire poétique de Charlemagne*, Paris, 1865.
POIRION (Daniel), Chansons de geste ou épopée ? Remarques sur la définition d'un genre, *Travaux de linguistique et de littérature*, X (1972), 7-20.

POLLMAN (Léo), *Das Epos in der Romanischen Literaturen. Verlust und Wandlungen*, Stuttgart, 1960.
ROSSI (Marguerite), *Huon de Bordeaux et l'évolution du genre épique au XIII*e *siècle*, Paris, Champion, 1975.
RYCHNER (Jean), *La Chanson de geste, essai sur l'art épique des jongleurs*, Genève, Droz, 1955.
SICILIANO (Italo), *Les Origines des chansons de geste* (trad. franç.), Paris, 1951.
— *Les Chansons de geste et l'épopée : mythes, histoire, poèmes*, Turin, 1969.
SUARD (François), *Guillaume d'Orange, étude du roman en prose*, Paris, Champion, 1979.
SUBRENAT (Jean), *Etude sur Gaydon, chanson de geste du XIII*e *siècle*, Gap, édit. de l'université de Provence, 1974.

CHAPITRE III
(VOIR CHAPITRE VII POUR LE XIIIe SIÈCLE)

BIBLIOGRAPHIES

BROMWICH (R.), *Medieval Celtic Literature*, Toronto, University of Toronto Press, 1974, no 5.
Bulletin bibliographique de la société internationale arthurienne (BBSIA), depuis 1949.
BURGESS (G. S.), *Marie de France, an analytic bibliography*, Londres, Grant & Cutler, 1977, no 21.
Encomia, bulletin bibliographique de la société internationale de littérature courtoise, depuis 1976.
KELLY (D.), *Chrétien de Troyes : an analytic bibliography*, Londres, Grant & Cutler, 1976, no 17.
SHIRT (David J.), *The old French Tristan Poems, a bibliographical guide*, Londres, Grant & Cutler, 1981.

HISTOIRE LITTÉRAIRE

BRUCE (J. D.), *The Evolution of Arthurian Romance*, Göttingen-Baltimore, Hesperia, 1928, 2 vol.
DAMON (P.), The Metamorphes of Helen, *Romance Philology*, XIX, 2 (1965), 194-211.
FARAL (E.), *La Légende arthurienne, études et documents*, 3 vol., Paris, Bibliothèque des Hautes Etudes, 1929.
FOURRIER (A.), *Le courant réaliste dans le roman courtois en France au Moyen Age*, t. 1 : *Les débuts, XII*e *siècle*, Paris, Nizet, 1960.
FRAPPIER (Jean), *Le roman breton. Des origines à Chrétien de Troyes*, Paris, CDU, 1950.
JACKSON (W. T. H.), *The Literature of the Middle Ages*, New York, Columbia University Press, 1960.
JAUSS (Hans, Robert) et KÖHLER (Erich) (éd.), *Grundriss der romanischen Literaturen des Mittelalters*, t. 4, 1-2, Heidelberg, C. Winter, 1978.
LEGGE (D.), *Anglo-Norman Literature and its background*, Oxford, University Press, 1963.
LOOMIS (R. S.) (éd.), *Arthurian Literature in the Middle Ages*, Oxford, University Press, 1959.
— *Arthurian tradition and Chrétien de Troyes*, New York, Columbia University Press, 1949.

METLITZKI (D.), *The Matter of Araby in Medieval England*, New Haven - Londres, Yale University Press, 1977.
OWEN (D. D. R.), *The evolution of the Graal Legend*, Edimbourg-Londres, Oliver & Boyd, 1968.
PARRY (T.), *A History of Welsh Literature*, Oxford, 1955.
POIRION (Daniel), De l'*Enéide* à l'*Enéas*, mythologie et moralisation, *Cahiers de Civilisation médiévale*, XIX (1976), 213-229.

ÉTUDES PORTANT SUR L'IDÉOLOGIE ET LES MENTALITÉS

AGAMBEN (G.), *Stanze, Parole et fantasme dans la culture occidentale*, trad. Y. HERSANT, Paris, C. Bourgois, 1981.
BENTON (J. F.), The court of Champagne as a literary center, *Speculum*, 36 (1961), 551-591.
BLOCH (R. H.), *Medieval French Literature and Law*, Berkeley, University of California Press, 1977.
DUBY (Georges), *Le chevalier, la femme et le prêtre. Le mariage féodal, XI-XIIe siècle*, Paris, Hachette, 1981.
— *Les Trois ordres ou l'imaginaire du féodalisme*, Paris, Gallimard, 1978.
FRAPPIER (Jean), *Amour courtois et Table ronde*, Genève, Droz, 1973.
KÖHLER (Eric), *L'Aventure chevaleresque. Idéal et réalité dans le roman courtois*, Paris, Gallimard; trad. de *Ideal und Wirklichkeit in der höfischen Epik*, 1956.
LAZAR (M.), *Amour courtois et Fin'Amors dans la littérature du XII*e *siècle*, Paris, Klincksieck, 1964.
LEJEUNE (Rita), Rôle littéraire d'Aliénor d'Aquitaine et de sa famille, *Cultura Neo-Latina*, 14, 1954, 5-57.
MÂLE (E.), *L'Art religieux du XII*e *siècle en France*, Paris, A. Colin, 1928.
— *L'Art religieux du XIII*e *siècle en France*, Paris, A. Colin, 1925.
PANOFSKY (E.), *Architecture gothique et pensée scolastique*, Paris, Minuit, 1967.
POLLMANN (L.), *Die Liebe in der hochmittelalterlichen Literatur Frankreichs*, Frankfurt, 1966.
WETHERBEE (W.), *Platonism and Poetry in the XIIth. C.*, Princeton, University Press, 1972.

ÉDITIONS DE TEXTES DU XIIe SIÈCLE (voir chapitre VII pour le XIIIe siècle)

— Classiques français du Moyen Age (Paris, Champion) : *Le Roman de Thèbes*, édit. Guy RAYNAUD DE LAGE (2 vol.); *Enéas*, édit. J.-J. SALVERDA DE GRAVE (2 vol.); Béroul, *Le Roman de Tristan*, édit. E. MURET; Chrétien de Troyes, *Erec et Enide*, édit. Mario ROQUES; *Cligès*, édit. A. MICHA; *Le Chevalier de la Charrete*, édit. M. ROQUES; *Le Chevalier au Lion*, édit. M. ROQUES; *Le Conte du Graal*, édit. F. LECOY (2 vol.); Gautier d'Arras, *Eracle*, édit. G. RAYNAUD DE LAGE; *Les Lais* de Marie de France, édit. Jean RYCHNER; *Le Conte de Floire et Blancheflor*, édit. Jean-Luc LECLANCHE; *Piramus et Tisbé*, édit. C. de BOER; Renaut de Beaujeu, *Le Bel Inconnu*, édit. G. P. WILLIAMS.
Textes littéraires français (Paris-Genève, Droz) : Thomas, *Les Fragments du Roman de Tristan*, par B. H. WIND; Chrétien de Troyes, *Le Roman de Perceval* ou *Le Conte du Graal*, par William ROACH; *Les Lais anonymes des XII*e *et XIII*e *siècles*, éd. par Prudence M. O'Hara TOBIN.

Société des Anciens textes français (Paris, Picard) : *Le Roman de Troie* par Benoît de SAINTE-MAURE, éd. Constans (5 vol.); *Ille et Galeron* par Gautier d'ARRAS, éd. F. Cooper.
Traductions publiées chez Champion : Béroul, Chrétien de Troyes (tous les romans), Marie de France.
DONOVAN (L.-G.), *Recherches sur le Roman de Thèbes*, Paris, SEDES, 1975.
FRAPPIER (Jean), *Chrétien de Troyes*, Paris, Hatier, 1957, nouv. éd., 1968.
— *Chrétien de Troyes et le mythe du Graal*, étude sur Perceval, Paris, SEDES, 1972.
GALLAIS (Pierre), *Perceval et l'initiation*, Paris, Ed. du Sirac, 1972.
LE RIDER (Paule), *Le Chevalier dans le Conte du Graal de Chrétien de Troyes*, Paris, SEDES, 1978.
MELA (Charles), *Blanchefleur et le saint homme ou la semblance des reliques, étude comparée de littérature médiévale*, Paris, Le Seuil, 1979.
MÉNARD (Philippe), *Les Lais de Marie de France*, Paris, PUF, 1979.
MICHA (Alexandre), *De la chanson de geste au roman*, Paris-Genève, Droz, 1976.
RIBARD (Jacques), *Chrétien de Troyes, le Chevalier de la Charrette, essai d'interprétation symbolique*, Paris, Nizet, 1972.
SIENAERT (Edgar), *Les Lais de Marie de France*, Paris, Champion, 1978.

CHAPITRE IV

ANTHOLOGIES

BEC (Pierre), *La Lyrique française au Moyen Age (XIIe-XIIIe siècle). Contribution à une typologie des genres poétiques médiévaux*, 2 vol. (I : *Etudes*, II : *Textes*), Paris, Picard, 1977-1978.
— *Anthologie des troubadours*, Paris, Christian Bourgois, 1979 (« 10/18 »).
NELLI (René), et LAVAUD (René), *Les Troubadours*, t. II, Paris, Desclée de Brouwer, 1966.
PICOT (Guillaume), *La poésie lyrique au Moyen Age*, 2 vol., Nouveaux classiques Larousse, 1965.
RIQUER (Martin de), *Los Trovadores. Historia literaria y textos*, 3 vol., Barcelone, Editorial Planeta, 1975.

QUELQUES ÉDITIONS PARTICULIÈRES

BEDIER (Joseph), *Les chansons de Colin Muset*, Paris, Champion, CFMA, 1938.
BOUTIÈRE (Jean) et SCHUTZ (A.-H.), *Biographies des troubadours*, édition augmentée et refondue avec la collaboration d'I.-M. CLUZEL, Paris, Nizet, 1964.
BURIDANT (Claude), *André le Chapelain*, « *Traité de l'amour courtois* », traduction, Paris, Klincksieck, 1974.
DEJEANNE (J.-M.), *Poésies complètes du troubadour Marcabru*, Bibliothèque méridionale 1re série, Toulouse, 1909.
DEL MONTE (A.), Peire d'Alvernha, *Liriche*, Turin, 1955 (coll. di « Filologia Romanza », 1).
GATIEN-ARNOULT (Adolphe-F.), *La Leys d'Amors, estiers dichas*, 3 vol., Toulouse, 1841-1843.
HEGER (Klaus), *Die bisher veröffentlichten Hargas und ihre Deutungen*, Tübingen, 1960.
HOEPFFNER (Ernest), *Les Poésies de Bernard Marti*, Paris, Champion, CFMA, 1929.

JEANROY (Alfred), *Les Poésies de Cercamon*, Paris, Champion, CFMA, 1922.
— *Les Chansons de Jaufré Rudel*, Paris, Champion, CFMA, 2e éd., 1924.
— *Les Chansons de Guillaume IX, duc d'Aquitaine*, Paris, Champion, CFMA, 2e éd., 1927.
KOLSEN (A.), *Sämtliche Lieder des Trobadors Giraut de Bornelh*, 2 vol., Halle, 1910-1935.
LÅNGFORS (Arthur, avec le concours d'A. JEANROY et de L. BRANDIN), *Recueil général des jeux-partis français*, 2 vol., Paris, SATF, 1926.
LAVAUD (René), *Poésies complètes du troubadour Peire Cardinal, 1180-1278*, Toulouse, 1957.
LAZAR (Moshé), *Bernard de Ventadour. Chanson d'amour*, Paris, Klincksieck, 1966.
LEROND (Alain), *Chansons attribuées au Chastelain de Couci, fin du XIIe début du XIIIe siècle*, Paris, PUF, 1964.
MÉNARD (Philippe), *Les Poésies de Guillaume le Vinier*, Genève, Droz, 1970.
PATTISON (Walte, T.), *The life and works of the troubadour Raimbaut d'Orange*, Minneapolis, 1952.
PETERSEN DYGGVE (Hoger), *Gace Brulé, trouvère champenois. Edition des chansons et étude historique*, Mémoires de la Société néophilologique de Helsingfors, t. XVI, Helsinki, 1951.
RIVIÈRE (Jean-Claude), *Pastourelles*, 3 vol., Genève, Droz, 1974-1976.
TOJA (Gianluigi), *Arnaut Daniel. Cansone*, Florence, Sansoni, 1961.
VAN DEN BOOGAARD (Nico H.), *Rondeaux et refrains. Du XIIe siècle au début du XIVe Collationnement, introduction et notes*, Paris, Klincksieck, 1969.
WALLENSKOELD (Axel), *Les chansons de Conon de Béthune*, Paris, Champion, CFMA, 1921.
— *Les chansons de Thibaut de Champagne, roi de Navarre*, Paris, SATF, 1925.

QUELQUES ÉTUDES CRITIQUES

DRAGONETTI (Roger), *La Technique poétique des trouvères dans la chanson courtoise. Contribution à l'étude de la rhétorique médiévale*, Bruges, De Tempel, 1960.
FARAL (Edmond), *Les Jongleurs en France au Moyen Age*, Paris, Champion, 1910.
FRAPPIER (Jean), *La poésie lyrique en France aux XIIe et XIIIe siècles*, Paris, CDU, 1963.
GUIETTE (Robert), D'une poésie formelle en France au Moyen Age, dans *Questions de littérature*, Romanica Gandensia VIII, 1960, p. 1-23, et dans Forme et senefiance, Genève, Droz, 1978, p. 9-32.
JEANROY (Alfred), *Les origines de la poésie lyrique en France au Moyen Age. Etudes de littérature française et comparée suivies de textes inédits*, Paris, Champion, 3e éd., 1925.
— *La poésie lyrique des Troubadours*, 2 vol., Toulouse, Privat, et Paris, Didier, 1934.
KÖHLER (Erich), *Trobadorlyrik und höfischer Roman*, Berlin, Löning, 1962.
— Observations historiques et sociologiques sur la poésie des troubadours, dans *Cahiers de Civilisation médiévale*, VI (1964), p. 27-51.
LE GENTIL (Pierre), *Le Virelai et le vilancico. Le problème des origines arabes*, Paris, Belles-Lettres, 1954.
— La strophe zadjalesque, les khardjas et le problème du lyrisme roman, dans *Romania* 84 (1963), p. 1-27 et 209-250.
MARROU (Henri-Irénée), *Troubadours et trouvères au Moyen Age*, Paris, Le Seuil, 1971.
MOELK (Ulrich), *Trobar clus, trobar leu. Studien zur Dichtungstheorie der Trobadors*, Munich, Wilhelm Fink Verlag, 1968.

NELLI (René), *L'érotique des troubadours*, rééd. 2 vol., Paris, Christian Bourgois, 1974 (« 10/18 »).
NYKL (H.), *Hispano-arabic Poetry and its relation with the old provençal Troubadours*, Baltimore, 1947.
PAYEN (Jean-Charles), *Le Prince d'Aquitaine. Essai sur Guillaume IX et son œuvre érotique*, Paris, Champion, 1980.
PETERSEN DYGGVE (Holger), *Onomastique des trouvères*, Annales Academiae Scientiarum Fennicae B, XXX, I, Helsinki, 1934.
VAN DER WERF (Hendrik), *The Chansons of the Troubadours and Trouvères. A Study of the Melodies and their Relation to the Poems*, Utrecht, 1972.
ZINK (Michel), *La Pastourelle. Poésie et folklore au Moyen Age*, Paris, Bordas, 1972.
— *Belle. Essai sur les chansons de toile, suivi d'une édition et d'une traduction*, Paris, Champion, 1978.

CHAPITRE V

TEXTES

Etienne de Fougères, *Le Livre des manières*, édit. A. LODGE, Genève, 1980.
Barthélemy, reclus de Molliens, *Li Romans de Carité et Miserere*, édit. A. G. VAN HAMEL, Paris, 1885, réimpr., Genève, 1974.
Guiot de Provins, *Bible*, édit. J. ORR, *Les œuvres de Guiot de Provins, poète lyrique et satirique*, Manchester, 1915.
Hugues de Berzé, *Bible*, édit. F. LECOY, *La Bible au Seigneur de Berzé*, Paris, 1939.
Guillaume le Clerc de Normandie, *Le Besant Dieu*, édit. P. RUELLE, Bruxelles, 1973.
La Queue de Renart, édit. A. JUBINAL, *Nouveau recueil de contes, dits et fabliaux...*, Paris, t. 2, 1842.
Raoul de Houdenc, *Le Songe d'Enfer*, édit. P. LEBESGUE, Paris, 1908, réimp., Genève, 1974.
Hélinand de Froidmont, *Les Vers de la Mort*, édit. F. WULFF et E. WALBERG, Paris, 1905.
Robert le Clerc d'Arras, *Les Vers de la Mort*, édit. C. WINDHAL, *Li Vers de la Mort, poème artésien anonyme du XIIIe siècle*, Lund, 1887. (Ces deux textes, ainsi que les *Vers* attribués à Adam de La Halle, figurent dans *Poèmes de la mort, de Turold à Villon*, choisis par M. PAQUETTE, Paris, 1979, avec une traduction.)
Jean Bodel, Baude Fastoul, Adam de La Halle, *Congés*, édit. P. RUELLE, *Les Congés d'Arras*, Bruxelles, 1959.
De Dan Denier, édit. A. JUBINAL, *Jongleurs et trouvères...*, Paris, 1835.
Des femes, des dez et de la taverne, édit. V. VÄÄNÄNEN, *Neuphilologische Mitteilungen*, 47, 1940.
Credo à l'usurier, Credo au ribaud, Patenostre d'amour, Patenostre à l'usurier, Ave Maria parodique, Ed. E. ILVONEN, *Parodies de thèmes pieux de la poésie française du Moyen Age*, Helsingfors, 1914, réimp., Genève, 1975.
Les dits du Clerc de Vaudoy, édit. P. RUELLE, Bruxelles, 1978.
Rutebeuf, *Œuvres complètes*, édit. E. FARAL et J. BASTIN, Paris, 2 vol., 1959-1969.
Henri d'Andeli, *La Bataille des Sept Arts*, édit. L. J. PAETOW, *The Battle of the Seven Arts*, Berkeley, 1914.
— *Le lai d'Aristote*, édit. M. DELBOUILLE, Paris, 1951.

Chansons satiriques et bachiques du XIIIe siècle, édit. A. JEANROY et A. LÅNGFORS, Paris, 1921.

Chansons et dits artésiens du XIIIe siècle, édit. A. JEANROY et H. GUY, Bordeaux, 1898.

Le Couronnement de Renart, édit. A. FOULET, Princeton-Paris, 1929.

Jacquemart Gielée, *Renard le Nouvel*, édit. H. ROUSSEL, Paris, 1960.

Fatrasies d'Arras, édit. A. JUBINAL, *Nouveau recueil de contes, dits et fabliaux...*, Paris, t. 2, 1842.

Resveries : *Dit des Traverses*, édit. A. JUBINAL, Paris, 1846.

Resveries : H. OMONT, *Fabliaux, dits et contes en vers français du XIIIe siècle*, fac-similé du ms. fr. 837 de la Bibl. nat., Paris, 1932.

Sottes-chansons : A. LÅNGFORS, *Deux recueils de sottes-chansons*, Helsinki, 1945, réimp., Genève, 1977.

Philippe de Rémi, sire de Beaumanoir, *Œuvres complètes*, édit. H. SUCHIER, Paris, 2 vol., 1884-1885.

Ordo representacionis Ade, édit. P. AEBISCHER, *Le Mystère d'Adam*, Genève, Paris, 1964 *(avec les XV signes)*; L. SLETSJOE, *Le Mystère d'Adam*, Paris, 1968 (éd. diplomatique); W. NOOMEN, *Le jeu d'Adam*, Paris, 1971 (avec les parties latines en entier); C. ODENKIRCHEN, *The play of Adam*, Leyde, 1976; *La Résurrection du Sauveur*, édit. J. G. WRIGHT, Paris, 1931 et *La Seinte Resurreccion, from the Paris and Cantorbery mss.*, édit. JENKINS, MANLY, POPE et WRIGHT, Oxford, 1943.

Jean Bodel, *Le jeu de Saint-Nicolas*, édit. A. JEANROY, Paris, 1925, et A. HENRY, Bruxelles-Paris, 1962.

Courtois d'Arras, édit. E. FARAL, Paris, 1922.

Rutebeuf, *Le Miracle de Théophile*, édit. G. FRANK, Paris, 1925 (cf. *supra* les *Œuvres complètes* de l'auteur).

Adam le Bossu ou Adam de La Halle, *Le jeu de Robin et Marion*, édit. E. LANGLOIS, Paris, 1924, *Le jeu de la feuillée*, édit. E. LANGLOIS, Paris, 1922, O. Gsell, Würzburg, 1970, *Das Laubenspiel*, édit. K. H. SCHRÖDER, Munich, 1972, Jean DUFOURNET, Gand, 1977.

La bataille de Caresme et de Charnage, édit. G. LOSINSKI, Paris, 1933 (récit de carnaval), *La Bataille de saint Pensard à l'encontre de Caresme* (jeu de carnaval, Tours, 1485) et Jean d'Abondance, *Le testament de Carmentrant* (1540), édit. J.-C. AUBAILLY, *Deux jeux de Carnaval de la fin du Moyen Age*, Genève, 1977.

ÉTUDES

ALTER (J.-V.), *Les origines de la satire anti-bourgeoise en France*, Genève, 1966.

BATANY (Jean), *Les origines et la formation du thème des « états du monde »* (à paraître).

BERGER (Roger), *Le nécrologe de la confrérie des jongleurs et bourgeois d'Arras*, Arras, t. I, 1963; t. 2, 1970.

— *Littérature et société arrageoises des XIIe et XIIIe siècles*, Les Chansons et Dits artésiens, Arras, 1981.

DUFEIL (M.-M.), *Guillaume de Saint-Amour et la polémique universitaire parisienne, 1250-1259*, Paris, 1972.

FREEMAN REGALADO (Nancy), *Poetic patterns in Rutebeuf. A Study in noncourtly poetic modes*, New Haven (Conn.), Londres, 1970.

GUY (H.), *Essai sur la vie et les œuvres littéraires du trouvère Adam de La Hale*, Paris, 1898.

Histoire de la France urbaine, sous la direction de Georges DUBY, t. 2, CHÉDEVILLE (A.), LE GOFF (Jacques) et ROSSIAUD (J.), *La Ville médiévale, des Carolingiens à la Renaissance*, Paris, 1980.
LANGLOIS (Ch.-V.), *La vie en France au Moyen Age d'après quelques moralistes du temps*, Paris, 1925.
SERPER (A.), *Rutebeuf, poète satirique*, Paris, 1969 et *La manière satirique de Rutebeuf. Le ton et le style*, Naples, 1972.
ZUMTHOR (Paul), Entre deux esthétiques : Adam de La Halle, *Mélanges... Jean Frappier*, Paris, 1970, t. 2 ; « Fatrasies, fatrassiers » et le *je* de la chanson et le *moi* du poète, *Langue, texte, énigme*, Paris, 1975.

ADLER (A.), *Sens et composition du jeu de la feuillée*, Ann Arbor (Mich.), 1957.
CARTIER (N.-R.), *Le Bossu désenchanté. Etude sur le Jeu de la Feuillée*, Genève, 1971.
DUFOURNET (Jean), *Adam de La Halle à la recherche de lui-même ou le jeu dramatique de la feuillée*, Paris, 1974. *Le jeu de la feuillée. Etudes complémentaires*, Paris, 1977.
MAURON (Ch.), *Le Jeu de la feuillée, étude psychocritique*, Paris, 1973.

CHAPITRE VI

TEXTES

a) Littérature satirique

Amant rendu cordelier, du pseudo-Martial d'Auvergne, édit. A. MONTAIGLON, SATF, Paris, 1881.
Apparicion Maistre Jean de Meung, d'Honoré BONET, édit. I. ARNOLD, Paris, 1926.
Aucassin et Nicolette, édit. M. ROQUES, CFMA, 1936 (2e éd.).
Bible des sept Etats du Monde de Geoffroy de Paris, édit. ANDRESEN, *ZRPH*, XXII (1898).
Charivari de Raoul de Pestain (addition au *Roman de Fauvel*).
Des Etats du monde de Baudouin de Condé, édit. SCHELER (A.), *Dits et contes de Baudouin et Jean de Condé*, Bruxelles, 1866-1867, 3 vol.
De l'Estat du Monde de Rutebeuf, édit. FARAL-BASTIN, I, 1959-1960.
Dit des ivrognes de Jean Auri, édit. JEANROY (A.) et GUY (H.), *Chansons et dits artésiens du XIIIe siècle*, Paris, 1898.
Dit des Métiers, dans *Poètes de Champagne antérieurs au siècle de François Ier*, Ed. TARBÉ, Reims, 1881, XIII.
Doctrinal du temps présent de Pierre Michault, édit. WALTON (T.), Paris, 1931.
Evangile aux femmes, édit. KEIDEL (G. C.), Baltimore, 1895, nouv. édit. JODOGNE (O.), *Studi in onore di A. Monteverdi*, Modène, 1959.
Gilles li Muisis, *Poèmes*, édit. KERVYN DE LETTENHOVE, Louvain, 1882 (2 vol.).
Guillaume Coquillart, *Œuvres*, édit. d'HÉRICAULT (C.), Bibl. elzévirienne, Paris, 1857.
Guillaume Alecis, *Œuvres poétiques*, édit. PIAGET (A.), PICOT (E.), Paris, SATF, 1896-1908 (3 vol.).
Lamentations Matheolus, édit. VAN HAMEL (A. G.), Paris, BEPHE, XCV-XCVI, 1905.
Proverbes au vilain, édit. TOBLER (A.), Leipzig, 1963.
Regrés Nostre Dame d'Huon le Roi de Cambrai, édit. LÅNGFORS (A.), Paris, Champion, 1907.

Rutebeuf, *Poèmes concernant l'Université de Paris*, édit. LUCAS (H.-H.), Paris, Nizet, 1952.
Speculum stultorum, de Nigel de Longchamps, édit. MOZLEY (J.-H.), RAYNO (R.-R.), 1960.

b) Fabliaux

— *Recueils*

MONTAIGLON (A.), RAYNAUD (G.), *Recueil général et complet des Fabliaux des XIII*e *et XIV*e *siècles*, Paris, 1872-1890 (6 vol.).
OWEN (D. D. R.), JOHNSTON (R. C.), *Fabliaux*, Blackwell French Texts, 1957.
REID (T. B. W.), *Twelve Fabliaux*, from Mss. BN fr. 19151, Manchester, 1958.
RYCHNER (J.), *Contribution à l'étude des fabliaux*, t. II, Genève, 1960.
MÉNARD (Philippe), *Fabliaux français du Moyen Age*, éd. critique, Paris, Genève, Droz, 1979.

— *Editions séparées*

Constant du Hamel, Ed. ROSTAING, 1953.
Convoiteus et Envieus, Ed. FLUTRE, 1936.
Housse Partie, de Bernier, édit. MEYER (P.), *Romania*, XXXVII, 1908.
Jean Bedel, *Les fabliaux de Jean Bedel*, édit. NARDIN (P.), Dakar, 1959.
Trois aveugles de Compiègne de Courtebarbe, édit. GOUGENHEIM (G.), 1932.
Trubert, édit. RAYNAUD DE LAGE (G.), Genève, Droz, 1974.
Vilain Mire, édit. ZIPPERLING, 1912.

— *Renart*

Fauvain de Raoul le Petit, édit. LÅNGFORS (A.), Paris, 1914.
Fauvel de Gervais du Bus, édit. LÅNGFORS (A.), Paris, *SATF*, 1914-1919.
Renart le Bestourné, édit. SERPER (A.), *Romance Philology*, XX, 1967.
Renart le Contrefait, édit. RAYNAUD (G.), LEMAÎTRE, Paris, Champion, 1914 (2 vol.).
Roman de Renart, édit. ROQUES (M.), Paris, CFMA, Champion (1948-1963, I-XIX); MARTIN (E.), Strasbourg, 1882-1887.

ÉTUDES

a) Généralités

BERGSON (H.), *Essai sur la signification du comique*, rééd., Paris, 1950.
ELLIOTT (R. C.), *The Power of satire*, Princeton, 1960.
FRYE (N.), *Anatomy of criticism*, New York, 1967 (trad. fr., Paris, Seuil, 1969).
HIGET (G.), *The anatomy of satire*, Princeton, 1962.
KNOX (E. V.), *The mechanism of satire*, Londres, 1951.
STENPHENS (G. D.), ALLEN (C. A.), *Theory of satire*, Belmont, 1962.
WORCESTER (D.), *The art of satire*, 1940.

b) La littérature médiévale satirique et parodique

BALLET-LYNN (T.), *Recherches sur l'ambiguïté et la satire au Moyen Age*, Paris, Nizet, 1977.
FREEMAN-REGALADO (Nancy), *Poetic Patterns in Rutebeuf*, New Haven, 1970.
JAUSS (Hans Robert), Ernst und Scherz in der mittelalterlichen Allegorie, *Mélanges Jean Frappier*, 1970, t. I.
LEHMANN (P.), *Die Parodie in Mittelalter*, Stuttgart, A. Hiersemann, 1963 (éd. augm.).

MEJEAN (S.), *La chanson satirique provençale au Moyen Age*, Paris, 1971.
MÉNARD (Philippe), *Le Rire et le Sourire dans le Roman courtois en France au Moyen Age*, Genève, Droz, 1969.
ZUMTHOR (Paul), Fatrasie et coq-à-l'âne, *Mélanges Guiette*, 1961.

c) Domaines particuliers

BADEL (Pierre-Yves), *Le Sauvage et le sot. Le fabliau de Trubert et la tradition orale*, Paris, Champion, 1979.
BEDIER (J.), *Les fabliaux*, Paris, 5e éd., 1925.
NYKROG (P.), *Les fabliaux*, Copenhague, 1957.
RYCHNER (J.), *Contribution à l'étude des fabliaux*, Genève, 1960 (2 vol.).
BEYER (J.), *Schwank und moral. Untersuchungen zum altfranzösischen Fabliau und verwandten Formen*, Heidelberg, 1969.
BIANCIOTTO (G.), Renart et son cheval, *Mélanges Félix Lecoy*, Paris, Champion, 1973.
FLINN (J.), *Le Roman de Renart dans la littérature française et dans la littérature étrangère au Moyen Age*, Paris-Toronto, 1963.
JAUSS (Hans Robert), *Untersuchungen zur mittelalterlichen Tierdichtung*, Niemeyer, Tübingen, 1959.
LEO (U.), *Studien zu Rutebeuf. Entwicklungs geschichte und form des Renart le Bestourné*, Beihefte zur Zeitschr. für Rom. Phil, LXVII, 1922.

— *Le théâtre comique*

GARAPON (Robert), *La fantaisie verbale dans le théâtre français du Moyen Age à la fin du XVIIe siècle*, Paris, 1957.
GOTH (B.), *Untersuchungen zur Gattungsgeschichte der Sottie*, Munich, 1967.

CHAPITRE VII

(VOIR CHAPITRE III POUR LE XIIe SIÈCLE)

TEXTES DU XIIIe SIÈCLE

Robert de Boron, *Merlin*, édit. A. MICHA, Paris-Genève, Droz, 1980.
— *Le Roman de l'Estoire dou Graal*, édit. W. NITZE, Paris, Champion, 1927.
— *Le Roman du Graal, manuscrit de Modène*, édit. B. CERQUIGLINI, Paris, 1981 (coll. « 10/18 »).
The Continuations of the old French Perceval of Chrétien de Troyes, édit. W. ROACH, 4 vol., Philadelphie, American Philosophical Society, 1965-1971.
Gerbert de Montreuil, La Continuation de Perceval, édit. H. WILLIAMS, 3 vol., Paris, Champion, 1922-1975.
Jean Renart, *L'Escoufle*, édit. F. SWEETSER, Paris-Genève, Droz, 1974.
— *Le Lai de l'ombre*, édit. F. LECOY, Paris, Champion, 1979.
— *Le Roman de la rose ou de Guillaume de Dole*, édit. F. LECOY, Paris, Champion, 1962.
Lancelot, roman en prose du XIIIe siècle, édit. A. MICHA, 8 vol., Paris, Genève, Droz, 1978-1982.
La Queste del Saint Graal, édit. A. PAUPHILET, Paris, Champion, 1923.

*Jaufré, roman arthurien du XII*e *siècle en vers provençaux*, édit. C. BRUNEL, 2 vol., Paris, SATF, 1943.
Flamenca, édit. P. MEYER, 1865 (voir René LAVAUD et René NELLI, *Les Troubadours*, 1960).

TRADUCTIONS

Chez Champion, *La Quête du saint Graal, Guillaume de Dole.*
Dans la collection « Stock-plus », *Le Cœur mangé, Robert le Diable, Merlin, La Manekine.*

ÉTUDES

BAUMGARTNER (Emmanuèle), *L'Arbre et le pin, essai sur la « Queste del saint Graal »*, Paris, SEDES, 1981.
— *Le « Tristan en prose ». Essai d'interprétation d'un roman médiéval*, Genève, Droz, 1975.
BOGDANOW (F.), *The Romance of the Graal*, Manchester University Press, 1965.
FRAPPIER (Jean), *Etude sur la Mort le Roi Artu*, 2e éd., Genève, Droz, 1961.
LATHUILLÈRE (Roger), *Guiron le Courtois, Etude de la tradition manuscrite et analyse critique*, Genève, Droz, 1966.
MELA (Charles), *La Reine et le Graal. La Conjointure dans les romans du Graal*, Paris, Le Seuil, 1982.
MICHA (Alexandre), *Etude sur le Merlin de Robert de Boron*, Genève, Droz, 1980.
POIRION (Daniel), *Le Merveilleux dans la littérature française du Moyen Age*, Paris, PUF, 1982 (« Que sais-je ? »).
ZINK (Michel), *Roman rose et rose rouge. Le Roman de la rose ou de Guillaume de Dole de Jean Renart*, Paris, Nizet, 1979.

CHAPITRE VIII

TEXTES (XIIe-XIIIe SIÈCLE)

Abeces par ekivoche, de Huon le Roi de Cambrai, édit. LÅNGFORS, CFMA, 1912-1925.
Anticlaudianus, d'Alain de Lille, édit. BOSSUAT, Textes phil. du Moyen Age, 1955.
Architrenius, Jean de Hanville (Hauteville) (1184), édit. P. G. SCHMIDT, Munich, Fink, 1974.
Armeüre du Chevalier, de Guiot de Provins, édit. ORR (J.), Manchester, 1915.
Bataille des Vins, d'Henri d'Andeli, édit. AUGUSTIN (A.), Marburg, 1886.
Bestiaires :
Philippe de Thaon, édit. WALBERG, *Romania*, XXIX, 1900.
Pierre de Beauvais, édit. CAHIER (C.), 1848-1856.
Gervaise, édit. MEYER (P.), *Romania*, I, 1872.
Anonyme de Cambrai (après 1260), édit. HAM, *Modern philology*, XXXVI, 1939.
Guillaume le Clerc, édit. REINSCH, Leipzig, 1892 *(Bestiaire divin)*.
Bestiaire d'Amour, de Richart de Fournival (1256), Ed. SEGRE, Milan, 1957.
Bestiaire d'Amour Rimé, anonyme, édit. THORDSTEIN, Lund, 1941.
Mariage des sept Arts, de Jean le Teinturier d'Arras, édit. LÅNGFORS, Paris, CFMA, 1923.

Perlesvaus, édit. NITZE (A.) et JENKINS (T. A.) (Le Haut Livre du Graal), Chicago, 1932, nouv. éd., New York, 1972.
Prison d'Amour, de Baudouin de Condé, édit. SCHELER (A.), 1866.
Roman des Ailes de Courtoisie, de Raoul de Houdenc, édit. SCHELER, 1879.
Guillaume de Lorris et Jean de Meun, Le Roman de la Rose, édit. POIRION (Daniel), Paris, Garnier-Flammarion, 1974.
Tournoiement Antechrist, de Huon de Méry, édit. G. WIMMER, Marburg, 1888.
Songe d'Enfer, de Raoul de Houdenc (1215), édit. LEBESGUE, Paris, 1908.
Vers de la Mort, d'Hélinant de Froidmont, édit. WULF-WALBERG, Paris, SATF, 1905.
Voie de Paradis, de Baudouin de Condé, édit. SCHELER, 1866.

TEXTES (XIVe-XVe SIÈCLE)

Christine de Pizan, *L'Avision Christine*, édit. TOWNER (M. L.), Washington, 1932.
— *Le chemin de longue Estude*, édit. PÜSCHEL (R.), Berlin-Paris.
— *Livre de la mutation de Fortune*, édit. SOLENTE (S.), Paris, Picard, 1959 (4 vol.).
— *L'Epistre d'Othea*, édit. WARNER (G.), Londres, 1904.
Guillaume de Digulleville, *Le Pèlerinage de vie humaine*, édit. STÜRZINGER, 1893-1897.
— *Le pèlerinage de l'âme*, édit. STÜRZINGER, 1893-1897.
— *Le Pèlerinage Jésus Christ*, édit. STÜRZINGER, 1893-1897.
Livre du Roy Modus et de la Royne Ratio, édit. TILANDER, Paris, 1952, SATF.
Roi René d'Anjou, *Livre du Cœur d'Amour espris*, édit. WHARTON (S.), Paris, 1980 (« 10/18 »).
Roi René d'Anjou, *Livre du Cœur d'Amour épris*, édit. POIRION (Daniel), GOUSSET (M. T.), UNTERKIRCHER (Franz), Philippe Lebaud, Paris, 1981.
Songe du Vieil Pèlerin, de Philippe de Mézières, édit. COOPLAND, 2 vol., Cambridge, 1969.

ÉTUDES

a) Généralités

BATANY (Jean), Paradigmes lexicaux et structures littéraires au Moyen Age, *Revue d'Histoire littéraire de la France*, 1970, n° 5-6.
BALDWIN (C. S.), *Medieval rhetoric and poetics*, New York, 1928.
BAYRAV (S.), *Le symbolisme médiéval*, Paris, 1957.
BLOOMFIELD (M. W.), Symbolism in medieval literature, *Modern Philology*, LVI, 2, 1958.
JAUSS (Hans Robert), Form und Auffassung der Allegorie in der Tradition der Psychomachia, dans *GRLMA*, VI, La littérature didactique, allégorique entre 1180 et 1240.
— La transformation de la forme allégorique entre 1180 et 1240, *GRLMA*, VI.
— Allegorese, Remythisierung und neuer Mythos, dans *Poetik und Hermeneutik*, VI, 1971.
JUNG (M.-R.), *Le poème allégorique en France*, Berne, 1971.
LEWIS (C. S.), *The Allegory of Love*, New York, 1958.
PAYEN (Jean-Charles), Genèse et finalités de la pensée allégorique au Moyen Age, *Revue de méthaphysique et de morale*, LXXVIII, 1973.
PÉPIN (J.), *Mythe et allégorie*, Paris, Montaigne, 1947.

b) Topique

BALDWIN (C. S.), *Medieval rhetoric and poetics*, New York, 1928.

c) « L'allégorèse » et la théologie

CHENU (M. D.), Involucrum, le mythe selon la théologie médiévale, *AHMA*, 1957.
— Théologie symbolique et exégèse scolastique aux XIIe et XIIIe siècles dans les *Mélanges J. de Ghellinck*, Gembloux, 1951.
JEAUNEAU (E.), L'usage de la notion d'integumentum à travers les gloses de Guillaume de Conches, *AHMA*, 1957.
TODOROV (T.), *Symbolisme et interprétation*, Paris, Seuil, 1978.

d) Le Roman de la Rose

BADEL (Pierre-Yves), *Le Roman de la Rose au XIVe siècle. Etude de la réception de l'œuvre*, Genève, Droz, 1980.
BATANY (Jean), *Approches du « Roman de la Rose »*, Paris, Bordas, 1973.
FLEMING (J. V.), *The « Roman de la Rose ». A study in allegory and iconography*, Princeton, 1969.
GUNN (A. M. F.), *The mirror of love. A reinterpretation of the « Roman de la Rose »*, Lubbock, Texas, 1952.
LOUIS (René), *Le Roman de la Rose*, Paris, Champion, 1976.
POIRION (Daniel), *Le Roman de la Rose*, Paris, Hatier, 1974.

CHAPITRE IX

(VOIR AUSSI CHAPITRE IV)

TEXTES

AUVERGNE (Martial d'), *Les arrêts d'Amour*, J. RYCHNER (édit.), Paris, Picard, 1951 (SATF).
BAUDE (Henri), *Dicts moraulx pour faire tapisserie*, A. SCOUMANNE (édit.), Genève, Droz, 1959 (TLF).
CHARTIER (Alain), *La Belle dame sans mercy & les poésies lyriques*, A. PIAGET (édit.), Paris, Droz, 1945 (TLF), 2e éd., Genève, Droz, 1949, avec lexique établi par R. L. WAGNER.
— *The Poetical Works of Alain Chartier*, J. C. LAIDLAW (édit.), Cambridge, Cambridge University Press, 1974.
DESCHAMPS (Eustache), *Œuvres complètes*, Le marquis de QUEUX DE SAINT-HILAIRE et Gaston RAYNAUD (édit.), 11 vol., Paris, Didot, 1878-1904 (SATF).
FROISSART (Jean), *L'espinette amoureuse*, A. FOURRIER (édit.), Paris, Klincksieck, 1963.
— *La prison amoureuse*, A. FOURRIER (édit.), Paris, Klincksieck, 1974.
— *Le Joli Buisson de Jonece*, A. FOURRIER (édit.), Genève, Droz, 1975 (TLF).
— *Ballade & rondeaux*, R. S. BAUDOIN (édit.), Genève, Droz, 1978 (TLF).
— *« Dits » & « Débats »*, avec en appendice quelques poèmes de Guillaume de MACHAUT, A. FOURRIER (édit.), Genève, Droz, 1979 (TLF).
GARENCIÈRES (Jean de) : NEAL (Y. A.), *Le Chevalier Poète Jehan de Garencières (1372-1415). Sa vie & ses poésies complètes dont de nombreuses inédites*, Paris, Nizet, 1953.
GRANDSON (Oton de) : PIAGET (A.), *Oton de Grandson, sa vie et ses poésies*, Lausanne, Payot, 1941.

Le Jardin de Plaisance & Fleur de Rhétorique, E. DROZ & A. PIAGET (édit.), Reproduction en fac-similé de l'édition publiée par Antoine VÉRARD vers 1501, 2 vol., Paris, Didot, 1910-1924 (SATF).
LE MOTE (Jean de), *Le Parfait du Paon*, R. J. CAREY (édit.), Chapel Hill, The University of North Carolina Press, 1972.
— *Li Regret Guillaume, Comte de Hainaut*, A. SCHELER (édit.), Louvain, Lefever, 1882.
— POGNON (E.), Ballades mythologiques de Jean de Le Mote, Philippe de Vitri, Jean Campion, *Humanisme & Renaissance*, t. V, 1938, p. 385-417.
LE SÉNESCHAL (Jean), *Les Cent Ballades*, G. RAYNAUD (édit.), Paris, Didot, 1905 (SATF).
Leys d'Amors (les), J. ANGLADE (édit.), 4 vol., Toulouse, Privat, 1910-1930.
MACHAUT (Guillaume de), *Le Livre du Voir-Dit*, P. PARIS (édit.), Paris, Société des Bibliophiles françois, 1875, réimpression Genève, Slatkine, 1969.
— *Œuvres*, E. HOEPFFNER (édit.), 3 vol., Paris, Didot puis Champion, 1908, 1911, 1921 (SATF).
— *Poésies lyriques*, V. CHICHMAREF (édit.), 2 vol., Paris, Champion, 1909, réimpression en un volume, Genève, Slatkine, 1973.
— *La louange des Dames*, N. WILKINS (édit.), Edimbourg, Scottish Academic Press, 1972.
MÉZIÈRES (Philippe de), *Le songe du vieil pèlerin*, G. W. COOPLAND (édit.), Cambridge, Cambridge University Press, 1969.
MOLINET (Jean), *Les faictz & Dictz*, N. DUPIRE (édit.), 3 vol., Paris, Picard, 1936-1939 (SATF).
NESSON (Pierre de), PIAGET (A.) et DROZ (E.), *Pierre de Nesson et ses œuvres*, Paris, 1925 (Documents artistiques du XVe siècle, t. II).
ORLÉANS (Charles d'), *Poésies*, P. CHAMPION (édit.), 2 vol., Paris, Champion, 1923-1927 (CFMA).
PIZAN (Christine de), *Œuvres poétiques*, M. ROY (édit.), 3 vol., Paris, Didot, 1886, 1891, 1896 (SATF).
— *Cent Ballades d'Amant et de Dame*, édit. J. CERQUIGLINI, Paris, 1982 (coll. « 10/18 »).
Règles de seconde rhétorique : E. LANGLOIS, *Recueil des arts de seconde rhétorique*, Paris, 1902, réimpression, Genève, Slatkine, 1974.
RÉGNIER (Jean), *Les Fortunes et adversitez*, E. DROZ (édit.), Paris, Champion, 1923 (SATF).
TAILLEVENT (Michault), DESCHAUX (R.), *Un poète bourguignon du XVe siècle : Michault Taillevent* (édition et étude), Genève, Droz, 1975.
VILLON (François), *Le Testament Villon*, J. RYCHNER et A. HENRY (édit.), 2 vol., Genève, Droz, 1974 (TLF).
— *Le lais Villon et les poèmes variés*, J. RYCHNER et A. HENRY (édit.), Genève, Droz, 1977 (TLF).
VITRI (Philippe de), PIAGET (A.), Le Chapel des fleurs de lis, par Philippe de Vitri, *Romania*, XXVII, 1898, pp. 55-92 (éd. du *Chapel des fleurs de lis* et du *Dit de Franc Gontier*).

ÉTUDES

Pour une compréhension générale du lyrisme à la fin du Moyen Age, on se reportera à l'ouvrage de Daniel POIRION : *Le Poète et le Prince. L'évolution du lyrisme courtois de Guillaume de Machaut à Charles d'Orléans*, Paris, PUF, 1965, réimpression Genève, Slatkine, 1978.

Pour une appréhension nouvelle de la poésie des Grands Rhétoriqueurs, on consultera Paul ZUMTHOR, *Le masque et la lumière. La poétique des Grands Rhétoriqueurs*, Paris, Seuil, 1978.

Sur la mélancolie et l'écriture, voir l'article de Jean STAROBINSKI, L'encre de la mélancolie, *La nouvelle Revue française*, n° 123, mars 1963, p. 410-423.

Sur la définition du *dit*, Jacqueline CERQUIGLINI, Le clerc et l'écriture : Le *Voir Dit* de Guillaume de Machaut et la définition du *dit* in *Literatur in der Gesellschaft des Spätmittelalters*, éd. GUMBRECHT (H. U.), Heidelberg, Winter, 1980.

CERQUIGLINI (Jacqueline), *Guillaume de Machaut et l'écriture ; l'énigme du Voir Dit*, thèse de doctorat d'Etat, Paris-Sorbonne, 1981.

CHAPITRE X

TEXTES

AALTON (J.), *Le Roman de Marques de Rome*, Tübingen, 1889.

ARMSTRONG (E. C.) et collab., *The Medieval French Roman d'Alexandre*, 11 vol., Princeton, Princeton University Press, 1928-1976.

BOSSUAT (Robert), *Bérinus, roman en prose du XIV*e *siècle*, 2 vol., Paris, SATF, 1931-1932.

CAREY (Richard J.), *Jean Le Court dit Brisebarre. Le Restor du Paon*, Genève, Droz, 1966.

— *Le Parfait du Paon de Jean de La Mote*, University of North Carolina Press, 1972.

FLEURET (Fernand), *Les Quinze joies du mariage avec une préface, une bibliographie et un glossaire*, Paris, Garnier, 1936.

GENNRICH (Friedrich), *Li Romans de la Dame à la Lycorne et du biau chevalier au Lyon (Ein Abenteuerroman aus dem ersten Drittel des XIV. Jahrhunderts. Zum ersten Male herausgegeben)*, Dresde, 1908.

GUIETTE (Robert), *Chroniques et conquestes de Charlemagne*, 3 vol., Bruxelles, 1940-1943.

HEUCKENKAMP (Ferdinand), *Le Chevalier au Papegau (Nach der einzigen Pariser Handschrift zum ersten Male herausgegeben)*, Halle, Niemeyer, 1897.

JEAN D'ARRAS, *Mélusine*, trad. de Michèle PERRET, préface de Jacques LE GOFF, Paris, Stock-Plus, 1979.

LAHURE (Ch.), *Le Roman d'Edipus*, Paris, 1858.

LEWIS (Charles B.), *Die altfranzösischen Prosaversionen des Apollonius-Romans nach allen bekannten Handschriften mit Einleitung, Anmerkungen, Glossar und Namenverzeichnis zum ersten Male herausgegeben*, Breslau, 1912 et dans *Romanische Forschungen*, t. 34, 1915, p. 1-277.

LISCINSKY (Renée Nicolet), *Les Fais et Concquestes du Noble Roy Alexandre. Edition du manuscrit 836 de la Bibliothèque municipale de Besançon*, Ann Arbor, University Microfilms International, 1980.

LONGNON (Auguste), *Méliador par Jean Froissart. Roman comprenant les poésies lyriques de Wenceslas de Bohème, duc de Luxembourg et de Brabant.* Publié pour la première fois, 3 vol., Paris, SATF, 1895-1899.

MATER (P. J.), *King Ponthus and the fair Sidoine*, Baltimore, 1898 et Publications of the Modern Language Association XII, 1897, p. 1-150.

MEYER (Paul), *Alexandre le Grand dans la littérature française du Moyen Age*, 2 vol., Paris, 1886.
MICHEL (Francisque), *Couldrette. Li livres de Lusignan*, Paris, 1854.
MISRAHI (Jean), *Le Roman des Sept Sages*, Paris, 1933.
— et KNUDSON (Charles A.), *Antoine de La Sale. Jehan de Saintré*, Genève, Droz, 3e éd., 1978.
MORAWSKI (J. de), *Pamphile et Galatée, par Jehan Bras-de-Fer, de Dammartin-en-Goële. Poème français inédit du XIVe siècle. Edition critique précédée de recherches sur le Pamphilus latin*, Paris, 1917.
PALERMO (Joseph), *Le Roman de Cassidorus*, 2 vol., Paris, SATF, 1963.
PARIS (Gaston), *Deux rédactions du roman des Sept Sages de Rome*, Paris, SATF, 1876.
REINHARD (J. R.), *Le Roman d'Eledus et Serena*, Austin, University of Texas, 1923.
RYCHNER (Jean), *Les arrêts d'Amour de Martial d'Auvergne*, Paris, SATF, 1951.
SEIGNEURET (Jean-Charles), *Le Roman du comte d'Artois (XVe siècle)*, Genève, Droz, 1966.
SERRURE (C.-P.) et VOISIN (A.), *Le Livre de Baudoyn, conte de Flandre, suivi de fragments du Roman de Trasignyes*, Bruxelles, 1836.
SMITAL (O.) et WINKLER (E.), *Bibliothèque nationale de Vienne. Manuscrit 2597 : René d'Anjou. Livre du Cuer d'Amour Espris. Texte et miniatures publiés et commentés*, 3 vol., Vienne, 1927.
STENDARO (Guido), *La Guerre d'Attila par Niccolo da Casola*, Modène, 1941.
STOUFF (Louis), *Mélusine, roman du XIVe siècle, par Jean d'Arras, publié pour la première fois d'après le manuscrit de la Bibliothèque de l'Arsenal, avec les variantes des manuscrits de la Bibliothèque nationale*, Dijon, 1932.
SWEETSER (F.-P.), *Les Cent nouvelles nouvelles*, Genève, Droz, 1966.
THORPE (Lewis), *Laurin*, 2 vol., Cambridge, 1950-1960, 2e éd., 1972.
WOLFF (O. L. B.), *Histoire de Gilion de Trasignyes et de Dame Marie, sa femme. Publiée d'après le manuscrit de la bibliothèque de l'Université d'Iéna*, Paris-Leipzig, 1839.
ZINK (Michel), *Du noble roy Apolonie. Version française du XVe siècle de l'histoire d'Apollonius de Tyr publiée et traduite pour la première fois d'après le manuscrit Vienne National-Bibl. 3428...*, Paris, Christian Bourgois, 1981 (« 10/18 »).

ÉTUDES

COVILLE (Alfred), *Le Vie intellectuelle dans les domaines d'Anjou-Provence de 1380 à 1435*, Paris, 1941.
DOUTREPONT (G.), *La Littérature française à la cour des ducs de Bourgogne*, Paris, 1909.
— *Les Mises en prose des épopées et des romans chevaleresques du XIVe au XVIe siècle*, Bruxelles, 1939.
DUBUIS (Roger), *Les Cent nouvelles nouvelles et la tradition de la nouvelle en France au Moyen Age*, Presses Universitaires de Grenoble, 1973.
LABANDE (Edmond-René), *Etude sur Baudouin de Sebourc, chanson de geste. Légende poétique de Baudouin II du Bourg, roi de Jérusalem*, Paris, 1940.
LODS (Jeanne), *Le Roman de Perceforest. Origines. Composition. Caractères. Valeur et influence*, Lille-Genève, Droz et Giard, 1951.
PICKFORD (Cedric, Edward), *L'Evolution du roman arthurien en prose vers la fin du Moyen Age d'après le manuscrit 112 du fonds français de la Bibliothèque nationale*, Paris, Nizet, 1960.
POIRION (Daniel), GOUSSET (Marie-Thérèse) et UNTERKIRCHER (Franz), *Le cœur d'Amour Epris*, Paris, Philippe Lebaud, 1981.

CHAPITRE XI

TEXTES

1. *Dits* de jongleurs :

Dit du Mercier, édit. Ph. MÉNARD, *Mélanges... J. Frappier*, t. 2, Paris, 1970.
Dit de la Maille, édit. Ph. MÉNARD, *Mélanges... P. Le Gentil*, Paris, 1973.
Dit des deux bordeors ribauds et *Contregengle*, édit. A. de MONTAIGLON et G. RAYNAUD, *Recueil général et complet des fabliaux*, t. 1 et 2, Paris, 1872 et 1875; réimp., vol. 1, New York, 1965.
Le Franc-Archer de Bagnollet [1465], *Le Franc-Archer de Cherré* [1523-1524], *Le Pionnier de Seurdre* [1523-1524], édit. L. POLAK, Genève-Paris, 1966.
Guillaume Coquillart, *Œuvres*, édit. M. J. FREEMAN, Genève, 1975 *(Monologue du Bain, M. des Perruques, Droitz Nouveaulx...)*.

2. Monologues, dialogues, farces, sotties et moralités se trouvent pour la plupart dans des recueils collectifs :

Le recueil du British Museum, fac-similé publié par H. LEWICKA, Genève, 1970; édit. A. de MONTAIGLON, *in* VIOLLET-LE-DUC, *Ancien Théâtre français*, vol. 1-3, Paris, 1854.
Le recueil de Copenhague, édit. E. PICOT et Chr. NYROP, *Nouveau recueil de farces françaises des XVe et XVIe siècles*, Paris, 1880; réimp., Genève, 1968.
Le recueil de Florence, édit. G. COHEN, *Recueil de farces inédites du XVe siècle*, Cambridge (Mass.), 1949, 2 vol.; réimp., Genève, 1973.
Le manuscrit La Vallière, fac-similé publié par W. HELMICH, Genève, 1972; édit. LE ROUX DE LINCY et F. MICHEL, *Recueil de farces, moralités et sermons joyeux*, Paris, 1837.
Le recueil Trepperel, fac-similé publié par E. DROZ, Genève, 1966; édit. E. DROZ, *Le recueil Trepperel*, t. 1 : *Les sotties*, Paris, 1935; réimp., Genève, 1974; E. DROZ et H. LEWICKA, *Le recueil Trepperel*, t. 2 : *Les farces*, Genève, 1961.

3. Miracles :

Les Miracles de Nostre Dame par personnages, édit. Gaston PARIS et U. ROBERT, 8 vol., Paris, 1876-1893.
La passion de Palatinus, édit. G. FRANK, Paris, 1922.
La passion d'Autun, édit. G. FRANK, Paris, 1935.
Eustache Mercadé (?), *La passion d'Arras*, édit. RICHARD (J.-M.), Arras, 1891; réimp., Genève, 1976.
La passion de Semur, édit. E. ROY, *Le Mystère de la Passion en France du XIVe au XVe siècle*, Dijon-Paris, 1903; réimp., Genève, 1974.
Arnoul Gréban, *Le Mystère de la Passion*, édit. O. JODOGNE, Bruxelles, 1965.
Jean Michel, *Le Mystère de la Passion* (1486), édit. O. JODOGNE, Gembloux, 1959.
La Passion d'Auvergne sera éditée prochainement par G. A. RUNNALLS, *La Passion de Troyes* par J.-C. BIBOLET; les deux Passions de Valenciennes sont inédites.
Le Mystère du Vieil Testament, édit. J. de ROTHSCHILD et E. PICOT, 6 vol., Paris, 1878-1891.
La Pascience de Job [3e quart du xve siècle], édit. A. MEILLER, Paris, 1971.
Le Mystère du Roy Advenir (Jean du Prier), édit. A. MEILLER, Genève-Paris, 1970 [histoire de Barlaam et Josaphat].

Andrieu de La Vigne, *Le mystère de saint Martin* [Seurre, 1496], édit. A. Duplat, Genève, 1980.
Arnoul Gréban et Simon Gréban ou Jean du Prier, *Mystère des Actes des Apôtres* [joué plusieurs fois avec d'importants remaniements entre 1470 env. et 1540 env.], inédit.
Le Mystère de saint Sébastien, édit. L. R. Mills, Genève-Paris, 1965.
Le Mystère de saint Venice, édit. G. A. Runnalls, Exeter, 1980.

3. Mystères « profanes » :

L'Estoire de Griseldis [1395], édit. M. Roques, Genève-Paris, 1957.
Jacques Milet, *L'Istoire de la Destruction de Troie la Grant* [vers 1450], édit. E. Stengel, Marburg, 1883.
Le Mystère du Siège d'Orléans, édit. F. Guessard et E. de Certain, Paris, 1862.

4. Moralités

Bergerie de L'Agneau de France à cinq personnages [1485], édit. H. Lewicka, Genève, 1961.
Gringore (Pierre), *Œuvres complètes*, édit. A. de Montaiglon et Ch. d'Héricault, Paris, 4 vol., 1858.
La Farce de Maistre Pathelin, édit. J.-C. Aubailly, Paris, 1979.
La Farce du Pauvre Jouhan, édit. E. Droz et M. Roques, Genève-Paris, 1959.
Le Concile de Basle [1434], édit. J. Beck, Leyde, 1979.
Le Garçon et l'aveugle, édit. M. Roques, Paris, 1922.
Michault Taillevent, *Moralité de Pauvre Commun* [Arras, 1435], édit. J. H. Watkins, *French Studies*, 8, 1954.
Mystères et Moralités du ms. 617 de Chantilly, édit. G. Cohen, Paris, 1920; réimp., Genève, 1975 (cf. E. Hoepffner, *Romania*, 48, 1922).
Picot (E.), *Recueil général des Sotties*, 3 vol., Paris, 1902-1912.
Tissier (A.), *La Farce en France de 1450 à 1550*, 2 vol., Paris, 1976 (12 textes).

ÉTUDES

Accarie (M.), *Le théâtre sacré à la fin du Moyen Age : le mystère de la Passion de Jean Michel*, Genève, 1980.
Aubailly (J.-C.), *Le théâtre médiéval profane et comique*, Paris, 1975.
— *Le monologue, le dialogue et la sottie. Essai sur quelques genres dramatiques à la fin du moyen âge et au début du XVI*e *siècle*, Paris, 1976.
Bowen (B. C.), *Les caractéristiques essentielles de la farce et leur survivance dans les années 1550-1620*, Urbana, 1964.
Cohen (G.), *Histoire de la mise en scène dans le théâtre religieux français du Moyen Age*, Paris, 1926.
— *Le Livre de Conduite du régisseur... pour le mystère de la Passion joué à Mons en 1501*, Strasbourg-Paris, 1925, réimp., Genève, 1974.
— *Etudes d'Histoire du Théâtre en France au Moyen Age et à la Renaissance*, Paris, 1926.
Duvignaud (J.), *Sociologie du théâtre. Essai sur les ombres collectives*, Paris, 1965 (Ire Partie).
Frank (G.), *The Medieval French Drama*, Oxford, 1954, 1972.
Frappier (J.), *Le théâtre profane en France au Moyen Age*, Paris, 1965.
Garapon (J.), *La fantaisie verbale et le comique dans le théâtre français du Moyen Age à la fin du XVII*e *siècle*, Paris, 1957.
Hylubei (A.), *L'Eglogue en France au XVI*e *siècle*, Paris, 1938.

Koningson (E.), *La représentation d'un mystère de la Passion à Valenciennes en 1547*, Paris, 1969.
— *L'Espace théâtral médiéval*, Paris, 1976.
Lebègue (R.), *Le Mystère des Actes des Apôtres. Contribution à l'étude de l'humanisme et du protestantisme français au XVIe siècle*, Paris, 1929.
— *Le théâtre comique en France, de « Pathelin » à « Mélite »*, Paris, 1972.
Lewicka (H.), *Bibliographie du théâtre profane français des XVe et XVIe siècles*, Paris, 1972.
— *La langue et le style du théâtre comique français des XVe et XVIe siècles*, Paris, 2 vol. parus, I : *La dérivation*, 1960, II : *Les composés*, 1970.
— *Etudes sur l'ancienne farce française*, Paris, 1974.
Maxwell (Jan), *French Farce and John Heywood*, Melbourne-Londres, 1946.
Oulmont (Ch.), *Pierre Gringore. La poésie morale, politique et dramatique à la veille de la Renaissance*, Paris, 1911.
Rey-Flaud (Bernadette), *La Théorie d'un genre dramatique* : la *farce en France de 1450 à 1550*, Montpellier, 1982 (thèse dactylographiée).
Rey-Flaud (H.), *Le Cercle magique. Essai sur le théâtre en rond à la fin du Moyen Age*, Paris, 1973.
Runnalls (A.), Medieval Trade Guilds and the *Miracles de Nostredame par personnages*, *Medium Ævum*, 39, 1970.
Runnalls (G. A.) et Hindley (A.), Medieval French Drama : A Review of recent Scholarship, *Research Opportunities in Renaissance Drama* (Lawrence, Kansas), vol. 21, 1978 et suivants.

CHAPITRE XII

TEXTES

Anjou (René d'), Traictié de la forme et devis d'ung tournoy, et Le livre du cuer d'amours espris, in *Œuvres complètes du Roi René*, éd. par Théodore de Quatrebarbes, 4 t., Angers, 1845 : t. II et III.
Basin (Thomas), *Historiarum de rebus a Carlo septimo francorum rege et suo tempore in Gallia gestis (Histoire des règnes de Charles VII et Louis XI)*, éd. Quicherat, 3 vol., Paris, shf, 1857.
Baye (Nicolas de), *Journal de Nicolas de Baye, greffier du Parlement de Paris (1400-1417)*, éd. par A. Tuetey, 2 vol., Paris, shf, 1885-1888.
Bouvet (Honoré) (ou Bonet), *L'apparicion Maistre Jehan de Meun*, et le *Somnium super materia scismatis*, édit. Ivor Arnold, Paris, Les Belles Lettres, 1926.
Bueil (Jean de), *Le Jouvencel*, suivi du *Commentaire* de Guillaume Tringant, éd. par Léon Lecestre, 2 vol., Paris, shf, 1887-1889.
Chandos (Le Héraut), *Le Prince Noir, poème du héraut Chandos*, éd. par Francisque Michel, Londres-Paris, 1883.
Chartier (Jean), *Chronique de Charles VII, roi de France*, éd. par Vallet de Viriville, 3 vol., Paris, Bibl. elzévirienne, 1858.
Chastellain (Georges), *Œuvres*, éd. par Kervyn de Lettenhove, 8 vol., Bruxelles, 1863-1866 (Slatkine Reprints, 1971).
Chronique des quatre premiers Valois, éd. par Siméon Luce, Paris, shf, 1862 [1327-1393].

Chronique du Mont-Saint-Michel, éd. par Siméon LUCE, Paris, SHF, 1879-1883 [1343-1468].
*Chronique normande du XIV*e *siècle*, éd. par A. et E. MOLINIER, Paris, SHF, 1882 [1294-1372].
CLARI (Robert de), *La conquête de Constantinople*, éd. par Philippe LAUER, Paris, Champion, CFMA, 1956.
CLERCQ (Jacques du), Journal, in *Choix de chroniques*, de J.-A. BUCHON, Paris, 1838 [1448-1467].
COMMYNES (Philippe de), *Mémoires*, éd. par J. CALMETTE et G. DURVILLE, 3 vol., Paris, Champion, 1925 (réédition Les Belles Lettres).
CUVELIER, *La vie de Bertrand du Guesclin*, éd. par E. CHARRIÈRE, Paris, 1839.
ESCOUCHY (Mathieu d'), *Chronique*, éd. par G. du FRESNE, 3 vol., Paris, SHF, 1863-1864 [1444-1461].
FENIN (Pierre de), *Mémoires, comprenant le récit des événements qui se sont passés en France et en Bourgogne sous le règne de Charles VI et de Charles VII (1407-1427)*, éd. par Mlle DUPONT, Paris, SHF, 1837.
FERRIÈRES (Henri de), *Les livres du roy Modus et de la reine Ratio : Le songe de Pestilence*, t. II; éd. par G. TILANDER, Paris, SATF, 1932.
FROISSART (Jean), *Chroniques, Premier Livre*, éd. par Siméon LUCE, 8 vol., t. I (1307-1340), II (1340-1342) et III (1342-1346), Paris, SHF, 1869-1872.
— *Chroniques, Deuxième Livre*, éd. par G. RAYNAUD, t. IX-XI, Paris, SHF, 1894.
— *Chroniques, Troisième Livre*, éd. par Léon MIROT, t. XII sq., Paris, SHF, 1931.
— *Chroniques, Livre quatrième*, éd. par J.-A.-C. BUCHON, Paris, 1867 (t. 3 de l'édition).
— *Chroniques, dernière rédaction du Premier Livre* (ms de Rome), éd. par George T. DILLER, Genève, Droz, et Paris, Minard, TLF, 1972.
GILLES (Nicole), *Les tres elegantes, tres veridiques et copieuses annales des tres preux, tres nobles, tres chrestiens et tres excellens moderateurs des belliqueuses Gaules*, Paris, 1525 (1re éd. : 1492).
Grandes chroniques de France (Les), éd. par J. VIARD, 9 vol., Paris, SHF, 1920-1937.
GUIART (Guillaume), *Branche des royaux lignages*, éd. par J.-A. BUCHON, 2 vol., Paris, 1828 (coll. des « Chroniques », t. VII-VIII) [1296-1304].
HAYNIN (Jean de), *Mémoires (1465-1477)*, éd. par D. D. BROUWERS, Liège, 1905.
Histoire de Gilion de Trasignyes et de Dame Marie sa femme, éd. par O. L. B. WOLFF, Leipzig, 1839.
JOINVILLE (Jean de), *Mémoires*, éd. par Francisque MICHEL, Paris, 1858.
Journal d'un bourgeois de Paris, éd. par A. TUETEY, Paris, SHF, 1881 (Slatkine Reprints, Genève, 1975).
JUVENAL DES URSINS (Jean), Chronique, *in* J.-A. BUCHON, *Choix de chroniques*, t. IV, p. 333-469.
LA MARCHE (Olivier de), *Mémoires*, éd. par H. BEAUNE et J. d'ARBAUMONT, 4 vol., Paris, SHF, 1883-1888 [1435-1488].
LANNOY (Ghillebert de), *Œuvres de Ghillebert de Lannoy, voyageur, diplomate et moraliste*, éd. par Ch. POTVIN, Louvain, 1878 : *L'Instruction d'un jeune prince*.
LE BEL (Jean), *Chronique*, éd. par J. VIARD et E. DÉPREZ, 2 vol., Paris, SHF, 1904-1905.
LE FÈVRE (Jean), seigneur de SAINT-RÉMY, *Chronique*, éd. par F. MORAND, Paris, SHF, 1876-1881 [1408-1436].
Le Livre des faits du bon chevalier messire Jacques de Lalaing, in *Œuvres* de G. CHASTELLAIN, éd. par Kervyn de LETTENHOVE, t. VIII, p. 1-259.

Le Livre des faicts du bon messire Jean le Maingre, dit Bouciquaut, in *Chroniques* de FROISSART, éd. par J.-A. BUCHON, t. III, p. 567-689.
MÉZIÈRES (Philippe de), Chancellor of Cyprus, *Le songe du Vieil Pèlerin*, 2 vol., éd. par G. W. COOPLAND, Cambridge University Press, 1969.
MOLINET (Jean), *Chroniques*, éd. par G. DOUTREPONT et O. JODOGNE, 3 vol., Bruxelles, 1935-1937.
MONSTRELET (Enguerrand de), *Chronique*, éd. par L. DOUËT D'ARCQ, 6 vol., Paris, SHF, 1857-1862 [1400-1444].
NESSON (Pierre de), Le lay de guerre, *in* A. PIAGET et E. DROZ, *Pierre de Nesson et ses œuvres*, Paris, 1925, t. II, p. 47-69.
ORGEMONT (Pierre d'), *Chronique des règnes de Jean II et de Charles V (Les grandes chroniques de France)*, éd. par R. DELACHENAL, 4 vol., Paris, SHF, 1910-1920.
PARIS (Geffroy de), *La chronique métrique attribuée à Geffroy de Paris*, éd. par A. DIVERRES, Paris, 1955 [1300-1316].
PISAN (Christine de), *Le Livre des fais et bonnes meurs du sage roi Charles V*, éd. par Suzanne SOLENTE, 2 vol., Paris, SHF, 1936-1941.
PRÉS (Jean des) ou d'OUTREMEUSE, Myreur des histoires, in *Œuvres de Jehan des Preis*, éd. par A. BORGNET et S. BORMANS, 7 vol., Bruxelles, 1864-1887 [origines-1340].
Le roman de Jehan de Paris, éd. par Edith WICKERSHEIMER, Paris, SATF, 1923.
ROYE (Jean de), *Journal de Jean de Roye connu sous le nom de chronique scandaleuse, 1460-1483*, éd. par B. de MANDROT, Paris, SHF, 1894-1896, 2 vol.
Le Rozier des guerres, enseignements de Louis XI Roy de France pour le Dauphin son fils, Paris, F. Bernouard, 1925.
SALE (Antoine de La), *Jehan de Saintré*, éd. par J. MISRAHI et Ch. KNUDSON, Genève, Droz, 1967.
Somnium Viridarii, *Revue du Moyen Age latin*, t. XXII, 1966 (reproduction photomécanique).
Le Songe du Vergier, qui parle de la disputacion du clerc et du chevalier, *Revue du Moyen Age latin*, t. XIII et XIV, 1957 et 1958 (réimpr. de l'éd. Brunet de 1731).
Le Songe véritable, pamphlet politique d'un Parisien du XVe siècle, éd. par H. MORANVILLÉ, in *Mémoire de la Société d'Histoire de Paris et de l'Isle de France*, t. XVII, p. 217-438.
TOURNAY (Gautier de), *L'histoire de Gille de Chyn*, éd. par E. B. PLACE, Evanston et Chicago, 1941.
La Tresjoyeuse, plaisante et recreative Histoire du gentil seigneur de Bayart, composée par le Loyal Serviteur, éd. par J. ROMAN, Paris, SHF, 1878.
VIGNEULLES (Philippe de), *Chronique*, éd. par Charles BRUNEAU, 4 vol., Besançon-Metz, 1927-1933 [origines-1525].
VILLEHARDOUIN (Geoffroy de), *La conquête de Constantinople*, éd. par E. FARAL, 2 vol., Paris, Les Belles Lettres, 2e éd. revue et corrigée, 1961.

ÉTUDES

ARIÈS (Philippe), *L'homme devant la mort*, Paris, Le Seuil, 1977.
AUTRAND (Françoise), *Pouvoir et société en France, XIVe-XVe siècle*, Paris, PUF, 1974 (« Dossiers Clio »).
BATANY (Jean), *Les origines et la formation du thème des « états du monde »*, Thèse d'Etat, Paris, 1979, exemplaire dactylographié.
BOURDIEU (Pierre), Capital symbolique et classes sociales, *L'Arc*, n° 72, *Georges Duby*, p. 13-19.

CARTELLIERI (Oscar), *La Cour des ducs de Bourgogne*, Paris, Payot, 1946 (trad. franç.).

DOUTREPONT (Georges), *La littérature française à la cour des ducs de Bourgogne*, Paris, 1909 (Genève, Slatkine Reprints, 1970).

DUBY (Georges), *Le temps des cathédrales. L'art et la société, 980-1420*, Paris, Gallimard, 1976 (texte remanié).

DUFOURNET (Jean), *La destruction des mythes dans les « Mémoires » de Ph. de Commynes*, Genève, Droz, 1966.

GUÉNÉE (Bernard), *Histoire et culture historique dans l'Occident médiéval*, Paris, Aubier, 1980.

— et LEHOUX (Françoise), *Les Entrées royales françaises (1328-1515)*, Ed. du CNRS, 1968.

HUIZINGA (Johan), *L'automne du Moyen Age*, Paris, Payot, 1977 (1re éd. aux Pays-Bas en 1919, trad. franç. en 1932 : *Le déclin du Moyen Age*).

HUPPERT (Georges), *L'idée de l'histoire parfaite*, Paris, Flammarion, 1973.

IORCA (Nicolas), *Philippe de Mézières et la croisade au XIVe siècle*, 1905.

DE LAGARDE (Georges), *La naissance de l'esprit laïque au déclin du Moyen Age*, seconde édition, Louvain, 1956-1970.

LE GOFF (Jacques), *La naissance du purgatoire*, Paris, Gallimard, 1981.

MICHAUD-QUANTIN (Pierre), « *Universitas* », *expressions du mouvement communautaire dans le Moyen Age latin*, Paris, Vrin, 1970.

PIPONNIER (Françoise), *Costume et vie sociale, la cour d'Anjou, XIVe-XVe siècle*, Paris-La Haye, Mouton, 1970.

POIRION (Daniel), *Le Moyen Age, II, 1300-1480*, Paris, Arthaud, 1971.

QUILLET (Jeannine), Songes et songeries dans l'art politique au XIVe siècle, *Les études philosophiques*, nº 3, 1975, p. 327-349.

ULLMANN (B. L.), Leonardo Bruni and Humanistic Historiography, *Medievalia et Humanistica*, nº 4, 1946, p. 45-61.

TABLEAU CHRONOLOGIQUE

Exposé d'un ordre probable plutôt que de dates certaines, ce tableau ne pouvait tenir compte des diverses versions des œuvres. Il s'agit là d'un schéma très rudimentaire, qui donne une idée du système littéraire en évolution.

	Repères historiques	*Littérature en latin*	*Vies de saints et chansons de geste*	*Troubadours*	*Récits*
1031	Début du règne de Henri Ier				
1050			*Vie de saint Alexis* « chanson de Roncevaux » ?		
1060	Règne de Philippe Ier				*Mabinogi de Pwyll, Branwen, Manawydan, Math*
1066	Conquête de l'Angleterre par les Normands	*Nota Emilianense*			
				1071 Naissance de Guillaume IX	
			1088 *Gormont et Isembard* *Chanson de Roland* *Chanson de Guillaume*		
1090	Conquête de la Sicile				
1096	1re Croisade				
1099	Prise de Jérusalem par les croisés				
1108	Règne de Louis VI le Gros				
1110		*Elucidarium* d'Honorius			*Alexandre* d'Albéric
1120			*Voyage de saint Brandan*		
1125		*Vita Sancti Wilhelmi ; Gesta regum anglorum*			
1127				1127 Mort de Guillaume IX	
1130	*Vita Gildae*		*Vie de saint Grégoire*		
1134		*Prophetia Merlini* de Geoffroy de Monmouth	*Bestiaire* de Philippe de Thaon	Jaufré Rudel	
1136		*Historia regum Britanniae* de Geoffroy de Monmouth		Marcabru	
1137	Règne de Louis VII le Jeune		*Le Couronnement de Louis*		
1138			*Le charroi de Nîmes* *La Prise d'Orange*		
1140					*L'Estoire des Englais* de Gaimar *Floire et Blancheflor* *Apollonius de Tyr*
1147	2e Croisade				
1148		Bernard Silvestre : *De mundi universitate et Commentum super sex libros Eneidos*			

Repères historiques		Littérature savante et religieuse	Chansons de geste	Poésie lyrique et satirique	Récits
1150		*Historia Karoli Magni* du pseudo-Turpin	*Girard de Roussillon*		
1152		*Ysengrimus*	*Jeu d'Adam*	Bernard de Ventadour	*Roman de Thèbes* *Les sept sages de Rome* (1er texte)
1154	Henri Plantagenêt épouse Aliénor	Jean de Salisbury : *Policraticus*			
1155	Philippe Barberousse empereur				Wace : *Roman de Brut*
1156				Peire d'Auvergne	*Enéas*
1160		Alain de Lille : *De planctu Naturae*	*Moniage Guillaume*		Wace; *Roman de Rou*; Benoît : *Roman de Troie* ; *Alexandre* décasyllabique; *Narcissus*.

Repères historiques		Littérature savante et religieuse	Chansons de geste	Poésie lyrique et satirique	Récits
1170	Meurtre de Thomas Becket		*Moniage Rainoart*		Chrétien de Troyes : *Erec*
1172			*Bataille Loquifer* *Fierabras*		Thomas : *Tristan*
1174	Aliénor en prison			Début du *Roman de Renart*	Benoît de Saint-Maure : *Histoire de Normandie* *La vie de Thomas Becket*
1175		Etienne de Fougères : *Le Livre des Manières*		Bertrand de Born	
1176				Peire Vidal Arnaut Daniel	Chrétien de Troyes : *Cligès*
1177					Gautier d'Arras : *Eracle*
1178					Gautier d'Arras : *Ille et Galeron*
1179					Chrétien de Troyes : *Lancelot*
1180	Règne de Philippe Auguste	Alain de Lille : *Anticlaudianus*			Chrétien de Troyes : *Yvain*
			Chanson d'Antioche	Huon d'Oisy	Marie de France : *Lais*; Béroul : *Tristan*
1181			*Chanson de Jérusalem* *Les Chétifs*	Conon de Béthune Gace Brûlé	Chrétien de Troyes : *Perceval* *Partonopeus de Blois*
1182			*Girard de Vienne* *Hervé de Metz*		
1185			*Gui de Nanteui* *Floovant*		Alexandre de Paris
1188					*Florimont*
1189	3e Croisade				*Ipomedon*
1190			*Aspremont*		*Le Bel Inconnu*
1191					

	Repères historiques	Littérature savante et religieuse	Chansons de geste	Poésie lyrique et satirique	Récits
1195		*Les Vers de la Mort* d'Hélinant	Jean Bodel : *Les Saisnes*		
1200		*Le Jeu de Saint Nicolas* de Jean Bodel			
1202			*Aymeri de Narbonne*		Jean Renart : *L'Escoufle*
1203	4e Croisade				Jean Renart : *Lai de l'ombre*
1204					*Première continuation de Perceval*
1205			*Macaire*		*Galeran de Bretagne*
1206	Gautier de Montbéliard à Chypre	Guiot de Provins : *Bible*	*La Reine Sebile*		Robert de Boron : *L'Estoire dou Graal*
1208					*Seconde continuation de Perceval*
1209					Jean Renart : *Guillaume de Dole*
1210		*Bestiaire divin*	*Les Narbonnais*		*Joseph Merlin, Perceval en prose* (Boron)
1212					*Bliocadran Elucidation*
1215	Concile de Latran	Hugues de Berzé : *Bible*			
1217	5e Croisade				*Jaufré*
1223	Règne de Louis VIII	*Dolopathos*			1220-1230 Lancelot en prose
1224		Reclus de Molliens : *Carité*			
1225		Gautier de Coinci : *Miracles de Notre Dame*		Raoul de Houdenc : *Le Songe d'Enfer*	1225-1230 Perlesvaus; *Queste del Saint Graal*
1226	Règne de Louis IX	Reclus de Molliens : *Misere*		*La Bataille des Vins*	1226 *Tristrans Saga*
1228	6e Croisade				Gerbert de Montreuil : *Roman de la Violette*
1229	Agitation de l'Université de Paris			*La Bataille des VII Arts*	
1230				Guillaume de Lorris : *Le Roman de la Rose*	Mort Arthur; *Tristan en prose* (1)
1233			*Gaydon*		Manessier : *Continuation de Perceval* Gerbert de Montreuil : *Continuation de Perceval*
1234	Majorité de Louis IX		*Simon de Pouille*	Huon de Méry : *Le Tournoiement Antéchrist*	
1235			*Anseïs de Carthage*	Thibaut de Champagne Colin Muset	
1240		Barthélemy l'Anglais : *De proprietatibus rerum*			*Guiron le Courtois* *Le Chevalier aux deux épées*
1245		Gossouin de Metz :			*Estoire del Saint Graal* (Vulgate)

1249					
1250		Robert de Blois : *Enseignement des Princes*	*Karlamagnus saga*		*La Manekine* de Philippe de Beaumanoir (père)
1251				*Le Couronnement de Renard*	
1256				Mort de Thibaut de Champagne	
1257	Exil de Guillaume de Saint-Amour			Rutebeuf : Poèmes sur l'université	
1260		*Les quatre Ages de l'homme*	*Huon de Bordeaux*	*Le garçon et l'Aveugle*	
1266	Brunet Latin en Italie				
1267		*Le Livre du Trésor* de Brunet Latin			
1268		Etienne Boileau : *Le Livre des Métiers*			
1269	Agitation universitaire				*Le Roman de Silence*
1270	Condamnation de 13 propositions averroïstes; Règne de Philippe III	*Vers de la Mort* de Robert Le Clerc Baude Fastoul : *Congés*	*Beuve de Commarchis*	Jean de Meun : *Le Roman de la Rose*	*Flamenca*
1272			*Berte au grand pied*		
1273					*Joufrois de Poitiers*
1274		*Somme* de Thomas d'Aquin			
1276		Adam de La Halle : *Congés*	*Enfances Ogier*	Adam de La Halle : *Le Jeu de la Feuillée*	
1277	Condamnation de 219 propositions				
1279		Frère Laurent : Somme Le Roi			Girard d'Amiens : *Escanor*
1281		*La Clef d'Amour*			
1283		Philippe de Beaumanoir : *Les Coutumes*			
1285	Règne de Philippe le Bel				Girard d'Amiens : *Meliacin*
1289				Jacquemart Gelée : *Renart le Nouvel*	Adenet le Roi : *Cléomadès*
1290		Drouart la Vache traduit le *De Amore*			
1295				*Le Couronnement de Renart*	
1298					*Livre des Merveilles* de Marco Polo
1300		*Passion* du Palatinus			
1309	Installation de la papauté à Avignon			Jean de Condé	Joinville : *Histoire de Saint Louis*
1310				*Fauvel* (1)	
1312					Jacques de Longuyon : *Les Vœux du Paon*
1313	Dante : la *Divine comédie*				

	Repères historiques	*Littérature savante et traductions*	*Littérature dramatique*	*Poésie lyrique et didactique*	*Récits*
1314	Règne de Louis X	La chirurgie de Mondeville (trad.)			*Fauvel* (II)
1316					Jean Maillart, *Le Comte d'Anjou*
1317	Règne de Philippe V				
1322	Règne de Philippe VI				*Perceforest*
1330		*L'art de chevalerie* (trad. de Jean de Vignay)		*Poèmes* de Watriquet de Couvin	*Ovide Moralisé* Nicole Bozon, *Contes moralisés*
1331		G. de Digulleville, *Pèlerinage de vie humaine*		Jean Acart, *La prise amoureuse*	
1335				Philippe de Vitry, *Chapel de fleurs de Lis*	
1337		Boèce, *consolation* (trad.)			
1339			1339-1382 *Miracles de Notre-Dame*		
1340			*Passion* du ms. de sainte Geneviève	Jean de Le Mote, *Le Parfait du Paon*	Jean Dupin, *Livre de Mandevie*
1341	Pétrarque couronné	Les Echecs moralisés (trad.)		Guillaume de Machaut, *Remède de Fortune*	
1342	Pape Clément VI			Poèmes de Jean de Le Mote	
1346	Bataille de Crécy			Guillaume de Machaut, *Le Roi de Bohême*	
1348	La Peste noire				
1349	Boccace, *Decamerone*			G. de Machaut, *Le Roi de Navarre*	
1350	Règne de Jean II				
1356					*Baudouin de Sebourg*
1357	Pétrarque, *I Trionfi*	G. de Digulleville, *Pèlerinage de l'âme*			Jean de Mandeville, *Voyages* Jean le Bel, *chroniques* (début)
1358	Révolte d'Etienne Marcel				
1360	Traité de Brétigny			G. de Machaut, *La Fontaine amoureuse*	
1362	Froissart en Angleterre	L'*Astrologie* de Pèlerin de Prusse		1362-1365 : G. de Machaut, *Le Voir dit*	
1363		Guy de Chauliac, *La grande chirurgie*			
1364	Règne de Charles V				
1366		Nicole Oresme, *Le Livre de divination*			
1368		Fleurs des chroniqueurs (trad. par J. Golein)			
1369	Retour de Froissart en Hainaut			Eustache Deschamps à la cour de Charles V G. de Machaut, *La Prise*	

1370		*Lamentations de Matheolus* (trad. J. Le Fèvre)		Jean Froissart, *L'Espinette amoureuse*	Jean Froissart, 1er livre des *Chroniques*
1372				Jean Froissart, *La Prison amoureuse*	
1374	Mort de Pétrarque	Aristote, *Economiques* (trad. par N. Oresme)			
1375	Mort de Boccace	Nicole Oresme, *Le Livre du Ciel et du Monde*			
1377		Nicole Oresme, *Le Songe du Verger*		Mort de Guillaume de Machaut	
1378	Grand Schisme			Jean Gower, *Miroir de l'homme*	
1379		*L'information des Princes* (trad. par Golein)			
1380	Règne de Charles VI				
1384					Froissart, *Meliador*
1385				Froissart, *Le Temple d'honneur*	*La geste de Liège*
1386		Jean Muret, *De Contemptu mortis*			
1387	Chaucer, *Canterbury Tales*				Philippe de Mézières, *Griseldis*
1389		*L'Horloge de sapience* (trad.)		*Les Cent Ballades*	Philippe de Mézières, *Le Songe du Pèlerin*
1390		Honoré Bonet, *L'Arbre des batailles*			
1392	Folie de Charles VI		*Farce de Maître Trubert*	Eustache Deschamps, *Art de Dicter*	
1393		*Le Ménagier de Paris*			Jean d'Arras, *Mélusine*
1394				Naissance de Charles d'Orléans	
1395			*Griselidis par personnages*		
1396			Jean Gerson, chancelier de Paris		
1397				Mort d'Oton de Grandson	
1398			*Mystère du Jour du Jugement*		
1399				Christine de Pizan, *Epître au dieu d'Amour*	
1400		Boccace, *Hommes illustres* (trad.)	*Moralité des VII péchés mortels*	Christine de Pizan, *Dit de Poissy*	
1401	« Cour amoureuse » de Charles VI	*Faits et dits memorables* (trad.)	1401-1413 *Sermons* de Gerson		
1402		Querelle du *Roman de la Rose*		Christine de Pizan, *Chemin de Longue Estude*	
1404	Mort de Philippe le Hardi		Gerson, *Plaidoyer pour l'université*	Jean de Werchin, *Songe de la Barge*	Christine de Pizan, *Livre des faits de Charles V*
1405		Sénèque, *La vieillesse* (trad.)	Jacques Legrand critique la reine		
1406		Jacques Legrand, *Archiloge Sophie*			

Repères historiques		Littérature savante et traductions	Littérature dramatique	Poésie lyrique et didactique	Récits
1407	Assassinat de Louis d'Orléans	Christine de Pizan, *Prodhomie de l'homme*			
1408		Christine de Pizan, *Livre du corps de Policie*			
1409					*Livre des faits de Boucicaut*
1410		Jacques Legrand, *Livre des bonnes mœurs*			
1414		Christine de Pizan, *Livre de la Paix*			
1415	Azincourt			Charles d'Orléans, prisonnier des Anglais	
1416	Mort de Jean de Berry			Alain Chartier, *Livre des Quatre Dames*	
1418	Les Bourguignons à Paris	Nicolas Flamel, *Alchimie*			
1419	Assassinat de Jean sans Peur				
1420			*Passions* de Semur et d'Arras	Alain Chartier, *Le quadrilogue invectif*	
1422	Mort de Charles VI				
1424				Alain Chartier, *La Belle Dame sans Merci*	
1427			*Moralités* du Collège de Navarre		
1429	Sacre de Charles VII			Christine de Pizan, *Dittié sur Jeanne d'Arc*	
1431	Supplice de Jeanne d'Arc			Baudet Herenc, *Parlement d'Amour*	
1432				Baudet Herenc, *Doctrinal de seconde Rhétorique*	
1434			Le Concile de Bâle		
1435			*Moralité du pauvre commun*		
1436	Entrée de Charles VII à Paris				
1439			*Moralité du Bien avisé*		
1440				Retour en France de Charles d'Orléans	
1442		Antoine de La Sale, *La Salade*		Martin Le Franc, *Le Champion des Dames*	
1443			*Mystère de Saint Créspin*		
1446			*Mystère de Saint Sébastien*		

1447				Michaut Taillevent, *Le Passetemps*	
1448				Martin Le Franc, *Estrif de Fortune et de Vertu*	
1451		Antoine de La Sale, *La Salle*		Pierre Chastellain, *Le Temps recouvré* (début)	
1452			Greban, *La Passion*		
1453	Prise de Constantinople par les Turcs		Jacques Milet, *Destruction de Troie*	Georges Chastellain, *Les Princes*	
1454			Jean Le Prieur, *Le Roi Advenir*		René d'Anjou, *Le Mortifiement*
1455					1455-1475 *Chroniques* de Georges Chastellain
1456			*Mystère du Vieil Testament*	François Villon, *Le Lais*	Antoine de La Sale, *Saintré*
1457			*Vengeance de Jésus Christ*	*Rondeaux de la Cour de Blois*	René d'Anjou, *Livre du Cœur*
1458				Jacques Milet, *La Forêt de Tristesse*	David Aubert, *Charlemagne*
1459					
1460				Meschinot, *Les Lunettes des Princes*	
1461	Règne de Louis XI			François Villon, *Le Testament*	
1464					Raoul Lefèvre, *Histoires Troyennes*
1465			*Farce de Maître Pathelin*	Mort de Charles d'Orléans	
1466					*Les Cent nouvelles nouvelles*
1467	Entrevue de Péronne		*Moralité de la Paix de Péronne*	*Le Lyon Couronné*	
1468			*Le Franc Archer de Bagnolet*	Jean Molinet, *Le Trône d'honneur*	
1470			*Mystère des Actes des Apôtres*		
1471			*Mystère de la Passion d'Autun*		
1472		César, *Commentaires* (trad.)			
1474			*Mystère de l'Incarnation* (Rouen)		1474-1493 *Mémoires* d'Olivier de La Marche
1475			*Miracles de Sainte Geneviève*		
1477	Mort de Charles le Téméraire				
1480			*Mystère de la Passion* (Arras)		
1486			Jean Michel, *Mystère de la Passion*		
1489					1489-1498 Philippe de Commynes, *Mémoires* *Jean de Paris*
1494			Andrieu de La Vigne, *Mystère de Saint Martin*		
1496			*Mystère de la Passion* (Mons)		
1500					

INDEX

1. Noms d'auteurs

2. TITRES D'ŒUVRES

Imprimé en France
Imprimerie des Presses Universitaires de France
73, avenue Ronsard, 41100 Vendôme
Janvier 1982 — Nº 28 442

D1133152